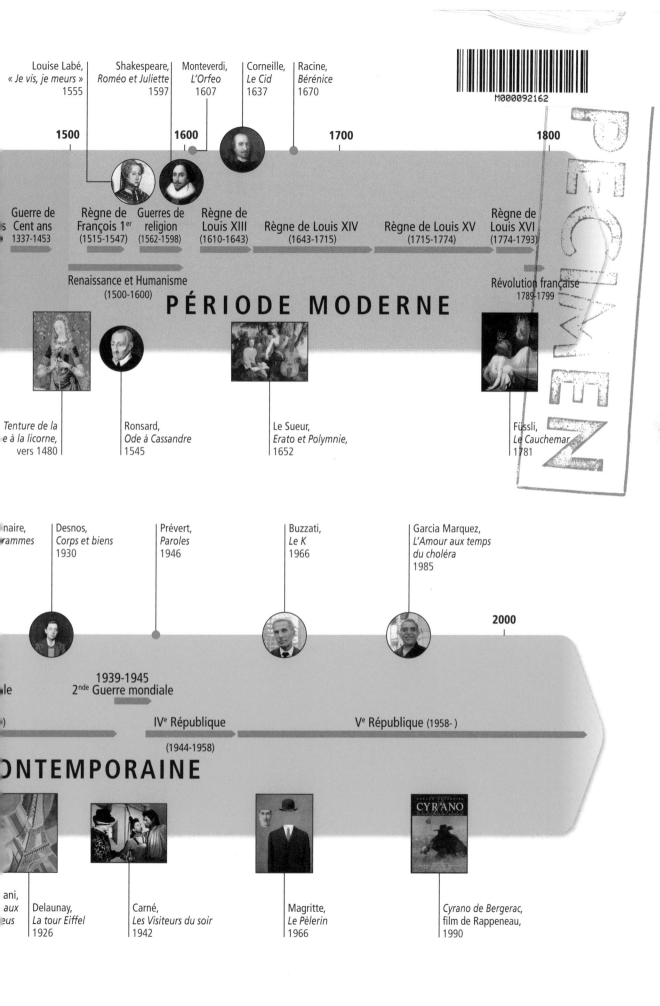

Louise Labé,
« Je vis, je meurs »
1555

Shakespeare,
Roméo et Juliette
1597

Monteverdi,
L'Orfeo
1607

Corneille,
Le Cid
1637

Racine,
Bérénice
1670

1500   **1600**   **1700**   **1800**

Guerre de
Cent ans
1337-1453

Règne de
François 1ᵉʳ
(1515-1547)

Guerres de
religion
(1562-1598)

Règne de
Louis XIII
(1610-1643)

Règne de Louis XIV
(1643-1715)

Règne de Louis XV
(1715-1774)

Règne de
Louis XVI
(1774-1793)

Renaissance et Humanisme
(1500-1600)

Révolution française
1789-1799

PÉRIODE MODERNE

*Tenture de la
à la licorne,*
vers 1480

Ronsard,
Ode à Cassandre
1545

Le Sueur,
Erato et Polymnie,
1652

Füssli,
Le Cauchemar
1781

---

naire,
rammes

Desnos,
Corps et biens
1930

Prévert,
Paroles
1946

Buzzati,
Le K
1966

Garcia Marquez,
*L'Amour aux temps
du choléra*
1985

2000

1939-1945
2ⁿᵈᵉ Guerre mondiale

IVᵉ République

Vᵉ République (1958-)

(1944-1958)

ONTEMPORAINE

ani,
aux
us

Delaunay,
La tour Eiffel
1926

Carné,
Les Visiteurs du soir
1942

Magritte,
Le Pèlerin
1966

Cyrano de Bergerac,
film de Rappeneau,
1990

Terre des Lettres

Français

LIVRE UNIQUE

NOUVEAU PROGRAMME

4e

CYCLE 4

Anne-Christine Denéchère
Certifiée de Lettres classiques
Collège Clément-Janequin (Montoire-sur-le-Loir)

Catherine Hars
Certifiée de Lettres modernes
Collège Pilâtre-de-Rozier (Wimille)

Véronique Marchais
Agrégée de Lettres modernes
Collège Lucie-et-Raymond-Aubrac (Luynes)

Claire-Hélène Pinon
Certifiée de Lettres modernes
Collège Octave-Gréard (Paris)

Avec la collaboration de
Jean-Charles Boilevin
Diplômé de l'École Supérieure
des Beaux-Arts de Marseille

Nathan

Nathan live
Qu'est-ce que c'est ?

Grâce à la nouvelle appli **Nathan live**, accédez au fil des pages à tous les audios et aux animations !

→ **Une nouvelle expérience d'apprentissage vivante, immédiate et gratuite !**

COMMENT FAIRE ? C'EST FACILE !

1 Téléchargez l'application gratuite **Nathan live** disponible dans tous les stores sur votre smartphone ou votre tablette (Appstore, GooglePlay)

2 Ouvrez l'application. Flashez les pages de votre cahier où ce logo apparaît en plaçant votre appareil au-dessus de la page. Visionnez ou écoutez les ressources !

(!) L'application nécessite une connexion Internet.

En flashant les pages

▶ **Tous les audios et les animations !**

Picto **Nathan live** indiquant que la page est flashable

- **Regardez les animations**
- **Écoutez les audios**

Extrait de l'*Ode à Cassandre*, de Ronsard

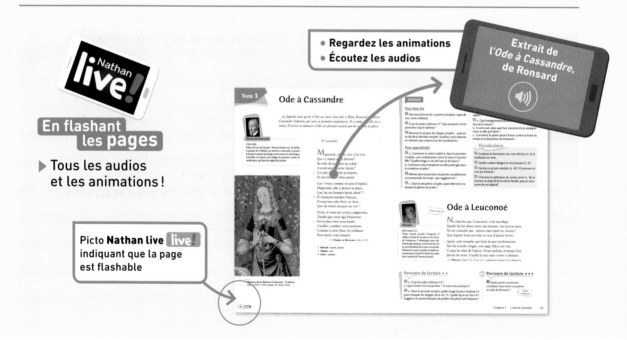

© Nathan 2017 – 25 avenue Pierre de Coubertin, 75013 Paris – ISBN : 978-2-09-171758-6

Avant-propos

Terre des Lettres, c'est toujours :

La lecture

● Des textes choisis pour leur **intérêt littéraire**, pour ce qu'ils peuvent apporter à des jeunes gens en construction et un questionnement qui en déploie le plus possible les richesses et le sens.

● Une **approche variée**, alternant **questionnaires classiques** et **démarche par tâche complexe** ; des **parcours différenciés**, avec, pour les élèves en difficulté, un travail permettant le développement de la compréhension.

● Des chapitres axés sur une **problématique littéraire** et débouchant sur une **synthèse** qui donne aux élèves des **repères précis** dans l'histoire et les genres littéraires.

La langue

● Une **progression spiralaire** qui assure le réinvestissement régulier et l'approfondissement des acquis.

● Une approche inductive des notions, des **explications claires et précises** et des liens renforcés entre grammaire et écriture.

● Des **fiches de révisions différenciées**, adaptables aux besoins des élèves.

● Un travail de l'**orthographe** constant au fil des fiches de grammaire et de nombreuses **dictées**.

L'écriture

● *Terre des Lettres* reste attaché à la transmission, en rédaction comme ailleurs, d'un **contenu solide**, organisé selon une **progression méthodique**.

● Les pages « Vers l'écriture » au fil des chapitres préparent à la rédaction finale ; l'**échelle de maîtrise** permet à chaque élève d'identifier les points à travailler en priorité.

● De **brefs exercices** d'expression écrite sont proposés à la suite des textes et dans les fiches de langue pour un apprentissage régulier et efficace.

● Le **vocabulaire** est constamment travaillé : au fil des textes, mais aussi en étude thématique en lien avec le chapitre. Une place accrue est accordée à l'**étymologie**.

L'Accompagnement Personnalisé

● Le manuel offre de **nombreuses ressources** :

– les **échelles de maîtrise** (voir gardes arrière) en compréhension et en rédaction ;

– en lecture, des **parcours différenciés** ;

– en écriture, les **pages « Apprendre à rédiger »** ;

– en langue, les **pages « Réinvestir ses connaissances »**.

Les auteurs

Sommaire 4ᵉ

→ **La fiction pour interroger le réel**

→ **Individu et société : confrontations des valeurs ?**

7 L'amour, la poésie

• *Que nous dit de l'amour la poésie lyrique ?*

8 La figure d'Orphée

Dossier EPI

Arts plastiques **Éducation musicale** **LCA**

• *Qu'est-ce que le mythe d'Orphée ?*
  Comment a-t-il inspiré artistes et musiciens ?

Des études d'images et de films pour le Parcours d'Éducation Artistique et Culturel.

Étude de la langue

Terre des lettres propose une **progression spiralaire**, qui introduit les notions progressivement, par une **approche inductive**, et les approfondit à chaque étape, avec une grande place accordée à l'**écriture**. Ces étapes d'apprentissage sont ponctuées par des **fiches de révision différenciées** : « Réinvestir ses connaissances », particulièrement adaptées au travail en AP.

Vers l'écriture

Des outils pour l'accompagnement personnalisé

● Pour aborder les textes

	Des parcours de lecture différenciés	Une approche par tâche complexe
Chapitre 1		25
Chapitre 2	34, 39	39
Chapitre 3		68
Chapitre 4	99, 101	99, 101
Chapitre 5	131, 147	122, 131, 142, 144, 147
Chapitre 6	166, 178	164, 169, 172
Chapitre 7	189, 193, 197	189, 197, 202
Chapitre 8		215, 217
Chapitre 9	225, 229, 236, 242	225, 236, 242
Chapitre 10	258, 262, 265	258, 262, 265
Chapitre 11	286, 296	280, 283, 286

● Étude de la langue

6 bilans d'étape permettant des révisions ciblées en fonction des besoins des élèves

Ville et modernité

Histoire — Arts plastiques

> ► *Comment la poésie et la peinture s'emparent-elles de la modernité à travers le thème de la ville ?*

Objectifs

▶ Comprendre les grandes mutations du XIXe siècle.

▶ Découvrir quelques aspects de la modernité en poésie et en peinture.

Rue de Clignancourt,
Gustave Loiseau (1865-1935),
huile sur toile, 1924, collection
privée.

Pour entrer dans le chapitre

1 Décrivez le tableau.

2 Quel est le point de vue adopté ? Quelles sont les couleurs employées ?

3 Quelle impression ce tableau vous fait-il ? Pourquoi ?

Un siècle de révolution industrielle

Le XIXᵉ siècle est marqué par des **progrès technologiques** qui transforment profondément la société : maîtrise de la vapeur, de l'acier, du verre, développement des machines, des industries…

Cette modernisation du pays, l'empereur Napoléon III veut l'inscrire dans le paysage urbain. Il demande à **Haussmann**, préfet de Paris, d'embellir la ville. Celui-ci entreprend alors de gigantesques travaux qui transforment la capitale : percement d'avenues, destruction de vieux bâtiments, reconstruction d'immeubles et de magasins selon des normes nouvelles, privilégiant l'espace et l'harmonie.

Cet élan culmine lors des **Expositions universelles**, mises en place afin de montrer les progrès scientifiques et technologiques des différents pays. Pour l'Exposition universelle de 1889, la France fait ériger **la tour Eiffel**, qui devient **le symbole de cette modernité triomphante**.

1 *La Rue des Trois-Canettes à Paris en 1865*, photographie de Charles Marville.

2 *Le Pont de l'Europe,* Gustave Caillebotte (1848-1894), 1876, musée du Petit Palais, Genève.

Question

1 Comparez les documents 1 et 2 : quelle impression se dégage des rues, des bâtiments ? Développez votre réponse en vous appuyant sur les lignes, les volumes, les couleurs, les matériaux représentés.

Exode rural et renouveau urbain

Le développement des usines, en ville, donne un nouvel élan à l'économie. Les **premiers grands magasins** apparaissent, comme le Bon Marché, dont s'est inspiré Zola pour son roman *Au Bonheur des Dames*.

De nombreuses personnes quittent les campagnes pour trouver du travail en ville : c'est **l'exode rural**. Une nouvelle catégorie de population apparaît, à laquelle les artistes vont s'intéresser : **les ouvriers**.

Parallèlement, se développe aussi **une industrie des loisirs**, faite de théâtres populaires, de cafés-concerts, de bals. La ville devient **un lieu d'animation intense** où se mêlent des individus très différents.

14 octobre 1888

14 novembre 1888

26 décembre 1888

20 janvier 1889

3
Quatre vues de la construction de la tour Eiffel, pour l'Exposition universelle de 1889.

4
Le Bon Marché à Paris, le grand escalier (1848-1870).

Question

2 a. Quel monument est représenté en 3 ? Quels sont les matériaux utilisés ? Et sur le document 4 ?

b. Comment ces constructions montrent-elles le triomphe de la modernité ?

1 La ville

Tous les chemins vont vers la ville.

Du fond des brumes,
Avec tous ses étages en voyage
Jusques au ciel, vers de plus hauts étages,
5 Comme d'un rêve, elle s'exhume.
Là-bas,
Ce sont des ponts musclés de fer,
Lancés, par bonds, à travers l'air ;
Ce sont des blocs et des colonnes
10 Que décorent Sphinx et Gorgones[1];
Ce sont des tours sur des faubourgs[2];
Ce sont des millions de toits
Dressant au ciel leurs angles droits :
C'est la ville tentaculaire,
15 Debout,
Au bout des plaines et des domaines.

Des clartés rouges
Qui bougent
Sur des poteaux et des grands mâts,
20 Même à midi, brûlent encor
Comme des œufs de pourpre et d'or ;
Le haut soleil ne se voit pas :
Bouche de lumière, fermée
Par le charbon et la fumée.

25 Un fleuve de naphte[3] et de poix[4]
Bat les môles[5] de pierre et les pontons de bois ;
Les sifflets crus des navires qui passent
Hurlent de peur dans le brouillard ;
Un fanal[6] vert est leur regard
30 Vers l'océan et les espaces.

Des quais sonnent aux chocs de lourds fourgons ;
Des tombereaux[7] grincent comme des gonds ;
Des balances de fer font choir[8] des cubes d'ombre
Et les glissent soudain en des sous-sols de feu ;
35 Des ponts s'ouvrant par le milieu,
Entre les mâts touffus dressent des gibets[9] sombres
Et des lettres de cuivre inscrivent l'univers,
Immensément, par à travers
Les toits, les corniches et les murailles,
40 Face à face, comme en bataille.

Émile Verhaeren

(1855-1916)
Écrivain belge, contemporain des transformations urbaines du XIXe siècle, il témoigne dans sa poésie d'un monde rural qui disparaît (*Les Campagnes hallucinées*, 1893, *Les Villages illusoires*, 1895) et de l'émergence d'un nouvel univers (*Les Villes tentaculaires*, 1895).

1. Sphinx, Gorgones : monstres de la mythologie grecque.

2. Faubourg : quartier périphérique d'une ville.

3. Naphte : pétrole.

4. Poix : sorte de résine collante utilisée dans la construction.

5. Môle : petit port.

6. Fanal : lampe portative, lanterne.

7. Tombereau : charrette.

8. Choir : tomber.

9. Gibet : construction destinée à pendre les condamnés à mort.

Impression, soleil levant, Claude Monet (1840-1926), vers 1872, musée Marmottan, Paris.

Et tout là-bas, passent chevaux et roues,
Filent les trains, vole l'effort,
Jusqu'aux gares, dressant, telles des proues[10]
Immobiles, de mille en mille, un fronton d'or.
45 Des rails ramifiés y descendent sous terre
Comme en des puits et des cratères
Pour reparaître au loin en réseaux clairs d'éclairs
Dans le vacarme et la poussière.
C'est la ville tentaculaire.

[…]

50 Telle, le jour – pourtant, lorsque les soirs
Sculptent le firmament[11], de leurs marteaux d'ébène,
La ville au loin s'étale et domine la plaine
Comme un nocturne et colossal espoir ;
Elle surgit : désir, splendeur, hantise ;
55 Sa clarté se projette en lueurs jusqu'aux cieux,
Son gaz myriadaire[12] en buissons d'or s'attise,
Ses rails sont des chemins audacieux
Vers le bonheur fallacieux[13]
Que la fortune et la force accompagnent ;
60 Ses murs se dessinent pareils à une armée

10. Proue : partie avant d'un navire.

11. Firmament : ciel.

12. Myriadaire : composé d'une multitude d'éléments.

13. Fallacieux : menteur, trompeur.

Et ce qui vient d'elle encor de brume et de fumée
Arrive en appels clairs vers les campagnes.

C'est la ville tentaculaire,
La pieuvre ardente et l'ossuaire[14]

65　Et la carcasse solennelle.

Et les chemins d'ici s'en vont à l'infini
Vers elle.

14. Ossuaire : endroit où l'on conserve les ossements des personnes décédées.

→ ÉMILE VERHAEREN, *Les Campagnes hallucinées*, 1893.

Questions sur l'image

1 Présentez l'œuvre p. 17 : nom de l'artiste, titre, année de création.

2 **a.** Que représente le tableau ?
b. Les détails sont-ils précis ? Pourquoi ?

3 Quel est le moment de la journée représenté ? À quoi le voit-on ?

4 Quelle atmosphère se dégage de l'œuvre ? Justifiez votre point de vue.

8 *là-bas* (v. 6) : comment cet adverbe est-il mis en valeur ? Comparez avec la dernière strophe du poème.

9 Relisez les vers 50 à 63.
a. Quelles images traduisent l'attraction exercée par la ville ?
b. Quel jugement le poète porte-t-il sur cette attraction ? Pour justifier votre réponse, citez un vers de cette strophe.

De l'image au texte

5 **a.** De quoi ce poème parle-t-il ?
b. À la première lecture, avez-vous une image plutôt positive ou plutôt négative de ce dont on parle ? Développez votre réponse en vous appuyant sur des mots précis du texte.

6 **a.** Quelles strophes du poème évoquent les transformations de la ville au XIXe siècle ?
b. Quels détails du tableau reprennent ces éléments urbains ?

7 **a.** Quelle strophe montre la ville comme une créature mythologique, surnaturelle ? Quelle est alors la figure de style employée ?
b. Quelles strophes l'associent à l'enfer ou à la mort ?

Le point sur))) La naissance de la modernité

Au XIXe siècle, les peintres s'intéressent au paysage urbain en pleine transformation. En 1872, Monet révolutionne la peinture avec son tableau *Impression, soleil levant*, qui ne cherche plus à représenter le réel avec exactitude (ce que la photographie peut désormais faire avec davantage de succès), mais à saisir l'atmosphère et la lumière d'un moment. La précision des détails laisse la place à des touches de couleur qui rendent compte d'impressions fugitives, saisissent une lumière particulière. Ce tableau donnera son nom à un nouveau mouvement pictural : l'impressionnisme.

2 Le bruit des cabarets...

Terrasse du café le soir, Vincent Van Gogh (1853-1890),
huile sur toile, 1888, musée Kröller-Müller, Otterlo.

 Questions sur l'image

❶ Qu'est-ce qui vous frappe dans cette image ?

❷ Donnez son titre : comment le sujet est-il mis en avant ?

❸ Où votre regard se dirige-t-il ensuite ? Pourquoi ?

❹ Quelle impression se dégage du ciel nocturne ?
Justifiez votre réponse en vous appuyant sur la façon dont
il est représenté.

Le point sur)) **Des inspirations nouvelles**

Traditionnellement, c'est dans la nature que
peintres et poètes trouvent leur inspiration.
Au XIXe siècle, les motifs se renouvellent : la
ville, avec ses plaisirs, son bouillonnement,
offre aux artistes une richesse des sensations qu'ils s'efforcent de traduire dans leurs
œuvres, à travers un regard singulier.

Paul Verlaine

(1844-1896)
Proche de Rimbaud, il contribue avec lui à renouveler la poésie en se tournant vers de nouveaux sujets et en accordant une importance accrue à la musique des mots.

... la fange du trottoir

Le bruit des cabarets, la fange du trottoir,
Les platanes déchus s'effeuillant dans l'air noir,
L'omnibus, ouragan de ferraille et de boues,
Qui grince, mal assis entre ses quatre roues,
5 Et roule ses yeux verts et rouges lentement,
Les ouvriers allant au club, tout en fumant
Leur brûle-gueule au nez des agents de police,
Toits qui dégouttent, murs suintants, pavé qui glisse,
Bitume défoncé, ruisseaux comblant l'égout,
10 Voilà ma route – avec le paradis au bout.

 PAUL VERLAINE, *La Bonne Chanson*, 1870.

De l'image au texte

5 a. Décrivez précisément la composition du poème : nombre de strophes, type de vers, nombre de phrases. **b.** De quoi est-il question dans les différents vers ? **c.** En quoi le dernier vers se distingue-t-il des autres ?

6 a. Relevez les termes péjoratifs.
b. Relevez les termes qui évoquent l'amusement.
c. Quelle image a-t-on de la ville ?

7 a. Quel mot du dernier vers contraste avec cette image ?
b. Comment comprenez-vous ce vers ?

Francis Carco

(1886-1958)
Il s'illustre dans des genres littéraires très différents, du théâtre à la poésie en passant par la chanson et le roman. Héritier de Verlaine et Rimbaud, il fréquente le Montmartre des artistes, s'intéresse au monde des plaisirs et des marginaux, dans une poésie qui se veut proche du quotidien.

3 Le boulevard

La fraîcheur vive du boulevard pourri d'automne ; les larges feuilles des platanes dégringolent. C'est un écroulement imprévu et bizarre dans la lumière croisée des lampes à arc. Il tombe une petite pluie menue, serrée, que le vent incline parfois sur les visages. La nuit est
5 parfumée de l'odeur des feuillages gâtés : elle sent encore l'ambre, l'œillet, la poudre, le fard et le caoutchouc des imperméables.

FRANCIS CARCO, *Instincts*, 1913.

Boulevard des Capucines, Konstantin Korovin (1861-1939), 1911, Galerie Tretiakov, Moscou.

Questions sur l'image

1 Où la lumière se situe-t-elle dans le tableau ? D'où vient-elle ?

2 Comment les couleurs sont-elles réparties ?

3 Comment l'impression d'animation est-elle rendue ?

4 À quel mouvement ce tableau appartient-il ? Pour répondre, appuyez-vous sur vos réponses précédentes.

De l'image au texte

5 Quelle remarque pouvez-vous faire sur la forme de ce poème ?

6 Quelles sont les différentes sensations évoquées dans le poème ?

7 **a.** Quels termes évoquent la dégradation ?
b. Quels termes évoquent le plaisir ?

8 **a.** Lisez à voix haute les premières phrases du poème en cherchant où faire les pauses : en quoi le rythme se rapproche-t-il du rythme des vers ?
b. Quelles assonances renforcent cette harmonie à la fin des phrases ?

Écriture

À votre tour, écrivez quelques phrases pour décrire votre quartier. Notez les différentes sensations présentes : les bruits, les odeurs, les couleurs… Travaillez le rythme des phrases et les sonorités.

 **Le point sur**

Le renouvellement des formes

Au XIXe siècle, la poésie, comme la peinture, évolue. Elle ne cherche plus l'exactitude des vers réguliers, mais adopte le vers libre, comme Verhaeren (p. 16) ou la prose. Comme la peinture, elle cherche avant tout à saisir les impressions liées à un moment précis. La peinture accorde pour cela une importance accrue au travail des couleurs et des lumières, qui devient plus important que le souci de la représentation. La poésie joue sur les sonorités, le rythme des phrases pour traduire des sensations.

Charles Baudelaire

(1821-1867)
Il est surtout connu pour son recueil *Les Fleurs du Mal* (1857), qui dit à la fois sa quête d'idéal, son aspiration à la beauté et son goût pour les plaisirs prosaïques. Grand amateur de peinture, il est un des premiers à s'intéresser à la ville comme espace concentrant tous ces aspects. Il développe, avec Rimbaud, la poésie en prose.

4 Les fenêtres

Celui qui regarde du dehors à travers une fenêtre ouverte, ne voit jamais autant de choses que celui qui regarde une fenêtre fermée. Il n'est pas d'objet plus profond, plus mystérieux, plus fécond, plus ténébreux, plus
5 éblouissant qu'une fenêtre éclairée d'une chandelle. Ce qu'on peut voir au soleil est toujours moins intéressant que ce qui se passe derrière une vitre. Dans ce trou noir ou lumineux vit la vie, rêve la vie, souffre la vie.

Par-delà des vagues de toits, j'aperçois une femme
10 mûre, ridée déjà, pauvre, toujours penchée sur quelque chose, et qui ne sort jamais. Avec son visage, avec son vêtement, avec son geste, avec presque rien, j'ai refait l'histoire de cette femme, ou plutôt sa légende, et quelquefois je me la raconte à moi-même en pleurant.
15 Si c'eût été un pauvre vieux homme, j'aurais refait la sienne tout aussi aisément.

Et je me couche, fier d'avoir vécu et souffert dans d'autres que moi-même.

Peut-être me direz-vous : « Es-tu sûr que cette légende
20 soit la vraie ? » Qu'importe ce que peut être la réalité placée hors de moi, si elle m'a aidé à vivre, à sentir que je suis et ce que je suis ?

CHARLES BAUDELAIRE, *Petits poèmes en prose*, 1869.

Questions sur l'image

❶ Que représente le tableau p. 23 ?

❷ Quels sont les éléments qui vous frappent, au premier regard ?

❸ a. Avez-vous une impression de relief, quand vous regardez le tableau ? Pourquoi ?
b. Pouvez-vous facilement délimiter les vêtements de la femme ? Quel est l'effet produit ?

De l'image au texte

❹ a. Expliquez la première phrase du poème : où le poète se situe-t-il ? Que décrit-il ? En quoi sa position se rapproche-t-elle de celle d'un peintre ?
b. Pourquoi peut-on dire que le poète adopte un point de vue original sur les choses ?

❺ a. Dans la deuxième strophe, relevez toutes les informations que vous avez sur la femme.
b. Relevez les termes qui évoquent l'invention, la création.
c. Quelle transformation le poète fait-il subir à ce qu'il décrit ?

❻ a. Dans la première strophe, combien de fois le mot *vie* est-il répété ? À quels éléments est-il associé ?
b. Dans quelle autre phrase du poème retrouve-t-on cette association ?
c. Qui éprouve les sentiments évoqués dans ces passages ? Justifiez votre réponse.

❼ Quels pouvoirs Baudelaire accorde-t-il à la poésie ? Choisissez parmi les propositions suivantes.
– Elle transforme la réalité, la rend plus belle.
– Elle permet de partager des émotions avec les autres.
– Elle aide à mieux vivre.

 *La Ravaudeuse,* Édouard Vuillard (1868-1940), huile sur toile, 1891, musée d'Orsay, Paris.

Est-ce que, parfois, lire ou voir sous forme de film l'histoire d'une autre personne, ce qu'elle a vécu, ressenti, vous a aidé à vous sentir mieux ? Développez votre point de vue en vous appuyant sur des exemples précis.

Le point sur))) ## La peinture du quotidien

Avec la modernité, l'intérêt des peintres et des poètes se porte vers le quotidien, les objets banals, les personnes ordinaires, dont les artistes s'efforcent de faire jaillir la beauté. Les peintres privilégient de plus en plus une utilisation des motifs et des couleurs pour leur puissance expressive ou leurs qualités purement décoratives, sans souci de réalisme. La poésie renouvelle ses images, provocantes et inattendues.

Guillaume Apollinaire

(1880-1918)
Il est une des grandes figures de la modernité. Ami de nombreux peintres (Picasso, Derain...), il renouvelle la poésie en abandonnant la ponctuation et en cherchant des formes nouvelles. Il est notamment l'inventeur du calligramme.

5 Zone

À la fin tu es las de ce monde ancien

Bergère ô tour Eiffel le troupeau des ponts bêle ce matin

Tu en as assez de vivre dans l'antiquité grecque et romaine

Ici même les automobiles ont l'air d'être anciennes
[...]
5 Tu lis les prospectus les catalogues les affiches qui chantent tout haut
Voilà la poésie ce matin et pour la prose il y a les journaux
Il y a les livraisons à 25 centimes pleines d'aventures policières
Portraits des grands hommes et mille titres divers

J'ai vu ce matin une jolie rue dont j'ai oublié le nom
10 Neuve et propre du soleil elle était le clairon
Les directeurs les ouvriers et les belles sténodactylographes
Du lundi matin au samedi soir quatre fois par jour y passent
Le matin par trois fois la sirène y gémit
Une cloche rageuse y aboie vers midi
15 Les inscriptions des enseignes et des murailles
Les plaques les avis à la façon des perroquets criaillent
J'aime la grâce de cette rue industrielle
Située à Paris entre la rue Aumont-Thiéville et l'avenue des Ternes

GUILLAUME APOLLINAIRE, *Alcools*, 1913.

Tour Eiffel 6, Robert Delaunay (1885-1941), huile sur toile, 1926, musée d'Art moderne, Paris.

Questions sur l'image

❶ De quelle manière la tour Eiffel est-elle représentée ? Faites des remarques sur le point de vue adopté, le choix des formes et des couleurs.

❷ Quelle impression se dégage de ce tableau ?

❸ Quelle image nous est donnée de la modernité ?

4 **a.** Quelles remarques pouvez-vous faire sur les vers, les rimes, la ponctuation ?
b. À qui le poète s'adresse-t-il au vers 1 ? Et au vers 5 ?

5 **a.** Dans les quatre premiers vers du poème, quels termes évoquent le passé ? Quelle est leur connotation ?
b. Dans l'ensemble du poème, quels détails évoquent la modernité ?

6 Dans les vers 5 à 8, relevez les termes qui évoquent la création littéraire : à quels éléments sont-ils associés ?

7 Dans la dernière strophe du poème, comment le bouillonnement de la ville est-il rendu ?

Tâche complexe

▶ **Coup de pouce :**
- Repérez les énumérations.
- Soyez attentif à la longueur des vers évoquant le mouvement.
- Relevez les termes évoquant des bruits ou des signaux visuels.
- Quelles assonances ou allitérations traduisent ces bruits ?

8 Quelle figure de style est employée pour désigner la tour Eiffel ?

9 Quelle image avons-nous de la modernité, dans ce poème ?

Texte écho ⊖

La tour Eiffel, 1914

Mobilisé lors de la Première Guerre mondiale, Apollinaire écrit entre 1913 et 1916 une série de calligrammes, poèmes en forme de dessins, qui seront publiés en 1918 avec le sous-titre suivant : « Poèmes de la paix et de la guerre ».

La tour Eiffel,
Guillaume Apollinaire,
1914.

```
        S
        A
       LUT
        M
      O   N
        D
          E
       DONT
      JE SUIS
      LA LAN
     GUE  É
     LOQUEN
    TE QUESA
     BOUCHE
   O  PARIS
   TIRE ET TIRERA
   TOU       JOURS
   AUX       A  L
  LEM           ANDS
```

Questions

1 Qu'est-ce qui vous frappe, quand vous voyez ce poème ?

2 En quelle année est-il créé ? Précisez le contexte.

3 Lisez le texte.
a. Qui dit *je* dans ce poème ? Quelle est la figure de style utilisée ?
b. Relevez les mots qui évoquent la parole.
c. Expliquez le jeu sur le mot *langue*.

4 Que symbolise la tour Eiffel, pour le poète ?

Le point sur)))

L'affranchisse-ment des règles

Avec la modernité, les images et les formes se renouvellent. La poésie se libère du vers, Apollinaire supprime la ponctuation pour favoriser les associations. La peinture joue de plus en plus sur les formes, les couleurs, évoluant peu à peu vers l'abstraction.

Jacques Prévert

(1900-1977)
Poète très populaire, il nous plonge par sa poésie dans le monde quotidien, saisi avec sensibilité dans une langue délibérément simple.

6 La rue de Buci maintenant

Où est-il parti
le petit monde fou du dimanche matin
Qui donc a baissé cet épouvantable rideau de poussière et de fer sur cette rue
cette rue autrefois si heureuse et si fière d'être rue
5   comme une fille heureuse et fière d'être nue.
Pauvre rue
te voilà maintenant abandonnée dans le quartier
abandonné lui-même dans la ville dépeuplée. Pauvre rue
morne corridor menant d'un point mort à un autre point mort
[…]
10   Et toi citron jaune
toi qui trônais comme un seigneur au milieu de tes Portugaises vertes
tu étais l'astre de la misère
la lumière du repas de midi et demi.
Où es-tu maintenant
15   citron jaune qui venais des autres pays
et toi vieille cloche[1] qui vendais des crayons
et qui trouvais dans le vin rouge et dans tes rêves sous les ponts
d'extraordinaires balivernes des histoires d'un autre monde
de prodigieuses choses sans nom
20   où es-tu
où sont tes crayons…
Et vous marchandes à la sauvette[2]
où sont vos lacets vos oignons
où est le bleu de la lessive
25   où sont les aiguilles et le fil et les épingles de sûreté.
Et vous filles des quatre saisons[3]
vous êtes là encore bien sûr
mais le cœur n'y est plus
le cœur de ce quartier
30   le cœur de ces artères
le cœur de cette rue
et vous vendez de mauvaises herbes
et vous avez beaucoup changé.

JACQUES PRÉVERT, *Paroles*, © Éditions Gallimard, 1946.

1. Cloche, ici : clochard.

2. Vendre à la sauvette : vendre sans autorisation, dans la rue, sans magasin ni structure fixe, pour pouvoir se sauver rapidement en cas de contrôle.

3. Les « marchands de quatre-saisons » sont des marchands de fruits et légumes.

Commerçants, Jean Dubuffet (1901-1985), huile sur toile, 1944, collection privée.

1 Quelle question répétée rythme le poème ? Quel sentiment cette question traduit-elle ? Expliquez la cause de ce sentiment.

2 **a.** Quels sont les différents temps verbaux employés dans le poème ? Précisez leur valeur.
b. Sur quelle opposition le poème est-il construit ?

3 **a.** À qui le poète s'adresse-t-il tour à tour ?
b. À travers ces interlocuteurs, quelle sorte de personnages le poète évoque-t-il ?
c. Par quels procédés valorise-t-il ces différents interlocuteurs ?

4 Expliquez le jeu sur le mot *cœur* dans les vers 29 à 31.

5 Pour le poète, les transformations de Paris sont-elles positives ou négatives ? Justifiez votre réponse en vous appuyant sur des mots précis du poème.

Du texte à l'image

6 À quelle partie du poème associeriez-vous ce tableau ? À la ville disparue ou à la ville maintenant ? Justifiez votre choix en vous appuyant sur des éléments précis du tableau : couleurs, lignes, impression...

Oral

Apprenez ce poème, puis récitez-le en soignant le rythme des vers.

2

Au Bonheur des Dames : les coulisses d'un monde nouveau

> ▶ *Comment le roman témoigne-t-il des transformations de la société au XIXe siècle ?*

Pistes pour un EPI   **Histoire**

▶ Réaliser des exposés sur les changements économiques et sociaux en œuvre au XIXe siècle.

Publicité pour Au Paradis des Dames, Paris, 1856,
Bibliothèque nationale.

Pour entrer dans le chapitre

1 De quel type de document s'agit-il ?

2 **a.** Qu'est-ce qu'un magasin de nouveautés ? Comment s'appelle celui-ci ?
b. Quels atouts sont mis en avant ?

3 Observez le centre de l'image : que voit-on à l'arrière-plan ?

Du réalisme au naturalisme

La naissance du réalisme

- Après la Révolution française s'ouvre une période marquée par **des changements brutaux de régimes**, des révoltes populaires et le **développement de l'industrie**. On réfléchit alors beaucoup au destin des individus et à leur place dans la société (voir p. 160).

- Le roman, diffusé en feuilleton dans la presse, rencontre un **public de plus en plus large** et remporte un **succès qu'il ne connaissait pas auparavant**.

- Des artistes choisissent de **peindre le présent**, la réalité de leur temps en explorant la vie quotidienne sous toutes ses formes et en analysant la société : c'est ce qu'on appelle **le réalisme**.

Cuisine populaire pendant le siège de Paris, Charles-Henri Pille (1844-1897), huile sur toile, 1870, musée Carnavalet, Paris.

Questions

1 Pourquoi le genre romanesque se développe-t-il particulièrement au cours du XIXᵉ siècle ?

2 Qu'est-ce que le réalisme ?

1804	1814-1824	1824-1830	1830-1848	1848-1852
Sacre de Napoléon Iᵉʳ, début de l'Empire	Restauration, règne de Louis XVIII	Règne de Charles X	Monarchie de Juillet, règne de Louis-Philippe	IIᵉ République

Émile Zola
1840-1902

Zola et le naturalisme

• Émile Zola (1840-1902), après divers emplois de fortune, devient journaliste, métier qu'il ne cessera d'exercer. Écrivain engagé, il consacre sa vie aux combats sociaux et politiques. **En 1898, il soutient ainsi le capitaine Dreyfus**, victime d'un complot antisémite. Son **cycle romanesque des *Rougon-Macquart*, commencé en 1868**, grande fresque sociale et familiale, en fait le romancier le plus célèbre du XIXᵉ siècle.

• Influencé par les progrès de la science (la médecine expérimentale de Claude Bernard et la théorie de la sélection naturelle de Darwin), Zola veut écrire ses romans **en s'appuyant sur ses observations de l'homme dans la société comme le ferait un savant**. Il emploie ainsi le terme de « **naturaliste** » (personne qui pratique les sciences naturelles) pour qualifier sa démarche et crée une nouvelle école littéraire dans la continuité du réalisme : le **naturalisme**.

• Zola écrit ses romans après un **minutieux travail d'enquête**, afin que le lecteur ait une meilleure connaissance de la vie en société. À travers ses personnages, il veut **montrer comment le comportement des individus dépend du milieu familial et social** dans lequel ils vivent.

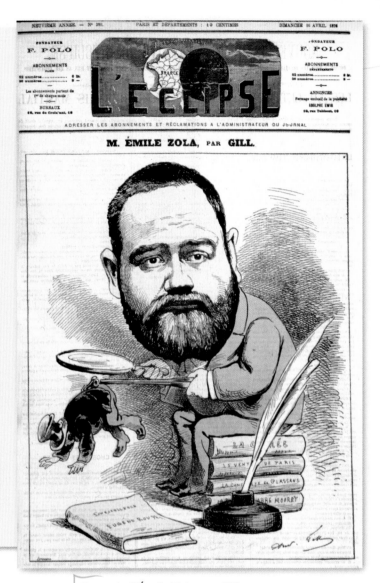

Portrait d'Émile Zola, **par Gill,** paru dans *L'Éclipse* du 16 avril 1876.

Questions

3 Pourquoi Zola appelle-t-il son école le naturalisme ? Quel cycle romanesque a-t-il écrit ?

4 Faites des recherches sur la science au XIXᵉ siècle. **a.** Qui était Claude Bernard ? Qu'appelle-t-on « médecine expérimentale » ? **b.** Qui était Darwin ? Expliquez sa théorie de la sélection naturelle.

Éducation aux médias

5 Observez l'image. **a.** Qu'est-ce que *L'Éclipse* ? **b.** À quoi voit-on que cette image est une caricature ? **c.** Sur quoi Zola est-il assis ? Qu'y a-t-il juste devant ce « siège » ? Pourquoi ? **d.** Observez le petit personnage : au-dessus de quoi se trouve-t-il ? Que cela montre-t-il ? **e.** À votre avis, que peuvent représenter la loupe et le crochet qu'utilise l'écrivain ?

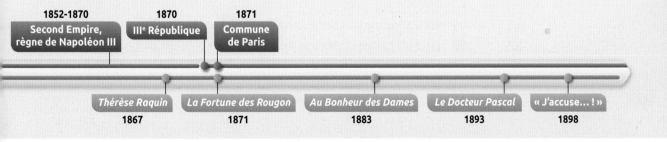

1852-1870	1870	1871
Second Empire, règne de Napoléon III	**IIIᵉ République**	**Commune de Paris**

Thérèse Raquin	*La Fortune des Rougon*	*Au Bonheur des Dames*	*Le Docteur Pascal*	« *J'accuse...* ! »
1867	1871	1883	1893	1898

Au Bonheur des Dames, Émile Zola

L'arrivée à Paris

Étude
d'une œuvre

*La parfumerie
Violet, boulevard
des Capucines*,
Giuseppe De Nittis
(1846-1884), huile sur
toile, 1865-1884, musée
Carnavalet, Paris.

Denise était venue à pied de la gare Saint-Lazare, où un train de Cherbourg l'avait débarquée avec ses deux frères, après une nuit passée sur la dure banquette d'un wagon de troisième classe. Elle tenait par la main Pépé, et Jean la suivait, tous les trois brisés du voyage, effarés et
5　perdus, au milieu du vaste Paris, le nez levé sur les maisons, demandant à chaque carrefour la rue de la Michodière, dans laquelle leur oncle Baudu demeurait. Mais, comme elle débouchait enfin sur la place Gaillon, la jeune fille s'arrêta net de surprise.

　　– Oh ! dit-elle, regarde un peu, Jean !

10　Et ils restèrent plantés, serrés les uns contre les autres, tout en noir, achevant les vieux vêtements du deuil de leur père. Elle, chétive pour ses vingt ans, l'air pauvre, portait un léger paquet ; tandis que, de l'autre côté, le petit frère, âgé de cinq ans, se pendait à son bras, et que, derrière son épaule, le grand frère, dont les seize ans superbes florissaient, était debout,
15　les mains ballantes.

　　– Ah bien ! reprit-elle après un silence, en voilà un magasin !

C'était, à l'encoignure de la rue de la Michodière et de la rue Neuve-Saint-Augustin, un magasin de nouveautés[1] dont les étalages éclataient en notes vives, dans la douce et pâle journée d'octobre. Huit heures sonnaient à Saint-

20 Roch, il n'y avait sur les trottoirs que le Paris matinal, les employés filant à leurs bureaux et les ménagères courant les boutiques. Devant la porte, deux commis, montés sur une échelle double, finissaient de pendre des lainages, tandis que, dans une vitrine de la rue Neuve-Saint-Augustin, un autre commis, agenouillé et le dos tourné, plissait délicatement une pièce de soie bleue.

25 Le magasin, vide encore de clientes, et où le personnel arrivait à peine, bourdonnait à l'intérieur comme une ruche qui s'éveille.

– Fichtre ! dit Jean. Ça enfonce Valognes[2]... Le tien n'était pas si beau.

Denise hocha la tête. Elle avait passé deux ans là-bas, chez Cornaille, le premier marchand de nouveautés de la ville ; et ce magasin, rencontré

30 brusquement, cette maison énorme pour elle, lui gonflait le cœur, la retenait, émue, intéressée, oublieuse du reste. Dans le pan coupé donnant sur la place Gaillon, la haute porte, toute en glace, montait jusqu'à l'entresol, au milieu d'une complication d'ornements, chargés de dorures. Deux figures allégoriques, deux femmes riantes, la gorge nue et renversée, déroulaient

35 l'enseigne : *Au Bonheur des Dames*. Puis, les vitrines s'enfonçaient, longeaient la rue de la Michodière et la rue Neuve-Saint-Augustin, où elles occupaient, outre la maison d'angle, quatre autres maisons, deux à gauche, deux à droite, achetées et aménagées récemment. C'était un développement qui lui semblait sans fin, dans la fuite de la perspective, avec les étalages du

40 rez-de-chaussée et les glaces sans tain[3] de l'entresol, derrière lesquelles on voyait toute la vie intérieure des comptoirs. En haut, une demoiselle, habillée de soie, taillait un crayon, pendant que, près d'elle, deux autres dépliaient des manteaux de velours.

– *Au Bonheur des Dames*, lut Jean avec son rire tendre de bel adolescent,

45 qui avait eu déjà une histoire de femme à Valognes. Hein ? c'est gentil, c'est ça qui doit faire courir le monde !

Mais Denise demeurait absorbée, devant l'étalage de la porte centrale. Il y avait là, au plein air de la rue, sur le trottoir même, un éboulement de marchandises à bon marché, la tentation de la porte, les occasions qui

50 arrêtaient les clientes au passage. [...] C'était un déballage géant de foire, le magasin semblait crever et jeter son trop-plein à la rue. [...]

Jean commençait à s'ennuyer. Il arrêta un passant.

– La rue de la Michodière, monsieur ?

Quand on la lui eut indiquée, la première à droite, tous trois revinrent

55 sur leurs pas, en tournant autour du magasin. Mais, comme elle entrait dans la rue, Denise fut reprise par une vitrine, où étaient exposées des confections[4] pour dames. Chez Cornaille, à Valognes, elle était spécialement chargée des confections. Et jamais elle n'avait vu cela, une admiration la clouait sur le trottoir. [...]

60 – Et l'oncle ? fit remarquer brusquement Denise, comme éveillée en sursaut.

1. Nouveautés : articles de mode.

2. Ville de Normandie.

3. Glace sans tain : miroir dont le revêtement permet à quelqu'un placé derrière de voir sans être vu.

4. Confections : vêtements qui ne sont pas faits sur mesure, prêt-à-porter.

– Nous sommes rue de la Michodière, dit Jean, il doit loger par ici.

Ils levèrent la tête, se retournèrent. Alors, juste devant eux, [...] ils aperçurent une enseigne verte, dont les lettres jaunes déteignaient sous la pluie :

65 *Au Vieil Elbeuf, draps et flanelles, Baudu, successeur de Hauchecorne.* La maison, enduite d'un ancien badigeon rouillé, toute plate au milieu des grands hôtels Louis XIV qui l'avoisinaient, n'avait que trois fenêtres de façade ; et ces fenêtres, carrées, sans persiennes, étaient simplement garnies d'une rampe de fer, deux barres en croix. Mais, dans cette nudité, ce qui frappa surtout

70 Denise, dont les yeux restaient pleins des clairs étalages du Bonheur des Dames, ce fut la boutique du rez-de-chaussée, écrasée de plafond, surmontée d'un entresol très bas, aux baies de prison, en demi-lune. Une boiserie, de la couleur de l'enseigne, d'un vert bouteille que le temps avait nuancé d'ocre et de bitume, ménageait, à droite et à gauche, deux vitrines profondes, noires,

75 poussiéreuses, où l'on distinguait vaguement des pièces d'étoffe entassées. La porte, ouverte, semblait donner sur les ténèbres humides d'une cave.

➤➤ **Émile Zola**, *Au Bonheur des Dames*, 1883.

Parcours de lecture ★

au choix par…

ou

Parcours de lecture ★★

1 Où la scène se passe-t-elle ? À quelle époque ?

2 D'où Denise et ses frères viennent-ils ? Où se rendent-ils ? Pourquoi ?

3 Quelle était la profession de Denise ?

4 Que sont le Bonheur des Dames et le Vieil Elbeuf ?

5 **a.** Lisez attentivement les descriptions des deux magasins (l. 28 à 51 et 63 à 76) et comparez-les en remplissant le tableau suivant :

	Au Bonheur des Dames	Au Vieil Elbeuf
maison		
enseigne		
vitrines		
porte		

b. Lequel des deux magasins évoque la vie et lequel la mort ? Justifiez votre réponse en citant le texte.

6 Les deux magasins sont décrits à travers le regard de Denise. **a.** Relevez les passages évoquant ses réactions : lequel a sa préférence ? **b.** À votre avis, que cela annonce-t-il pour la suite de l'histoire ?

1 À quoi comprend-on que cet extrait est un début de roman ?

2 Notez toutes les informations que vous donne le texte sur les personnages et les lieux évoqués.

3 Lignes 21 à 26 : à quoi le Bonheur des Dames est-il comparé ? Expliquez.

4 Relevez les deux phrases du texte dans lesquelles sont évoqués les employés s'activant dans le magasin. **a.** Quelles remarques pouvez-vous faire sur leur construction ? **b.** Quelles conjonctions de subordination sont employées ? Qu'expriment-elles ?

5 **a.** Expliquez la phrase « le magasin semblait crever et jeter son trop-plein à la rue » (l. 51). **b.** Quelle figure de style est employée ? Quelle impression produit-elle ?

6 Quelle impression se dégage de la description du Vieil Elbeuf (l. 63-76) ? À quoi le lecteur peut-il s'attendre pour la suite de l'histoire ?

Vocabulaire

1 Donnez le sens de *chétive* (l. 11) et employez-le au masculin dans une phrase de votre invention.

2 **a.** Expliquez la formation du mot *comptoir* (l. 41) et déduisez-en son sens. **b.** Employez-le dans une phrase de votre invention.

3 Cherchez la définition des mots suivants : *encoignure* (l. 17) ; *pan* (l. 31) ; *entresol* (l. 32) ; *persiennes* (l. 68) ; *rez-de-chaussée* (l. 71) ; *baies* (l. 72).

Écriture

À votre tour, faites la description d'un magasin, d'abord méliorative, ensuite péjorative. Vous emploierez le vocabulaire étudié dans les questions 2 et 3.

Des débuts difficiles

Chez la modiste,
Edgar Degas
(1834-1917),
pastel, 1898,
musée d'Orsay, Paris.

Denise, embauchée comme vendeuse au Bonheur des Dames, a fait sa première journée. Timide, mal à l'aise dans sa robe réglementaire trop grande, elle a subi les moqueries et méchancetés des autres vendeurs. Le directeur, Octave Mouret, lui a même fait la remarque qu'elle était mal coiffée. Le lendemain, Mouret convoque Denise dans son bureau.

La jeune fille trouva Mouret seul, assis dans le grand cabinet tendu de reps[1] vert. Il venait de se rappeler « la mal peignée », comme la nommait
5 Bourdoncle ; et lui qui répugnait d'ordinaire au rôle de gendarme, il avait eu l'idée de la faire comparaître pour la secouer un peu, si elle était toujours fagotée en provinciale. La veille, malgré
10 sa plaisanterie, il avait éprouvé devant Mme Desforges[2] une contrariété d'amour-propre, en voyant discuter l'élégance d'une de ses vendeuses. C'était, chez lui, un sentiment confus,
15 un mélange de sympathie et de colère.

– Mademoiselle, commença-t-il, nous vous avions pris par égard pour votre oncle, et il ne faut pas nous mettre dans la triste nécessité…

Mais il s'arrêta. En face de lui, de l'autre côté du bureau, Denise se tenait droite, sérieuse et pâle. Sa robe de soie n'était plus trop large, ser-
20 rant sa taille ronde, moulant les lignes pures de ses épaules de vierge ; et, si sa chevelure, nouée en grosses tresses, restait sauvage, elle tâchait du moins de se contenir. Après s'être endormie toute vêtue, les yeux épuisés de larmes, la jeune fille, en se réveillant vers quatre heures, avait eu honte de cette crise de sensibilité nerveuse. Et elle s'était mise immédiatement à
25 rétrécir la robe, elle avait passé une heure devant l'étroit miroir, le peigne dans ses cheveux, sans pouvoir les réduire, comme elle l'aurait voulu.

– Ah ! Dieu merci ! murmura Mouret, vous êtes mieux, ce matin… Seulement, ce sont encore ces diablesses de mèches !

Il s'était levé, il vint corriger sa coiffure, du même geste familier dont
30 Mme Aurélie avait essayé de le faire la veille.

1. **Reps :** tissu d'ameublement.

2. Riche cliente du magasin et maîtresse d'Octave Mouret.

– Tenez ! rentrez donc ça derrière l'oreille… Le chignon est trop haut.

Elle n'ouvrait pas la bouche, elle se laissait arranger. Malgré son serment d'être forte, elle était arrivée toute froide dans le cabinet, avec la certitude qu'on l'appelait pour lui signifier son renvoi. Et l'évidente bienveillance
35 de Mouret ne la rassurait pas, elle continuait à le redouter, à ressentir près de lui ce malaise qu'elle expliquait par un trouble bien naturel, devant l'homme puissant dont sa destinée dépendait. [...]

Il la traitait en enfant, avec plus de pitié que de bonté, sa curiosité du féminin simplement mise en éveil par la femme troublante qu'il sentait
40 naître chez cette enfant pauvre et maladroite. Et elle, pendant qu'il la sermonnait, ayant aperçu le portrait de Mme Hédouin[3], dont le beau visage régulier souriait gravement dans le cadre d'or, se trouvait reprise d'un frisson, malgré les paroles encourageantes qu'il lui adressait. C'était la dame morte, celle que le quartier l'accusait d'avoir tuée, pour fonder la maison
45 sur le sang de ses membres.

Mouret parlait toujours.

– Allez, dit-il enfin, assis et continuant à écrire.

Elle s'en alla, elle eut dans le corridor un soupir de profond soulagement.

À partir de ce jour, Denise montra son grand courage. Sous les crises
50 de sa sensibilité, il y avait une raison sans cesse agissante, toute une bravoure d'être faible et seul, s'obstinant gaiement au devoir qu'elle s'imposait. Elle faisait peu de bruit, elle allait devant elle, droit à son but, par-dessus les obstacles ; et cela simplement, naturellement, car sa nature même était dans cette douceur invincible.

55 D'abord, elle eut à surmonter les terribles fatigues du rayon. Les paquets de vêtements lui cassaient les bras, au point que, pendant les six premières semaines, elle criait la nuit en se retournant, courbaturée, les épaules meurtries. Mais elle souffrit plus encore de ses souliers, de gros souliers apportés de Valognes, et que le manque d'argent l'empêchait de remplacer par
60 des bottines légères. Toujours debout, piétinant du matin au soir, grondée si on la voyait s'appuyer une minute contre la boiserie, elle avait les pieds enflés, des petits pieds de fillette qui semblaient broyés dans des brodequins de torture ; les talons battaient de fièvre, la plante s'était couverte d'ampoules, dont la peau arrachée se collait à ses bas. Puis, elle éprouvait
65 un délabrement du corps entier, les membres et les organes tirés par cette lassitude des jambes, de brusques troubles dans son sexe de femme, que trahissaient les pâles couleurs de sa chair. Et elle, si mince, l'air si fragile, résista, pendant que beaucoup de vendeuses devaient quitter les nouveautés, atteintes de maladies spéciales. Sa bonne grâce à souffrir, l'entêtement de
70 sa vaillance la maintenaient souriante et droite, lorsqu'elle défaillait, à bout de force, épuisée par un travail auquel des hommes auraient succombé.

Ensuite, son tourment fut d'avoir le rayon contre elle. Au martyre physique s'ajoutait la sourde persécution de ses camarades. Après deux mois de patience et de douceur, elle ne les avait pas encore désarmées.
75 C'étaient des mots blessants, des inventions cruelles, une mise à l'écart qui la

3. Mme Hédouin était la femme d'Octave Mouret et la propriétaire du Bonheur des Dames dont il a hérité à sa mort.

frappait au cœur, dans son besoin de tendresse. On l'avait longtemps plaisantée sur son début fâcheux ; les mots de « sabot », de « tête de pioche » circulaient, celles qui manquaient une vente étaient envoyées à Valognes, elle passait enfin pour la bête du comptoir. Puis, lorsqu'elle se révéla plus tard comme une vendeuse remarquable, au courant désormais du mécanisme de la maison, il y eut une stupeur indignée ; et, à partir de ce moment, ces demoiselles s'entendirent de manière à ne jamais lui laisser une cliente sérieuse. Marguerite et Clara la poursuivaient d'une haine instinctive, serraient les rangs pour ne pas être mangées par cette nouvelle venue, qu'elles redoutaient sous leur affectation de dédain.

ÉMILE ZOLA, *Au Bonheur des Dames*, 1883.

Lecture

Pour bien lire

1 Pour quelles raisons Octave Mouret convoque-t-il Denise ?

2 Qu'a fait la jeune fille pendant la nuit ? Pourquoi ?

3 Qui était Mme Hédouin ?

4 Quels sentiments Denise et Mouret éprouvent-ils l'un pour l'autre ? Justifiez vos réponses en vous appuyant sur le texte.

5 a. Comment Denise réagit-elle après son entrevue avec Mouret ?
b. Quelles difficultés va-t-elle rencontrer ?

Pour approfondir

6 Lignes 55 à 71 : que nous apprennent ces lignes sur la condition des employées au XIXe siècle ?

7 Lignes 57 et 75 : quelle est la valeur de l'imparfait ? Que cela souligne-t-il ?

8 a. Expliquez l'expression « cette douceur invincible » (l. 54).
b. Relevez dans la suite du texte un passage qui justifie cette désignation.

9 Commentez l'expression « diablesses de mèches » (l. 28). À votre avis, que pourrait symboliser la chevelure de Denise ?

Vocabulaire

1 a. Expliquez le sens de *réduire* (l. 26).
b. Employez ce verbe dans deux phrases faisant apparaître chacune un sens différent.

2 Trouvez dans le texte deux synonymes du mot *courage* (l. 49) et expliquez les nuances de sens qui distinguent ces trois mots.

3 Employez chacun de ces mots (ou un mot de la même famille) évoquant la souffrance dans des phrases faisant apparaître leur sens :

1. *torture* (l. 63) – **2.** *délabrement* (l. 65) – **3.** *lassitude* – (l. 66) – **4.** *défaillir* (l. 70) – **5.** *tourment* (l. 72) – **6.** *martyre* (l. 72) – **7.** *persécution* (l. 73).

Écriture

Décrivez en huit à dix phrases une personne effectuant un travail difficile et répétitif.
– Vous réemploierez le vocabulaire de la souffrance vu dans la question 3.
– Pensez à utiliser l'imparfait.

La tactique de Mouret

Le Bonheur des Dames s'est agrandi. C'est le jour de l'inauguration de nouveaux magasins à laquelle les employés s'affairent depuis un mois. Une campagne promotionnelle a été organisée, annonçant la grande exposition des nouveautés d'été.

***Publicité pour le magasin Aux trois quartiers**, affiche de René Louis Pean (1875-1945), musée Carnavalet, Paris.*

Mouret avait l'unique passion de vaincre la femme. Il la voulait reine dans sa maison, il lui avait bâti ce temple, pour l'y tenir à sa merci. C'était toute sa tactique, la griser d'attentions galantes et trafiquer de ses désirs, exploiter sa fièvre. Aussi, nuit et jour, se creusait-il la tête, à la recherche de

5 trouvailles nouvelles. Déjà, voulant éviter la fatigue des étages aux dames délicates, il avait fait installer deux ascenseurs, capitonnés de velours. Puis, il venait d'ouvrir un buffet, où l'on donnait gratuitement des sirops et des biscuits, et un salon de lecture, une galerie monumentale, décorée avec un luxe trop riche, dans laquelle il risquait même des expositions de

10 tableaux. Mais son idée la plus profonde était, chez la femme sans coquetterie, de conquérir la mère par l'enfant ; il ne perdait aucune force, spéculait[1] sur tous les sentiments, créait des rayons pour petits garçons et fillettes, arrêtait les mamans au passage, en offrant aux bébés des images et des ballons. Un trait de génie que cette prime des ballons, distribuée à

15 chaque acheteuse, des ballons rouges, à la fine peau de caoutchouc, portant en grosses lettres le nom du magasin, et qui, tenus au bout d'un fil, voyageant en l'air, promenaient par les rues une réclame vivante !

La grande puissance était surtout la publicité. Mouret en arrivait à dépenser par an trois cent mille francs de catalogues, d'annonces et d'af-

20 fiches. Pour sa mise en vente des nouveautés d'été, il avait lancé deux cent mille catalogues, dont cinquante mille à l'étranger, traduits dans toutes les langues. Maintenant, il les faisait illustrer de gravures, il les accompagnait même d'échantillons, collés sur les feuilles. C'était un débordement d'étalages, le Bonheur des Dames sautait aux yeux du monde entier, envahis-

25 sait les murailles, les journaux, jusqu'aux rideaux des théâtres. Il professait que la femme est sans force contre la réclame, qu'elle finit fatalement par aller au bruit. Du reste, il lui tendait des pièges plus savants, il l'analysait en grand moraliste. Ainsi, il avait découvert qu'elle ne résistait pas au bon marché, qu'elle achetait sans besoin, quand elle croyait conclure

30 une affaire avantageuse ; et, sur cette observation, il basait son système des diminutions de prix, il baissait progressivement les articles non vendus, préférant les vendre à perte, fidèle au principe du renouvellement rapide des marchandises. Puis, il avait pénétré plus avant encore dans le cœur de la femme, il venait d'imaginer « les rendus », un chef-d'œuvre de séduction

35 jésuitique[2]. « Prenez toujours, madame : vous nous rendrez l'article, s'il cesse de vous plaire. » Et la femme, qui résistait, trouvait là une dernière

1. Spéculer : miser.

2. Jésuitique : hypocrite et astucieux.

excuse, la possibilité de revenir sur une folie : elle prenait, la conscience en règle. Maintenant, les rendus et la baisse des prix entraient dans le fonctionnement classique du nouveau commerce.

40 Mais où Mouret se révélait comme un maître sans rival, c'était dans l'aménagement intérieur des magasins. Il posait en loi que pas un coin du Bonheur des Dames ne devait rester désert ; partout, il exigeait du bruit, de la foule, de la vie ; car la vie, disait-il, attire la vie, enfante et pullule. De cette loi, il tirait toutes sortes d'applications. D'abord, on devait s'écraser 45 pour entrer, il fallait que, de la rue, on crût à une émeute ; et il obtenait cet écrasement, en mettant sous la porte les soldes, des casiers et des corbeilles débordant d'articles à vil prix ; si bien que le menu peuple s'amassait, barrait le seuil, faisait penser que les magasins craquaient de monde, lorsque souvent ils n'étaient qu'à demi pleins. Ensuite, le long des gale-50 ries, il avait l'art de dissimuler les rayons qui chômaient, par exemple les châles en été et les indiennes en hiver ; il les entourait de rayons vivants, les noyait dans du vacarme. Lui seul avait encore imaginé de placer au deuxième étage les comptoirs des tapis et des meubles, des comptoirs où les clientes étaient plus rares, et dont la présence au rez-de-chaussée aurait 55 creusé des trous vides et froids. S'il en avait découvert le moyen, il aurait fait passer la rue au travers de sa maison.

Justement, Mouret se trouvait en proie à une crise d'inspiration. Le samedi soir, comme il donnait un dernier coup d'œil aux préparatifs de la grande vente du lundi, dont on s'occupait depuis un mois, il avait eu la conscience 60 soudaine que le classement des rayons adopté par lui était inepte[3].

➡ **Émile Zola**, *Au Bonheur des Dames*, 1883.

---

3. Inepte : dépourvu de sens.

Parcours de lecture ★

1 Quelles sont les « attentions galantes » (l. 3) de Mouret ?

2 Quels sont les différents moyens par lesquels Mouret attire les clientes et les incite à acheter ?

3 **a.** En quoi Mouret se révèle-t-il « comme un maître sans rival » (l. 40) ? **b.** Les pratiques commerciales qu'il développe vous semblent-elles archaïques, caractéristiques du XIXᵉ siècle ?

4 Quelles qualités de Mouret sont mises en avant dans ce passage ?

5 Que désigne le pronom *elle* tout au long de l'extrait ? Que dénote l'emploi du singulier ?

6 Montrez que « la femme » est évoquée comme une proie pour Mouret.

Tâche complexe

ou Parcours de lecture ★★★

Quelle image a-t-on de Mouret dans ce texte ? Développez votre réponse en vous appuyant sur des exemples précis que vous expliquerez.

Écriture

« C'était un débordement d'étalages [...], les journaux, jusqu'aux rideaux des théâtres » (l. 23 à 25) : de quelle manière l'abondance de la publicité est-elle montrée ? En utilisant le même procédé, rédigez trois phrases montrant :
1. un enfant couvert de cadeaux ; **2.** une foule se pressant dans un magasin ; **3.** un buffet rempli de victuailles.

Débat

Pensez-vous que l'image des rapports commerciaux qui est donnée dans ce passage est positive ?

La fièvre des achats

La foule se presse dans la rue. N'étant pas satisfait de l'installation des ombrelles, Mouret a fait ressortir les premiers clients et fermer les portes.

Enfin, on rouvrit les portes, et le flot entra. Dès la première heure, avant que les magasins fussent pleins, il se produisit sous le vestibule un écrasement tel, qu'il fallut avoir recours aux sergents de ville, pour rétablir la circulation sur le trottoir. Mouret avait calculé juste : toutes les
5 ménagères, une troupe serrée de petites bourgeoises et de femmes en bonnet, donnaient assaut aux occasions, aux soldes et aux coupons, étalés jusque dans la rue. Des mains en l'air, continuellement, tâtaient « les pendus[1] » de l'entrée, un calicot[2] à sept sous, une grisaille[3] laine et coton à neuf sous, surtout un orléans[4] à trente-huit centimes, qui ravageait les
10 bourses pauvres. Il y avait des poussées d'épaules, une bousculade fiévreuse autour des casiers et des corbeilles, où des articles au rabais, dentelles à dix centimes, rubans à cinq sous, jarretières[5] à trois sous, gants, jupons, cravates, chaussettes et bas de coton s'éboulaient, disparaissaient, comme mangés par une foule vorace. Malgré le temps froid, les commis
15 qui vendaient au plein air du pavé ne pouvaient suffire. Une femme grosse jeta des cris. Deux petites filles manquèrent d'être étouffées.

Toute la matinée, cet écrasement augmenta. Vers une heure, des queues s'établissaient, la rue était barrée, ainsi qu'en temps d'émeute. Justement, comme Mme de Boves et sa fille Blanche se tenaient sur le trottoir d'en
20 face, hésitantes, elles furent abordées par Mme Marty, également accompagnée de sa fille Valentine.

– Hein ? quel monde ! dit la première. On se tue là-dedans… Je ne devais pas venir, j'étais au lit, puis je me suis levée pour prendre l'air.

– C'est comme moi, déclara l'autre. J'ai promis à mon mari d'aller voir
25 sa sœur, à Montmartre… Alors, en passant, j'ai songé que j'avais besoin d'une pièce de lacet. Autant l'acheter ici qu'ailleurs, n'est-ce pas ? Oh ! je ne dépenserai pas un sou ! Il ne me faut rien, du reste.

Cependant, leurs yeux ne quittaient pas la porte, elles étaient prises et emportées dans le vent de la foule.
30 – Non, non, je n'entre pas, j'ai peur, murmura Mme de Boves. Blanche, allons-nous-en, nous serions broyées.

Mais sa voix faiblissait, elle cédait peu à peu au désir d'entrer où entre le monde ; et sa crainte se fondait dans l'attrait irrésistible de l'écrasement. Mme Marty s'était aussi abandonnée. Elle répétait :
35 – Tiens ma robe, Valentine… Ah bien ! je n'ai jamais vu ça. On vous porte. Qu'est-ce que ça va être, à l'intérieur !

Ces dames, saisies par le courant, ne pouvaient plus reculer. Comme les fleuves tirent à eux les eaux errantes d'une vallée, il semblait que le flot

1. Pendu : pièce d'étoffe étendue et suspendue dans un magasin.

2. Calicot : toile de coton assez grossière.

3. Grisaille : peinture de différents tons gris.

4. Orléans : sorte d'étoffe légère en laine et coton, très employée pour les vêtements d'été pour hommes.

5. Jarretière : cordon servant à fixer les bas au-dessus ou au-dessous du genou.

des clientes, coulant à plein vestibule, buvait les passants de la rue, aspirait
la population des quatre coins de Paris. Elles n'avançaient que très lentement, serrées à perdre haleine, tenues debout par des épaules et des ventres,
dont elles sentaient la molle chaleur ; et leur désir satisfait jouissait de cette
approche pénible, qui fouettait davantage leur curiosité. C'était un pêle-
mêle de dames vêtues de soie, de petites bourgeoises à robes pauvres, de
filles en cheveux, toutes soulevées, enfiévrées de la même passion. Quelques
hommes, noyés sous les corsages débordants, jetaient des regards inquiets
autour d'eux. Une nourrice, au plus épais, levait très haut son poupon,
qui riait d'aise. Et, seule, une femme maigre se fâchait, éclatant en paroles
mauvaises, accusant une voisine de lui entrer dans le corps.

— Je crois bien que mon jupon va y rester, répétait Mme de Boves.

Muette, le visage encore frais du grand air, Mme Marty se haussait
pour voir avant les autres, par-dessus les têtes, s'élargir les profondeurs
des magasins. Les pupilles de ses yeux gris étaient minces comme celles
d'une chatte arrivant du plein jour ; et elle avait la chair reposée, le regard
clair d'une personne qui s'éveille.

— Ah ! enfin ! dit-elle en poussant un soupir.

Ces dames venaient de se dégager. Elles étaient dans le hall Saint-
Augustin. Leur surprise fut grande de le trouver presque vide. Mais un
bien-être les envahissait, il leur semblait entrer dans le printemps, au sortir
de l'hiver de la rue. Tandis que, dehors, soufflait le vent glacé des gibou-
lées, déjà la belle saison, dans les galeries du Bonheur, s'attiédissait avec
les étoffes légères, l'éclat fleuri des nuances tendres, la gaieté champêtre
des modes d'été et des ombrelles.

— Regardez donc ! cria Mme de Boves, immobilisée, les yeux en l'air.

C'était l'exposition des ombrelles. Toutes ouvertes, arrondies comme des
boucliers, elles couvraient le hall, de la baie vitrée du plafond à la cimaise[6]
de chêne verni. Autour des arcades des étages supérieurs, elles dessinaient
des festons[7] ; le long des colonnes, elles descendaient en guirlandes ; sur les
balustrades des galeries, jusque sur les rampes des escaliers, elles filaient
en lignes serrées ; et, partout, rangées symétriquement, bariolant les murs
de rouge, de vert et de jaune, elles semblaient de grandes lanternes véni-
tiennes, allumées pour quelque fête colossale. Dans les angles, il y avait des
motifs compliqués, des étoiles faites d'ombrelles à trente-neuf sous, dont
les teintes claires, bleu pâle, blanc crème, rose tendre, brûlaient avec une
douceur de veilleuse ; tandis que, au-dessus, d'immenses parasols japo-
nais, où des grues[8] couleur d'or volaient dans un ciel de pourpre, flambaient avec des reflets d'incendie.

Mme Marty cherchait une phrase pour dire son ravissement, et elle ne
trouva que cette exclamation :

— C'est féerique !

ÉMILE ZOLA, *Au Bonheur des Dames*, 1883.

6. Cimaise : moulure ou sculpture qui orne un plafond ou une corniche.

7. Feston : guirlande que l'on suspend sans la tendre de manière qu'elle retombe en arc, dans un but décoratif.

8. Grue : oiseau.

Lecture

Pour bien lire

paire

1 Dégagez le mouvement du texte et donnez un titre à chaque partie.

2 « Mouret avait calculé juste » (l. 4) : quel est le calcul de Mouret ?

3 a. Quelles raisons ont poussé Mme de Boves et Mme Marty à venir ?
b. Ligne 56 : pourquoi Mme Marty pousse-t-elle un soupir de soulagement ?

4 Qu'est-ce qui est *féerique* (l. 80) ?

Pour approfondir

5 a. « elles étaient prises et emportées dans le vent de la foule » (l. 28-29) : que souligne l'emploi du passif ?
b. Trouvez dans la suite du texte d'autres expressions qui expriment la même idée.

6 Lignes 37 à 50.
a. Expliquez la métaphore.
b. Relevez les groupes nominaux désignant la foule : que remarquez-vous ?

7 Lignes 4 à 16 et lignes 58 à 80 : comparez ces deux passages.
a. Quelle figure de style est employée ? Que souligne-t-elle dans chacun de ces passages ?
b. Observez le vocabulaire : dans quel passage est-il mélioratif, dans lequel est-il péjoratif ? Donnez des exemples que vous commenterez.
c. Trouvez dans le second passage une phrase qui résume le contraste ainsi mis en place.

8 Quelle image nous est donnée des clientes du Bonheur des Dames ? Les « tactiques » de Mouret (voir texte 3) semblent-elles fonctionner ?

Vue du hall central des nouveaux magasins du Printemps, René Binet (1866-1911), lithographie, 1910, Bibliothèque des Arts décoratifs, Paris.

Écriture

1 Classez les mots et locutions suivants selon qu'ils expriment un rapport logique ou temporel : *avant que* (l. 2), *tel que* (l. 3), *pour* (l. 3), *cependant* (l. 28), *mais* (l. 32), *tandis que* (l. 60), *déjà* (l. 61), *tandis que* (l. 75). Précisez à chaque fois le rapport exprimé.

2 a. Complétez le texte par les locutions : *si bien que – alors même que – à mesure que – tout au long du – au point de – au moment où*.

... les portes ouvraient, il se faisait une bousculade autour des casiers et des corbeilles étalés ... trottoir. ... la foule avançait, elle se faisait de plus en plus compacte, ... ces dames furent emportées par le flot. ... elle entra dans le hall Saint-Martin, Mme Marty fut émerveillée ... s'exclamer : « C'est féerique ! »

b. Rédigez un court paragraphe dans lequel vous emploierez quatre de ces locutions.

La fin d'un monde

Baudu, l'oncle de Denise, fait partie des petits commerçants du quartier ruinés par le développement du Bonheur des Dames. Depuis des mois, sa fille Geneviève dépérit : son fiancé l'a quittée pour une vendeuse du grand magasin. Ayant caché la gravité de son état à ses parents, elle l'avoue à Denise et meurt le lendemain. Arrive le jour de l'enterrement de Geneviève.

Toutes les victimes du monstre étaient là, Bédoré et sœur, les bonnetiers de la rue Gaillon, les fourreurs Vanpouille frères, et Deslignières le bimbelotier, et Piot et Rivoire les marchands de meubles ; même Mlle Tatin, la lingère, et le gantier Quinette, balayés depuis longtemps
5 par la faillite, s'étaient fait un devoir de venir, l'une des Batignolles, l'autre de la Bastille, où ils avaient dû reprendre du travail chez les autres. En attendant le corbillard[1] qu'une erreur attardait, ce monde vêtu de noir, piétinant dans la boue, levait des regards de haine sur le Bonheur, dont les vitrines claires, les étalages éclatants de gaieté, leur semblaient une
10 insulte, en face du Vieil Elbeuf, qui attristait de son deuil l'autre côté de la rue. Quelques têtes de commis curieux se montraient derrière les glaces ; mais le colosse gardait son indifférence de machine lancée à toute vapeur, inconsciente des morts qu'elle peut faire en chemin.

[...] Cependant, le corbillard n'arrivait toujours pas, et Denise, très émue,
15 regardait brûler les cierges, lorsqu'elle tressaillit, au son connu d'une voix qui parlait derrière elle. C'était Bourras[2]. Il avait appelé d'un signe un marchand de marrons, installé en face, dans une étroite guérite[3], prise sur la boutique d'un marchand de vin, et il lui disait :

– Hein ? Vigouroux, rendez-moi ce service… Vous voyez, je retire le bou-
20 ton… Si quelqu'un venait, vous diriez de repasser. Mais que ça ne vous dérange pas, il ne viendra personne.

Puis, il resta debout au bord du trottoir, attendant comme les autres. Denise, gênée, avait jeté un coup d'œil sur la boutique. Maintenant, il l'abandonnait, on ne voyait plus, à l'étalage, qu'une débandade pitoyable
25 de parapluies mangés par l'air et de cannes noires de gaz. [...]

– Ah ! les misérables, gronda Bourras, ils ne veulent même pas qu'on l'emporte !

Le corbillard, qui arrivait enfin, venait d'être accroché par une voiture du Bonheur, dont les panneaux vernis filaient, jetant dans la brume leur
30 rayonnement d'astre, au trot rapide de deux chevaux superbes. [...]

À Saint-Roch, beaucoup de femmes attendaient, les petites commerçantes du quartier, qui avaient redouté l'encombrement de la maison mortuaire. La manifestation tournait à l'émeute ; et, lorsque, après le service, le convoi se remit en marche, tous les hommes suivirent de nouveau, bien qu'il y
35 eût une longue course, de la rue Saint-Honoré au cimetière Montmartre.

1. **Corbillard :** voiture servant à transporter les cercueils.
2. Vieux commerçant du quartier ruiné par le Bonheur.
3. **Guérite :** baraque aménagée pour abriter un travailleur isolé, un bureau de chantier.

On dut remonter la rue Saint-Roch et passer une seconde fois devant le
Bonheur des Dames. C'était une obsession, ce pauvre corps de jeune fille
était promené autour du grand magasin, comme la première victime tombée sous les balles, en temps de révolution. À la porte, des flanelles rouges
40 claquaient au vent ainsi que des drapeaux, un étalage de tapis éclatait en
une floraison saignante d'énormes roses et de pivoines épanouies.

Denise, cependant, était montée dans une voiture, agitée de doutes si
cuisants, la poitrine serrée d'une telle tristesse, qu'elle n'avait plus la force
de marcher. Il y eut justement un arrêt rue du Dix-Décembre, devant les
45 échafaudages de la nouvelle façade, qui gênait toujours la circulation. Et
la jeune fille remarqua le vieux Bourras, resté en arrière, traînant la jambe,
dans les roues mêmes de la voiture où elle se trouvait seule. Jamais il n'ar-
riverait au cimetière. Il avait levé la tête, il la regardait. Puis, il monta. [...]

Et, la voiture s'étant arrêtée à la route du cimetière, il descendit avec la
50 jeune fille. Le caveau des Baudu se trouvait dans la première allée, à gauche.
En quelques minutes, la cérémonie fut terminée. Jean avait écarté l'oncle,
qui regardait le trou d'un air béant. La queue du cortège se répandait
parmi les tombes voisines, tous les visages de ces boutiquiers, appauvris
de sang au fond de leurs rez-de-chaussée malsains, prenaient une laideur
55 souffrante, sous le ciel couleur de boue. Quand le cercueil coula doucement, des joues éraflées de couperose pâlirent, des nez s'abaissèrent pin-
cés d'anémie, des paupières jaunes de bile, meurtries par les chiffres, se
détournèrent.

– Nous devrions tous nous coller dans ce trou, dit Bourras à Denise,
60 qui était restée près de lui. Cette petite, c'est le quartier qu'on enterre…
Oh ! je me comprends, l'ancien commerce peut aller rejoindre ces roses
blanches qu'on jette avec elle.

Émile Zola, *Au Bonheur des Dames*, 1883.

Lecture

Pour bien lire

1 Qui sont les personnes présentes à l'enterrement de Geneviève ?

2 a. D'où part le convoi funèbre ? Pourquoi s'ar-
rête-t-il à Saint-Roch ? Où se rend-il ensuite ?
b. Qu'est-ce qui suscite un arrêt rue du Dix-Décembre ?

3 Lignes 31 à 41 : relevez les mots et expressions appartenant au champ lexical de la révolution : qu'est-ce qui
révolte ainsi la foule ?

Pour approfondir

4 Lignes 1 à 13 : relevez les groupes nominaux désignant le Bonheur des Dames : à quoi le magasin est-il
ainsi assimilé ?

5 Lignes 6 à 10 : quelle opposition est mise en place ?
Justifiez en vous appuyant sur des éléments précis du
texte.

6 Lignes 49 à 58 : à travers cette description, que veut
nous dire l'auteur des petits commerçants ? Justifiez
votre réponse.

7 Que symbolise la mort de Geneviève ? Quelle phrase
du texte le résume ?

Sunday, Edward Hopper (1882-1967), huile sur toile, 1926, The Phillips Collection, Washington, USA.

Vocabulaire

1 Qu'est-ce qu'une *débandade* (l. 24) ? Employez ce nom dans une phrase faisant apparaître son sens.

2 **a.** Expliquez la formation de *pitoyable* (l. 24) et donnez son sens.
b. Avec le même suffixe, formez des adjectifs à partir des mots : *envie – juste – gré – ami – blâme – périr*.

3 Donnez les deux principaux sens du mot *convoi* (l. 33). Lequel correspond à son emploi dans le texte ?

Débat

Que nous montre Zola dans ce passage ? Le dénonce-t-il pour autant ? Argumentez en vous appuyant sur des citations du texte, mais aussi votre connaissance de l'œuvre.

Écriture

1 Des lignes 49 à 58, relevez les compléments indiquant le trajet suivi par le cortège.

2 Recopiez ce texte en replaçant les compléments de lieu qui l'organisent : *au-dessus desquels – à gauche et au fond – après avoir dépassé les premières maisons du faubourg – au ras du trottoir de la route – au sud de la ville – par la porte de Rome – nulle part – plus bas dans le faubourg.*

Lorsqu'on sort de Plassans …, située …, on trouve, à droite de la route de Nice, …, un terrain vague désigné dans le pays sous le nom d'aire Saint-Mittre.
L'aire Saint-Mittre est un carré long, d'une certaine étendue, qui s'allonge …, dont une simple bande d'herbe usée la sépare. D'un côté, à droite, une ruelle, qui va se terminer en cul-de-sac, la borde d'une rangée de masures ; …, elle est close par deux pans de muraille rongés de mousse, … on aperçoit les branches hautes des mûriers du Jas-Meiffren, grande propriété qui a son entrée … . Ainsi fermée de trois côtés, l'aire est comme une place qui ne conduit … et que les promeneurs seuls traversent.

É. Zola, *La Fortune des Rougon*.

Un enterrement à Ornans

Un enterrement à Ornans, Gustave Courbet, huile sur toile, 315 x 668 cm, 1849-1850, Paris, musée d'Orsay.

> **Gustave Courbet** (1819-1877), fils d'un riche fermier, commença des études de droit tout en étudiant la peinture. Influencé par les théories socialistes, il s'orienta rapidement vers une conception de l'art démocratique et populaire et se fit **l'ardent défenseur du réalisme**. S'inspirant des événements contemporains et cherchant à rendre compte de la réalité sociale, sa peinture fit scandale.

Une cérémonie funèbre

1 Où la scène se passe-t-elle ? À quoi le voit-on ?

2 Quelles couleurs dominent ?

3 Observez la composition du tableau : quels sont les trois groupes qui se dessinent ?

4 **a.** Quels personnages se démarquent des autres ? Comment ?
b. Que représentent-ils ?

Une représentation de la société

5 **a.** Quel est le format de ce tableau ?
b. Les tableaux imposants par leur taille représentent traditionnellement des grandes scènes historiques ou mythologiques : est-ce le cas ici ?

6 Observez le titre du tableau : sait-on qui est enterré ? Cela importe-t-il ?

7 En quoi la démarche de Courbet peut-elle être qualifiée de réaliste ?

« Ce million imbécile ! »

Le Veuf, Jean-Louis
Forain (1852-1931),
huile sur toile, musée
d'Orsay, Paris.

Après avoir été renvoyée puis reprise au Bonheur des Dames, Denise en est devenue la reine. Mouret est fou d'amour pour elle, mais elle refuse de céder à ses avances malgré la réciprocité de ses sentiments. Elle a accompagné Mouret dans ses volontés d'expansion, lui conseillant de nombreuses réformes visant à améliorer les conditions souvent misérables des employés. Lassée des commérages sur son compte, ne supportant plus d'assister, impuissante, à la mort des petits commerces, elle a donné sa démission pour retourner dans sa ville natale. C'est la fin de la grande journée d'inauguration des tout nouveaux magasins : jamais il n'y avait eu autant de monde…

Un million, deux cent quarante-sept francs, quatre-vingt-quinze centimes !

Enfin, c'était le million, le million ramassé en un jour, le chiffre dont Mouret avait longtemps rêvé ! Mais il eut un geste de colère, il dit avec impa-
5 tience, de l'air déçu d'un homme dérangé dans son attente par un importun :

– Un million, eh bien ! mettez-le là.

Lhomme[1] savait qu'il aimait ainsi à voir sur son bureau les fortes recettes, avant qu'on les déposât à la caisse centrale. Le million couvrit le bureau, écrasa les papiers, faillit renverser l'encre ; et l'or, et l'argent, et le cuivre,
10 coulant des sacs, crevant des sacoches, faisaient un gros tas, le tas de la recette brute, telle qu'elle sortait des mains de la clientèle, encore chaude et vivante.

Au moment où le caissier se retirait, navré de l'indifférence du patron, [...] Denise entrait justement, et il s'inclina dans un salut profond, la tête perdue.
15 – Enfin ! c'est vous ! dit Mouret, doucement.

Denise était pâle d'émotion. [...]

– Monsieur, vous avez désiré me voir, dit-elle de son air calme. Du reste, je serais venue vous remercier de toutes vos bontés.

En entrant, elle avait aperçu le million sur le bureau, et l'étalage de cet
20 argent la blessait. Au-dessus d'elle, comme s'il eût regardé la scène, le portrait de Mme Hédouin, dans son cadre d'or, gardait l'éternel sourire de
ses lèvres peintes.

– Vous êtes toujours résolue à nous quitter ? demanda Mouret, dont la voix tremblait.
25 – Oui, monsieur, il le faut.

Alors, il lui prit les mains, il dit dans une explosion de tendresse, après la longue froideur qu'il s'était imposée :

– Et si je vous épousais, Denise, partiriez-vous ?

Mais elle avait retiré ses mains, elle se débattait comme sous le coup
30 d'une grande douleur.

1. Employé
du magasin.

– Oh ! monsieur Mouret, je vous en prie, taisez-vous ! Oh ! ne me faites pas plus de peine encore !… Je ne peux pas ! je ne peux pas !… Dieu est témoin que je m'en allais pour éviter un malheur pareil !

Elle continuait de se défendre par des paroles entrecoupées. N'avait-
35 elle pas trop souffert déjà des commérages de la maison ? Voulait-il donc qu'elle passât aux yeux des autres et à ses propres yeux pour une gueuse ? Non, non, elle aurait de la force, elle l'empêcherait bien de faire une telle sottise. Lui, torturé, l'écoutait, répétait avec passion :

– Je veux… je veux…

40 – Non, c'est impossible… Et mes frères ? j'ai juré de ne point me marier, je ne puis vous apporter deux enfants, n'est-ce pas ?

– Ils seront aussi mes frères… Dites oui, Denise.

– Non, non, oh ! laissez-moi, vous me torturez !

Peu à peu, il défaillait, ce dernier obstacle le rendait fou. Eh quoi ! même
45 à ce prix, elle se refusait encore ! Au loin, il entendait la clameur de ses trois mille employés, remuant à pleins bras sa royale fortune. Et ce million imbécile qui était là ! il en souffrait comme d'une ironie, il l'aurait poussé à la rue.

– Partez donc ! cria-t-il dans un flot de larmes. Allez retrouver celui que vous aimez… C'est la raison, n'est-ce pas ? Vous m'aviez prévenu, je
50 devrais le savoir et ne pas vous tourmenter davantage.

Elle était restée saisie, devant la violence de ce désespoir. Son cœur éclatait. Alors, avec une impétuosité d'enfant, elle se jeta à son cou, sanglota elle aussi, en bégayant :

– Oh ! monsieur Mouret, c'est vous que j'aime !

55 Une dernière rumeur monta du Bonheur des Dames, l'acclamation lointaine d'une foule. Le portrait de Mme Hédouin souriait toujours, de ses lèvres peintes, Mouret était tombé assis sur le bureau, dans le million, qu'il ne voyait plus. Il ne lâchait pas Denise, il la serrait éperdument sur sa poitrine, en lui disant qu'elle pouvait partir maintenant, qu'elle passerait un
60 mois à Valognes, ce qui fermerait la bouche du monde, et qu'il irait ensuite l'y chercher lui-même, pour l'en ramener à son bras, toute-puissante.

ÉMILE ZOLA, *Au Bonheur des Dames*, 1883.

Lecture

Pour bien lire

1 Où la scène se passe-t-elle ? À quel moment de la journée ?

2 Quelle est l'intention de Denise quand elle vient voir Mouret ? Quelle est celle de Mouret ?

3 Lignes 15 à 53 : relevez les verbes de parole et leurs compléments circonstanciels : quels sentiments successifs Mouret et Denise éprouvent-ils ?

4 Pourquoi Denise refuse-t-elle la demande en mariage ? Qu'est-ce qui la pousse, finalement, à accepter ?

Pour approfondir

5 Que représente le million pour Mouret ? Quelle évolution se fait au fil du texte ?

6 Relevez l'apposition qui caractérise la *rumeur* (l. 55-56) : que suggère-t-elle ?

7 Comparez le début et la fin du roman : comment le chemin qu'a parcouru Denise se constate-t-il ?

8 En quoi peut-on dire que Denise constitue un personnage idéal ? Pour répondre, appuyez-vous sur votre connaissance de l'ensemble de l'œuvre.

→ L'intrigue

Répondez à ces questions au fil de votre lecture.

A Débuts au Bonheur des Dames (chap. I à VI)

1 D'où Denise vient-elle ? Avec qui ? Quel est son but ?

2 Pourquoi Baudu ne peut-il pas embaucher sa nièce ? Que cela montre-t-il de la situation du petit commerce dès le début du roman ?

3 Pour quelle raison Mouret engage-t-il Denise dans son magasin ?

4 Comment les vendeuses se comportent-elles avec Denise à son arrivée ?

5 Chapitre V : quelle est la situation financière de Denise ?

6 Chapitre VI : que se passe-t-il pendant la morte-saison ? Que Denise fait-elle pour gagner un peu d'argent ?

7 Quel personnage est renvoyé peu après Denise ?

B Chez les petits commerçants (chap. VII et VIII)

1 Quels commerçants secourent Denise alors qu'elle est dans la misère ?

2 Qui Denise rencontre-t-elle dans le jardin des Tuileries ? Que lui propose-t-il ?

3 De quoi Geneviève souffre-t-elle ?

4 Pourquoi Robineau renvoie-t-il Denise ? Quelle décision prend-elle alors ?

5 Comment la situation des petits commerçants a-t-elle évolué ? Et celle du Bonheur des Dames ?

C L'ascension de Denise (chap. IX à XIV)

1 Comment se passe le retour de Denise au Bonheur des Dames ? Quelles promotions a-t-elle ?

2 Qui est Mme Desforges ? Quel est son rôle dans l'intrigue ?

3 Chapitre XII : quelles améliorations Denise apporte-t-elle à la vie des employés du Bonheur des Dames ? Qu'est-ce qui lui permet de le faire ?

4 Chapitre XIII : quels événements tristes se déroulent ? Que montrent-ils ?

5 Quel grand magasin se veut le concurrent du Bonheur des Dames ? Que lui arrive-t-il ?

6 Pourquoi Denise décide-t-elle de démissionner ?

7 Comment l'histoire se conclut-elle ?

La Demoiselle de magasin, James Tissot (1836-1902), 1882, musée des Beaux-Arts de l'Ontario, Toronto.

→ Les personnages

Au fil de votre lecture, faites la liste des différents personnages et répartissez-les dans le tableau suivant en indiquant les pages où ils ont un rôle important.

Les petits commerces	Le Bonheur des Dames	Les salons
– Le Vieil Elbeuf : ... – Autres commerçants : ...	– Direction : ... – Employés ayant du pouvoir : ... – Employés sans pouvoir : ...	– Personnages de pouvoir : ... – Personnages qui subissent : ...

A Un couple central

1 Qui sont les deux personnages principaux ? Présentez-les en deux paragraphes.

2 En quoi peut-on dire que Denise est un trait d'union entre les différents mondes représentés ? Justifiez votre réponse en vous appuyant sur des exemples précis.

3 Au début du roman, de qui Denise est-elle amoureuse ? Est-ce réciproque ? Qui est amoureux d'elle ?

4 À partir de quel moment Mouret tombe-t-il amoureux de Denise ? Pourquoi la jeune fille ne répond-elle pas à ses avances ?

5 Quelles autres intrigues amoureuses se déroulent ? Lesquelles ont une issue heureuse, lesquelles une issue malheureuse ?

B Commerçants et clientes

1 Qu'arrive-t-il aux petits commerces voisins du Bonheur des Dames ? Répondez en vous appuyant sur les histoires de la famille Baudu, de Bourras et de Robineau.

2 Quel regard Denise porte-t-elle sur la lutte entre grands et petits commerces ? Que veut montrer Zola ?

3 Présentez Mme de Boves, Mme Guibal et Mme Marty : quels types de clientes représentent-elles ? Comment réagissent-elles face au développement du Bonheur des Dames ?

C Le monde des employés

1 Classez les emplois suivants selon leur hiérarchie : chef de rayon, intéressé, commis, second. Pour chacun de ces emplois, présentez un personnage qui l'exerce.

2 Chapitre II : quel système de rémunération des vendeurs Mouret met-il en place ? Quelle conséquence cela a-t-il sur leurs relations ?

3 Quels éléments montrent le caractère précaire du travail de vendeur ?

4 Présentez les conditions de vie des employés du Bonheur : sont-elles enviables ?

→ Au Bonheur des Dames : un magasin moderne

A Un magasin en expansion

1 Quels sont les différents agrandissements que le magasin connaît au fil de l'histoire ? Que permettent-ils et que montrent-ils ?

2 Chapitre IV : quel nouvel espace crée une grande surprise ?

3 Chapitre IX : quelles nouveautés permettent d'améliorer le bien-être des clientes ?

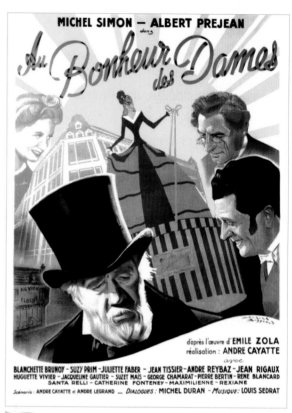

Affiche du film d'André Cayatte, 1943.

B Des techniques de vente innovantes

1 Chapitre IV : quel produit permet d'attirer les clientes ? Pourquoi ?

2 Chapitre IX : comment Mouret organise-t-il la disposition des articles pour améliorer les ventes ? Qu'est-ce qu'un « rendu » ?

3 Chapitre XIV : pourquoi Mouret fait-il mettre à l'entrée du magasin les articles bon marché ?

4 Donnez deux exemples de campagne publicitaire. Comment le budget alloué à la publicité évolue-t-il ?

5 Quels cadeaux sont offerts ? À qui ? Quelle est la principale cible de Mouret ?

C Un éloge du progrès

1 En quoi peut-on dire que le Bonheur des Dames est le personnage central du roman ?

2 Au fur et à mesure que le magasin s'agrandit, comment évoluent les conditions des employés ?

3 Comparez Mouret et Baudu : lequel est le plus sympathique, audacieux ? Lequel gagne, finalement ?

4 Quelles valeurs le personnage de Denise incarne-t-il ?

Le réalisme dans
Au Bonheur des Dames

 ## L'importance du cadre

✳ On appelle *incipit* (du latin *incipere*, commencer) la ou les premières pages d'un roman dans lesquelles est mis en place **le cadre de l'histoire** : époque, lieu, personnages, intrigue. La présence de dates et l'évocation de lieux existants contribuent au réalisme de l'œuvre. Les **« effets de réel »** se retrouvent également dans le souci du détail (par exemple, les descriptions très minutieuses des différents rayons du magasin) et dans le travail de l'auteur sur la psychologie des personnages.

✳ **Le choix d'un lieu et sa description** permettent d'éclairer **l'action ou le caractère d'un personnage. Souvent, les descriptions s'appuient sur le regard des personnages :** le lecteur découvre le Bonheur des Dames et le Vieil Elbeuf à travers le regard de Denise, en même temps qu'elle, et adopte, dès le début du roman, son point de vue.

✳ Enfin, les lieux peuvent revêtir une **dimension symbolique** : ainsi, le Bonheur des Dames, clair, coloré, resplendissant et plein de vie, affiche tout au long du roman sa victoire à venir sur les petites boutiques sombres et délabrées.

 ## Un roman de la modernité

✳ L'ambition de Zola à travers les personnages des Rougon-Macquart est de **montrer la société de son temps** dans sa globalité. Aussi l'écrivain a consacré beaucoup de temps à étudier le fonctionnement du Bon Marché, grand magasin qui lui a servi de modèle pour son Bonheur des Dames.

✳ Naissance d'une nouvelle catégorie sociale, celle des employés de magasin, invention des techniques modernes de vente, production de masse que permet la révolution industrielle : c'est **un monde en pleine mutation** qui se dévoile au lecteur à travers cette histoire. Zola y voit le moyen de montrer que le progrès est le moteur de l'évolution sociale. **Le progrès social est incarné par le personnage de Denise** qui, au fur et à mesure qu'elle gagne en influence, suggère à Mouret des mesures visant à améliorer la vie de ses employés.

 ## Un regard critique

✳ Si le regard de Zola se fait tendre pour son héroïne Denise, il n'épargne pas tous ses personnages. **La cruauté des employés** entre eux est montrée à travers les brimades que la jeune fille subit à ses débuts, la jalousie que lui manifestent ses camarades lorsqu'elle monte en grade. Il en est de même pour la haute société parisienne : Mouret, en en faisant ses proies, révèle le **caractère superficiel des clientes**.

✳ Le réalisme se trouve dans cette **analyse particulièrement pointue des comportements sociaux**, quelle que soit la société concernée. **Le peuple trouve donc toute sa place.** Ainsi se côtoient dans le magasin petits employés et riches Parisiennes, s'observant les uns les autres d'un œil critique. Les héros de Zola évoluent dans un monde qui se modernise et se retrouvent au milieu des tensions que cela crée entre les différentes classes sociales.

✳ C'est en montrant ces tensions, les malheurs qu'elles suscitent mais aussi les progrès qu'elles permettent, que Zola révèle son engagement social et politique.

La ville et le commerce

1 ★★ a. **Comment appelle-t-on un magasin qui vend :**
1. des chapeaux ; **2.** des articles pour la couture ;
3. des denrées de consommation et d'usage courant ;
4. des produits d'entretien ; **5.** des produits alimentaires à base de chair de porc.

b. **Nommez le métier qui correspond.**

2 ★★ **Complétez les phrases à l'aide des mots suivants :** *étal – devanture – vitrine – halle – marché – réserve – auvent.*

1. Quand je me promène, j'aime regarder les belles ... des magasins.
2. Nous n'avons plus cet article en rayon, je vais voir dans la ... s'il en reste.
3. Cet ... de fruits et légumes est protégé de la pluie par un ... .
4. Pour la période de Noël, les magasins refont leur ... .
5. Si tu veux du bon poisson, va l'acheter directement à la ... aux poissons.
6. Toutes les semaines, les maraîchers vendent leurs légumes au ... .

3 ★★ **Remplacez les expressions en italique par l'un des mots suivants :** *la clientèle – marchander – varié – florissant – le rayon.*

1. L'annonce à peine terminée, la foule se précipita vers *l'ensemble des comptoirs* des parapluies. – **2.** Voici un commerce *en plein développement* ! – **3.** Tous les vendeurs s'affairent pour servir *l'ensemble des clients.* – **4.** Chez certains commerçants, il faut savoir *discuter les prix.* – **5.** J'aime beaucoup cette boutique, on y trouve des produits *toujours différents.*

4 ★★★ a. **Associez chacun des noms de la liste A à un adjectif de la liste B qui convient.** b. **Employez les groupes nominaux ainsi formés dans des phrases en faisant les accords nécessaires.**
Liste A : un quartier – un édifice – un trottoir – une façade – un mur – une vitrine.
Liste B : achalandé – majestueux – décrépi – lézardé – malfamé – bondé.

5 ★ a. **Classez les noms suivants selon qu'ils désignent une voie campagnarde ou urbaine :** *chemin – rue – route – avenue – sentier – raidillon – boulevard – impasse – lacet – passage – ruelle.* b. **Parmi les noms de voies urbaines, lesquels désignent une voie de circulation importante, lesquels une petite rue ?**

6 ★★★ a. **Complétez le texte à l'aide des mots et expressions suivants :** *prix d'achat – revendre – intérêts – boutique – bénéfices – caisse.*

Sauviat n'achetait aucun objet sans la certitude de pouvoir le ... à cent pour cent de ... . Pour se dispenser de tenir des livres et une ..., il payait et vendait tout au comptant. Il avait d'ailleurs une mémoire si parfaite, qu'un objet, restât-il cinq ans dans sa ..., sa femme et lui se rappelaient, à un liard près, le ..., enchéri chaque année des ... .

HONORÉ DE BALZAC, *Le Curé de village.*

b. **Que signifient « au comptant », « à crédit », « troc », « paiement en nature » ?**

7 ★ **Groupez deux à deux les mots synonymes de la liste suivante :** *acheter – achat – acquérir – acquéreur – acquisition – acheteur.*

8 ★ **Associez chacun des mots de la liste A à son synonyme de la liste B.**
Liste A : cave – lucarne – enceinte – marches – négoce – persienne – voûtes – balustrade.
Liste B : arcades – cellier – rampe – commerce – degrés – fenêtre – volet – rempart.

9 ★★★ a. **Reliez chacun de ces mots à sa définition :** *calèche – esplanade – promenade – lampadaire – monument – fontaine.*
b. **Pour chacun des mots, cherchez une illustration renvoyant à une ville du XIXᵉ siècle. Donnez à chaque fois la référence précise.**

> Éducation aux médias

1. Lieu spécialement aménagé dans ou aux abords d'une ville pour la déambulation, la flânerie.
2. Édifice imposant par sa taille et remarquable par son intérêt historique ou esthétique, par sa valeur religieuse ou symbolique.
3. Monument ornemental comprenant un ou plusieurs bassins, des jets d'eau et souvent agrémenté d'éléments sculptés.
4. Vaste espace libre de terrain plat, dégagé, en avant ou aux abords d'un édifice.
5. Voiture légère, munie à l'arrière d'une capote mobile.
6. Support vertical souvent ouvragé et soutenant plusieurs lampes.

Faire une description

→ Choisir un cadre

1 a. Dans le texte suivant, quels détails montrent que l'action se déroule au XIXᵉ siècle ?

> Le cocher et le valet de pied, avec leur livrée bleu sombre, leurs culottes mastic et leurs gilets rayés noir et jaune, se tenaient raides, graves et patients, comme des laquais de bonne maison […].
> Tandis que la calèche remontait d'un trot plus vif, Maxime, charmé de l'allure anglaise du paysage, regardait, aux deux côtés de l'avenue, les hôtels, d'architecture capricieuse, dont les pelouses descendent jusqu'aux contre-allées ; Renée, dans sa songerie, s'amusait à voir, au bord de l'horizon, s'allumer un à un les becs de gaz de la place de l'Étoile.
>
> **É. Zola**, *La Curée*.

b. Quels éléments ne peut-on trouver dans un récit se déroulant au XIXᵉ siècle ?

un taxi – un parapluie – une femme qui entre dans un bar pour réfléchir tranquillement – une calèche – un téléphone (non portable) – un réfrigérateur – une lumière électrique – un train – une montre

→ Situer dans l'espace

2 Pour décrire les différents éléments d'un paysage, d'un édifice, évitez d'utiliser les expressions *il y a* et *on voit*, mais pensez à des verbes plus précis. Classez les verbes suivants selon qu'ils servent à décrire ce qui se trouve au premier plan, au-dessus, au milieu ou sur les côtés.

s'avancer – border – se détacher – se distinguer – dominer – encadrer – entourer – s'insérer – s'intercaler – ressortir – saillir – surplomber

3 Récrivez les phrases suivantes en remplaçant les expressions en italique par les verbes suivants.

se dresser – abonder – s'étaler – envahir – orner – border – dominer – surmonter

Vous devrez être attentifs à la construction des verbes et éventuellement changer l'ordre des mots.

1. Au-dessus de la porte, *il y avait* une enseigne.
2. Dans un jardin, *il y avait beaucoup de* végétation.
3. Les vitrines *avaient beaucoup* de marchandises.
4. Dans la rue, *il y avait de nombreuses* boutiques.
5. Le clocher de l'église *était plus haut que* les toits.
6. Des pots de fleurs *étaient sur* les balcons.
7. *Il y avait* une colonne au milieu de la place.
8. La foule *était dans* la rue.

→ Créer une atmosphère

4 a. Lisez le texte suivant.

> Ils virent une pièce au sol de terre battue, aux murs de pierre nue, envahie par les mauvaises herbes, une cheminée délabrée, des fenêtres sans carreaux, un escalier en ruine et, partout, des toiles d'araignées qui s'effilochaient.
>
> **Mark Twain**, *Les Aventures de Tom Sawyer*.

– Quelle impression se dégage de cette description ?
– Quelle figure de style est utilisée pour renforcer cette impression ?

b. Sur le même modèle, décrivez une pièce claire et confortable.

5 a. Dans le texte suivant, relevez les trois comparaisons que l'auteur utilise pour évoquer la neige. Vous paraissent-elles bien choisies ? Justifiez votre réponse.

> De blancs flocons de neige commencent à voltiger et à tourbillonner comme le duvet de cygnes qu'on plumerait là-haut. Bientôt ils deviennent plus nombreux, plus pressés ; une légère couche de blancheur, pareille à cette poussière de sucre dont on saupoudre les gâteaux, s'étend sur le sol. Une peluche argentée s'attache aux branches des arbres, et l'on dirait que les toits ont mis des chemises blanches.
>
> **Théophile Gautier**, *La Nature chez elle*.

b. Par groupes, imaginez à quoi pourraient être comparés :

– une rue pleine de monde sous une pluie battante ;
– les vitrines des magasins au moment de Noël ;
– un vieil édifice en très mauvais état ;
– une ville la nuit.

c. Choisissez un des quatre sujets du b. et décrivez-le en un paragraphe. Vous devrez utiliser au moins deux comparaisons.

Écrire un début de roman réaliste

Le Boulevard des Capucines devant le Théâtre du Vaudeville à Paris, Jean Beraud (1849-1935), 1889, musée Carnavalet, Paris.

SUJET

Au XIXᵉ siècle, un jeune campagnard se rend pour la première fois dans une grande ville : imaginez ce qu'il découvre et la manière dont il le voit.

A Trouver des idées

• Choisissez une ville que vous connaissez et des monuments ou bâtiments précis que vous pourrez décrire.

• Par quoi le personnage est-il séduit, intéressé ? Qu'est-ce qui, au contraire, le rebute ou le déçoit ?

• En quelle saison la scène se déroule-t-elle ? Quel temps fait-il ?

• Réfléchissez à une phrase d'ouverture :
– ouverture classique, qui pose le cadre spatio-temporel (*Exemple* : *Par un bel après-midi de 18**, un jeune homme sortait de la gare de *** en clignant des yeux sous le soleil*) ;
– début *in medias res*, qui plonge directement le lecteur dans l'action (*Exemple* : « *Ça alors !* » *s'exclama Lucienne en levant le nez vers le bâtiment qui se dressait devant elle*).

• Pensez à clore votre description par une phrase annonçant une action à venir (*Exemple* : *Lucienne prit une profonde inspiration et poussa la porte.* Ou : *Il décida de suivre la jeune femme qui venait d'entrer dans le magasin*). Attention, il n'y a pas d'histoire à raconter sur votre personnage, ne développez donc pas cette action.

B Pour réussir

• Votre texte devra contenir au moins deux descriptions vues à travers le regard du personnage : une méliorative et une péjorative. Mettez en valeur l'impression produite sur le personnage en utilisant la comparaison ou l'accumulation.

• Donnez le plus de détails possible sur le moment, le lieu, ce qui se passe dans la rue en utilisant un vocabulaire précis.

• Pensez à insérer une ou deux interventions du narrateur sur l'histoire d'un lieu, d'un monument vu par le personnage afin de rendre votre travail plus réaliste.

• Utilisez la syntaxe pour mieux restituer l'atmosphère de la ville : pour un lieu animé, où la foule se bouscule, utilisez des propositions juxtaposées ; pour un lieu désert, triste, utilisez des phrases non verbales.

Des livres

Jacquou le Croquant,
Eugène Le Roy, 1899,
« Folio Junior », Gallimard, 2000.

La révolte d'un petit paysan contre les injustices sociales de son temps, depuis la Restauration jusqu'à la fin du XIXᵉ siècle.

Bel-Ami, **Guy de Maupassant,** 1885, « Classiques abrégés », L'école des loisirs, 2011.

L'ascension sociale de Georges Duroy qui servira son ambition en séduisant les femmes.

Marie-Claire,
Marguerite Audoux, 1910,
« Les Cahiers rouges », Grasset, 2008.

L'enfance et l'adolescence d'une orpheline placée comme bergère dans une ferme après avoir été élevée dans un couvent.

Des films

La Chartreuse de Parme,
Christian-Jaque, 1948.

Une adapatation du roman de Stendhal, avec Gérard Philipe, en inoubliable Fabrice del Dongo.

La Bête humaine, **Jean Renoir, avec Jean Gabin,** 1938.

Une adaptation du roman de Zola. Jacques Lantier (Jean Gabin), souffrant de pulsions meurtrières, ne se trouve bien qu'en compagnie de son chauffeur Pecqueux sur la Lison, sa locomotive à vapeur.

Nord et Sud, adaptation du roman d'**Elizabeth Gaskell** par **Sandy Welch** pour la BBC, 2004.

Margaret Hale, fille de pasteur, a grandi dans le Sud rural de l'Angleterre. Elle découvre la vie âpre du Nord à l'époque de la révolution industrielle.

3

Mieux comprendre les médias

► Comment les médias mettent-ils en scène l'information ?

Pistes
pour un EPI **EMC**

▶ Comprendre la fabrique de l'information ; savoir utiliser les grands médias ; développer l'argumentation ; établir une revue de presse.

Dessin de Plantu, paru dans *Le Monde*, 2006.

Pour entrer dans le chapitre

1 Quelle est la nature de ce document ? D'où est-il tiré ?

2 Quel est le métier du personnage représenté ? Comment l'identifiez-vous ?

3 Que tient-il dans ses mains ? En quoi est-ce étonnant ?
Selon vous, que veut nous dire le dessinateur à travers ce détail ?

4 Quels sont les modes d'information que vous connaissez ?
Selon vous, quels sont les avantages et les inconvénients de chacun d'eux ?

Histoire des médias

L'âge d'or

• L'information est d'abord diffusée par voie de **presse**, c'est-à-dire dans les journaux (la presse, c'est ce qui est imprimé). Celle-ci se développe au **XIXᵉ siècle**, avec **l'invention de la rotative** qui permet des tirages à grande échelle. On y trouve des articles sur la politique et des échos mondains. Mais elle est encore proche du pouvoir et soumise à la **censure**. La **liberté de la presse** n'apparaît qu'avec la République, en 1881.

• Les journaux sont vendus à **la criée**. Leur succès est immense : jusqu'à la fin du XXᵉ siècle, dans toutes les classes sociales, la lecture des journaux fait souvent partie des habitudes quotidiennes. Cela permet le développement de nouvelles rubriques : pages société, sciences, sports…

De nouveaux médias

• Le XXᵉ siècle voit l'éclosion de nouveaux médias : l'information est aussi diffusée, à partir des années 1920, par **la radio**, puis par **la télévision** après la Seconde Guerre mondiale. À partir des années 1990, c'est **Internet** qui s'impose : l'information devient gratuite, accessible à tous facilement. Face à cette concurrence, **la presse écrite entre en crise**. Les journaux menacés de faillite sont rachetés par de gros groupes industriels qui possèdent aussi souvent des chaînes de télévision privées.

Présentation par Mr Marinoni de la machine rotative, illustration parue dans le supplément du *Petit Journal*, 2 juin 1901.

Les foyers français commencent à s'équiper d'un téléviseur, années 1960.

De nouvelles questions

• En théorie, Internet met à disposition de tout un chacun toute l'information possible. Mais si n'importe qui peut alimenter de nombreux sites, seuls les journalistes, de par la **charte qui régit leur profession**, sont tenus à offrir une information vérifiée. Internet pose donc **la question des sources et de la fiabilité de l'information**.

• Par ailleurs, le regroupement des différents organes de presse entre les mains de quelques personnes pose la question de **l'indépendance de l'information** : un journaliste sera-t-il autorisé à publier une information contraire aux intérêts ou aux opinions du propriétaire du groupe ?

Questions

1 Expliquez ce qu'est la censure.

2 Quels sont les avantages et les limites de l'information sur Internet ?

3 Quels problèmes le rachat des grands médias par un petit nombre d'industriels pose-t-il ?

Les mots de la presse

A

B

C

D

E

Le Monde,
12 janvier 2017.

1 À l'aide des définitions ci-dessous, légendez cette page de journal.

1. La une est la première page d'un journal.

2. La manchette est un bandeau qui affiche le titre du journal, le nom du rédacteur en chef, la date de parution.

3. Le gros titre met en valeur l'information principale.

4. Les sous-tribunes annoncent d'autres informations dans les marges.

5. La photographie illustre le sujet principal. Elle constitue une accroche importante. Elle est accompagnée d'une légende.

2 Comment appelle-t-on un journal qui paraît :

1. tous les jours ? **2.** toutes les semaines ? **3.** tous les mois ?

3 Vérifiez dans un dictionnaire la différence de sens entre les mots suivants : *journaliste – reporter – chroniqueur – rédacteur en chef.*

4 Associez chacun des mots suivants à sa définition.

article •————• texte publié dans un journal

éditorial •————• colonnes d'un journal réservées à l'expression d'opinions

fait divers •————• texte écrit par le rédacteur en chef du journal, qui commente l'actualité

tribune •————• information d'importance mineure

Partie 1. Une difficile objectivité

Le poids des mots

Migrants ou réfugiés ? Le débat sémantique[1] s'installe en Europe pour savoir comment qualifier les milliers de personnes qui arrivent quotidiennement sur les côtes méditerranéennes. Le premier terme est fustigé[2] pour ne pas refléter la détresse de ceux qui, le plus sou-
5 vent, fuient un conflit. [...]

Tout réfugié est un migrant...

En droit international, le « réfugié » est le statut officiel d'une personne qui a obtenu l'asile d'un État tiers[3]. Il est défini par une des conventions de Genève[4] (« *relative au statut des réfugiés* »), signée en 1951 et ratifiée[5]
10 par 145 États membres des Nations unies. [...]

Ces dernières années, les réfugiés en Europe ou au Moyen-Orient sont principalement des Syriens, Afghans, Irakiens ou encore des Libyens. Autant de pays en proie à des guerres civiles largement reconnues sur le plan international. Dans le cas d'afflux massifs d'habitants fuyant
15 des combats, le Haut-Commissariat des Nations unies pour les réfugiés (HCR) reconnaît que « *la capacité de mener un entretien personnel d'asile avec chaque personne ayant traversé la frontière n'est pas suffisante – et ne le sera jamais. Cela ne s'avère d'ailleurs pas nécessaire dans la mesure où, dans de telles circonstances, la raison de leur fuite est généralement évidente* ». Ces
20 groupes sont alors dits réfugiés *prima facie*, c'est-à-dire qu'ils n'ont pas besoin d'apporter la preuve de persécutions. [...]

... mais tous les migrants ne sont pas des réfugiés

Le dictionnaire *Larousse* définit un « *migrant* » comme toute personne qui effectue une migration, c'est-à-dire qui se déplace volontairement
25 dans un autre pays ou une autre région « *pour des raisons économiques, politiques ou culturelles* ». *Le Petit Robert* restreint la raison de ces déplacements au fait de « *s'établir* ».

Dans les faits, les milliers de personnes ayant traversé la mer Méditerranée sont bien des migrants, car ils se sont déplacés d'un pays à un autre,
30 même d'un continent à un autre. Parmi eux se trouvaient des personnes considérées comme réfugiés par le HCR (comme les Syriens). Les autres, de nationalités diverses, quittant un pays en développement pour chercher une vie meilleure en Europe, sont dits « migrants économiques » car « *ils font le choix du déplacement pour de meilleures perspectives[6] pour eux et pour*
35 *leurs familles* », explique le HCR. Les réfugiés, quant à eux, sont « *dans l'obligation de se déplacer s'ils veulent sauver leur vie ou préserver leur liberté* ».

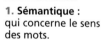

1. Sémantique : qui concerne le sens des mots.

2. Fustiger : critiquer violemment.

3. Tiers : ici, le sens d'étranger.

4. Les conventions de Genève sont un ensemble de traités internationaux relatifs aux droits de l'homme, qui visent particulièrement à garantir les droits des civils en temps de guerre.

5. Ratifier : approuver.

6. De meilleures perspectives : de meilleures chances d'avenir.

Ce sont les migrants économiques qui sont généralement ciblés par les politiques dures en matière d'immigration. Le HCR regrette depuis plusieurs années que des mesures soient « *appliquées de manière indiscriminée* 40 *et rendent très difficile, sinon impossible, l'entrée des réfugiés dans un pays où ils pourraient trouver la sécurité et le soutien dont ils ont besoin, et auxquels ils ont droit en vertu du droit international* ».

➥ **Alexandre Pouchard**, « "Migrant" ou "réfugié" : quelles différences ? », *Le Monde*, 25 août 2015.

Questions

impanes

1 a. D'où ce texte est-il tiré ? **b.** Reformulez en quelques mots le sujet de cet article.

2 À quoi correspondent les parties du texte en gras ?

3 a. Quelle définition l'article donne-t-il de *migrant* d'une part, et de *réfugié* d'autre part ? **b.** Quelle est la source de chacune de ces définitions ?

4 Pourquoi, selon le journaliste, le terme de *réfugié* ne peut-il s'appliquer à tous les migrants ? Quelle différence essentielle le HCR fait-il entre les deux ?

5 En quoi le choix de tel ou tel mot peut-il influencer le lecteur dans l'image qu'il se fait des personnes ainsi désignées ?

6 Relisez les parties du texte en gras et expliquez le plan suivi par le journaliste dans son article.

Le drame de Lampedusa, Chappatte, 6 octobre 2013.

Vocabulaire

1 Cherchez l'étymologie du mot *média*.

2 Associez chaque mot de la liste A à son synonyme de la liste B.
Liste A : terme – sémantisme – connotation – péjoratif.
Liste B : image – mot – négatif – sens.

3 Analysez la formation du mot *indiscriminée* (l. 39) et déduisez-en son sens.

4 a. Donnez le sens du mot *afflux* (l. 14).
b. Expliquez sa formation et trouvez deux mots de la même famille.

5 Complétez les phrases par un mot de la famille de *migrant*.

1. Les oiseaux qui partent chaque année pour les pays chauds sont des oiseaux ... .
2. Les grandes ..., souvent provoquées par la nécessité de se nourrir, ont favorisé le mélange des civilisations.
3. Afin d'échapper à la pauvreté, Charlie Chaplin a choisi d'... aux États-Unis.
4. Au début du XXᵉ siècle, de nombreux Italiens ont ... en France.

Du texte à l'image

1 Que représente cette image ?

2 Pourquoi peut-on parler d'humour noir ?

3 À votre avis, sa visée est-elle seulement humoristique ? Développez votre réponse

Écriture

Cherchez quel plan vous pourriez suivre pour répondre aux questions suivantes. Comme dans l'article, formulez en une phrase l'idée principale de chaque partie.

– Faut-il favoriser l'agriculture intensive ?
– Doit-on imposer des quotas de femmes à la tête des grandes entreprises ?
– Doit-on dénoncer les violences commises par un camarade ?

Le choc des photos

Le maire de Béziers a choqué en affichant en une de son journal municipal une photo détournée de migrants appartenant à l'AFP[1]. Un « buzz » réfléchi mais risqué.

« La nausée. » Ce jeudi, plusieurs responsables politiques se sont indignés de la une du dernier journal municipal de Béziers. Un numéro consacré au sujet des migrants, avec un message on ne peut plus clair : « Ils arrivent ! » La couverture montre des personnes attendant devant
5 un train. Sur les vitres, deux affichettes. La première indique « Béziers 3 865 km », la seconde ajoute « scolarité gratuite, hébergement et allocations pour tous ». Si la publication a suscité un véritable tollé, en particulier sur les réseaux sociaux, elle est en revanche parfaitement assumée par le maire de la ville, Robert Ménard.

10 **D'où vient cette photo ?**

La photographie appartient à l'Agence France-Presse. Le cliché a été pris en Macédoine, le 18 juin dernier, par le photographe Robert Atanasovski. La description précise que ce jour-là, des migrants patientaient dans une gare de Demir Kapija, située dans le sud-est du pays. Venus
15 d'Afrique, du Moyen-Orient, de l'Asie centrale et de l'Asie du Sud, ils espèrent rejoindre l'Union européenne par la Hongrie, la Roumanie ou la Croatie. Un trajet laborieux, qui leur permettrait de payer moins cher les passeurs, ajoutait l'AFP.

A-t-elle été acquise légalement ?

20 Joint par France Info, Éric Baradat, rédacteur en chef du service photo à l'AFP, s'indigne de la modification du cliché. « On ne sait pas encore comment le journal de Béziers a obtenu le fichier photo originel », affirme-t-il, dénonçant « une utilisation honteuse de l'image et une modification que [ses] clients ne se permettent jamais de faire ».

25 Contacté, Robert Ménard assure avoir acquis en toute légalité la photographie […]. Pour avoir le droit de modifier la photographie, la mairie de Béziers aurait dû obtenir l'autorisation de l'AFP, ce qu'elle n'a pas fait. Robert Ménard le concède d'ailleurs bien volontiers, invitant ensuite l'AFP à « joindre les Nations unies s'ils le veulent ». Au vu de la situation,
30 Pierre Lautier[2] identifie plusieurs responsabilités. « Pour résumer, on peut envisager une atteinte au droit moral du photographe, une violation de ses droits. Il peut agir pour son compte, mais l'AFP est *a priori* en droit d'attaquer la mairie de Béziers et Monsieur Ménard en justice. Mais encore, ils pourraient faire valoir un travestissement du message journalistique,

---

1. **L'AFP** : L'Agence France-Presse, créée en 1944 pour garantir la fiabilité de l'information.
2. Avocat spécialiste de la propriété intellectuelle.

35 presque historique, apporté par le photographe, une manipulation du sens que ce dernier a voulu donner au cliché. Cela peut conduire les juges à faire preuve de plus de sévérité. »

➥ **Ludwig Gallet**, « Photo de migrants manipulée : le jeu dangereux de Robert Ménard », *L'Express*, 10 septembre 2015.

Photo mise en ligne par JameJamOnline, juillet 2008.

La même image mise en ligne par le site des Gardiens de la révolution iraniens, Sepah News, juillet 2008.

Questions

1 À l'aide du premier paragraphe du texte, décrivez la photographie publiée en une du journal de Béziers de septembre 2015.

2 a. Que savez-vous sur les modifications apportées à la photographie d'origine ?
b. En quoi ces modifications transforment-elles le sens de la photographie ?

3 Expliquez le sens des mots « la nausée » au début de l'article : de qui traduisent-ils le point de vue ?

4 Pourquoi la modification de cette photographie est-elle illégale ? Pourquoi est-elle immorale ?

5 Quel est l'objectif visé par cette photographie ? Quelles manipulations ont été nécessaires pour cela ?

Du texte à l'image

En 2008, l'Iran, désireux d'affirmer sa puissance militaire, photographie le lancement de missiles de haute technologie. Mais un des missiles (visible au sol, photo de gauche) ne fonctionne pas. Qu'à cela ne tienne : la photographie est retouchée avant sa diffusion, où l'on verra les quatre fusées décoller.

Débat D'après votre lecture du texte et votre analyse des images, pensez-vous que la photographie soit garante de la vérité de ce qu'elle montre ? Argumentez et discutez vos réponses.

Vocabulaire

1 a. Cherchez l'étymologie du mot *polémique*.
b. À l'aide de cette étymologie, expliquez son sens.
c. Que signifie l'expression « faire polémique » ?

2 a. Qu'est-ce qu'un *tollé* (l. 7) ?
b. Expliquez l'expression « susciter un tollé ».

3 a. Quel est le sens de *cliché* (l. 11) ?
b. Que signifie ce mot quand il est employé au sens figuré ? Mettez ce sens en valeur dans une phrase de votre invention.

Le piège de l'info en direct

Dominique Wolton, né en 1947, est un sociologue spécialisé dans l'étude des médias, chercheur au CNRS.

Dessin de
Faujour, 1998.

« Voir pour savoir » est en effet aujourd'hui le modèle de l'information occidentale. On ne croit que ce que l'on voit, l'image étant garante de vérité. Le consensus[1] se décompose comme suit : l'image est le meilleur moyen de rendre compte de l'événement ; ce que l'on montre est vrai ;
5 tout ce qui est important doit être vu.

C'est cette association entre événement, image et information qui est aujourd'hui au cœur de notre modèle de la presse. Il en résulte une autre équation simple : si l'image est la forme supérieure d'information, alors le direct permet la meilleure information. C'est le paradigme du direct[2],
10 ou paradigme CNN. On y trouve tous les ingrédients propres à la rationalité[3] occidentale : la maîtrise du temps, la dichotomie[4] vrai-faux qui se traduit ici par l'opposition montré-caché. Le direct est la forme supérieure de la vérité de l'information.

Ce rêve, aujourd'hui réalisé et, qui plus est, incarné dans l'existence d'une
15 chaîne d'information travaillant vingt-quatre heures sur vingt-quatre, est l'idéal de la presse occidentale. Depuis le XVIIIᵉ siècle, de batailles politiques en batailles économiques, puis juridiques et techniques, s'est imposée l'idée fondamentale que la liberté d'information serait d'autant plus réelle que l'information serait en direct : réduire l'écart entre l'événement et l'infor-
20 mation était non seulement le moyen de minimiser la possibilité du mensonge mais aussi celui de satisfaire à l'idéal de l'information. C'est ce qui est contenu dans le terme de « reporter » (*to report* : rapporter) qui désigne

1. **Consensus** : accord.

2. **Paradigme du direct** : idée qu'on se fait du direct.

3. **Rationalité** : recherche de raison, de logique.

4. **Dichotomie** : opposition.

celui qui rapporte, traduit les événements. Et il n'est pas inintéressant de préciser que, pendant une bonne partie du XIXe siècle, le reporter s'est vu accompagner d'un dessinateur pour « croquer » la situation, plus tard d'un photographe, puis d'un preneur de son, enfin d'un *cameraman*. C'est dire que le « reporter » éprouve le besoin de s'entourer d'une personne compétente techniquement, afin de rendre compte encore plus fidèlement de la réalité des faits. Cette authenticité de la relation est au cœur de la notion occidentale d'information. La réduction du temps séparant l'événement de sa relation correspond aussi à un objectif démocratique bien connu : informer les citoyens le plus rapidement possible. Toute l'histoire de la presse est à juste titre la bataille pour réduire cet écart entre événement et information et arriver ainsi à l'idéal de l'information qui est d'être en direct, *live* comme disent les Américains. Superbe symbole…

Quelles sont les distorsions[5] introduites par cette victoire du direct ? La principale critique peut se résumer ainsi : ce n'est pas en « étant le nez sur l'événement » que l'on fait une meilleure information. En admettant que l'on sache ce qu'est un événement, ce qui n'est pas toujours facile comme on le verra plus loin. À être trop près, on ne voit plus que des détails, on perd le sens de l'ensemble. On n'a qu'une vue locale, non généralisable.

Ensuite, le direct maximise l'émotion contre le raisonnement. L'absence de recul empêche la réflexion et donne une importance considérable à la réaction que l'on a face à l'événement et qui est nécessairement transmise dans l'information en direct. Enfin, il rend le public plus tributaire[6] du journaliste, lui-même tributaire de ce qu'il ressent.

L'événement directement adressé au public ne constitue pas une information, puisque disparaît entre les deux le travail qui est le fondement du métier de journaliste : prendre de la distance, trier, vérifier, recouper, douter, choisir, interpréter et décider. Bref, « censurer » la réalité et construire l'information.

L'information n'est pas une donnée brute, mais le résultat de l'intervention d'un individu qui, dans le tohu-bohu des événements, des faits, décide d'en sélectionner un ou plusieurs et d'en faire une information. Dans le mot même d'information, il y a évidemment la notion de forme et de formation de la réalité. En « informant », le journaliste contribue à construire la « forme » et la représentation de la réalité, et c'est ainsi qu'il assume sa responsabilité professionnelle. L'information n'est jamais la réplique du réel, mais une interprétation, un choix. On comprend ce qu'il y a de séduisant dans la généralisation de l'image, et de l'image en direct, puisqu'elle résout d'un coup tous les problèmes : plus question de savoir ce que l'on garde ou rejette, puisque l'on prend tout ! L'autre question, le rapport entre ce qui est montré et la vérité, est résolue puisque l'image, réplique de la réalité, est le meilleur gage possible de la véracité de ce qui est montré.

C'est ce double triomphe de l'image et du direct qui explique le piège diabolique de l'information audiovisuelle en direct. Accomplissement du

5. Distorsion : déformation.

6. Tributaire : dépendant.

rêve de l'information, elle peut en être le cimetière puisqu'elle conduit à supprimer toute distance entre la réalité et l'information. Donc à confondre
70 les deux et à croire qu'il y a un rapport direct entre réalité et vérité.

Dominique Wolton, *War Game*, © Flammarion, coll. « Documents », 1992, p. 84-86.

Questions

1 Relisez les deux premiers paragraphes du texte : quelle est la thèse examinée dans cet article ?

2 Lignes 36 à 46 : quelles sont les deux critiques que l'auteur formule contre cette thèse ?

3 a. Que vous apprennent les lignes 52 à 65 sur le mot *information* ?
b. Pourquoi peut-on dire que le journaliste « met en forme » la réalité ? Pour répondre, appuyez-vous sur votre lecture du texte, mais aussi sur votre connaissance des textes précédents, et sur votre travail sur l'image.

4 D'après l'auteur du texte, quel est le rôle du journaliste ? Citez et expliquez la phrase dans laquelle ce rôle est défini.

5 Relisez le dernier paragraphe du texte.
a. Quelle est sa fonction ?
b. Quelle vous semble être la visée de ce texte ?

Dessin d'Aurel, 2009.

Du texte à l'image

1 Observez le dessin suivant : à votre avis, que critique-t-il ?

2 Le ton choisi est-il le même que celui de Dominique Wolton ?

3 Quels sont l'avantage et l'inconvénient des moyens employés par le texte d'une part, et par le dessin d'autre part, pour formuler cette critique ?

« J'accuse… ! »

Émile Zola

(1840-1902)
Il mène tout au long de sa vie une carrière de journaliste. Il fait alors preuve d'engagement, critiquant l'Empire, défendant la République et les libertés. Il rédige dans le journal *L'Aurore* une tribune pour défendre Dreyfus.

En 1894 éclate une importante affaire d'espionnage : on découvre que des documents militaires ont été transmis à l'Allemagne, considérée alors comme pays ennemi. Il faut un coupable. Un officier juif, le capitaine Dreyfus, est accusé sur la base d'une simple ressemblance d'écriture, jugé à la hâte et condamné à la déportation en Guyane. Lorsqu'on découvre le vrai coupable, un certain Esterhazy, deux ans plus tard, la justice préfère acquitter celui-ci que de reconnaître les crimes de l'état-major français. L'affaire déchaîne les passions.

13 janvier 1898

Monsieur le Président[1],

Me permettez-vous, dans ma gratitude pour le bienveillant accueil que vous m'avez fait un jour, d'avoir le souci de votre juste gloire et de
5   vous dire que votre étoile, si heureuse jusqu'ici, est menacée de la plus honteuse, de la plus ineffaçable des taches ? […] Un conseil de guerre vient, par ordre, d'oser acquitter un Esterhazy, soufflet[2] suprême à toute vérité, à toute justice. Et c'est fini, la France a sur la joue cette souillure, l'histoire écrira que c'est sous votre présidence qu'un tel crime social a
10   pu être commis.

Puisqu'ils ont osé, j'oserai aussi, moi. La vérité, je la dirai, car j'ai promis de la dire, si la justice, régulièrement saisie, ne la faisait pas, pleine et entière. Mon devoir est de parler, je ne veux pas être complice. Mes nuits seraient hantées par le spectre de l'innocent qui expie là-bas, dans la plus
15   affreuse des tortures, un crime qu'il n'a pas commis.

Et c'est à vous, monsieur le Président, que je la crierai, cette vérité, de toute la force de ma révolte d'honnête homme. Pour votre honneur, je suis convaincu que vous l'ignorez. Et à qui donc dénoncerai-je la tourbe[3] malfaisante des vrais coupables, si ce n'est à vous, le premier magistrat du pays ?
    […]
20   J'accuse le général Billot d'avoir eu entre les mains les preuves certaines de l'innocence de Dreyfus et de les avoir étouffées, de s'être rendu coupable de ce crime de lèse-humanité et de lèse-justice, dans un but politique, et pour sauver l'état-major compromis. […]

J'accuse le général de Pellieux et le commandant Ravary d'avoir fait une
25   enquête scélérate[4], j'entends par là une enquête de la plus monstrueuse partialité[5], dont nous avons, dans le rapport du second, un impérissable monument de naïve audace.

1. Lettre adressée au président de la République, Félix Faure.

2. Soufflet : gifle, insulte.

3. Tourbe : boue. Métaphore qui désigne ici un groupe immonde.

4. Scélérat : criminel.

5. Partialité : injustice qui consiste à prendre parti pour ou contre une personne lors d'un jugement, au lieu de chercher à être objectif.

J'accuse les trois experts en écritures, les sieurs Belhomme, Varinard et Couard, d'avoir fait des rapports mensongers et frauduleux, à moins 30 qu'un examen médical ne les déclare atteints d'une maladie de la vue et du jugement.

J'accuse les bureaux de la guerre d'avoir mené dans la presse, particulièrement dans *L'Éclair* et dans *L'Écho de Paris*, une campagne abominable, pour égarer[6] l'opinion et couvrir leur faute.

35 J'accuse enfin le premier conseil de guerre d'avoir violé le droit, en condamnant un accusé sur une pièce restée secrète, et j'accuse le second conseil de guerre d'avoir couvert cette illégalité, par ordre, en commettant à son tour le crime juridique d'acquitter sciemment un coupable.

En portant ces accusations, je n'ignore pas que je me mets sous le coup 40 des articles 30 et 31 de la loi sur la presse du 29 juillet 1881, qui punit les délits de diffamation[7]. Et c'est volontairement que je m'expose.

Quant aux gens que j'accuse, je ne les connais pas, je ne les ai jamais vus, je n'ai contre eux ni rancune ni haine. Ils ne sont pour moi que des entités[8], des esprits de malfaisance sociale. Et l'acte que j'accomplis ici n'est qu'un 45 moyen révolutionnaire pour hâter l'explosion de la vérité et de la justice.

Je n'ai qu'une passion, celle de la lumière, au nom de l'humanité qui a tant souffert et qui a droit au bonheur. Ma protestation enflammée n'est que le cri de mon âme. Qu'on ose donc me traduire en cour d'assises et que l'enquête ait lieu au grand jour !

50 J'attends.

Veuillez agréer, Monsieur le Président, l'assurance de mon profond respect.

6. Égarer : ici, tromper.

7. Diffamation : délit qui consiste à attaquer publiquement quelqu'un et à salir sa réputation de façon infondée.

8. Des entités : des idées.

➤ **Émile Zola**, *L'Aurore*, 13 janvier 1898.

Questions

1 a. À qui cette lettre est-elle adressée ? Par quel moyen ?
b. Comment l'auteur implique-t-il cette personne dans cette affaire ? Pour répondre, appuyez-vous sur le premier paragraphe du texte.

2 Quel est le point commun entre les différents paragraphes, dans les lignes 20 à 38 ? Quel est l'effet produit ?

3 Quel est le ton employé dans cette lettre ? Développez votre réponse en vous appuyant sur le texte. *Tâche complexe*

▶ **Coup de pouce**
• Observez le vocabulaire employé pour désigner le jugement rendu contre Dreyfus.
• Cherchez les différents termes qui sont mis en relief.
• Soyez attentif aux dernières phrases du texte : quelle est leur fonction ?

4 Quelle explication Zola donne-t-il à son acte dans les deux premiers paragraphes ?

5 Quel sens donnez-vous au mot *lumière* (l. 46) ? À quoi fait-il référence ?

6 a. « la France a sur la joue cette souillure » (l. 8) : qu'est-ce qu'une *souillure* ? Quelle est la figure de style employée dans cette phrase ?
b. Quelles valeurs Zola associe-t-il à la France ?

Vocabulaire

1 À l'aide de la note, donnez le sens de *partialité* (l. 26), puis trouvez un adjectif de la même famille.

2 Le mot *sciemment* (l. 38) vient du latin *scio, scire*, qui signifie savoir, connaître.
a. Trouvez d'autres mots français issus de la même racine.
b. Analysez la formation du mot *sciemment* et déduisez-en son sens.

3 a. Cherchez l'étymologie de *diffamation* (l. 41) et expliquez le sens du mot.
b. Donnez deux adjectifs de la même famille.

Lettre sur la peine de mort

Écrivain français, auteur des Misérables, *de nombreux poèmes, Victor Hugo (1802-1885) (voir p. 161) est aussi un homme politique qui n'a cessé de lutter en faveur de progrès sociaux. Il s'est particulièrement engagé contre la peine de mort. Fervent démocrate, opposé au régime instauré par Napoléon III, il doit alors s'exiler sur l'île anglaise de Guernesey. C'est de là-bas qu'il écrit le texte qui suit, publié en janvier 1854 dans le journal* La Chronique de Jersey.

Janvier 1854.

Peuple de Guernesey,

C'est un proscrit[1] qui vient à vous.

C'est un proscrit qui vient vous parler pour un condamné. L'homme
5 qui est dans l'exil tend la main à l'homme qui est dans le sépulcre[2]. Ne le
trouvez pas mauvais, et écoutez-moi.

Le mardi 18 octobre 1853, à Guernesey, un homme, John-Charles
Tapner, est entré la nuit chez une femme, Mme Saujon, et l'a tuée ; puis
il l'a volée, et il a mis le feu au cadavre et à la maison, espérant que le pre-
10 mier forfait s'en irait dans la fumée du second. Il s'est trompé. Les crimes
ne sont pas complaisants[3], et l'incendie a refusé de cacher l'assassinat. La
providence[4] n'est pas une receleuse[5] ; elle a livré le meurtrier. […]

Cet homme a été jugé ; jugé avec une impartialité et un scrupule[6] qui
honorent votre libre et intègre magistrature[7]. Treize audiences ont été
15 employées à l'examen des faits et à la formation lente de la conviction des
juges. Le 3 janvier l'arrêt a été rendu à l'unanimité ; et à neuf heures du
soir, en audience publique et solennelle, votre honorable chef magistrat,
le bailli[8] de Guernesey, d'une voix brisée et éteinte, tremblant d'une émotion dont je le glorifie, a déclaré à l'accusé que « la loi punissant de mort le
20 meurtre », il devait, lui John-Charles Tapner, se préparer à mourir, qu'il
serait pendu, le 27 janvier prochain, sur le lieu même de son crime, et
que, là où il avait tué, il serait tué.

[…] Guernesiais, Tapner est condamné à mort ; en présence du texte des
codes[9], votre magistrature a fait son devoir ; elle a rempli, pour me ser-
25 vir des propres termes du chef magistrat, « son obligation » ; mais prenez
garde. Ceci est le talion[10]. Tu as tué, tu seras tué. Devant la loi humaine,
c'est juste ; devant la loi divine, c'est redoutable.

[…] La première des vérités, la voici : tu ne tueras pas[11].

Et cette parole est absolue ; elle a été dite pour la loi, aussi bien que
30 pour l'individu. […]

1. **Proscrit :** personne chassée de son pays par mesure judiciaire ; exilé.

2. **Sépulcre :** tombeau.

3. **Complaisant :** bien disposé envers quelqu'un, favorable.

4. **Providence :** force qui dirige le monde, décide des destinées.

5. **Receleur :** complice d'un criminel, qui cache des objets volés ou des coupables.

6. **Scrupule :** souci d'honnêteté.

7. **Magistrature :** administration chargée de rendre la justice.

8. **Bailli :** officier de justice.

9. **Codes :** ensemble des lois d'un pays.

10. **Talion :** justice rendue selon la loi biblique, de façon à faire payer son crime au coupable, selon la formule « Œil pour œil, dent pour dent ».

11. L'un des Dix Commandements de la Bible.

Guernesiais ! La peine de mort recule aujourd'hui partout et perd chaque jour du terrain ; elle s'en va devant le sentiment humain. En 1830, la Chambre des députés de France en réclamait l'abolition, par acclamation ; la Constituante de Francfort l'a rayée des codes en 1848 ; la Constituante de Rome l'a supprimée en 1849 ; notre Constituante de Paris ne l'a maintenue qu'à une majorité imperceptible [...]

Il dépend de vous que la peine de mort soit abolie de fait à Guernesey ; il dépend de vous qu'un homme ne soit pas « pendu jusqu'à ce que mort s'ensuive » le 27 janvier ; il dépend de vous que ce spectacle effroyable, qui laisserait une tache noire sur votre beau ciel, ne vous soit pas donné. [...]

Oh ! nous sommes le dix-neuvième siècle ; nous sommes le peuple nouveau ; nous sommes le peuple pensif, sérieux, libre, intelligent, travailleur, souverain ; nous sommes le meilleur âge de l'humanité, l'époque de progrès, d'art, de science, d'amour, d'espérance, de fraternité ; échafauds[12] ! qu'est-ce que vous nous voulez ? Ô machines monstrueuses de la mort, hideuses charpentes du néant, apparitions du passé, toi qui tiens à deux bras ton couperet triangulaire[13], toi qui secoues un squelette au bout d'une corde, de quel droit reparaissez-vous en plein midi, en plein soleil, en plein dix-neuvième siècle, en pleine vie ? Vous êtes des spectres. Vous êtes les choses de la nuit, rentrez dans la nuit. Est-ce que les ténèbres offrent leurs services à la lumière ? Allez-vous-en. Pour civiliser l'homme, pour corriger le coupable, pour illuminer la conscience, pour faire germer le repentir dans les insomnies du crime, nous avons mieux que vous, nous avons la pensée, l'enseignement, l'éducation patiente, l'exemple religieux, la clarté en haut, l'épreuve en bas, l'austérité, le travail, la clémence. [...]

Le code de meurtre est un scélérat[14] masqué avec ton masque, ô justice, et qui tue et massacre impunément. Tous les échafauds portent des noms d'innocents et de martyrs. Non, nous ne voulons plus de supplices. Pour nous la guillotine s'appelle Lesurques[15], la roue s'appelle Calas, le bûcher s'appelle Jeanne d'Arc, la torture s'appelle Campanella, le billot s'appelle Thomas Morus, la ciguë s'appelle Socrate, le gibet se nomme Jésus-Christ ! [...]

Insulaires de Guernesey, ne tuez pas cet homme ! Je dis : ne le tuez pas, car, sachez-le bien, quand on peut empêcher la mort, laisser mourir, c'est tuer.

Ne vous étonnez pas de cette instance qui est dans mes paroles. Laissez, je vous le dis, le proscrit intercéder pour[16] le condamné. Ne dites pas : que nous veut cet étranger ? Ne dites pas au banni : de quoi te mêles-tu ? ce n'est pas ton affaire. – Je me mêle des choses du malheur ; c'est mon droit, puisque je souffre. L'infortune a pitié de la misère ; la douleur se penche sur le désespoir. [...] Pour moi cet assassin n'est plus un assassin, cet incendiaire n'est plus un incendiaire, ce voleur n'est plus un voleur ; c'est un être frémissant qui va mourir. Le malheur le fait mon frère. Je le défends.

VICTOR HUGO, « Lettre aux habitants de Guernesey », 1854.

12. **Échafaud :** construction destinée à la mise à mort des condamnés.

13. Allusion à la lame en biais des guillotines.

14. **Scélérat :** criminel.

15. Lesurques, Calas, Jeanne d'Arc... noms de différents innocents condamnés à mort.

16. **Intercéder pour :** prier pour.

1 **a.** À qui Victor Hugo s'adresse-t-il dans cette lettre ? Dans quel but ?
b. En vous aidant de l'introduction, expliquez ce qu'on appelle une lettre ouverte.

2 Comment l'auteur se présente-t-il dans les premières lignes ? À votre avis, pourquoi ?

3 Hugo critique-t-il la justice de Guernesey ? Justifiez votre réponse.

4 **a.** Délimitez les différentes parties du texte : le rappel des faits, le jugement, le plaidoyer d'Hugo.
b. À quoi servent les lignes qui précèdent et celles qui suivent ces trois grandes parties ?

5 Quels sont les différents arguments d'Hugo contre la peine de mort ?

6 **a.** Dans les lignes 45 à 51, à qui l'auteur s'adresse-t-il ?
b. Par quels différents moyens rend-il l'image de la condamnation à mort détestable ?

7 Dans les lignes 37 à 40, comment implique-t-il son destinataire dans ses propos ?

8 Quels sentiments cherche-t-il à susciter à la fin du texte ? Par quels moyens ?

Idées noires, Franquin, 1977.

Présentez l'image ci-dessus. Quels rapprochements pouvez-vous faire entre le texte d'Hugo et cette image ?

Vocabulaire

1 Rappelez le sens d'*impartialité* (l. 13).

2 Donnez un synonyme d'*intègre* (l. 14), *austérité* et *clémence* (l. 55).

3 Cherchez l'étymologie du mot *insulaire* (l. 63) et déduisez-en son sens.

« Lettre ouverte aux djihadistes qui nous ont déclaré la guerre »

Brice Couturier est journaliste et écrivain. Après des attentats du 13 novembre 2015, Brice Couturier, qui tient alors une chronique quotidienne dans l'émission « Les Matins » de France Culture, dit ce texte à l'antenne.

Dessin d'après la photo *Le Baiser de l'Hôtel-de-Ville*, de Robert Doisneau, près du Bataclan, un des sites attaqués le 13 novembre 2015.

Chers djihadistes,

Grâce à vous, je comprends un peu mieux ce qui me relie à ce vieux pays, la France. Ayant vécu ici ou là, du Liban à
5 la Pologne, j'en étais arrivé à me considérer comme un homme aux semelles de vent. Il n'y a pas longtemps, je me serais bien identifié au nomade hyperconnecté de Jacques Attali[1], libre de choisir son
10 pays d'attache comme on décide d'un hôtel en vertu du ratio qualité des prestations sur niveau des prélèvements. Ma capitale à moi, ce pouvait être Londres, Bruxelles, voire New York. Je jugeais
15 Paris provinciale.

Je dois vous l'avouer, chers djihadistes, la France ne m'était pas grand-chose. Son exceptionnalité m'énervait. Je rêvais de la noyer dans la normalité européenne. Mais tout de même, me disaient mes amis, tes grands-pères, tous deux officiers de réserve, ont porté l'uniforme pendant les guerres.
20 Serais-tu prêt à abandonner à n'importe qui une terre pour laquelle ton père a pris le maquis à 18 ans, frôlé la mort dans les Ardennes à 19 durant l'hiver 1944-1945 ?

Comme à bien des hommes et femmes de ma génération, ces querelles d'Allemands m'apparaissaient comme quasi préhistoriques. Du sang perdu.
25 Pourquoi alors, chers djihadistes, ai-je voilé de tricolore ma photo de profil sur Facebook, comme l'ont fait, en un week-end, des centaines de milliers de gens – phénomène sur lequel feraient bien de réfléchir nos sociologues ? Pourquoi cette *Marseillaise*, entonnée par un Congrès debout, à Versailles ? Si j'étais le conseiller en communication de François
30 Hollande, je lui conseillerais d'orner son revers d'un badge aux couleurs de son pays, comme le font dorénavant les présidents américains. Ridicule hier, cette marque de patriotisme apparaîtrait courageuse aujourd'hui.

1. Jaques Attali est un économiste et un écrivain qui considère comme enthousiasmantes la mondialisation et l'hyperconnection qui en résulte.

C'est que, chers djihadistes, j'ai bien compris votre message. Dans votre communiqué de guerre, vous vous vantez d'avoir attaqué « la capitale des abominations et de la perversion, celle qui porte la bannière de la Croix[2] en Europe, Paris ». Vous vous vantez d'avoir massacré à la kalachnikov des amateurs de rock désarmés dans une salle de concert, « le Bataclan, où étaient rassemblés », dites-vous, « des centaines d'idolâtres dans une fête de la perversité ». Assassiner des civils désarmés, quel glorieux fait d'arme, en vérité !

Vous croyez avoir semé la panique dans cette ville qui vous fait horreur, Paris, parce qu'elle est la capitale de la liberté de penser, de croire et de ne pas croire. Oui, chez nous, hommes et femmes, jusqu'à nouvel ordre, marchent côte à côte dans les rues, s'asseyent aux mêmes tables de cafés et de restaurants. Nos regards se croisent avec cette liberté que les bigots[3] de votre espèce condamnent comme une effronterie. Les visages ne sont pas masqués, parce que l'expérience d'autrui prend la forme du visage – comme nous l'a appris Lévinas[4]. C'est dans nos universités, très anciennes, que s'est développé cet esprit critique, qui vous fait si peur parce que vous craignez qu'il dissipe bientôt les ténèbres de votre crasse ignorance. Nos Lumières nous ont apporté une supériorité matérielle dont nous avons abusé dans le passé. Ce n'est plus le cas.

Nous sommes une nation d'individus, fiers de leur émancipation, et désireux de la proposer à tous ceux qui viennent nous rejoindre, sans distinction de race ou de religion. Nous sommes les enfants de Descartes et de Voltaire[5] et c'est pourquoi nous soumettons toutes les croyances à l'épreuve de la raison, tous les pouvoirs à celui de la critique. À nos yeux, aucune puissance terrestre ne peut se targuer[6] d'une origine divine. Cette liberté de critiquer, de se moquer, nous l'avons gagnée par les armes, à la suite de nos révolutions.

De tout cet acquis, il n'y a rien à négocier. C'est à prendre ou à laisser.

Pour toutes ces raisons, pour Pascal et Paul Valéry, pour Montaigne et Proust, Watteau et Debussy, pour Lamartine[7] en février 1848 et Charles de Gaulle en juin 1940, je me sens soudain fier d'être Français. Vous croyez pouvoir nous soumettre par la terreur, vous vous trompez. Vous courez de grands risques en prenant notre longue tolérance pour de la lâcheté. Nous détestons la violence et sommes lents à répondre aux provocations. Mais sachez que, dans le passé, nous avons affronté des ennemis bien autrement redoutables que vos hordes[8] miteuses. Et que nous les avons vaincus. Par vos provocations sanguinaires, vous nous avez réarmés moralement. C'est une bonne chose. C'est pourquoi la peur va changer de camp. Vous voilà prévenus.

Brice Couturier, France Culture, « Les Matins / Les idées claires », 18 novembre 2015.

---

2. Référence à la croix de la religion chrétienne.

3. Bigot : qui adhère aux préceptes de sa religion de manière outrée et étroite d'esprit.

4. Lévinas : philosophe juif qui attache une importance particulière au visage de chaque individu, à sa fragilité et à la manière dont il demeure inaccessible.

5. Philosophes qui préfèrent à la croyance religieuse le raisonnement et l'esprit critique.

6. Se targuer : se vanter

7. Philosophes, écrivains, peintre, compositeur français d'époques diverses.

8. Horde : troupe d'hommes indisciplinés.

Questions

1 Dans quelles circonstances Brice Couturier écrit-il ce texte ?

2 Quelle forme choisit-il de donner à sa chronique ?

3 **a.** Qu'est-ce qui est surprenant dans le début de la première phrase ?
b. Avant l'attentat, l'auteur était-il particulièrement attaché à son pays ? Justifiez votre réponse.
c. Quel phénomène étonnant s'est produit en France en réaction aux attentats ?

4 À partir de la ligne 33, à quoi correspondent les passages entre guillemets ? Quel est le champ lexical dominant ? Que pouvez-vous en déduire sur la vision du monde des djihadistes ?

5 **a.** En opposition à cette vision, que représentent, pour Brice Couturier, Paris et la France en général ? Développez votre réponse en relevant des exemples précis.
b. Rappelez qui sont les Lumières. À quelle expression ce nom s'oppose-t-il ligne 50 ?
c. Relevez un passage dans lequel Brice Couturier évoque l'attachement des Français à l'esprit critique.

6 **a.** À partir de ligne 67, quel pronom l'auteur emploie-t-il ? Qui désigne-t-il ?
b. Quelles sont les valeurs françaises auxquelles il est attaché ?
c. Relevez, à la fin du texte, les expressions qui montrent la volonté de l'auteur de défendre ces valeurs.

Vocabulaire

1 *Émancipation* (l. 53) : donnez un verbe de la même famille et employez-le dans une phrase qui en révélera le sens.

2 **a.** *Provoquer* : donnez un nom de la même famille, soulignez son suffixe.
b. À partir des verbes suivants, construisez des noms en employant ce même suffixe : *libérer – détester – universaliser – identifier – considérer.*
c. Employez chacun de ces noms dans une phrase de votre composition.

Le Parisien, 15 novembre 2015.

Du texte à l'image

1 Décrivez précisément cette une de journal : choix de la photo, titre, couleur de fond…

2 Quelle image le journal donne-t-il des Français face à cet événement ?

3 Expliquez l'expression « Je me sens soudain fier d'être Français » (l. 64).

Pouvez-vous reprendre cette phrase à votre compte ? Justifiez votre réponse.

Le dessin de presse : Cartooning for Peace

→ Découvrir le site

Rendez-vous sur le site
http://www.cartooningforpeace.org/

1 Observez la page : quels sont les points communs avec une « une » de journal ?

2 Quelles sont les différentes rubriques auxquelles vous pouvez accéder depuis cette page ?

3 Lesquelles, parmi ces rubriques, sont permanentes ? Lesquelles sont régulièrement renouvelées ?

→ Découvrir l'association et son histoire

Rendez-vous sur l'onglet « Présentation », puis « L'association à Paris », « Présentation » et répondez aux questions.

4 Qu'est-ce que « Cartooning for peace » ?

5 Qui a créé cette association ? À la suite de quels événements ?

6 Expliquez les mots *pluralisme, préjugés, conformisme, dogmatisme.*

7 Quel est le but de cette association ?

8 Relevez sur la page une phrase qui vous paraît bien résumer ce but.

→ Découvrir un édito en dessin

Rendez-vous sur l'onglet « Actions », puis « Regard éditorial », « Nos éditos hebdomadaires ».

1 Rappelez ce qu'on appelle un édito.

2 Observez les images de l'édito de la semaine : quel est le sujet traité ?

3 De quels pays les dessins proviennent-ils ?

4 Certains dessins vous amusent-ils ou vous choquent-ils ? Pourquoi ?

5 Selon vous, quel est l'intérêt de traiter l'actualité par le dessin ?

→ Lire un dessin satirique

Censure et liberté d'expression, dessin de Kroll.

1 Qui sont les personnages représentés ?

2 En quoi l'image est-elle drôle ?

3 À votre avis, que dénonce-t-elle ?

→ Présenter un dessin satirique

Rendez-vous sur l'onglet « Cartoonothèque », choisissez un dessin que vous aimez et présentez-le.

– Présentez son auteur (vous pouvez vous aider de la rubrique « Dessinateurs ») et son sujet.

– Analysez le dessin : quelles émotions provoque-t-il ? Par quels moyens ?

– Que critique-t-il ou défend-il ? Quel sens donnez-vous à ce dessin ? Expliquez.

L'art de la caricature à travers les siècles

1

Louis XIV / Lion, de **Romeyn de Hooghe,** eau-forte, 1672.

2

Les Poires, **caricatures du roi Louis-Philippe, de Charles Philipon,** dessin à la plume et à l'encre brune, 1831, musée Carnavalet, Paris.

Questions

1 **Document 1 :** *Romeyn de Hooghe est un artiste néerlandais vivant en Hollande. En 1672, la France est en guerre contre ce pays.*

a. Comment Louis XIV est-il associé à un lion dans cette gravure, et pourquoi ? Est-ce flatteur ou ironique ?

b. À votre avis, cette caricature a-t-elle été imprimée en France ? Pourquoi ?

2 **Document 2 :** *Louis-Philippe, roi des Français de 1830 à 1848, fut associé au motif de la poire par plusieurs caricaturistes, à tel point que sur de nombreux dessins, c'est une simple poire qui représente le roi.*

Quels détails physiques permettent cette identification ? Est-ce l'aspect physique de Louis-Philippe qui est critiqué ? Qu'évoque alors la forme de poire donnée au visage du roi ?

Le point sur

Un art de la simplification et de l'exagération

● La caricature – de *caricare* en italien : « charger, en rajouter » – **se moque de l'aspect physique d'une personne ou de ses traits de caractère.** Le dessin est souvent assez simple, car on doit reconnaître facilement de qui il s'agit.

● Pour ce faire, **le dessinateur ne retient que quelques détails** de son sujet **et les accentue.** S'il représente un homme avec un crâne démesuré, ce peut être parce qu'effectivement il a un grand front, mais également pour se moquer de ses prétentions intellectuelles.

● Ainsi, la caricature peut être un simple portrait humoristique, mais elle est souvent **la critique d'un comportement** et peut prendre une **dimension sociale ou politique.** Sa compréhension est alors liée à la connaissance du contexte, de l'actualité du moment.

3

La chienlit c'est lui !, affiche sérigraphie, Paris, mai 1968.

4

Marionnettes Nicolas Sarkozy, Ségolène Royal et François Bayrou, Les Guignols de l'Info, Canal +, mars 2007.

Questions

3 **Document 3 :** *Cette affiche est une réponse des étudiants en grève en mai 1968 au général de Gaulle, alors président de la République, qui les avait qualifiés de « chienlit ».*

a. À quels détails physiques reconnaissez-vous le chef de l'État ? Ces détails sont-ils nombreux ? Que signifie le mot *chienlit* ? Quels traits de caractère et de comportement sont visés à travers ces détails ?
b. Peut-on comprendre ce dessin en dehors de son contexte historique ?

4 **Document 4 :** Comment reconnaît-on les trois candidats principaux à l'élection présidentielle de 2007 ? Citez leurs noms. Quelle est leur attitude ? Est-ce celle d'un futur président de la République ? De quel comportement se moque cette caricature ?

Le point sur 🔊 ## Un outil de critique sociale

● La caricature est un genre très ancien, dont on trouve des exemples dès l'Antiquité. Cependant, la grande époque de la caricature en France fut **le XIXᵉ siècle**. En effet, la fin de l'Ancien Régime, l'instabilité politique et la marche progressive vers la République favorisèrent **la liberté d'expression**. D'autre part, le **développement de la presse écrite** permit une large diffusion de ces dessins, dont l'auteur le plus fameux fut **Honoré Daumier**.

● La caricature est, depuis le XVIIᵉ siècle, fréquemment utilisée pour **critiquer avec un humour féroce le pouvoir en place**, les hommes politiques, notamment les gouvernants. Plus largement, elle peut viser les comportements sociaux. Ce genre est toujours pratiqué aujourd'hui dans les médias, à la télévision même, où il a su trouver de nouvelles formes d'expression.

« Ce dessin est répugnant ! »

En 2015, le journal Charlie Hebdo *détourne la photographie d'un enfant migrant mort, photographie qui a « fait le buzz » sur Internet et suscité l'émotion. Elle montre l'enfant échoué sur la plage au pied d'une publicité pour McDonald's. Jugée choquante, cette une est condamnée par l'opinion. Quelques mois plus tard, suite à une nouvelle polémique, le journaliste italien Francesco Mazza, qui a longtemps participé à une émission satirique à la télévision, imagine ce dialogue avec sa mère pour défendre le journal.*

Maman : CE DESSIN EST RÉPUGNANT !

Moi : En effet, tu as raison, il est répugnant. Et tu sais pourquoi ? C'est parce que la satire par essence est répugnante. Te souviens-tu du plus grand auteur satirique italien ? Et non, je ne parle pas de Maurizio Crozza[1], mais
5 de Dante Alighieri[2]. Te rappelles-tu, dans l'*Enfer*, du traitement réservé aux Simoniaques[3], parmi lesquels se trouvait le pape Niccolo III, avec son visage plongé dans ses excréments et son postérieur en l'air ? Et Mahomet ? Plus osé que *Charlie*, Dante le représente, les entrailles à l'air, éventré, vomissant ses boyaux qui lui pendent entre les jambes, répandant son sang
10 et se nourrissant au milieu du « triste sac qui fait la merde avec ce qu'on avale ». Et d'ailleurs, rappelle-toi ces grands dramaturges qui ont inventé la satire ? En commençant par Aristophane[4]. Je n'irai pas te raconter toutes les grossièretés qui sont racontées dans *Les Nuées* parce que nous ne nous en sortirions pas, mais tu dois me croire, depuis le début des temps, et de
15 par leur nature même, on retrouve dans les œuvres satiriques : incestes, coprophagie[5], blasphèmes, profanation de cadavre et bien d'autres pratiques répugnantes, très répugnantes ou même très très répugnantes. Le fait que la caricature de *Charlie Hebdo* t'ait tellement choquée nous dit surtout une chose : il s'agit d'une vraie satire. […]

20 Le but de la parodie est de faire rire, c'est sa raison sociale. La satire, elle, fait parfois rire, parfois pas du tout. Sa raison sociale est de provoquer une réflexion. Ce sont deux choses très différentes. Juger la satire en fonction de son propre amusement […] ça n'a aucun sens. Si tu préfères rire un bon coup, alors tu préfères la parodie ou le cabaret ou les grimaces ou les
25 jeux de mots, et c'est tout à fait normal. La satire est plus élitaire[6], plus « spécialisée », c'est une niche, la plus niche des niches.

Maman : MAIS ON NE PEUT PAS FAIRE DE LA SATIRE SUR LES MORTS !

Moi : Attends, doucement. La satire, nous l'avons vu, est une chose inhé-
30 remment[7] répugnante. Elle doit, de sa propre nature, susciter une réaction

1. Animateur et humoriste à la télévision italienne.

2. Célèbre écrivain italien du XIIIe siècle, auteur de *L'Enfer*.

3. Religieux qui vendent le pardon de Dieu contre de l'argent.

4. Célèbre dramaturge de la Grèce antique.

5. Coprophagie : fait de se nourrir de ses propres excréments.

6. Élitaire : qui vise une élite, une population choisie.

7. Inhéremment : en elle-même.

forte et instinctive. Elle doit choquer et écœurer. Alors comment fait-elle pour atteindre son but ? Elle met en scène des images et des symboles qui, pour telle société, à tel moment de son histoire, sont considérés sacrés (sans cela nous n'aurions pas de réaction), et ainsi ces images et sym-

35 boles deviennent un moyen pour la satire pour renseigner sur cette même société. Si une société érige le clergé au statut de sacré, une représentation satirique mettra en jeu des papes (Dante Alighieri). Si c'est l'image du prophète qui est sacrée, elle utilisera ce thème religieux. Chez nous, où le sacré n'occupe que peu de place, la satire se sert souvent des cer-

40 cueils et autres funestes accidents. Mais souviens-toi : le but premier de la satire, comme expliqué ci-dessus, n'est pas la représentation elle-même. Si on représente Mahomet sur un nuage regardant vers la terre et disant « Alors donc, ça suffit ! Nous en avons fini avec les vierges ! », l'objet de la satire n'est certainement pas ni Mahomet lui-même, ni même l'islam, mais

45 bien les kamikazes et leur idéologie absurde. De la même façon, quand on montre des images de cercueils revenant d'Irak ou les décombres du tremblement de terre ou…

Maman : LES ENFANTS ! L'ANNÉE DERNIÈRE ILS S'EN SONT PRIS AUX PAUVRES PETITS ENFANTS MORTS !

50 **Moi :** Voilà justement, le pauvre enfant syrien mort au bord de la mer. J'ai vu qu'aujourd'hui tes amies en ont beaucoup parlé. Mais elles ont oublié que ce dessin ne représentait pas seulement l'enfant mais, qu'au loin, il y avait un panneau d'affichage à l'effigie de Ronald McDonald pour faire la pub du Happy Meal. Ce dessin, en une seule image (qui était « répu-

55 gnante » et utilisait une représentation « sacrée »), pointait du doigt le paradoxe des migrants qui trouvent la mort en essayant à tout prix d'atteindre la Terre promise. Terre promise qui s'avère n'être finalement qu'un désordre de fast-foods et de centres commerciaux, de rêves brisés et d'économies déprimées, cette course à la publicité et ce consumérisme effréné qu'est

60 aujourd'hui l'Occident, où l'enfance n'est plus qu'une part de marché à encaisser à coups d'offres telles que le Happy Meal. Que le dessin soit bon ou non est une autre histoire. L'important est que tu comprennes que le but principal n'était pas de rire de la mort d'un enfant, mais de faire réfléchir (j'insiste : réfléchir et non pas rire, parce qu'il s'agit de satire)

65 en jouant avec ce malaise, cette boule au ventre, cette gorge nouée, sur la réalité dramatique des millions et des millions de gens qui se trouvent dans les mêmes conditions que cet enfant et pour lesquels notre Enfer est vu comme le Paradis. Et maintenant, à ton avis, qu'est-ce qui est le plus choquant : *Charlie Hebdo* ou bien tous les journaux et les journalistes sour-

70 nois qui ont utilisé, ré-utilisé, ré-ré-utilisé cette photo pour faire du « click-baiting[8] », faire exploser le nombre de visites et gagner encore un peu plus d'argent grâce à la publicité insérée au milieu de l'article (celle-là même que représentait le McDonald du dessin) ? […]

8. Clickbaiting : « Appât à clics », façon d'attirer les vues sur Internet.

75 Comment peut-on jauger la liberté d'une société si les opinions exprimées sont toutes plus ou moins partisanes de l'idéologie[9] et respectueuses du sacré ? C'est à travers l'attaque du sacré que la satire se charge de cette tâche – ingrate, à en juger par les plaintes, les licenciements, et depuis quelques années, même, les attentats terroristes – de tester quotidiennement la valeur fondamentale de toutes démocraties. « Je donnerais ma vie pour

80 défendre ta liberté d'expression, mais j'arracherai ta tête pour les bêtises que tu es en train de dire », a (plus ou moins) dit Voltaire. La satire représente un défi constant pour la société : elle nous oblige à nous confronter, tous les jours, à nos valeurs, elle divise entre les défenseurs d'une société ouverte et ceux qui soutiennent une société fermée, elle nous aide à déci-

85 der qui nous devons supprimer de nos amis Facebook ! Si une société peut survivre au dégoût suscité par la satire, alors cette société est une société libre. C'est pour cette raison qu'il y a un an et demi, on criait tous « Je suis Charlie ». Ce n'était sûrement pas parce qu'on était soudainement tous devenus des fans d'un journal qui existait depuis des dizaines d'années

90 et qui avait, de surcroît, de gros problèmes de méventes. Mais bien parce que c'est grâce à ce journal que nous pouvons aujourd'hui nous revendiquer libre. Jusqu'à quand ? Je ne sais pas.

➤ Francesco Mazza, « La caricature de *Charlie Hebdo* expliquée à ma mère », *Charlie Hebdo*, 14 septembre 2016.

9. Partisanes de l'idéologie : en accord avec les idées les plus répandues.

Questions

1 Pourquoi la une de *Charlie Hebdo* montrant l'enfant mort a-t-elle choqué ?

2 Quelle forme le journaliste donne-t-il à son article ? En quoi cette forme est-elle intéressante pour défendre un point de vue ?

3 **a.** Quelle est la première critique formulée contre cette une ?
b. Quelle réponse le journaliste apporte-t-il à cette critique ?

4 Relisez le paragraphe dans lequel le journaliste analyse la une.
a. Que symbolise le panneau McDonald's ?
b. D'après le journaliste, que représentent les enfants pour une telle enseigne ? À votre avis, est-ce seulement McDonald's qui est visé ?
c. En quoi cette vision de l'enfant contredit-elle la valeur accordée à l'enfant dans notre société ?
d. Cette une se moque-t-elle du sort des migrants ? Quel est son propos ?

5 La satire « doit choquer » (l. 31).
a. D'après le paragraphe 3, quels moyens emploie-t-elle pour cela ?
b. Que cherche-t-elle à provoquer en choquant ?

6 D'après le journaliste, pourquoi cette possibilité de se moquer de tout est-elle importante ?

7 **a.** D'après le texte, quels risques les journalistes satiristes courent-ils ?
b. À votre avis, pourquoi acceptent-ils ces risques ?

Les médias, entre raison et émotion

Une difficile objectivité

✳ Étymologiquement, *informer* **signifie mettre en forme**. En effet, pour transmettre une information, il faut choisir ce dont on va parler, de quelle manière, ce que l'on va montrer, occulter... Tous ces choix peuvent modifier la lecture que l'on fera de l'événement relaté. Employer tel mot plutôt que tel autre, opter pour tel cadrage photographique, c'est déjà orienter l'information. **La neutralité absolue est impossible.**

Le travail du journaliste

✳ Malgré tout, le travail du journaliste reste de **s'approcher le plus possible d'une information objective**. La **charte des journalistes** exige de lui « esprit critique », « exactitude », « intégrité », et tient « la déformation des faits, le détournement d'images, le mensonge, la manipulation », « la non-vérification des faits, pour les plus graves dérives professionnelles ». La lecture d'une presse professionnelle garantit donc une certaine **fiabilité de l'information**, contrairement aux médias alternatifs dont le contenu n'est pas toujours vérifié.

✳ Le travail du journaliste est aussi d'**engager une réflexion** sur les sujets qu'il aborde, avec la **distance nécessaire** à cette réflexion. Ce travail entre parfois en contradiction avec le temps des médias modernes, la course au direct, au scoop, au sensationnel, aux images qui font vendre, qui privilégient **l'émotion** sur la réflexion. De ce point de vue, hebdomadaires et mensuels, qui reviennent sur des événements passés, offrent souvent une réflexion plus approfondie.

Prendre parti pour débattre

✳ Si le reportage honnête doit tendre vers l'objectivité, toutes les rubriques d'un journal ne consistent pas en reportages. On y trouve aussi chroniques, billets d'humeur, éditoriaux, pages **débat**, dans lesquels **un journaliste peut défendre une opinion**, ou plusieurs personnes s'affronter sur un sujet précis. Si elles sont l'expression d'une opinion subjective, ces rubriques, par la qualité de l'**argumentation** qu'elles mettent en œuvre, cherchent à **faire avancer la réflexion** sur les sujets qu'elles abordent. C'est aussi **le rôle du dessin satirique**, qui choque pour susciter la réflexion.

La presse, le jugement

→ Le journalisme et la presse

1 ★★ Cherchez parmi les grands journaux français le titre d'un quotidien, d'un hebdomadaire. Donnez également le titre d'une revue mensuelle.

2 ★★ Quelle différence faites-vous entre presse locale et presse nationale ? Donnez le nom du journal local de votre région.

3 ★★ Complétez les phrases suivantes par l'un de ces noms : *article de fond – feuille – critique – chronique – éditorial – rubrique.*
1. *Le Monde* a consacré une ... aux problèmes de santé publique provoqués par la pollution de l'air.
2. J'ai lu, dans *Télérama*, une ... très élogieuse de ce film.
3. Dans mon hebdomadaire, ce penseur tient une ... où il dresse un état des lieux sans concession de notre pays.
4. Tu trouveras les résultats du match d'hier dans la ... des sports.
5. J'ai trouvé, dans *Le Point*, un ... qui m'a permis de mieux comprendre les conflits du Proche-Orient.
6. Tu es en désaccord avec l'... que tu as lu en première page de *L'Obs*.

4 ★★ Complétez les phrases suivantes par l'un de ces noms : *débat – polémique – controverse.*
1. Cet article remettant en cause l'existence du réchauffement climatique a soulevé une vive ... . – 2. À l'occasion des élections, France 2 organise un ... opposant les deux candidats. – 3. Cet homme politique entretient la ... qui court à son sujet afin de faire parler de lui.

5 ★★ Parmi ces métiers du journalisme, classez ces noms selon qu'ils désignent un journaliste en action sur le terrain ou un journaliste qui rédige les articles du journal : *reporter – éditorialiste – envoyé spécial – correspondant – chroniqueur – rédacteur.*

→ Exprimer un jugement

6 a. ★ Sur quels verbes les noms suivants sont-ils construits ? évocation – suggestion – supposition – conception – estimation

b. ★★ Complétez les phrases suivantes avec les verbes que vous avez trouvés.
1. Le journaliste ... à ses lecteurs de se rendre à cette exposition. – 2. Je suis incapable de ... le journalisme autrement que sous la forme d'un pamphlet. – 3. L'intervieweur n'ose ... ce problème avec le président. – 4. Il ..., dans son article, que le ministre est coupable de malversations. – 5. Nous ... indispensable de devoir mettre au clair toute cette affaire.

7 ★★ a. Complétez ces phrases avec les verbes suivants : *approuver – consentir – adhérer à – adopter.*
1. J'... le choix qui a été fait. – 2. Mon frère ... idées de ce parti. – 3. Nous ... ce projet de loi à l'unanimité. – 4. Le rédacteur ... à me laisser une pleine page pour rédiger mon article.

b. Donnez pour chacun de ces verbes un nom de la même famille.

8 a. ★★ *S'insurger – protester – condamner – se rebeller* : donnez pour chacun de ces verbes un nom de la même famille.

b. ★★★ Employez chacun de ces verbes dans une phrase, afin d'évoquer votre désaccord avec un phénomène de société actuel.

9 ★★ a. Relevez dans les phrases suivantes des adverbes qui permettent d'affirmer l'opinion.
1. Le rôle des médias n'est certainement pas de transmettre des opinions mais d'aider à comprendre la complexité des événements. – 2. Ce dessin de presse est vraiment choquant. – 3. Nous n'avons sûrement pas suffisamment réfléchi aux questions de l'intégration ces dernières années, en France. – 4. Le personnel politique ne doit évidemment pas accepter d'être traité de la sorte sur les plateaux télévisés.

b. Donnez pour chacun de ces adverbes un adjectif de la même famille.

10 ★★★ Relevez les verbes de ce texte en les classant dans un tableau à trois colonnes : verbes qui expriment un désaccord, verbes qui expriment un soutien, verbes qui expriment une pensée.

Victor Hugo consent à l'idée de progrès universel et considère que l'éducation permettrait de sortir de l'obscurantisme et des croyances non fondées. Il estime que la connaissance éclaire l'esprit comme le soleil éclaire le jour.

Constatant la grande pauvreté du peuple, il se bat pour une plus grande égalité des conditions de vie. Il soutiendra d'ailleurs les Communards en 1871.

Il s'insurge aussi contre la peine de mort qu'il considère comme une pratique barbare.

Exprimer son opinion

→ Mettre en valeur les liens logiques

1 **Complétez chaque phrase en exprimant d'abord un but, puis une cause.**

1. Je prends la plume ... . – **2.** Je souhaite dénoncer aujourd'hui la maltraitance animale dans certains élevages ... . – **3.** Je m'élève, en ce jour, contre les inégalités de salaire à poste équivalent ... . – **4.** Je le dis haut et fort : je lutterai sans relâche ... .

2 **Choisissez le mot qui convient le mieux pour compléter les phrases suivantes :** *car* (introduit une explication), *puisque* (cause supposée connue), *parce que* (cause réelle), *sous prétexte que* (cause mise en doute), *non que* (cause écartée).

1. Il se tait lâchement, ... il n'a rien à dire. – **2.** Le peuple manifeste ... le vent de la révolte s'est levé. – **3.** ... vous êtes soucieux de préserver la nature, pourquoi ne triez-vous pas vos déchets ? – **4.** Alfred fut acquitté ... il était innocent. – **5.** Rosa fut arrêtée par la police du dictateur, ... elle eût commis quelque crime, mais ... on voulait effrayer sa famille. – **6.** Je fais preuve de courage ... je n'ai pas le choix. – **7.** Julie refusa de porter secours à une victime ... elle ne voulait pas se mêler des affaires des autres.

3 **Complétez les phrases suivantes de façon à exprimer une opposition, à l'aide des mots (que vous n'emploierez pas deux fois) :** *bien que – toutefois – pourtant – malgré – en dépit de – loin de – quoique – tandis que – au lieu de – même avec – même sans...*
1. Je m'exprimerai sans crainte ... . – **2.** Le public ne fut pas convaincu ... . – **3.** L'épidémie ne régressa pas ... . – **4.** L'épidémie régressa ... . – **5.** Le blé poussa dans les champs ... . – **6.** Le condamné ne fut pas gracié ... . – **7.** Le condamné fut gracié ... . – **8.** Ma colère, ..., allait croissant. – **9.** Le climat, ..., ne cesse de se réchauffer.

→ Exprimer un jugement

4 **a. Dans le passage suivant, quels termes ont une connotation négative ? b. Changez le jugement du narrateur en récrivant le passage avec des termes à connotation positive. Certains changements seront nécessaires.**
La France a sur la joue cette souillure, l'histoire écrira que c'est sous votre présidence qu'un tel crime social a pu être commis. (ZOLA)

5 **a. L'auteur vous semble-t-il sérieux dans le passage souligné ?**
J'accuse les trois experts en écritures [...] d'avoir fait des rapports mensongers et frauduleux, à moins qu'un examen médical ne les déclare atteints d'une maladie de la vue et du jugement. (ZOLA)

b. À votre tour, montrez-vous ironique en imaginant quelques phrases qui contiendront : *à moins de – à moins que – sauf si, évidemment...* **Votre proposition doit être absurde pour qu'on en saisisse l'ironie.**
1. Les individus qui abandonnent leurs déchets en pleine nature savent forcément qu'ils la polluent, ... – **2.** Les voisins qui écoutent de la musique très fort se doutent bien qu'ils dérangent les autres, ... – **3.** Les harceleurs ont conscience de faire du mal à leurs victimes, ...

→ Interpeller le lecteur

6 **a. Quelle figure de style repérez-vous dans ce passage ? Quel est son intérêt ici ?**
Il dépend de vous que la peine de mort soit abolie de fait à Guernesey ; il dépend de vous qu'un homme ne soit pas « pendu jusqu'à ce que mort s'ensuive » [...] ; il dépend de vous que ce spectacle effroyable [...] ne vous soit pas donné. (HUGO)

b. Sur le même modèle, imaginez une phrase :
– encourageant des citoyens à ne pas gaspiller d'eau durant la sécheresse ;
– incitant à ne pas détruire une bibliothèque ancienne pour la remplacer par des immeubles ;
– incitant le maire d'une ville à faire planter des fleurs.

7 **Transformez les phrases affirmatives suivantes :**

a. en questions rhétoriques (questions qui n'attendent pas véritablement de réponse), de manière à interpeller le lecteur.

b. en exclamations (débutant par *comme*, *que*...), de manière à accuser le lecteur.

Exemple : J'ai l'impression que personne ne se soucie du climat. → *Personne ne se soucie donc du climat ?*
→ *Personne ne se soucie donc du climat !*

1. Vous avez peut-être peur de la vérité. – **2.** Tu ne parais pas très concerné par la pollution des fleuves. – **3.** Vous êtes égoïstes, vous ne prenez en compte que votre intérêt. – **4.** Vous avez peur de vous engager pour vos idées.

Écrire une tribune

SUJET

Une injustice vous choque ou une cause vous tient à cœur. Écrivez une tribune dans un journal pour défendre vos idées. Vous pouvez défendre une cause actuelle ou imaginer que vous êtes contemporain d'une lutte historique.

A Chercher des idées

• Choisissez une cause parmi les exemples historiques de votre connaissance (ou ceux que peut vous fournir l'actualité) et imaginez que vous avez vécu à l'époque des faits évoqués. Quelques exemples : défendre la fin de l'apartheid en Afrique du Sud ou la fin de la ségrégation raciale aux États-Unis ; dénoncer une marée noire, la destruction d'un monument historique ; s'opposer à la construction d'un bâtiment ; réclamer le droit de vote pour les femmes…
Attention : il ne s'agit pas de raconter une histoire, mais de chercher à obtenir un changement ou une prise de conscience chez le lecteur.

• Documentez-vous pour connaître précisément le contexte et les différents acteurs de l'affaire. On ne peut pas convaincre en étant imprécis ou en se trompant dans les faits exposés.

• Quels arguments allez-vous développer ? Demandez-vous quelles idées pourront convaincre les lecteurs que votre cause est juste.

B Organiser les idées

• Au brouillon, repérez les grandes idées que vous allez défendre. Entamez un nouveau paragraphe pour chaque nouvel argument ou chaque nouvelle étape de votre argumentation.

• Dans quel ordre allez-vous présenter les idées ? Faites un plan pour éviter les répétitions et faire progresser votre argumentation. Laissez de côté les arguments faibles, peu convaincants.

• Justifiez votre légitimité à vous exprimer.

Manifestation féministe pour le droit de vote pour les femmes organisée par *La Femme nouvelle*, avenue des Champs-Élysées, à Paris, 1934.

• Relisez les textes de Zola (p. 67) et Hugo (p. 69) pour observer la façon dont les écrivains organisent leur propos et vous en inspirer.

C Toucher pour convaincre

• Quels sentiments cherchez-vous à faire naître dans l'esprit de vos lecteurs ? De l'indignation ? de la tristesse ? de la compassion ? de l'horreur ? Utilisez des procédés qui pourront contribuer à les amplifier. Insistez sur vos idées à l'aide de répétitions, d'amplifications, d'énumérations. Surprenez le lecteur à l'aide d'oppositions.

• Tenez compte des sentiments supposés de vos lecteurs : établissez une connivence grâce à des questions rhétoriques, à l'ironie, à l'emploi du pronom personnel *nous*. Interpellez les responsables à l'aide d'apostrophes.

• Exposez des exemples précis de l'injustice subie ; rendez la scène vivante dans l'esprit des lecteurs. Montrez que les exemples que vous présentez ont une valeur générale, que les injustices dénoncées ne concernent pas que les personnes qui en souffrent, mais l'humanité tout entière, l'art, la morale, la justice, la liberté…

Présenter une revue de presse

Faire une revue de presse, c'est passer en revue différents journaux publiés le même jour et comparer la façon dont ils traitent l'actualité, en particulier dans leur « une ».

Vous allez réaliser une revue de presse à partir de trois titres différents au moins et la présenter à vos camarades.

A Consulter les journaux

Rendez-vous au CDI de votre établissement et, avec l'aide de votre professeur ou du professeur-documentaliste, sélectionnez les journaux à partir desquels vous pourrez travailler.

Vous pouvez éventuellement compléter cette sélection papier à partir du site http://www.revue2presse.fr/presse/quotidien qui publie chaque jour la une des grands quotidiens du pays.

B Comparer les unes

• Les journaux que vous avez sélectionnés ont-ils choisi de faire figurer les mêmes sujets en une ?

• Si c'est le cas, ces sujets sont-ils présentés de la même manière ?

• Quel effet les photographies mises en avant produisent-elles sur le lecteur ?

C Comparer des articles

Choisissez un sujet d'actualité important ou un thème qui vous intéresse, traité dans différents journaux, et lisez les articles concernés.

• Le nombre de colonnes consacré au sujet est-il identique ?

• Le point de vue adopté sur le sujet est-il le même ?

• Reformulez les idées principales de chaque article.

• Notez les phrases marquantes de chaque article : vous pourrez les citer lors de votre présentation.

D Présenter sa revue de presse

• Présentez à vos camarades les journaux que vous avez choisis en commençant par l'analyse des unes.

• Exposez le sujet que vous avez retenu pour le travail sur les articles.

• Reformulez pour chaque titre les idées principales de l'article et citez les phrases que vous avez relevées.

• Vous pouvez clore votre exposé par un commentaire sur ce qui ressort de votre comparaison.

4 La nouvelle : miroir du quotidien

▶ Comment la nouvelle permet-elle d'interroger le réel ?

Pistes pour un EPI **Arts plastiques**

▸ Rédiger des portraits à partir de l'analyse d'œuvres picturales.

Le Déjeuner dans l'atelier, Édouard Manet (1832-1883),
huile sur toile, 1868, Neue Pinakothek, Munich.

Pour entrer dans le chapitre

1 a. D'après le titre, que représente ce tableau ?
b. À votre avis, à quel moment du repas les personnages se trouvent-ils ? Justifiez votre réponse.

2 Décrivez ce que fait chacun des trois personnages. Se regardent-ils ?

3 Observez la lumière en cherchant la partie du tableau la plus sombre et la partie la plus claire : que remarquez-vous ?

4 Choisissez le nom qui vous paraît le mieux évoquer cette scène et expliquez en quoi : simplicité, intimité, réalité, mystère, mélancolie.

Maupassant et la nouvelle

Maupassant

- Guy de Maupassant (1850-1893) est **élevé par sa mère, en Normandie** : son père, coureur de jupons, a quitté la maison. De cette enfance vagabonde, Maupassant conservera un goût pour la nature qui transparaît dans ses œuvres, mais aussi un grand pessimisme quant à la vie de couple. À vingt ans, il s'engage dans l'armée et assiste à **la défaite de 1870**. Puis il se rend à Paris où il entame une carrière de fonctionnaire.

- **Le succès de sa nouvelle « Boule de suif »** (1880), puis de ses autres écrits, lui permet bientôt de se consacrer à l'écriture et de mener une vie insouciante, faite de plaisirs et de voyages.

- Mais, atteint de la syphilis, **Maupassant souffre tôt de troubles nerveux et mentaux**. En 1889, son frère meurt fou. Maupassant finira sa vie dans une clinique, ayant lui aussi sombré dans la folie.

Questions

1 Dans quelle région Maupassant a-t-il grandi ? Quel événement a marqué son enfance ?

2 De quelle maladie a-t-il souffert ? Comment a-t-il fini sa vie ?

Guy de Maupassant (1850-1893),
par François Nicolas Augustin
Feyen-Perrin (1826-1888),
musée du château de Versailles.

Son œuvre

- À dix-sept ans, Maupassant rencontre **Gustave Flaubert** : c'est lui qui va guider ses premiers pas dans l'écriture, le poussant vers le réalisme et la concision. Il lui fait aussi connaître les grands auteurs comme Zola (voir le chapitre 2), Huysmans...

- En moins de dix ans, Maupassant publie six romans. Mais **il se distingue surtout dans l'art de la nouvelle** : avec dix-huit recueils à son actif, il exploite toutes les ressources de ce genre, capable d'en tirer les effets les plus frappants, et lui donne sa plus haute expression.

Questions

3 Par quel écrivain Maupassant a-t-il été guidé ?

4 Dans quel genre Maupassant s'est-il particulièrement distingué ?

Portrait de Guy de Maupassant par Gill,
Les Hommes d'aujourd'hui, XIXe siècle.

N° 19. — PREMIÈRE ANNÉE   8 Pages, 5 centimes   DIMANCHE 1er NOVEMBRE 1891

GIL BLAS

ILLUSTRÉ

L'INCONNUE, par Guy de Maupassant

(Dessin de Steinlen.)

Le genre de la nouvelle

• La nouvelle (de l'italien *novella* qui signifiait au XVe siècle « récit imaginaire ») est un genre littéraire qui **se caractérise par sa brièveté**. Né à la Renaissance, il est rendu populaire au XIXe siècle avec le **développement de la presse**. À cette époque, en effet, les journaux consacraient une place importante à la publication de récits littéraires : le format bref de la nouvelle permettait d'offrir des histoires complètes. La plupart des écrivains de l'époque se sont donc essayés à ce genre, qui a connu avec Maupassant une véritable consécration.

« **L'inconnue** » de Maupassant, couverture de *Gil Blas*, du 1er novembre 1893, illustrée par A. Steinlen.

Questions

5 Qu'est-ce qui caractérise le genre de la nouvelle ?

6 Comment ce genre est-il rendu populaire au XIXe siècle ?

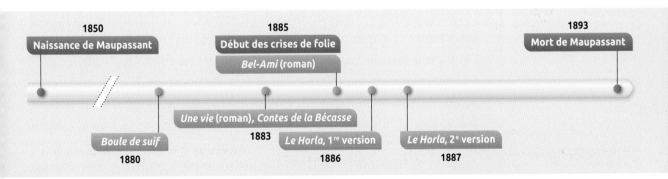

1850 — Naissance de Maupassant

1885 — Début des crises de folie

Bel-Ami (roman)

1893 — Mort de Maupassant

1883 — *Une vie* (roman), *Contes de la Bécasse*

Boule de suif — **1880**

Le Horla, 1re version — **1886**

Le Horla, 2e version — **1887**

« Aux champs », G. de Maupassant

« Sont-ils jolis »

Femme et enfant dans un pré à Bougival, Berthe Morisot (1841-1895), huile sur toile, 1882, National Museum, Cardiff.

Les deux chaumières étaient côte à côte, au pied d'une colline, proches d'une petite ville de bains[1]. Les deux paysans besognaient[2] dur sur la terre inféconde pour élever tous leurs petits. Chaque ménage en avait quatre. Devant les deux portes voisines, toute la marmaille grouillait du matin au

5 soir. Les deux aînés avaient six ans et les deux cadets quinze mois environ ; les mariages et, ensuite les naissances, s'étaient produits à peu près simultanément dans l'une et l'autre maison.

Les deux mères distinguaient à peine leurs produits dans le tas ; et les deux pères confondaient tout à fait. Les huit noms dansaient dans leur

10 tête, se mêlaient sans cesse ; et, quand il fallait en appeler un, les hommes souvent en criaient trois avant d'arriver au véritable.

La première des deux demeures, en venant de la station d'eaux de Rolleport, était occupée par les Tuvache, qui avaient trois filles et un garçon ; l'autre masure abritait les Vallin, qui avaient une fille et trois garçons.

15 Tout cela vivait péniblement de soupe, de pommes de terre et de grand air. À sept heures, le matin, puis à midi, puis à six heures, le soir, les ménagères réunissaient leurs mioches pour donner la pâtée, comme des gardeurs d'oies assemblent leurs bêtes. Les enfants étaient assis, par rang d'âge, devant la table en bois, vernie par cinquante ans d'usage.

1. Ville de bains : ville au bord de la mer.
2. Besogner : travailler péniblement.

20 Le dernier moutard avait à peine la bouche au niveau de la planche. On posait devant eux l'assiette creuse pleine de pain molli dans l'eau où avaient cuit les pommes de terre, un demi-chou et trois oignons ; et toute la lignée mangeait jusqu'à plus faim. La mère empâtait[3] elle-même le petit. Un peu de viande au pot-au-feu, le dimanche, était une fête pour tous, et le père, ce 25 jour-là, s'attardait au repas en répétant : « Je m'y ferais bien tous les jours. »

Par un après-midi du mois d'août, une légère voiture s'arrêta brusquement devant les deux chaumières, et une jeune femme, qui conduisait elle-même, dit au monsieur assis à côté d'elle :

– Oh ! regarde, Henri, ce tas d'enfants ! Sont-ils jolis, comme ça, à 30 grouiller dans la poussière.

L'homme ne répondit rien, accoutumé à ces admirations qui étaient une douleur et presque un reproche pour lui.

La jeune femme reprit :

– Il faut que je les embrasse ! Oh ! comme je voudrais en avoir un, 35 celui-là, le tout petit.

Et, sautant de la voiture, elle courut aux enfants, prit un des deux derniers, celui des Tuvache, et, l'enlevant dans ses bras, elle le baisa passionnément sur ses joues sales, sur ses cheveux blonds frisés et pommadés[4] de terre, sur ses menottes qu'il agitait pour se débarrasser des caresses ennuyeuses.

40 Puis elle remonta dans sa voiture et partit au grand trot. Mais elle revint la semaine suivante, s'assit elle-même par terre, prit le moutard dans ses bras, le bourra de gâteaux, donna des bonbons à tous les autres ; et joua avec eux comme une gamine, tandis que son mari attendait patiemment dans sa frêle voiture.

45 Elle revint encore, fit connaissance avec les parents, reparut tous les jours, les poches pleines de friandises et de sous.

Elle s'appelait Mme Henri d'Hubières.

Un matin, en arrivant, son mari descendit avec elle ; et, sans s'arrêter aux mioches, qui la connaissaient bien maintenant, elle pénétra dans la 50 demeure des paysans.

Ils étaient là, en train de fendre du bois pour la soupe ; ils se redressèrent tout surpris, donnèrent des chaises et attendirent. Alors la jeune femme, d'une voix entrecoupée, tremblante, commença :

– Mes braves gens, je viens vous trouver parce que je voudrais bien… 55 je voudrais bien emmener avec moi votre… votre petit garçon…

Les campagnards, stupéfaits et sans idée, ne répondirent pas.

Elle reprit haleine et continua.

– Nous n'avons pas d'enfants ; nous sommes seuls, mon mari et moi… Nous le garderions… voulez-vous ?

60 La paysanne commençait à comprendre. Elle demanda :

–Vous voulez nous prend'e Charlot ? Ah ben non, pour sûr.

Alors M. d'Hubières intervint :

– Ma femme s'est mal expliquée. Nous voulons l'adopter, mais il reviendra vous voir. S'il tourne bien, comme tout porte à le croire, il sera notre

---

3. Empâter : ici, nourrir bien et en quantité, engraisser.

4. Pommadé : enduit.

héritier. Si nous avions, par hasard, des enfants, il partagerait également avec eux. Mais s'il ne répondait pas à nos soins, nous lui donnerions, à sa majorité, une somme de vingt mille francs, qui sera immédiatement déposée en son nom chez un notaire. Et, comme on a aussi pensé à vous, on vous servira jusqu'à votre mort une rente de cent francs par mois. Avez-vous bien compris ?

La fermière s'était levée, toute furieuse.

– Vous voulez que j'vous vendions Charlot ? Ah ! mais non ; c'est pas des choses qu'on d'mande à une mère, ça ! Ah ! mais non ! Ce serait abomination.

L'homme ne disait rien, grave et réfléchi ; mais il approuvait sa femme d'un mouvement continu de la tête.

Mme d'Hubières, éperdue, se mit à pleurer, et, se tournant vers son mari, avec une voix pleine de sanglots, une voix d'enfant dont tous les désirs ordinaires sont satisfaits, elle balbutia :

– Ils ne veulent pas, Henri, ils ne veulent pas !

Alors ils firent une dernière tentative.

– Mais, mes amis, songez à l'avenir de votre enfant, à son bonheur, à…

La paysanne, exaspérée, lui coupa la parole :

– C'est tout vu, c'est tout entendu, c'est tout réfléchi… Allez-vous-en, et pi, que j'vous revoie point par ici. C'est i permis d'vouloir prendre un éfant comme ça !

Alors Mme d'Hubières, en sortant, s'avisa qu'ils étaient deux tout petits, et elle demanda à travers ses larmes, avec une ténacité de femme volontaire et gâtée, qui ne veut jamais attendre :

– Mais l'autre petit n'est pas à vous ?

Le père Tuvache répondit :

– Non, c'est aux voisins ; vous pouvez y aller si vous voulez.

Et il rentra dans sa maison, où retentissait la voix indignée de sa femme.

Les Vallin étaient à table, en train de manger avec lenteur des tranches de pain qu'ils frottaient parcimonieusement avec un peu de beurre piqué au couteau, dans une assiette entre eux deux.

M. d'Hubières recommença ses propositions, mais avec plus d'insinuations, de précautions oratoires[5], d'astuce.

Les deux ruraux hochaient la tête en signe de refus ; mais quand ils apprirent qu'ils auraient cent francs par mois, ils se considérèrent, se consultant de l'œil, très ébranlés.

Ils gardèrent longtemps le silence, torturés, hésitants. La femme enfin demanda :

– Qué qu't'en dis, l'homme ?

Il prononça d'un ton sentencieux[6] :

– J'dis qu'c'est point méprisable.

Alors Mme d'Hubières, qui tremblait d'angoisse, leur parla de l'avenir du petit, de son bonheur, et de tout l'argent qu'il pourrait leur donner plus tard.

5. Avec des précautions oratoires : en faisant attention de ne pas prononcer de paroles qui pourraient susciter une réaction négative.

6. Sentencieux : solennel, grave.

Le paysan demanda :

– C'te rente de douze cents francs, ce s'ra promis d'vant l'notaire ?

M. d'Hubières répondit :

– Mais certainement, dès demain.

La fermière, qui méditait, reprit :

– Cent francs par mois, c'est point suffisant pour nous priver du p'tit ; ça travaillera dans quéqu'z'ans ct'éfant ; i nous faut cent vingt francs.

Mme d'Hubières, trépignant d'impatience, les accorda tout de suite ; et, comme elle voulait enlever l'enfant, elle donna cent francs en cadeau pendant que son mari faisait un écrit. Le maire et un voisin, appelés aus-

sitôt, servirent de témoins complaisants.

Et la jeune femme, radieuse, emporta le marmot hurlant, comme on emporte un bibelot désiré d'un magasin.

Les Tuvache, sur leur porte, le regardaient partir muets, sévères, regret-tant peut-être leur refus.

GUY DE MAUPASSANT, « Aux champs », 1882.

Lecture

Pour bien lire

1 Qui sont les deux familles présentées au début de la nouvelle ? Qu'est-ce qui caractérise leur mode de vie ? Répondez en vous appuyant sur des éléments précis du texte.

2 « L'homme ne répondit rien, accoutumé à ces admirations qui étaient une douleur et presque un reproche pour lui » (l. 31-32) : que comprenez-vous à la lecture de cette phrase sur la situation des d'Hubières ?

3 Que proposent les d'Hubières aux deux familles ? Quels argu-ments mobilisent-ils pour les convaincre ?

4 Que décident les Tuvache ? Et les Vallin ?

Pour approfondir

5 **a.** Relevez, dans le dialogue, des formes familières ou incorrectes : qui les emploie ? **b.** À votre avis, pourquoi ce choix de l'auteur ?

6 **a.** Dans les lignes 1 à 35, relevez toutes les expressions qui désignent les enfants : quelle est leur connotation ? **b.** Quelle est la nature du mot *cela* ligne 15 ? Qui est désigné par cette expression ? Quel est l'effet produit ?

7 **a.** Lignes 77 à 80 : quelle image avons-nous de Mme d'Hubières ? **b.** À quoi l'enfant est-il comparé à la fin de l'extrait ? En quoi cette comparaison renforce-t-elle l'image qui est donnée de Mme d'Hu-bières ?

8 Commentez la dernière phrase : que laisse-t-elle présager de la suite du récit ?

Vocabulaire

1 Dans les lignes 1 à 14, relevez tous les termes qui désignent l'habitation des paysans et précisez leur connotation.

2 Expliquez la formation de *inféconde* (l. 3) et donnez son sens.

3 Quelle est la classe grammaticale de *parcimonieusement* (l. 95) ? Sur quel adjectif est-il formé ? Donnez le sens de cet adjectif.

4 Donnez la nature, l'étymologie et le sens du mot *ruraux* (l. 99).

5 Quel est ici le sens de *ébranlés* (l. 101) ?

Débat

Les Vallin ont-ils eu raison de vendre leur enfant aux d'Hubières ? Débattez avec vos camarades en vous appuyant sur des arguments précis.

« Manants, va ! »

On n'entendit plus du tout parler du petit Jean Vallin. Les parents, chaque mois, allaient toucher leurs cent vingt francs chez le notaire ; et ils étaient fâchés avec leurs voisins parce que la mère Tuvache les agonisait d'ignominies[1], répétant sans cesse de porte en porte qu'il fallait être
5 dénaturé pour vendre son enfant, que c'était une horreur, une saleté, une corromperie.

Et parfois elle prenait en ses bras son Charlot avec ostentation[2], lui criant, comme s'il eût compris :

– J't'ai pas vendu, mé, j't'ai pas vendu, mon p'tiot. J'vends pas m's éfants,
10 mé. J'sieus pas riche, mais vends pas m's éfants.

Et, pendant des années et encore des années, ce fut ainsi chaque jour des allusions grossières qui étaient vociférées devant la porte, de façon à entrer dans la maison voisine. La mère Tuvache avait fini par se croire supérieure à toute la contrée parce qu'elle n'avait pas vendu Charlot. Et
15 ceux qui parlaient d'elle disaient :

– J'sais ben que c'était engageant, c'est égal, elle s'a conduite comme une bonne mère.

On la citait ; et Charlot, qui prenait dix-huit ans, élevé dans cette idée qu'on lui répétait sans répit, se jugeait lui-même supérieur à ses cama-
20 rades, parce qu'on ne l'avait pas vendu.

Les Vallin vivotaient à leur aise, grâce à la pension. La fureur inapaisable des Tuvache, restés misérables, venait de là.

Leur fils aîné partit au service. Le second mourut ; Charlot resta seul à peiner avec le vieux père pour nourrir la mère et deux autres sœurs
25 cadettes qu'il avait.

Il prenait vingt et un ans, quand, un matin, une brillante voiture s'arrêta devant les deux chaumières. Un jeune monsieur, avec une chaîne de montre en or, descendit, donnant la main à une vieille dame en cheveux blancs. La vieille dame lui dit :
30 – C'est là, mon enfant, à la seconde maison.

Et il entra comme chez lui dans la masure des Vallin.

La vieille mère lavait ses tabliers ; le père, infirme, sommeillait près de l'âtre. Tous deux levèrent la tête, et le jeune homme dit :

– Bonjour, papa ; bonjour, maman.

35 Ils se dressèrent, effarés. La paysanne laissa tomber d'émoi son savon dans son eau et balbutia :

– C'est-i té, m'n éfant ? C'est-i té, m'n éfant ?

Il la prit dans ses bras et l'embrassa, en répétant : – « Bonjour, maman. » Tandis que le vieux, tout tremblant, disait, de son ton calme qu'il ne perdait
40 jamais : – « Te v'là-t'i revenu, Jean ? » Comme s'il l'avait vu un mois auparavant.

1. **Les agonisait d'ignominies** : les accablait d'injures.

2. **Avec ostentation** : de manière à être vue.

*Les Mangeurs de
pomme de terre*,
Vincent Van Gogh
(1853-1890), huile sur
toile, 1885, Van Gogh
Museum, Amsterdam.

Et, quand ils se furent reconnus, les parents voulurent tout de suite sortir le fieu dans le pays pour le montrer. On le conduisit chez le maire, chez l'adjoint, chez le curé, chez l'instituteur.

Charlot, debout sur le seuil de sa chaumière, le regardait passer.

45 Le soir, au souper, il dit aux vieux :

– Faut-i qu'vous ayez été sots pour laisser prendre le p'tit aux Vallin !

Sa mère répondit obstinément :

– J'voulions point vendre not' éfant !

Le père ne disait rien.

50 Le fils reprit :

– C'est-i pas malheureux d'être sacrifié comme ça !

Alors le père Tuvache articula d'un ton coléreux :

– Vas-tu pas nous r'procher d't'avoir gardé ?

Et le jeune homme, brutalement :

55 – Oui, j'vous le r'proche, que vous n'êtes que des niants. Des parents comme vous, ça fait l'malheur des éfants. Qu'vous mériteriez que j'vous quitte.

La bonne femme pleurait dans son assiette. Elle gémit tout en avalant des cuillerées de soupe dont elle répandait la moitié :

– Tuez-vous donc pour élever d's éfants !

60 Alors le gars, rudement :

– J'aimerais mieux n'être point né que d'être c'que j'suis. Quand j'ai vu l'autre, tantôt, mon sang n'a fait qu'un tour. Je m'suis dit : « V'là c'que j'serais maintenant ! »

Il se leva.

65   – Tenez, j'sens bien que je ferai mieux de n'pas rester ici, parce que j'vous le reprocherais du matin au soir, et que j'vous ferais une vie d'misère. Ça, voyez-vous, j'vous l'pardonnerai jamais !

70   Les deux vieux se taisaient, atterrés, larmoyants.

Il reprit :

– Non, c't' idée-là, ce serait trop dur. J'aime mieux m'en aller chercher ma vie aut'part !

75   Il ouvrit la porte. Un bruit de voix entra. Les Vallin festoyaient avec l'enfant revenu.

Alors Charlot tapa du pied et, se tournant vers ses parents, cria :

– Manants, va !

80   Et il disparut dans la nuit.

Guy de Maupassant, « Aux champs », 1882.

Les Petites Économies, Wilhelm Leibl (1844-1900), 1877, Von der Heydt-Museum, Wuppertal.

Lecture

impcies

Pour bien lire

1 Comment la situation matérielle de chacune des deux familles a-t-elle évolué ? Pourquoi ?

2 De quels malheurs les Tuvache ont-ils été frappés ?

3 Pourquoi la mère Tuvache est-elle fâchée contre les Vallin ? Relevez dans les lignes 1 à 22 deux explications : celle donnée par la mère Tuvache elle-même et une autre explication donnée par le narrateur.

4 Qui est le « jeune monsieur » rendant visite aux Vallin ? Quelles sont les différentes réactions à sa vue ?

5 Pourquoi Charlot est-il en colère contre ses parents ? Quelle décision prend-il à la fin ?

Pour approfondir

6 En quoi la fin est-elle surprenante ? ironique ? cruelle ? Développez votre réponse.

7 Dans l'ensemble de la nouvelle, quelle image est donnée des paysans ? Et des d'Hubières ?

Écriture

Qu'ont pu se dire Jean Vallin et ses parents le soir du retour de l'enfant ? Imaginez leur conversation en un court dialogue.

Oral

Parmi ces personnages, lesquels trouvez-vous sympathiques ? Justifiez votre opinion à l'aide d'arguments précis.

Vocabulaire

1 Expliquez la formation de *dénaturé* (l. 5) et *inapaisable* (l. 21) et donnez leur sens.

2 a. Donnez un synonyme de *vociférer* (l. 12). b. Sur quelle racine latine ce mot est-il formé ?

3 Que signifie *festoyer* (l. 76). Donnez des mots de la même famille.

« Je n'ai pas de toilette… »

C'était une de ces jolies et charmantes filles, nées, comme par une erreur du destin, dans une famille d'employés. Elle n'avait pas de dot[1], pas d'espérances[2], aucun moyen d'être connue, comprise, aimée, épousée par un homme riche et distingué ; et elle se laissa marier avec un petit
5   commis du ministère de l'instruction publique.

Elle fut simple ne pouvant être parée, mais malheureuse comme une déclassée[3] ; car les femmes n'ont point de caste[4] ni de race, leur beauté, leur grâce et leur charme leur servant de naissance et de famille. Leur finesse native, leur instinct d'élégance, leur souplesse d'esprit, sont leur seule
10   hiérarchie, et font des filles du peuple les égales des plus grandes dames.

Elle souffrait sans cesse, se sentant née pour toutes les délicatesses et tous les luxes. Elle souffrait de la pauvreté de son logement, de la misère des murs, de l'usure des sièges, de la laideur des étoffes. Toutes ces choses, dont une autre femme de sa caste ne se serait même pas aperçue, la tortu-
15   raient et l'indignaient. La vue de la petite Bretonne qui faisait son humble ménage éveillait en elle des regrets désolés et des rêves éperdus. Elle songeait aux antichambres[5] muettes, capitonnées[6] avec des tentures orientales, éclairées par de hautes torchères[7] de bronze, et aux deux grands valets en culotte courte qui dorment dans les larges fauteuils, assoupis par
20   la chaleur lourde du calorifère[8]. Elle songeait aux grands salons vêtus de soie ancienne, aux meubles fins portant des bibelots inestimables, et aux petits salons coquets, parfumés, faits pour la causerie de cinq heures avec les amis les plus intimes, les hommes connus et recherchés dont toutes les femmes envient et désirent l'attention.

25   Quand elle s'asseyait, pour dîner, devant la table ronde couverte d'une nappe de trois jours, en face de son mari qui découvrait la soupière en déclarant d'un air enchanté : « Ah ! le bon pot-au-feu ! je ne sais rien de meilleur que cela… » elle songeait aux dîners fins, aux argenteries reluisantes, aux tapisseries peuplant les murailles de personnages anciens et
30   d'oiseaux étranges au milieu d'une forêt de féerie ; elle songeait aux plats exquis servis en des vaisselles merveilleuses, aux galanteries chuchotées et écoutées avec un sourire de sphinx[9], tout en mangeant la chair rose d'une truite ou des ailes de gélinotte[10].

Elle n'avait pas de toilettes, pas de bijoux, rien. Et elle n'aimait que cela ;
35   elle se sentait faite pour cela. Elle eût tant désiré plaire, être enviée, être séduisante et recherchée.

---

1. Dot : argent ou bien qu'une femme apporte en se mariant.

2. Espérances : ici, biens dont on attend l'héritage.

3. Déclassé : qui n'appartient plus à sa classe sociale d'origine mais à une classe inférieure.

4. Caste : classe sociale fermée à ceux qui n'en font pas partie.

5. Antichambre : pièce dans laquelle les visiteurs attendent d'être reçus.

6. Capitonné : recouvert d'une tapisserie rembourrée.

7. Torchère : grand chandelier.

8. Calorifère : ancêtre du radiateur, poêle.

9. Avec un sourire de sphinx : avec un sourire mystérieux.

10. Gélinotte : oiseau proche de la perdrix.

Elle avait une amie riche, une camarade de couvent qu'elle ne voulait plus aller voir, tant elle souffrait en revenant. Et elle pleurait pendant des jours entiers, de chagrin, de regret, de désespoir et de détresse.

40   Or, un soir, son mari rentra, l'air glorieux, et tenant à la main une large enveloppe.

– Tiens, dit-il, voici quelque chose pour toi.

Elle déchira vivement le papier et en tira une carte imprimée qui portait ces mots :

45   « Le ministre de l'instruction publique et Mme Georges Ramponneau prient M. et Mme Loisel de leur faire l'honneur de venir passer la soirée à l'hôtel du ministère, le lundi 18 janvier. »

Au lieu d'être ravie, comme l'espérait son mari, elle jeta avec dépit l'invitation sur la table, murmurant :

50   – Que veux-tu que je fasse de cela ?

– Mais, ma chérie, je pensais que tu serais contente. Tu ne sors jamais, et c'est une occasion, cela, une belle ! J'ai eu une peine infinie à l'obtenir. Tout le monde en veut ; c'est très recherché et on n'en donne pas beaucoup aux employés. Tu verras là tout le monde officiel.

55   Elle le regardait d'un œil irrité, et elle déclara avec impatience :

– Que veux-tu que je me mette sur le dos pour aller là ?

Il n'y avait pas songé ; il balbutia :

– Mais la robe avec laquelle tu vas au théâtre. Elle me semble très bien, à moi…

60   Il se tut, stupéfait, éperdu, en voyant que sa femme pleurait. Deux grosses larmes descendaient lentement des coins des yeux vers les coins de la bouche ; il bégaya :

– Qu'as-tu ? qu'as-tu ?

Mais, par un effort violent, elle avait dompté sa peine et elle répondit
65   d'une voix calme en essuyant ses joues humides :

– Rien. Seulement je n'ai pas de toilette et par conséquent je ne peux aller à cette fête. Donne ta carte à quelque collègue dont la femme sera mieux nippée[11] que moi.

Guy de Maupassant, « La parure », 1884.

11. **Nippé** : habillé (familier).

Parcours de lecture ★

1 Que sait-on de Mme Loisel ? À quel milieu social appartient-elle ?

2 Pourquoi la jeune femme ne va-t-elle plus voir son « amie riche » (l. 37) ?

3 Est-elle satisfaite de sa vie ? Justifiez votre réponse.

4 **a.** Que contient l'enveloppe que rapporte, « l'air glorieux » (l. 40), M. Loisel ? **b.** Son épouse en est-elle heureuse ? Pourquoi ?

5 **a.** En quoi peut-on dire que Mme Loisel rêve d'une vie de conte de fées ? **b.** Est-ce le cas de son mari ?

6 Avez-vous une image positive ou négative de Mme Loisel ? Argumentez en vous appuyant sur des éléments précis du texte.

ou Parcours de lecture ★★

1 Qui sont M. et Mme Loisel ? Présentez le couple en quelques phrases.

2 Comment l'auteur montre-t-il l'insatisfaction de Mme Loisel dans ce début de nouvelle ?

Tâche complexe

▶ **Coup de pouce**

• Quels champs lexicaux s'opposent dans la première partie du texte ? Que souligne cette opposition ?

• Lignes 11 à 24 : quel est le temps principalement employé ? Précisez sa valeur. Repérez les deux verbes qui sont répétés : sur quoi insistent-ils ?

• Quelle figure de style est employée lignes 38-39 ? En quoi cette phrase résume-t-elle la vie de Mathilde ?

• Lignes 48 à 55 : relevez les compléments circonstanciels qui évoquent l'attitude de Mathilde : quelle image nous est donnée de la jeune femme ?

• M. Loisel peut-il répondre aux attentes de sa femme ? Justifiez votre réponse en vous appuyant sur l'ensemble de l'extrait.

Intérieur, femme à la fenêtre, Gustave Caillebotte (1848-1894), 1880, collection privée.

Écriture

À la fin de ce passage, Mme Loisel fait remarquer à son mari que les femmes de ses collègues sont mieux habillées qu'elle. Imaginez la suite du dialogue entre les époux : Mathilde explique à son mari à quel point elle n'est pas heureuse, lui, au contraire, essaie de la convaincre que leur vie est belle.

Pour réussir :
— Vous réemploierez le vocabulaire du malheur.
— Vous opposerez le vocabulaire péjoratif dans les répliques de Mme Loisel au vocabulaire mélioratif dans celles de son époux.
— Vous veillerez à respecter la présentation du dialogue.

Vocabulaire

1 **a.** Quelle est l'étymologie du mot *humble* (l. 15) ? Donnez son sens. **b.** Donnez un nom de la même famille et employez-le dans une phrase faisant apparaître son sens.

2 **a.** Relevez dans le texte les mots qui expriment le malheur ou le sentiment qui en découle et donnez leur définition. **b.** Donnez un synonyme et un antonyme pour chacun des mots que vous aurez relevés.

« Ce n'est pas possible ! »

M. Loisel donne à sa femme de quoi s'acheter une toilette pour le bal, mais elle reste triste, insatisfaite : elle n'a pas de bijoux. Son mari lui suggère alors d'en emprunter à son amie riche, Jeanne Forestier. Cette dernière accepte de prêter à Mathilde une magnifique rivière de diamants. Ainsi parée, Mathilde peut se rendre dignement au bal.

Lydie dans une loge, portant un collier de perles, Mary Cassatt (1844-1926), 1879, Museum of Art, Philadelphie.

Le jour de la fête arriva. Mme Loisel eut un succès. Elle était plus jolie que toutes, élégante, gracieuse, souriante et folle de joie. Tous les hommes la regardaient, demandaient son nom, cherchaient à être présentés. Tous les attachés du cabinet[1] voulaient valser avec elle. Le ministre la remarqua.

5 Elle dansait avec ivresse, avec emportement, grisée[2] par le plaisir, ne pensant plus à rien, dans le triomphe de sa beauté, dans la gloire de son succès, dans une sorte de nuage de bonheur fait de tous ces hommages, de toutes ces admirations, de tous ces désirs éveillés, de cette victoire si complète et si douce au cœur des femmes.

10 Elle partit vers quatre heures du matin. Son mari, depuis minuit, dormait dans un petit salon désert avec trois autres messieurs dont les femmes s'amusaient beaucoup.

Il lui jeta sur les épaules les vêtements qu'il avait apportés pour la sortie, modestes vêtements de la vie ordinaire, dont la pauvreté jurait avec l'élé-
15 gance de la toilette de bal. Elle le sentit et voulut s'enfuir, pour ne pas être remarquée par les autres femmes qui s'enveloppaient de riches fourrures.

Loisel la retenait :

– Attends donc. Tu vas attraper froid dehors. Je vais appeler un fiacre.

Mais elle ne l'écoutait point et descendait rapidement l'escalier. Lors-
20 qu'ils furent dans la rue, ils ne trouvèrent pas de voiture ; et ils se mirent à chercher, criant après les cochers qu'ils voyaient passer de loin.

Ils descendaient vers la Seine, désespérés, grelottants. Enfin ils trou-
vèrent sur le quai un de ces vieux coupés noctambules[3] qu'on ne voit dans Paris que la nuit venue, comme s'ils eussent été honteux de leur misère
25 pendant le jour.

Il les ramena jusqu'à leur porte, rue des Martyrs, et ils remontèrent tris-
tement chez eux. C'était fini, pour elle. Et il songeait, lui, qu'il lui faudrait être au Ministère à dix heures.

Elle ôta les vêtements dont elle s'était enveloppé les épaules, devant
30 la glace, afin de se voir encore une fois dans sa gloire. Mais soudain elle poussa un cri. Elle n'avait plus sa rivière autour du cou !

Son mari, à moitié dévêtu, déjà, demanda :

– Qu'est-ce que tu as ?

Elle se tourna vers lui, affolée :

35 – J'ai… j'ai… je n'ai plus la rivière de Mme Forestier.

1. **Attaché du cabinet :** personne qui travaille pour le ministre.

2. **Grisé :** enivré, excité.

3. **Coupé noctambule :** voiture qui roule de nuit.

Il se dressa, éperdu :

– Quoi !… comment !… Ce n'est pas possible !

Et ils cherchèrent dans les plis de la robe, dans les plis du manteau, dans les poches, partout. Ils ne la trouvèrent point.

40 Il demandait :

– Tu es sûre que tu l'avais encore en quittant le bal ?

– Oui, je l'ai touchée dans le vestibule du Ministère.

– Mais, si tu l'avais perdue dans la rue, nous l'aurions entendue tomber. Elle doit être dans le fiacre.

45 – Oui, c'est probable. As-tu pris le numéro ?

– Non. Et toi, tu ne l'as pas regardé ?

– Non.

Ils se contemplaient atterrés. Enfin Loisel se rhabilla.

– Je vais, dit-il, refaire tout le trajet que nous avons fait à pied, pour voir 50 si je ne la retrouverai pas.

Et il sortit. Elle demeura en toilette de soirée, sans force pour se coucher, abattue sur une chaise, sans feu, sans pensée.

◆ **GUY DE MAUPASSANT**, « La parure », 1884.

Parcours de lecture ★

1 Comment le bal s'est-il passé pour Mme Loisel ? Et pour son époux ?

2 Qu'est-ce qui grise Mathilde au cours du bal ? Pourquoi veut-elle s'enfuir (l. 15) ?

3 Que découvrent les deux époux une fois rentrés chez eux ? Comment réagissent-ils ?

4 **a.** Lignes 14-15 : relevez les expansions du nom *vêtement*. Sur quoi insistent-elles ? **b.** Cherchez, dans la suite du texte, d'autres termes qui tranchent avec les deux premiers paragraphes : quelle métamorphose se produit à l'issue du bal ?

5 **a.** À quel conte ce passage vous fait-il penser ? **b.** En quoi ce récit est-il différent de ce conte ? Pour répondre, appuyez-vous non seulement sur les étapes du récit mais aussi sur la situation du personnage avant et après le bal.

6 **a.** Dans quelle rue habitent les Loisel ? En quoi le choix de ce nom est-il ironique ? **b.** Quelle critique l'auteur adresse-t-il ici aux femmes ? Justifiez votre réponse.

ou Parcours de lecture ★★

1 Découpez le texte en trois parties et donnez un titre à chacune d'elles.

2 Dans la première partie de l'extrait, comment la joie de Mathilde se traduit-elle ?

Tâche complexe

▶ **Coup de pouce**
• Quelle est la valeur de l'imparfait ?
• Observez la construction des phrases : que remarquez-vous ?
• Quelle figure de style est utilisée à plusieurs reprises ?
• Quels champs lexicaux dominent ?
• Les termes employés ont-ils une connotation positive ou péjorative ?

3 « Mais soudain elle poussa un cri. Elle n'avait plus sa rivière autour du cou ! » (l. 30-31) : comment la découverte de la perte du collier est-elle mise en valeur ?

4 Lignes 32 à 52. **a.** Relevez les trois phrases qui évoquent ce que ressentent les deux époux : que remarquez-vous ? **b.** En quoi ce dialogue contraste-t-il avec le début du texte ?

Écriture

En utilisant l'accumulation, évoquez la joie d'un enfant découvrant ses cadeaux le jour de Noël.

Vocabulaire

1 Expliquez la formation et donnez le sens d'*ivresse*, *emportement* et *grisée* (l. 5).

2 **a.** Donnez le sens du mot *hommages* (l. 7). **b.** À quel genre littéraire ce mot renvoie-t-il ?

« Ma pauvre Mathilde ! »

Repasseuse,
Edgar Degas (1834-1917),
huile sur toile, vers 1892-
1895, Walker Art Gallery,
Liverpool.

N'ayant pu retrouver le collier de Jeanne Forestier, les deux époux décident d'en acheter un identique. Ils doivent pour cela emprunter une somme colossale (trente-six mille francs) qu'il leur faut rembourser.

Mme Loisel connut la vie horrible des nécessiteux. Elle prit son parti, d'ailleurs, tout d'un coup, héroïquement. Il fallait payer cette dette effroyable. Elle payerait. On renvoya la bonne ; on changea de logement ; on loua sous les toits une mansarde.

5   Elle connut les gros travaux du ménage, les odieuses besognes de la cuisine. Elle lava la vaisselle, usant ses ongles roses sur les poteries grasses et le fond des casseroles. Elle savonna le linge sale, les chemises et les torchons, qu'elle faisait sécher sur une corde ; elle descendit à la rue, chaque matin,

les ordures, et monta l'eau, s'arrêtant à chaque étage pour souffler. Et, vêtue

10 comme une femme du peuple, elle alla chez le fruitier, chez l'épicier, chez le boucher, le panier au bras, marchandant, injuriée, défendant sou à sou son misérable argent.

Il fallait chaque mois payer des billets[1], en renouveler d'autres, obtenir du temps.

15 Le mari travaillait le soir à mettre au net les comptes d'un commerçant, et la nuit, souvent, il faisait de la copie à cinq sous la page.

Et cette vie dura dix ans.

Au bout de dix ans, ils avaient tout restitué, tout, avec le taux de l'usure, et l'accumulation des intérêts superposés.

20 Mme Loisel semblait vieille, maintenant. Elle était devenue la femme forte, et dure, et rude, des ménages pauvres. Mal peignée, avec les jupes de travers et les mains rouges, elle parlait haut, lavait à grande eau les planchers. Mais parfois, lorsque son mari était au bureau elle s'asseyait auprès de la fenêtre, et elle songeait à cette soirée d'autrefois, à ce bal, où

25 elle avait été si belle et si fêtée.

Que serait-il arrivé si elle n'avait point perdu cette parure ? Qui sait ? qui sait ? Comme la vie est singulière, changeante ! Comme il faut peu de chose pour vous perdre ou vous sauver !

Or, un dimanche, comme elle était allée faire un tour aux Champs-

30 Élysées pour se délasser des besognes de la semaine, elle aperçut tout à coup une femme qui promenait un enfant. C'était Mme Forestier, toujours jeune, toujours belle, toujours séduisante.

Mme Loisel se sentit émue. Allait-elle lui parler ? Oui, certes. Et maintenant qu'elle avait payé, elle lui dirait tout. Pourquoi pas ?

35 Elle s'approcha.

– Bonjour, Jeanne.

L'autre ne la reconnaissait point, s'étonnant d'être appelée ainsi familièrement par cette bourgeoise. Elle balbutia :

– Mais… madame !… Je ne sais… Vous devez vous tromper.

40 – Non. Je suis Mathilde Loisel.

Son amie poussa un cri :

– Oh !… ma pauvre Mathilde, comme tu es changée !…

– Oui, j'ai eu des jours bien durs, depuis que je ne t'ai vue ; et bien des misères… et cela à cause de toi !…

45 – De moi… Comment ça ?

– Tu te rappelles bien cette rivière de diamants que tu m'as prêtée pour aller à la fête du Ministère.

– Oui. Eh bien ?

– Eh bien, je l'ai perdue.

50 – Comment ! puisque tu me l'as rapportée.

– Je t'en ai rapporté une autre toute pareille. Et voilà dix ans que nous la payons. Tu comprends que ça n'était pas aisé pour nous, qui n'avions rien… Enfin c'est fini, et je suis rudement contente.

1. Billet : ici, promesse écrite, engagement de payer une certaine somme.

55   Mme Forestier s'était arrêtée.

– Tu dis que tu as acheté une rivière de diamants pour remplacer la mienne ?

– Oui… Tu ne t'en étais pas aperçue, hein ? Elles étaient bien pareilles. Et elle souriait d'une joie orgueilleuse et naïve.

60   Mme Forestier, fort émue, lui prit les deux mains.

– Oh ! ma pauvre Mathilde ! Mais la mienne était fausse. Elle valait au plus cinq cents francs !…

    🔖 **Guy de Maupassant**, « La parure », 1884.

Lecture

Pour bien lire

1 De quelle façon la vie du couple a-t-elle changé ? Combien de temps a duré cette nouvelle vie ?

2 Qui est Mme Forestier ? Pourquoi ne reconnaît-elle pas Mme Loisel ?

3 Que lui avoue Mme Loisel ?

4 Quelle révélation fait Mme Forestier ?

Pour approfondir

5 a. Qu'est-ce qui incite Mme Loisel à aborder Mme Forestier ? **b.** Semble-t-elle aussi malheureuse qu'au début de la nouvelle ? Comment l'interprétez-vous ?

6 Lignes 20 à 32. **a.** Comparez le portrait qui est fait de Mme Loisel avec celui du début de la nouvelle : que marque le changement physique du personnage ? **b.** Dans le portrait de Mme Forestier, quel adverbe est répété ? Que souligne cette répétition ?

7 a. En quoi peut-on dire que la dernière phrase constitue une chute ? **b.** Quel nouvel éclairage cette chute apporte-t-elle sur la vie de Mme Loisel ?

Écriture

1 Voici des phrases présentant deux actions simultanées : récrivez-les en exprimant la première action à l'aide d'un participe présent. *Exemple* : Mathilde **aperçut** son amie et l'aborda. → **Apercevant** son amie, Mathilde l'aborda.

1. Julien lut la lettre et arbora un sourire satisfait.
2. Loïse n'en revint pas du luxe qui l'entourait et passa ses journées à parcourir l'appartement.
3. Elle s'assit devant son miroir et choisit ses bijoux avec soin.
4. Son mari lui lança un regard admiratif et la complimenta.

2 Recopiez les phrases suivantes en enrichissant les noms soulignés à l'aide d'une apposition que vous détacherez d'abord en début de phrase, ensuite en fin de phrase. *Exemple* : Cette *femme* était belle.
→ **Arrogante de jeunesse**, cette femme était belle.
→ *Cette femme était belle*, **arrogante de jeunesse**.

1. <u>Éléonore</u> respirait la fraîcheur.
2. Sa <u>beauté</u> éclipsait celle de son amie.
3. Sa <u>chevelure</u> resplendissait.
4. Son <u>sourire</u> illuminait son visage.

3 Inspirez-vous du 2e paragraphe du texte pour raconter le brusque changement de vie d'une femme du peuple qui accède au luxe aristocratique.

Pour réussir :
– Vous évoquerez les différentes actions qui mettent en évidence son changement de statut.
– Vous conjuguerez ces verbes d'action au passé simple.
– Vous évoquerez des actions simultanées en employant des participes présents.
– Vous décrirez le personnage en action en employant l'apposition.

« Illégitimité[1] »

Texte intégral

Anton Tchekhov

(1860-1904)
Auteur russe, médecin de profession, il se met très vite à écrire des nouvelles et des pièces de théâtre. Il parvient avec beaucoup d'habileté à rendre perceptibles la complexité, la richesse et le tragique de la condition humaine.

Accomplissant sa promenade vespérale[2], l'assesseur de collège[3] Migouev s'arrêta près d'un poteau télégraphique et soupira profondément. Une semaine plus tôt, à ce même endroit, comme il terminait sa promenade vespérale et rentrait chez lui, son ancienne femme de chambre
5 Agnia l'avait rattrapé et lui avait dit méchamment :

– Attends un peu ! J'ai un de ces chiens de ma chienne pour toi ! Ça t'apprendra à déshonorer les filles innocentes ! Je te fourguerai l'enfant, et je porterai plainte, et je raconterai tout à ta femme…

Elle avait exigé qu'il déposât cinq mille roubles à son nom à la banque.
10 Migouev se rappela cela, soupira et se reprocha encore une fois avec une profonde componction[4] un entraînement d'un instant qui lui avait déjà coûté tant de tracas et de souffrances.

Arrivé au pavillon où il était en villégiature, Migouev s'assit sur le perron pour se reposer. Il était dix heures précises et un petit bout de lune
15 apparaissait derrière les nuages. Dans la rue et près des pavillons il n'y avait personne : les vieux vacanciers étaient déjà en train de se coucher, les jeunes se promenaient dans le bois. Cherchant dans ses deux poches une allumette pour allumer une cigarette, Migouev heurta du coude quelque chose de mou ; n'ayant rien à faire, il regarda sous son coude droit, et sou-
20 dain son visage se tordit d'horreur, comme s'il avait vu un serpent à côté de lui. Sur le perron, tout près de la porte, reposait un baluchon. Un objet oblong[5] était enveloppé dans ce qui, au toucher, ressemblait à une petite couverture piquée. Un bout du baluchon était légèrement ouvert, et l'assesseur de collège, y plongeant la main, sentit quelque chose de chaud et
25 d'humide. Horrifié, il bondit sur ses pieds et regarda autour de lui comme un criminel qui s'apprête à fuir la maréchaussée[6]…

– Elle me l'a donc fourgué ! fit-il méchamment à travers ses dents en serrant les poings. La voilà donc, l'illégitimité, étalée là ! Ah ! Seigneur !

Il était pétrifié de peur, de colère et de honte… Que faire maintenant ?
30 Que dirait sa femme si elle apprenait ? Que diraient ses collègues ?

La fenêtre du milieu de la maison était ouverte, si bien qu'on entendait clairement Anna Filippovna, la femme de Migouev, mettre la table pour souper ; dans la cour, aussitôt passé le portail, Iermolaï faisait plaintivement tinter sa balalaïka[7]… Que le nourrisson s'éveillât et se mît à piailler,
35 et le secret était découvert. Migouev sentit le besoin irrésistible de se hâter.

– Plus vite, plus vite… marmottait-il. Immédiatement, tant que personne ne voit. Je le porterai quelque part, je le mettrai sur un autre perron…

Migouev souleva le baluchon d'un seul bras et, lentement, à pas mesurés pour ne pas exciter les soupçons, il suivit la rue…

1. Illégitimité : désigne le fait d'avoir un enfant hors mariage.

2. Vespéral : du soir.

3. Assesseur de collège : grade civil, équivalent à celui de capitaine.

4. Componction : air de gravité provoqué par le regret. Terme quelque peu ironique.

5. Oblong : de forme allongée.

6. Maréchaussée : gendarmerie.

7. Balalaïka : instrument de musique russe à cordes pincées.

Bella et Ida à la fenêtre,
Marc Chagall (1887-1985),
huile sur toile, 1916,
collection privée.

40 « Quelle vilaine situation, c'est étonnant ! pensait-il, en essayant de se
donner l'air indifférent. Un assesseur de collège marche dans la rue avec
un nourrisson ! Ah ! Seigneur, si on me voit, si on comprend de quoi il
s'agit, je suis perdu… Je vais le déposer sur ce perron… Non, minute, ici
les fenêtres sont ouvertes et quelqu'un regarde peut-être. Où pourrais-je
45 le mettre ? Ah ! voilà, je vais le porter chez le négociant Melkine… Les
négociants sont riches et compatissants ; il sera peut-être même reconnaissant et paiera son éducation. »

Migouev décida irrévocablement de porter le nourrisson chez Melkine,
bien que le pavillon du négociant se trouvât dans la dernière rue du village
50 de vacances, tout près de la rivière. […]

Comme Migouev longeait des ruelles étroites et désertes, entre de longues palissades, sous l'ombre épaisse et noire des tilleuls, il lui sembla soudain qu'il faisait quelque chose de très cruel, de criminel.

« En vérité, cela est d'une bassesse ! pensait-il. C'est si bas qu'on ne sau-
55 rait rien inventer de plus bas… Qu'a-t-il fait, ce malheureux enfant, pour
que nous le balancions de perron en perron ? Est-ce sa faute, s'il est né ?
Quel tort nous a-t-il causé ? Nous sommes des lâches… Je le dépose chez

les Melkine, les Melkine le mettent en pension, il n'y a là que des indiffé-
rents, tout est officiel… pas de caresses, pas d'amour, pas de douceurs…

60 On en fera ensuite un cordonnier… Il boira, il apprendra à jurer, il crè-
vera de faim… Cordonnier, lui, fils d'un assesseur de collège, d'un sang
noble… Il est ma chair et mon sang… »

Quittant l'ombre des tilleuls et passant sur la route inondée de clair de
lune, Migouev défit le baluchon et regarda l'enfant.

65 — Il dort, chuchota-t-il… Tiens, il a le nez busqué, le coquin, tout comme
son père… Eh bien, excuse-moi… Pardonne-moi, mon vieux… Il faut
croire que c'était ta destinée…

L'assesseur de collège se mit à cligner des yeux et sentit des espèces de
fourmis lui descendre le long des joues… Il enveloppa le nourrisson, le prit
70 sous son bras et repartit de plus belle. Pendant tout le chemin, jusqu'au
pavillon des Melkine, les questions sociales s'agitèrent dans sa tête, tandis
que sa conscience lui griffait le cœur.

« Si j'étais un homme comme il faut, un homme honnête, pensait-il, je
passerais par-dessus tout, j'irais chez Anna Filippovna avec ce petit enfant,
75 je me mettrais à genoux devant elle et je lui dirais : Pardonne ! Je suis coupable ! Torture-moi, mais ne sacrifions pas un innocent nouveau-né. Nous
n'avons pas de petits enfants : prenons-le, élevons-le ! C'est une bonne
femme qui a du cœur, elle accepterait. Et alors mon enfant resterait près
de moi… Ah la la ! »

80 Il approcha du pavillon de Melkine et s'arrêta, indécis… Il se voyait
assis dans son salon, à lire le journal, et un petit garçon au nez busqué traî-
nait près de lui et jouait avec les glands de sa robe de chambre ; en même
temps, son imagination s'emplissait de ses collègues qui lui faisaient des
clins d'œil, de Son Excellence qui reniflait et lui claquait le ventre… Tan-
85 dis que dans son âme, outre la conscience qui le griffait, il y avait encore
quelque chose de tendre, de chaud, de triste…

— Eh ! arrive que pourra ! Tout ça, je m'en contrefiche ! Je le prends : les
gens n'ont qu'à dire ce qu'ils voudront !

Migouev prit l'enfant et repartit à grande allure dans le sens contraire.
90 « Ils n'ont qu'à dire ce qu'ils voudront, pensait-il. Je vais aller maintenant me mettre à genoux et je dirai : Anna Filippovna ! C'est une bonne
femme qui a du cœur, elle comprendra… Et nous allons l'élever… Si c'est
un garçon, nous l'appellerons Vladimir, et si c'est une fille, Anne. Au moins
nous aurons de quoi nous consoler dans notre vieillesse… »

95 Et il fit ce qu'il avait décidé. Pleurant, mourant de crainte et de honte,
plein d'espoir et d'une extase indéfinissable, il entra dans son pavillon, alla
trouver sa femme et se mit à genoux devant elle…

— Anna Filippovna, dit-il en hoquetant et en posant l'enfant par terre.
Ne me condamne pas sans m'entendre… Je suis coupable ! C'est mon
100 enfant… Tu te rappelles Agnia ? Alors voilà, le diable m'a tenté…

Et, ne sachant plus où il en était de honte et de peur, sans attendre de
réponse, il bondit et se rua à l'air libre comme si on l'avait fouetté…

« Je resterai ici, dans la cour, jusqu'à ce qu'elle m'appelle, se disait-il. Je lui donnerai le temps de se remettre et de reprendre ses esprits… »

105 Le portier Iermolaï passa avec sa balalaïka, lui jeta un coup d'œil et haussa les épaules… Une minute après il repassa et haussa encore les épaules.

– En voilà une histoire, figurez-vous ça, marmotta-t-il en rigolant. À l'instant, Sémione Erastytch, il y a une bonne femme, la blanchisseuse Aksinia, qui est venue. Elle a mis son petit enfant dehors sur le perron, la

110 grosse bête, et pendant qu'elle était chez moi, quelqu'un a pris l'enfant et l'a emporté… En voilà une affaire !

– Quoi ? Que dis-tu ? hurla Migouev de toutes ses forces.

Iermolaï, s'expliquant à sa façon la colère du patron, se gratta la nuque et soupira.

115 – Faites excuse, Sémione Erastytch, dit-il. Mais c'est la saison des vacances… C'est impossible autrement… Je veux dire sans bonne femme…

Et, apercevant les yeux du patron écarquillés de surprise et de colère, il poussa un grognement embarrassé et continua :

– Bien sûr, c'est un péché, mais qu'est-ce qu'on y peut ?…

120 – Va-t'en, canaille ! cria Migouev, et il tapa des pieds et rentra dans la maison.

Anna Filippovna, stupéfaite et furieuse, était toujours assise à sa place et ne quittait pas l'enfant de ses yeux noyés de pleurs.

– Allons, allons… balbutia Migouev, tout pâle, sa bouche tordue dans

125 un sourire. J'ai plaisanté… Il n'est pas de moi. Il est à Aksinia, la blanchisseuse. Je… J'ai plaisanté… Emporte-le chez le portier.

Anton Tchekhov, *Nouvelles*, trad. Vladimir Volkoff, Ed L'Âge d'Homme, 1993.

Lecture

Pour bien lire

1 Résumez l'intrigue de cette nouvelle en vous aidant des questions suivantes :

Qui est le personnage principal ? Quel problème rencontre-t-il ? Comment tente-t-il de le résoudre ? Quelle est l'issue de cette affaire ?

Dans votre résumé, vous emploierez les mots de liaison suivants que vous soulignerez : *tandis que – au moment où – c'est alors – une fois que.*

5 Quelle attitude Migouev a-t-il face à sa femme la première fois ? la seconde fois ?

6 Quels sentiments le lecteur éprouve-t-il face à l'embarrassante situation de Migouev ?

7 Pourquoi la chute est-elle drôle ?

Pour approfondir

2 Relevez les expressions évoquant les sentiments de Migouev au moment où il découvre l'enfant : en quoi prêtent-elles à sourire ?

3 Relevez les trois passages au discours direct : comment évoluent les pensées du personnage ?

4 a. Lignes 57 à 62 : quel tableau Migouev se fait-il de l'avenir de cet enfant ? Comment s'enchaînent les phrases et les propositions ? Quel est l'effet produit ?
b. Relevez un autre tableau qui s'oppose à celui-ci.

Écriture

Transposez la phrase suivante au discours indirect en commençant par : « Il pensait que… »

« Si j'étais un homme comme il faut, un homme honnête, pensait-il, je passerais par-dessus tout, j'irais chez Anna Filippovna avec ce petit enfant, je me mettrais à genoux devant elle. »

La nouvelle réaliste

Les caractéristiques de la nouvelle

✳ Genre bref, la nouvelle utilise des **ressources différentes de celles du roman**. Elle met en scène une **intrigue simple** et un **nombre limité de personnages**. Toutefois, ces personnages ne sont pas réduits, comme dans le conte, à un ou deux traits de caractère : ils ont une véritable épaisseur psychologique et leurs états d'âme, leurs hésitations, leurs réflexions occupent une large part du récit. C'est même **la réaction de ces personnages complexes à un événement particulier** (la proposition d'adoption de l'enfant, l'invitation au bal, la découverte du nourrisson) qui fait l'intérêt de la nouvelle.

✳ Le **caractère bref du récit** permet, de plus, d'en intensifier les effets. On entre très vite dans l'histoire. Alors que le roman ménage des temps de pause, dans la nouvelle, l'action progresse rapidement, créant une tension croissante qui ne se dénoue qu'à la fin. Souvent, les nouvelles s'achèvent sur un dénouement inattendu, **la chute**, qui peut conduire à une autre interprétation de l'histoire.

Le réalisme de Maupassant

✳ Maupassant a fréquenté, au cours de sa vie, tous les milieux : paysans normands, notables de province, petits fonctionnaires parisiens… Il s'efforce, dans ses nouvelles, de **reconstruire chaque milieu avec un grand soin des détails** : l'imitation du patois, l'évocation de la vie paysanne, la description d'un intérieur bourgeois, l'atmosphère des bals font le caractère vivant et réaliste du récit.

✳ L'écrivain cherche à « **nous donner une image exacte de la vie** ». Aussi l'histoire reste-t-elle banale, racontant la vie de tous les jours, de tout un chacun. Les personnages eux-mêmes sont des êtres ordinaires, représentatifs de leur milieu social.

Une certaine vision de l'homme et du monde

✳ L'œuvre de Maupassant se caractérise par son **pessimisme**. Il nous montre une réalité cruelle, mesquine : le sacrifice inutile des Loisel, l'aigreur de la mère Tuvache. La médiocrité humaine est dénoncée, l'espérance nous est montrée comme une illusion, avec une **ironie souvent mordante**.

✳ Ainsi, chaque nouvelle est un **regard distancé**, **souvent critique**, jeté sur la société et, nouvelle après nouvelle, c'est toute une vision de l'homme et de la vie qui se dessine.

✳ Ces thèmes – le pessimisme, la profonde solitude de l'homme, la menace perpétuelle du malheur – se retrouveront dans les **récits fantastiques** de Maupassant (voir chapitre 5).

Le Balcon, Édouard Manet (1832-1883), 1869, musée d'Orsay, Paris.

La vie quotidienne

1 ★ Retrouvez les couples de synonymes.

Liste 1 : bahut – secrétaire – lustre – bergère – guéridon – sofa.

Liste 2 : table – buffet – divan – bureau – fauteuil – plafonnier.

2 ★ Dites si les noms suivants désignent une pièce de la maison ou un élément du jardin.

véranda – bosquet – mansarde – corbeille – grenier – corridor – parterre – allée

3 ★ ★ Complétez les phrases à l'aide des mots suivants : *bergère – tabouret – buffet – lustre – console*.

1. Il n'y a plus de chaises, prends donc un ... .
2. J'ai posé les clés sur la ... qui est dans l'entrée.
3. La vaisselle se range dans le ... .
4. Confortablement installé dans une ... Louis XV, il fumait la pipe.
5. Au plafond pendait un magnifique ... en cristal de Venise.

4 ★ ★ a. Classez les mots suivants selon qu'ils se rapportent au sol, au plafond ou aux murs d'une pièce : *paroi – cloison – moulure – parquet – poutre – carrelage – plancher – rainure – corniche – tenture*.

b. Choisissez-en deux de chaque catégorie et employez-les dans des phrases faisant apparaître leur sens.

5 ★ Recopiez les phrases suivantes en remplaçant les expressions en italique par l'un des mots suivants : *mansarde – niche – alcôve – poutre*. **Attention aux accords !**

1. Au fond de la chambre, il y avait *un enfoncement pour y mettre un lit*.
2. *Une pièce dont les murs sont en pente* n'est pas toujours facile à aménager.
3. *Les grosses pièces de bois* qui supportent le plafond sont en chêne.
4. *Ce trou dans l'épaisseur du mur* est du plus joli effet !

6 ★ ★ Associez chaque objet de la liste A à une matière de la liste B.

Liste A : couverts – commode – drap – parquet – fauteuil – vaisselle.

Liste B : soie – cuir – faïence – argent – chêne – acajou.

7 ★ Que sert-on à l'aide de :
1. Une louche ?
2. Une carafe ou une cruche ?
3. Un compotier ou une coupe ?
4. Un ravier ?

8 ★ ★ Quels éléments de vaisselle sont formés à partir des noms suivants ?

soupe – salade – thé – café – chocolat – légume – sucre – pain – eau (étymologie : *aqua*)

9 ★ ★ ★ a. En vous aidant d'un dictionnaire, classez ces noms dans un tableau selon qu'ils désignent du tissu, du métal, du bois ou de la pierre.

inox – marbre – cachemire – zinc – ébène – tulle – platine – fonte – teck – acajou – étoffe – bronze – velours – pin – rotin – albâtre – satin – lin – étain – acier – chêne – soie – cuivre – jade

b. Quelle(s) matière(s) peut-on associer à chacun des objets suivants ?

un châle – un drap – une statue – une cocotte – un couteau – un comptoir – un fauteuil – une robe

Dans la pièce, Pyotr Ivanovich Neradovski (1875-1962), Tretyakov Gallery, Moscou.

Écrire un récit

→ Insérer un dialogue dans un récit

1 a. Transformez ce dialogue en récit.

Madame X entra dans la bijouterie et dit :
« Bonjour.
- Bonjour, répondit l'employée.
- Pourrais-je voir M. Bruno ?
- C'est à quel sujet ?
- Il s'agit d'une affaire très personnelle.
- Il est en ce moment avec un important client.
- Dans ce cas, j'attendrai.
- Très bien. Désirez-vous une tasse de thé ? »

b. À quels endroits de votre récit précédent pourriez-vous insérer les attitudes suivantes ?

s'installant dans un fauteuil – d'un pas résolu – avec un léger agacement – occupée à épousseter les vitrines – embarrassée – sans lever la tête

Faites un plan faisant apparaître ces sentiments à leur place dans le récit.

2 Développez le récit suivant sous forme de dialogue de manière à faire apparaître les attitudes des personnages.

Une fois disponible, M. Bruno vient voir Madame X. Elle lui montre une paire de boucles d'oreilles qu'elle souhaite lui vendre.

→ Utiliser les temps du passé

3 Conjuguez les verbes entre parenthèses au temps qui convient : passé simple, imparfait ou plus-que-parfait.

Un jour de novembre, comme le soir (*tomber*), un homme, que je ne (*connaître*) pas, (*s'arrêter*) devant notre barrière. J'(*être*) sur le seuil de la maison. Sans pousser la barrière, mais en levant sa tête par-dessus en me regardant, l'homme me (*demander*) si ce n'(*être*) pas là que (*demeurer*) la mère Barberin. Je lui (*dire*) d'entrer.
Il (*pousser*) la barrière, et à pas lents il (*s'avancer*) vers la maison.
Jamais je ne (*voir*) un homme aussi crotté.

D'après **H. Malot**, *Sans famille*.

4 Mettez les verbes entre parenthèses au temps composé qui convient.

1. M. Bruno sortit enfin de son bureau, mais Madame X (*quitter*) déjà les lieux.

2. Nos amis nous contacteront lorsqu'ils (*revenir*) de voyage.

3. Ce jour-là, la duchesse de Guermantes (*organiser*) un grand dîner : elle appela ses domestiques pour vérifier que tout était prêt.

4. Elle resta à l'abri jusqu'à ce que la pluie (*cesser*) de tomber.

5 Complétez les phrases suivantes de façon logique.

1. Quand le portier eut aperçu Lucien, ...

2. Une fois arrivé à Paris, ...

3. Avant même d'avoir parlé, ...

4. La nuit était à peine tombée que ... .

5. Il la regarda avec étonnement et ... .

→ Faire progresser le récit

6 a. Classez les expressions suivantes dans l'ordre chronologique : *la veille – le surlendemain – l'année suivante – vingt ans auparavant – ce matin-là – au cours des deux années qui précédèrent – l'instant d'après – le lendemain – à cet instant.*

b. Choisissez cinq de ces expressions que vous emploierez dans un court paragraphe de votre invention.

7 Remettez dans l'ordre les actions de ce récit.

1. À cinq heures du soir, on sonna à la porte : c'était le médecin qui avait pu se libérer.

2. Puis il prit son carnet et se mit à rédiger méticuleusement une longue ordonnance où il prescrivait du repos, des fortifiants, une bonne nourriture.

3. Sans tarder, il l'ausculta, la palpa, l'examina soigneusement.

4. Quand il eut fini son examen, il borda soigneusement sa patiente et releva l'oreiller derrière sa tête.

5. On le fit immédiatement entrer dans la chambre de la malade.

6. Par moments, il hochait la tête, semblant approuver des réflexions qu'il se faisait à part lui.

Écrire une suite de texte

SUJET

Madame de se rend chez son bijoutier pour vendre les bijoux : que se passe-t-il ensuite ? Imaginez la suite de ce texte.

Madame de,
film de Max Ophüls, 1953,
avec Danielle Darrieux.

Dans un monde où le succès et le renom d'une femme dépendent moins de sa beauté que de son élégance, Madame de était, avec beaucoup de grâce, la plus élégante des femmes. Elle donnait le la à toute une société et comme les hommes la disaient inimitable, les femmes réfléchies s'efforçaient de la copier,
5 de s'apparenter à elle par un peu de ressemblance qui leur rapportait l'écho des compliments qu'on ne cessait de lui adresser. Tout ce qu'elle choisissait prenait un sens nouveau ou une nouvelle importance ; elle avait de l'invention, elle éclairait l'inaperçu, elle déconcertait.

Monsieur de avait une belle fortune, il était fier de sa femme et ne lui refusait
10 rien. Jamais il ne lui posait de questions au sujet de ses dépenses, elle n'avait aucune raison de craindre des reproches et pourtant, par une sorte de faiblesse teintée de vantardise, commune à bien des gens, elle ne pouvait s'empêcher, quand il admirait un objet qu'elle venait d'acheter ou une robe qu'elle portait pour la première fois, de diminuer de moitié le prix qu'on lui en avait
15 demandé. Madame de cachait ainsi à Monsieur de le montant des factures qu'elle s'engageait à payer. Après quelques années de ce jeu elle fut mise en face de grandes dettes qui lui causèrent d'abord du souci, puis de l'angoisse et, enfin, du désespoir. Elle osa d'autant moins en parler à son mari qu'elle lui mentait depuis plus longtemps et qu'il avait toujours été fort généreux envers
20 elle. Ne voulant perdre ni le prestige qu'elle avait à ses yeux, ni la confiance dont il la croyait digne, elle estima que seule la vente secrète d'un bijou pourrait mettre un terme à sa situation. Elle ouvrit ses coffrets et, trouvant imprudent de se défaire d'un bijou de famille ou d'une quantité de bijoux de moindre valeur dont la disparition serait inexplicable, elle décida de vendre une paire
25 de boucles d'oreilles faite de deux beaux brillants taillés en forme de cœur. C'était un superbe cadeau qu'elle avait reçu de Monsieur de au lendemain de leur mariage.

🔖 **LOUISE DE VILMORIN**, *Madame de*, 1951, © Gallimard.

→ Comprendre le texte

1 À votre avis, pourquoi l'auteur a-t-elle choisi de nommer ses personnages Monsieur et Madame de ? Que ce choix nous apprend-il sur les personnages ?

2 Que signifie l'expression « donner le la » (l. 3) ? Quelle influence Madame de a-t-elle dans la société ?

3 Comment Monsieur de considère-t-il sa femme ? Lui fait-il confiance ?

4 Que cache Madame de à son mari ? Quelle explication le narrateur donne-t-il à ses mensonges ?

5 Quelle conséquence les mensonges de Madame de finissent-ils par avoir ? Pourquoi n'en parle-t-elle pas à son mari ?

6 Quelle décision Madame de prend-elle ?

→ Trouver des idées

Voici une liste de questions concernant les personnages qui vous aidera :

• Le bijoutier : accepte-t-il d'acheter les bijoux ? la somme qu'il propose est-elle suffisante ? saura-t-il se montrer discret ?

• Monsieur de : aura-t-il connaissance des dettes de son épouse ? Découvrira-t-il la vente des boucles d'oreilles ? de quelle manière ? Quelle sera sa réaction ?

• Madame de : que fait-elle une fois les bijoux vendus ? Parvient-elle à éponger ses dettes ? À réduire ses dépenses ? Décide-t-elle finalement à se confier à son mari ?

• Est-il intéressant de faire intervenir un nouveau personnage ? Si oui, qui est-il ? quel est son rôle ?

→ Pour réussir

• Votre histoire devra se situer au XIXᵉ siècle.

• Insérez au moins deux dialogues dans votre récit en prenant soin de les ponctuer correctement et de varier les verbes de parole.

• Organisez clairement la chronologie en utilisant des indices de temps appropriés.

• Vous emploierez un vocabulaire précis évoquant la vie quotidienne.

• Aidez-vous de la méthode ci-contre.

Méthode

Écrire une suite de texte

Lorsque vous écrivez une suite de texte, vous devez montrer que vous avez bien compris le texte de départ et que vous êtes capable d'en écrire une suite logique, qui respecte les informations données. Voici les éléments dont vous devez tenir compte :

L'histoire

Lisez attentivement le texte et relevez les indices qui pourront vous donner des pistes pour une suite possible.

• **Le cadre spatio-temporel :** respectez l'époque où se déroule l'action en prenant garde de ne pas faire d'anachronisme (pas d'ordinateur au XIXᵉ siècle) ; conservez les mêmes lieux ou bien proposez des lieux qui soient cohérents avec le texte d'origine.

• **Les personnages :** reprenez les personnages déjà présents en conservant leurs caractéristiques (âge, portrait physique et moral, origine sociale, relations qu'ils ont entre eux…) ; si vous inventez des nouveaux personnages, ils doivent être cohérents avec le texte d'origine.

• **L'intrigue :** respectez la logique de l'histoire en vous demandant ce que recherchent les personnages et où ils en sont de cette recherche.

La narration

• **Le point de vue :** le récit est-il à la troisième personne ou à la première personne ?

• **Le genre littéraire :** s'agit-il d'une nouvelle réaliste, d'un conte, d'une histoire fantastique, policière…?

• **Le ton et le registre de langue :** le ton est-il grave, comique, neutre ? Quel registre de langue est utilisé, varie-t-il en fonction des personnages ?

• **Les temps verbaux :** le récit est-il au présent ou au passé simple ?

Astuce

Pour bien l'intégrer au texte de départ, commencez votre récit en citant sans guillemets la dernière ou les deux dernières phrases du texte.

PEAC

Un bar aux Folies Bergère

Un bar aux Folies Bergère, Édouard Manet, huile sur toile, 93 x 130 cm, 1882, Courtauld Gallery, Londres.

Édouard Manet (1832-1883), souvent assimilé aux impressionnistes, se considérait plutôt comme un peintre naturaliste. Il représente ses sujets de manière objective après avoir étudié leur environnement social. Témoignages d'une époque où la bourgeoisie s'épanouit, ses œuvres en montrent les plaisirs tout en évoquant parfois des aspects moins riants.

Une société de plaisirs

1 Observez le tableau : le premier plan, l'arrière-plan, la femme sur un trapèze dont on ne voit que les pieds en haut à gauche. Déduisez-en le genre d'endroit que sont *les Folies Bergère*. Quelles activités y pratique-t-on ?

2 Dans cette œuvre, qu'est-ce qui évoque le luxe ? À votre avis, quelle couche de la société en profite ?

L'envers de la médaille

3 a. Qu'exprime le visage de la serveuse ? Cette expression est-elle en rapport avec l'ambiance du lieu ?
b. De même, comparez les tons de sa robe avec la lumière et les couleurs qui l'entourent. Que révèle ce contraste ?

4 a. Quelle partie du corps de la serveuse se reflète dans le miroir derrière elle ? Que regarde le client dont on voit le visage en haut à droite ?
b. Quelle autre activité pratiquée par la serveuse suggère cette composition ?

5 Que montre Manet à travers cette œuvre de la position sociale de la serveuse ?

Des livres

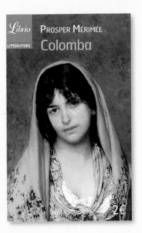

La Mort d'Olivier Bécaille et autres pièces, **Émile Zola**, Librio, 2003.

Un recueil de nouvelles pour voyager dans les grands thèmes du xixᵉ siècle et découvrir l'univers de Zola.

Nouvelles à chute, Magnard, collection « Classiques & contemporains », 2004.

Des nouvelles sélectionnées pour la particularité de leur chute : vous laisserez-vous surprendre ?

La Fiancée et autres nouvelles, **Anton Tchekhov**, GF-Flammarion, 1993.

Quatre nouvelles de Tchekhov sur la Russie de la deuxième moitié du xixᵉ siècle, quatre personnages ordinaires qui s'interrogent sur leur destin et leur possibilité de le changer.

Colomba, **Prosper Mérimée**, Librio, 2013.

Une vendetta corse, la découverte d'une étrange statue, des histoires variées du réalisme au fantastique...

Des films

Une partie de campagne, **Jean Renoir**, 1936.

Une adaptation de la nouvelle de Maupassant par un grand cinéaste.

Madame de, **Max Ophüls**, 1953.

Découvrir Danielle Darrieux dans cette adaptation du roman de Louise de Vilmorin.

Le Plaisir, **Max Ophüls**, 1952.

Trois histoires inspirées de trois nouvelles de Maupassant autour du thème du plaisir.

Bel-Ami, **Albert Lewin**, 1947.

Une adaptation du roman de Maupassant. (voir p. 55).

5

Quand le diable s'en mêle

▶ **Quels sont les caractéristiques et les enjeux du fantastique ?**

Pistes pour un EPI   **Langues vivantes**

▶ **Le fantastique comme genre européen :** lire des nouvelles ou des extraits en langue originale ; écrire à partir d'images en français, en anglais, en allemand...

Le Cauchemar, Johann Heinrich Füssli (1741-1825), huile sur toile, vers 1781, Goethe Museum, Francfort.

1 Présentez l'œuvre figurée ci-dessus.

2 Quelle impression se dégage de ce tableau ?
Développez votre réponse en vous appuyant sur des éléments précis de l'image.

La naissance du genre fantastique

Louis Pasteur, Albert Edelfelt (1854-1905), huile sur toile, 1885, musée d'Orsay, Paris.

Le XIXᵉ siècle, siècle de la raison et de la science

• Le XIXᵉ siècle se caractérise par **des découvertes scientifiques majeures** : maîtrise de la vapeur, de l'électricité, découverte des grandes lois de la physique, des microbes et des vaccins, des gènes et des lois de l'hérédité... La **médecine** fait des progrès considérables : **Claude Bernard** (1813-1878) développe la médecine expérimentale ; **le docteur Charcot** (1825-1893) étudie différentes formes de folie.

• Dans le même temps, on explore la Terre, de l'Afrique à l'Antarctique ; on observe et on classe le vivant : **Darwin** révolutionne le monde avec la théorie de l'évolution. L'homme **place sa confiance dans la science** et combat toutes les formes de superstition. Il veut tout comprendre, tout soigner, tout améliorer, jusqu'à l'esprit humain. L'**optimisme** règne.

• Sur le plan artistique, **le réalisme et le naturalisme dominent** (voir p. 30-31), correspondant à cette ambition de saisir le monde et l'homme.

Questions

1 Citez des grandes découvertes du XIXᵉ siècle.

2 Citez des auteurs réalistes.

L'imaginaire fait de la résistance

• Pourtant, à la même époque, des artistes – des écrivains, des peintres – dénoncent **une société trop matérialiste**. Ils veulent conserver au monde son mystère, sa poésie, voire sa magie. Ils affirment que le monde et l'âme humaine restent en grande partie inconnus. **Ils ont le goût du merveilleux, des aventures extra-ordinaires et effrayantes, des sentiments violents** ; ils s'intéressent à la religion, aux légendes, aux rêves, à tout ce qui est **irrationnel** : les récits de ces auteurs mettent en scène diables, vampires et revenants. Leurs personnages, souvent hantés de désirs inavouables, témoignent d'**une vision plus sombre de la nature humaine**.

L'abbaye dans une forêt de chênes, Caspar David Friedrich (1774-1840), huile sur toile, 1810, Schloss Charlottenburg, Berlin.

Question

3 Expliquez la formation et le sens des mots *matérialisme* et *irrationnel*.

L'Île des morts, Arnold Böcklin (1827-1901),
huile sur bois, 1883, Nationalgalerie, Berlin.

Le fantastique en France au XIXᵉ siècle

• Ce genre nouveau se développe d'abord en Angleterre et en Allemagne avant de gagner la France au début du XIXᵉ siècle.

• **Le mot « fantastique » apparaît pour la première fois en 1828**, avec la traduction imparfaite du titre d'un recueil de contes d'Hoffmann intitulé *Fantasiestücke*, c'est-à-dire « petites pièces fantaisistes », par *Contes fantastiques*. Il caractérise alors ces récits où **le surnaturel fait intrusion dans le monde réel**.

• Si le fantastique s'illustre dans tous les genres littéraires, les auteurs privilégient la forme de **la nouvelle** (voir p. 109), dont la brièveté permet de concentrer les effets de peur et de surprise.

Questions

4 Qu'est-ce qu'une nouvelle ?

5 Quels sont les effets que le genre fantastique cherche à produire sur le lecteur ?

1825	1827	1830-1860	1888-1889
Théorème d'Ampère	Loi d'Ohm	Apogée du spiritisme dans les salons	Charcot et Freud travaillent sur l'hypnose

Goethe, *Faust*	Shelley, *Frankenstein*	Balzac, *La Peau de chagrin*	Claude Bernard développe la médecine expérimentale	Début des études de Charcot sur la folie	Maupassant, *Le Horla*
1808	1818	1831	1848	1876	1886

Maupassant sombre dans la folie
1890

Un guide étrange

Bram Stoker

(1847-1912)
Il est l'écrivain britannique à qui l'on doit le personnage de Dracula.

Le narrateur, Jonathan Harker, est un clerc de notaire envoyé en Transylvanie faire signer au comte Dracula l'acte d'achat d'une riche propriété près de Londres. Comme il approche du château du comte, il remarque que celui-ci inspire aux paysans de la région une terreur sans bornes. Ceux-ci tentent d'ailleurs de le dissuader de se rendre là-bas. Mais Jonathan, sourd à ces avertissements, monte dans la diligence d'un étrange conducteur, le seul qui accepte de se rendre sur les terres du comte.

Un chien commença à hurler, quelque part devant une ferme, au bas de la route, un long hurlement sonore qu'on aurait dit provoqué par la peur. Un autre chien le reprit, puis un autre, puis un autre encore jusqu'à ce que, porté sur le vent qui sifflait dans le col comme s'il gémissait,

5 naquît un immense hurlement qui, dans l'obscurité trompeuse, paraissait venir de la campagne entière. Au premier cri, les chevaux se cabrèrent et tremblèrent mais quelques paroles du cocher suffirent à les apaiser. Ils se calmèrent mais tremblaient et transpiraient toujours, comme s'ils avaient longtemps galopé pour échapper à quelque terrible danger. À ce moment,

10 dans le lointain, des sommets des montagnes qui nous entouraient, monta un hurlement plus sonore et plus aigu. C'étaient des loups, dont les cris effrayèrent les chevaux autant que moi-même. J'eus une seconde l'idée folle de sauter de la voiture, alors que l'attelage se cabrait et hennissait à nouveau, à tel point que le chauffeur devait user de sa force phénoménale

15 pour les empêcher de s'emballer. En quelques moments, cependant, mes oreilles s'étaient habituées aux hurlements, et les chevaux si bien calmés que le cocher put descendre à leurs côtés. Il les flatta, les caressa, leur murmura des paroles apaisantes dans l'oreille, comme le font tous ceux qui comprennent les chevaux et savent se faire obéir d'eux. L'effet fut

20 extraordinaire. Sous ses caresses et ses flatteries, ils s'apaisèrent, encore qu'ils continuassent à trembler. Le conducteur regagna son siège et, reprenant les rênes, repartit à toute allure. Cette fois, après avoir franchi le col, il prit soudain à droite, dans un chemin étroit.

Bientôt, des arbres nous entourèrent, qui, par endroits, formaient une

25 véritable arche au point de me donner l'impression de galoper dans un tunnel. Et, à nouveau, d'énormes blocs de rochers déchiquetés nous surveillaient, de part et d'autre de la route, menaçants. Bien que protégés par ces masses de pierre, nous pouvions entendre le vent qui sifflait et gémissait, entrechoquant les branches des arbres au-dessus de nos têtes. Le froid

30 devenait toujours plus aigu. De la neige poudreuse commença à tomber et,

Paysage d'hiver au clair de lune, Ernst Ludwig Kirchner (1880-1938), 1919, Museum Folkwang, Essen.

bientôt, la calèche et tout le paysage furent recouverts d'un blanc manteau. Le vent portait toujours les hurlements des chiens qui s'affaiblissaient, pourtant, à chaque
35 instant. Par contre, ceux des loups se rapprochaient comme s'ils cherchaient à nous encercler. Mon épouvante s'en accrut, et celle des chevaux. Par contre, le conducteur demeurait parfaitement calme, regar-
40 dant à gauche, puis à droite, puis encore à gauche. Je tentai de regarder, moi aussi, sans pouvoir percer l'obscurité.

Soudain, loin sur notre gauche, je remarquai une petite flamme bleue qui tremblo-
45 tait. Le conducteur la vit en même temps que moi. Il arrêta tout de suite les chevaux et, sautant sur le sol, disparut dans la nuit. Je ne savais que faire, d'autant plus que les hurlements des loups s'approchaient encore.

50 Je m'interrogeais toujours lorsque le cocher réapparut soudain, reprit son siège, sans un mot, et nous repartîmes de plus belle. Je crois que je devais m'être endormi et avoir rêvé l'incident car il sembla se répéter, sans fin, comme, justement, dans les plus terribles cauchemars. Une fois même, la lueur brilla si près du chemin qu'en dépit de l'obscurité épaisse je pus
55 suivre les gestes du cocher. Il se précipita vers l'endroit où naissait la flamme (très faible, car elle n'éclairait guère ce qui l'entourait), rassembla quelques pierres et les disposa en une forme étrange. Un peu plus tard, je subis un étrange effet d'optique : alors que le cocher s'interposait entre la flamme et moi, je continuai à la voir trembler dans le vent, comme si l'homme
60 n'existait pas. Voilà qui me stupéfia, mais l'illusion ne dura que quelques secondes. Je conclus que mes yeux, à force de vouloir percer l'obscurité, avaient fini par me jouer un tour. Puis, pendant assez longtemps, je ne vis plus de flamme et nous continuâmes à vive allure ; les loups, hurlant de plus belle, paraissaient former, autour de nous, un cercle de plus en plus
65 rapproché.

Et puis, le cocher redescendit et s'éloigna plus qu'il ne l'avait jamais fait. Pendant son absence, les chevaux tremblèrent jusqu'à hennir de peur. À cette peur, je ne voyais nulle cause, car les hurlements des loups avaient soudain cessé. En une seconde, alors, la lune apparut d'entre les nuages de suie, au-dessus de la crête déchiquetée d'un rocher hérissé de pins. À
70 la faveur de la lumière, je distinguai, autour de nous, un cercle de loups – dents éclatantes, langues rouges, longs poils hérissés sur des membres musclés. Ils me parurent cent fois plus terribles, dans ce silence, que lorsqu'ils hurlaient. La peur me paralysa. Seule la vision même de pareilles
75 horreurs permet à l'homme de mesurer toute leur puissance.

Soudain et tous ensemble, les loups reprirent leurs hurlements, comme si la lueur de la lune exerçait sur eux un effet particulier. Les chevaux se cabraient, hennissaient, jetaient autour d'eux des regards désespérés, pénibles à voir, mais le cercle épouvantable ne se brisait pas pour autant. Nous res-
80 tions prisonniers. Je hurlai au cocher de revenir. Ma dernière chance, me disais-je, consistait à briser le cercle des loups afin d'aider notre homme à revenir. Je hurlai et frappai sur les parois de la calèche, espérant effrayer les loups les plus proches et permettre au cocher de passer en toute sécurité.

Comment il fut soudain près de moi, je ne sais, mais j'entendis sa voix
85 s'élever, prendre le ton d'autorité irrésistible. Je le vis alors, au milieu de la route. Il tendait ses longs bras, comme pour repousser un mur invisible. Les loups reculèrent, peu à peu, à nouveau silencieux. À ce moment précis, un lourd nuage masqua la lune et l'obscurité nous enveloppa une fois de plus.

Lorsque je pus encore distinguer quelque chose, le conducteur grim-
90 pait sur la calèche. Les loups avaient disparu.

Bram Stoker, *Dracula*, traduction Jacques Finné,
© Librairie des Champs-Élysées, © Flammarion, 2004.

Lecture

Pour bien lire

1 Quelle impression la lecture de ce texte vous fait-elle ? Développez votre réponse.

2 Où le narrateur se trouve-t-il ? Avec qui ?

3 Quelle émotion éprouve-t-il ? Pourquoi ?

4 Lignes 43 à 65.
a. À quels phénomènes étranges le narrateur assiste-t-il ? **b.** Quelles explications donne-t-il à ce qu'il voit ?
c. Que pensez-vous de ces explications ?

Pour approfondir

5 **a.** Dans le premier paragraphe du texte, relevez les indications sonores : quel rôle jouent-elles dans le récit ? **b.** Relisez les lignes 24 à 30 et 69-70 : quelle impression se dégage du paysage décrit ? Justifiez votre réponse en vous appuyant sur des mots précis du texte.

6 Rassemblez toutes les informations que vous avez sur le cocher : quelle image vous faites-vous du personnage ?

Tâche complexe

▶ **Coup de pouce**
• Étudiez en quoi il se distingue des autres personnages.
• Observez son attitude avec les chevaux d'une part, avec les loups d'autre part.
• Lignes 55 à 61 : quelles hypothèses pouvez-vous formuler à partir de ce que voit le narrateur ? Quelles actions extraordinaires accomplit-il au début et à la fin du texte ?

7 Selon vous, qu'est-ce qui fait l'intérêt de ce texte ?

Vocabulaire

1 *attelage, cocher, se cabrer, s'emballer, les rênes.*
a. À quel champ lexical ces mots appartiennent-ils ?
b. Associez chacun de ces mots à sa définition.
1. conducteur de voiture à cheval.
2. voiture conduite par un ou plusieurs chevaux.
3. Liens de cuir permettant de conduire le cheval.
4. S'élancer à toute vitesse, hors de tout contrôle.
5. Se dresser subitement sur ses pattes arrière.

2 Complétez les phrases avec les mots de l'exercice 1 employés au sens figuré.
1. Plus on cherchait à le contraindre à force de punitions, et plus l'enfant ... . **2.** Ne t'... pas, ce projet n'est pas encore certain. **3.** Essaie de te faire bien voir de Madame : c'est elle qui tient ... du foyer.
4. Ces deux-là, le grand maigre et le tout petit, étaient toujours ensemble et formaient un curieux ... .

3 Dites si les mots suivants traduisent une peur légère ou une peur violente : *affolement – crainte – épouvante – inquiétude – panique – peur – terreur.*

Écriture

Récrivez les phrases suivantes de façon à donner l'impression d'un paysage lugubre.

Le sentier s'enfonçait sous une forêt verdoyante, baignée de lumière. L'air était frais, le vent murmurait dans les feuilles en agitant doucement les branches.

Le divin argent

Dino Buzzati

(1906-1972)
Il est un écrivain italien célèbre pour son roman *Le Désert des Tartares* et ses nombreuses nouvelles.

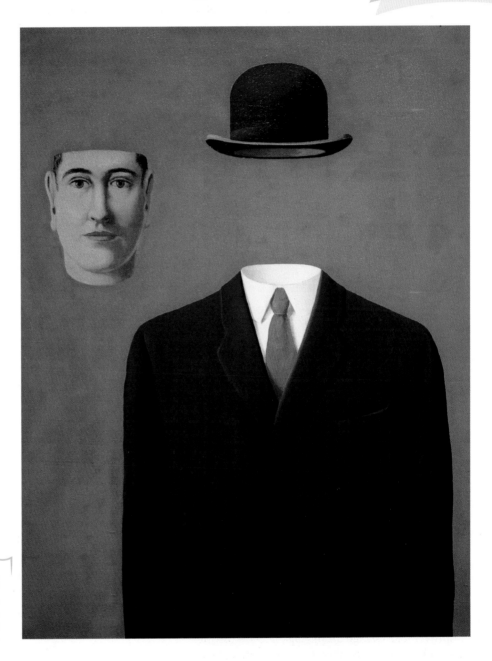

Le Pèlerin,
René Magritte
(1898-1967),
huile sur toile, 1966,
Fonds Mercator,
Anvers.

Bien que j'apprécie l'élégance vestimentaire, je ne fais guère attention, habituellement, à la perfection plus ou moins grande avec laquelle sont coupés les complets[1] de mes semblables.

Un soir pourtant, lors d'une réception dans une maison de Milan, je
5 fis la connaissance d'un homme qui paraissait avoir la quarantaine et qui resplendissait littéralement à cause de la beauté linéaire, pure, absolue de son vêtement.

Je ne savais pas qui c'était, je le rencontrais pour la première fois et pendant la présentation, comme cela arrive toujours, il m'avait été impossible
10 d'en comprendre le nom. Mais à un certain moment de la soirée je me

1. **Complet** : costume composé de trois pièces assorties, un pantalon, un gilet et une veste.

trouvai près de lui et nous commençâmes à bavarder. Il semblait être un homme poli et fort civil avec toutefois un soupçon de tristesse. Avec une familiarité peut-être exagérée – si seulement Dieu m'en avait préservé ! – je lui fis compliments pour son élégance ; et j'osai même lui demander qui était son tailleur.

L'homme eut un curieux petit sourire, comme s'il s'était attendu à cette question.

« Presque personne ne le connaît, dit-il, et pourtant c'est un grand maître. Mais il ne travaille que lorsque ça lui chante. Pour quelques clients seulement.

– De sorte que moi… ?

– Oh ! vous pouvez essayer, vous pouvez toujours. Il s'appelle Corticella, Alfonso Corticella, rue Ferrara au 17.

– Il doit être très cher, j'imagine.

– Je le pense, oui, mais à vrai dire je n'en sais rien. Ce costume, il me l'a fait il y a trois ans et il ne m'a pas encore envoyé sa note.

– Corticella ? rue Ferrara, au 17, vous avez dit ?

– Exactement », répondit l'inconnu.

Et il me planta là pour se mêler à un autre groupe.

Au 17 de la rue Ferrara je trouvai une maison comme tant d'autres, et le logis d'Alfonso Corticella ressemblait à celui des autres tailleurs. Il vint en personne m'ouvrir la porte. C'était un petit vieillard aux cheveux noirs qui étaient sûrement teints.

Le Buffet, Jean-Louis Forain (1852-1931), 1884, collection privée.

À ma grande surprise, il ne fit aucune difficulté. Au contraire il paraissait désireux de me voir devenir son client. Je lui expliquai comment j'avais eu son adresse, je louai sa coupe et lui demandai de me faire un complet. Nous choisîmes un peigné[2] gris puis il prit mes mesures et s'offrit de venir pour l'essayage, chez moi. Je lui demandai son prix. Cela ne pressait pas, me répondit-il, nous nous mettrions toujours d'accord. Quel homme sympathique ! pensai-je tout d'abord. Et pourtant plus tard, comme je rentrai chez moi, je m'aperçus que le petit vieux m'avait produit un malaise (peut-être à cause de ses sourires trop insistants et trop doucereux). En somme je n'avais aucune envie de le revoir. Mais désormais le complet était commandé. Et quelque vingt jours plus tard il était prêt.

Quand on me le livra, je l'essayai, pour quelques secondes, devant mon miroir. C'était un chef-d'œuvre. Mais je ne sais trop pourquoi, peut-être à cause du souvenir du déplaisant petit vieux, je n'avais aucune envie de le porter. Et des semaines passèrent avant que je me décide.

Ce jour-là, je m'en souviendrai toujours. C'était un mardi d'avril et il pleuvait. Quand j'eus passé mon complet – pantalon, gilet et veston – je constatai avec plaisir qu'il ne me tiraillait pas et ne me gênait pas aux entournures comme le font toujours les vêtements neufs. Et pourtant il tombait à la perfection.

Par habitude je ne mets rien dans la poche droite de mon veston, mes papiers je les place dans la poche gauche. Ce qui explique pourquoi ce n'est que deux heures plus tard, au bureau, en glissant par hasard ma main dans la poche droite, que je m'aperçus qu'il y avait un papier dedans. Peut-être la note du tailleur ?

Non. C'était un billet de dix mille lires.

Je restai interdit. Ce n'était certes pas moi qui l'y avais mis. D'autre part il était absurde de penser à une plaisanterie du tailleur Corticella. Encore moins à un cadeau de ma femme de ménage, la seule personne qui avait eu l'occasion de s'approcher du complet après le tailleur. Est-ce que ce serait un billet de la Sainte Farce[3] ? Je le regardai à contre-jour, je le comparai à d'autres. Plus authentique que lui c'était impossible.

L'unique explication, une distraction de Corticella. Peut-être qu'un client était venu lui verser un acompte, à ce moment-là il n'avait pas son portefeuille et, pour ne pas laisser traîner le billet, il l'avait glissé dans mon veston pendu à un cintre. Ce sont des choses qui peuvent arriver.

J'écrasai la sonnette pour appeler ma secrétaire. J'allais écrire un mot à Corticella et lui restituer cet argent qui n'était pas à moi. Mais, à ce moment, et je ne saurais en expliquer la raison, je glissai de nouveau ma main dans ma poche.

« Qu'avez-vous, monsieur ? Vous ne vous sentez pas bien ? » me demanda la secrétaire qui entrait alors.

J'avais dû pâlir comme la mort. Dans la poche mes doigts avaient rencontré les bords d'un morceau de papier qui n'y était pas quelques instants avant.

2. **Peigné :** sorte de tissu.
3. Un faux billet, une plaisanterie.

« Non, non, ce n'est rien, dis-je, un léger vertige. Ça m'arrive parfois
80 depuis quelque temps. Sans doute un peu de fatigue. Vous pouvez aller,
mon petit, j'avais à vous dicter une lettre mais nous le ferons plus tard. »

Ce n'est qu'une fois la secrétaire sortie que j'osai extirper la feuille de
ma poche. C'était un autre billet de dix mille lires. Alors, je fis une troisième tentative. Et un troisième billet sortit.

85 Mon cœur se mit à battre la chamade. J'eus la sensation de me trouver
entraîné, pour des raisons mystérieuses, dans la ronde d'un conte de fées
comme ceux que l'on raconte aux enfants et que personne ne croit vrais.

Sous le prétexte que je ne me sentais pas bien, je quittai mon bureau et
rentrai à la maison. J'avais besoin de rester seul. Heureusement la femme
90 qui faisait mon ménage était déjà partie. Je fermai les portes, baissai les
stores et commençai à extraire les billets l'un après l'autre aussi vite que
je le pouvais, de la poche qui semblait inépuisable.

Je travaillai avec une tension spasmodique[4] des nerfs dans la crainte de
voir cesser d'un moment à l'autre le miracle. J'aurais voulu continuer toute
95 la soirée, toute la nuit jusqu'à accumuler des milliards. Mais à un certain
moment les forces me manquèrent.

Devant moi il y avait un tas impressionnant de billets de banque. L'important maintenant était de les dissimuler, pour que personne n'en ait
connaissance. Je vidai une vieille malle pleine de tapis et, dans le fond,
100 je déposai par liasses les billets que je comptai au fur et à mesure. Il y en
avait largement pour cinquante millions.

Quand je me réveillai le lendemain matin, la femme de ménage était
là, stupéfaite de me trouver tout habillé sur mon lit. Je m'efforçai de rire,
en lui expliquant que la veille au soir j'avais bu un verre de trop et que le
105 sommeil m'avait surpris à l'improviste.

Une nouvelle angoisse : la femme se proposait pour m'aider à enlever
mon veston afin de lui donner au moins un coup de brosse.

Je répondis que je devais sortir tout de suite et que je n'avais pas le
temps de me changer. Et puis je me hâtai vers un magasin de confection
110 pour acheter un vêtement semblable au mien en tous points ; je laisserai
le nouveau aux mains de ma femme de ménage ; le mien, celui qui ferait
de moi en quelques jours un des hommes les plus puissants du monde, je
le cacherai en lieu sûr.

Je ne comprenais pas si je vivais un rêve, si j'étais heureux ou si au
115 contraire je suffoquais sous le poids d'une trop grande fatalité. En chemin, à travers mon imperméable, je palpais continuellement l'endroit de
la poche magique. Chaque fois je soupirais de soulagement. Sous l'étoffe
le réconfortant froissement du papier-monnaie me répondait.

Mais une singulière coïncidence refroidit mon délire joyeux. Sur les
120 journaux du matin de gros titres : l'annonce d'un cambriolage survenu
la veille occupait presque toute la première page. La camionnette blindée
d'une banque qui, après avoir fait le tour des succursales[5], allait transporter au siège central les versements de la journée, avait été arrêtée et déva-

4. **Spasmodique** : fait de
mouvements brusques.

5. **Succursale** : agence.

DES VOLEURS D'AUTOMOBILES

A CHANTILLY
L'attaque de la succursale de la Société Générale

lisée rue Palmanova par quatre bandits.
125 Comme les gens accouraient, un des gangsters, pour protéger sa fuite, s'était mis à tirer. Un des passants avait été tué. Mais c'est surtout le montant du butin qui me frappa : exactement cinquante
130 millions (comme les miens).

Pouvait-il exister un rapport entre ma richesse soudaine et le hold-up de ces bandits survenu presque en même temps ? Cela semblait ridicule de le pen-
135 ser. Et je ne suis pas superstitieux. Toutefois l'événement me laissa très perplexe.

Plus on possède et plus on désire. J'étais déjà riche, compte tenu de mes modestes habitudes. Mais le mirage d'une existence de luxe effréné m'épe-
140 ronnait[6]. Et le soir même je me remis au travail. Maintenant je procédais avec plus de calme et les nerfs moins tendus. Cent trente-cinq autres millions s'ajou-
145 tèrent au trésor précédent.

Cette nuit-là je ne réussis pas à fermer l'œil. Était-ce le pressentiment d'un danger ? Ou la conscience tourmentée de l'homme qui obtient sans l'avoir méri-
150 tée une fabuleuse fortune ? Ou une espèce de remords confus ? Aux premières heures de l'aube je sautai du lit, m'habillai et courus dehors en quête d'un journal.

Comme je lisais, le souffle me manqua. Un terrible incendie provoqué par un dépôt de pétrole qui s'était enflammé avait presque complètement
155 détruit un immeuble dans la rue de San Cloro, en plein centre. Entre autres, les coffres d'une grande agence immobilière qui contenaient plus de cent trente millions en espèces avaient été détruits. Deux pompiers avaient trouvé la mort en combattant le sinistre.

Dois-je maintenant énumérer un par un tous mes forfaits ? Oui, parce
160 que désormais je savais que l'argent que le veston me procurait venait du crime, du sang, du désespoir, de la mort, venait de l'enfer. Mais insidieusement ma raison refusait railleusement d'admettre une quelconque responsabilité de ma part. Et alors la tentation revenait, et alors ma main – c'était tellement facile – se glissait dans ma poche et mes doigts, avec
165 une volupté soudaine, étreignaient les coins d'un billet toujours nouveau. L'argent, le divin argent !

Sans quitter mon ancien appartement (pour ne pas attirer l'attention) je m'étais acheté en peu de temps une grande villa, je possédais une pré-

6. **Éperonner** : exciter, pousser en avant.

cieuse collection de tableaux, je circulais en automobile de luxe et, après
170 avoir quitté mon emploi « pour raison de santé », je voyageais et parcou-
rais le monde en compagnie de femmes merveilleuses.

Je savais que chaque fois que je soutirais de l'argent de mon veston, il
se produisait dans le monde quelque chose d'abject[7] et de douloureux.
Mais c'était toujours une concordance vague, qui n'était pas étayée[8] par
175 des preuves logiques. En attendant, à chacun de mes encaissements, ma
conscience se dégradait, devenait de plus en plus vile. Et le tailleur ? Je
lui téléphonai pour lui demander sa note mais personne ne répondit. Via
Ferrara on me dit qu'il avait émigré, il était à l'étranger, on ne savait pas
où. Tout conspirait pour me démontrer que, sans le savoir, j'avais fait un
180 pacte avec le démon.

DINO BUZZATI, « Le veston ensorcelé », *Le K*, 1966, traduction de Jacqueline Remillet,
© Robert Laffont, 1967.

7. Abject : affreux,
détestable.
8. Étayé : prouvé,
soutenu.

Lecture

Pour bien lire

1 **a.** Qui est le narrateur de ce texte ?
b. Pourquoi sa vie change-t-elle du jour au lendemain ?

2 **a.** Quels événements accompagnent l'enri-
chissement du narrateur ?
b. Quelle conclusion tire-t-il de ces événements ?

3 Face à quel dilemme se trouve-t-il à la fin du
texte ?

Pour approfondir

4 Relisez les lignes 59 à 101.
a. Quelles sont les différentes étapes de la découverte du narrateur ?
b. Quelles émotions accompagnent chacune de
ces étapes ? Pourquoi ? Justifiez vos réponses par
des citations du texte.

5 Dans les lignes 131 à 152, relevez les phrases
interrogatives : quels sentiments traduisent-elles ?

6 Relisez le début du texte, jusqu'à la ligne 29.
a. Expliquez le « soupçon de tristesse » (l. 12)
du premier client.
b. Quels indices avions-nous du caractère maléfique du tailleur (l. 34 à 44) ?

7 **a.** Dans les lignes 85 à 87 et 93 à 95, relevez les
termes appartenant au champ lexical du merveilleux.
b. Pourquoi le narrateur a-t-il du mal à croire à
sa responsabilité dans les crimes qu'il découvre ?
c. Le lecteur peut-il trancher la question ?

Vocabulaire

1 Quel est ici le sens du verbe *louer* (l. 36) ? Trouvez un
nom de la même famille et employez-le dans une phrase
qui mettra son sens en valeur.

2 *doucereux* (l. 42) : donnez le sens et la connotation de
cet adjectif, puis réemployez-le dans une phrase de votre
invention.

3 Donnez un synonyme d'*interdit* (l. 60).

4 *Effréné* (l. 140) est formé sur le radical *frein*. À l'aide de
cet indice et de la formation du mot, déduisez son sens.

5 Donnez un synonyme des mots suivants : *forfait*
(l. 159), *volupté* (l. 165), et *vil* (l. 176).

Écriture

Imaginez la fin de cette nouvelle. Que fait le narrateur ?
Continue-t-il de puiser dans son veston ? Si oui, quelles
en sont les conséquences ? Sinon, comment s'en débar-
rasse-t-il ? Le tailleur vient-il réclamer son paiement ?

Oral

1 Que feriez-vous à la place du narrateur ?

2 Pensez-vous qu'il existe, en réalité, des actions que nous
accomplissons quotidiennement sans nous poser de questions et qui peuvent avoir des conséquences négatives
sur les autres ? Cherchez des exemples et développez les
conséquences en question.

Le pacte

Honoré de Balzac

(1799-1850)
Il est un des écrivains français les plus célèbres. Il est l'auteur de *La Comédie humaine*, ensemble d'une centaine de récits qui veut faire « l'histoire naturelle de la société ».

L'histoire se passe en 1830. Raphaël est un jeune homme de bonne famille ruiné par les revers de fortune et repoussé par la femme dont il est amoureux. Ayant perdu ses derniers sous au jeu, il songe à en finir et entre dans une boutique d'antiquaire pour attendre la nuit. Comme il confie au vieil homme son désir de mourir, celui-ci lui affirme qu'il peut le rendre riche très facilement. Il l'entraîne dans le fond de sa boutique et lui montre une étrange peau, de la taille d'une peau de renard, dont il prétend qu'elle peut réaliser tous ses désirs. Sur cette peau, on peut lire les caractères suivants.

SI TU ME POSSÈDES, TU POSSÉDERAS TOUT.
MAIS TA VIE M'APPARTIENDRA. DIEU L'A
VOULU AINSI. DÉSIRE, ET TES DÉSIRS
SERONT ACCOMPLIS. MAIS RÈGLE
5   TES SOUHAITS SUR TA VIE.
ELLE EST LÀ. À CHAQUE
VOULOIR JE DÉCROÎTRAI
COMME TES JOURS.
ME VEUX-TU ?
10   PRENDS. DIEU
T'EXAUCERA.
SOIT !

– Est-ce une plaisanterie, est-ce un mystère ? demanda le jeune inconnu.
Le vieillard hocha de la tête et dit gravement : – Je ne saurais vous
15 répondre. J'ai offert le terrible pouvoir que donne ce talisman à des hommes
doués de plus d'énergie que vous ne paraissiez en avoir ; mais, tout en se
moquant de la problématique influence qu'il devait exercer sur leurs destinées futures, aucun n'a voulu se risquer à conclure ce contrat si fatalement proposé par je ne sais quelle puissance. Je pense comme eux, j'ai
20 douté, je me suis abstenu, et…
– Et vous n'avez pas même essayé ? dit le jeune homme en l'interrompant.
– Essayer ! dit le vieillard. Si vous étiez sur la colonne de la place Vendôme, essaieriez-vous de vous jeter dans les airs ? Peut-on arrêter le cours de la vie ? L'homme a-t-il jamais pu scinder[1] la mort ? Avant d'entrer dans
25 ce cabinet, vous aviez résolu de vous suicider ; mais tout à coup un secret vous occupe et vous distrait de mourir. Enfant ! Chacun de vos jours ne vous offrira-t-il pas une énigme plus intéressante que ne l'est celle-ci ? […] le mot de Sagesse ne vient-il pas de savoir ? et qu'est-ce que la folie, sinon l'excès d'un vouloir ou d'un pouvoir ?

---

1. Scinder : ici, éviter, échapper à.

30 – Eh ! bien, oui, je veux vivre avec excès, dit l'inconnu en saisissant la Peau de chagrin.

– Jeune homme, prenez garde, s'écria le vieillard avec une incroyable vivacité.

– J'avais résolu ma vie par l'étude[2] et par la pensée ; mais elles ne m'ont 35 même pas nourri, répliqua l'inconnu. Je ne veux être la dupe ni d'une prédication digne de Swedenborg[3], ni de votre amulette orientale, ni des charitables efforts que vous faites, monsieur, pour me retenir dans un monde où mon existence est désormais impossible. Voyons ! ajouta-t-il en serrant le talisman d'une main convulsive[4] et regardant le vieillard. Je veux un dîner 40 royalement splendide, quelque bacchanale[5] digne du siècle où tout s'est, dit-on, perfectionné ! Que mes convives soient jeunes, spirituels[6] et sans préjugés, joyeux jusqu'à la folie ! Que les vins se succèdent toujours plus incisifs, plus pétillants, et soient de force à nous enivrer pour trois jours ! Que la nuit soit parée de femmes ardentes ! Je veux que la Débauche[7] en 45 délire et rugissante nous emporte dans son char à quatre chevaux, par-delà les bornes du monde, pour nous verser sur des plages inconnues : que les âmes montent dans les cieux ou se plongent dans la boue, je ne sais si alors elles s'élèvent ou s'abaissent ; peu m'importe ! Donc je commande à ce pouvoir sinistre de me fondre toutes les joies dans une joie. Oui, j'ai besoin 50 d'embrasser les plaisirs du ciel et de la terre dans une dernière étreinte pour en mourir. Aussi souhaité-je et des priapées[8] antiques après boire, et des chants à réveiller les morts, et de triples baisers, des baisers sans fin dont le bruit passe sur Paris comme un craquement d'incendie, y réveille les époux et leur inspire une ardeur cuisante qui rajeunisse même les septuagénaires !

55 Un éclat de rire, parti de la bouche du petit vieillard, retentit dans les oreilles du jeune fou comme un bruissement de l'enfer, et l'interdit si despotiquement[9] qu'il se tut.

– Croyez-vous, dit le marchand, que mes planchers vont s'ouvrir tout à coup pour donner passage à des tables somptueusement servies et à des 60 convives de l'autre monde ? Non, non, jeune étourdi. Vous avez signé le pacte : tout est dit. Maintenant vos volontés seront scrupuleusement satisfaites, mais aux dépens de votre vie. Le cercle de vos jours, figuré par cette peau, se resserrera suivant la force et le nombre de vos souhaits, depuis le plus léger jusqu'au plus exorbitant. Le brachmane[10] auquel je dois ce 65 talisman m'a jadis expliqué qu'il s'opérerait un mystérieux accord entre les destinées et les souhaits du possesseur. Votre premier désir est vulgaire, je pourrais le réaliser ; mais j'en laisse le soin aux événements de votre nouvelle existence. Après tout, vous vouliez mourir ? hé ! bien, votre suicide n'est que retardé.

HONORÉ DE BALZAC, *La Peau de chagrin*, 1831.

---

2. J'avais consacré ma vie à l'étude.

3. Swedenborg : personnage du XIXe siècle célèbre pour ses prédictions.

4. Convulsif : agité, tremblant.

5. Bacchanale : fête antique pleine de plaisirs et d'excès.

6. Spirituel : joyeux, plein d'esprit, d'humour.

7. Débauche : excès de plaisir.

8. Priapée : fête en l'honneur de Priape, dieu romain de la sexualité, marquée par toutes sortes d'excès.

9. Despotiquement : de façon autoritaire, irrésistible.

10. Brachmane : mage, prêtre oriental.

Le Changeur,
Rembrandt (1606-1669),
huile sur bois, 1627,
Gemäldegalerie, Berlin.

Parcours de lecture ★

1 Où la scène se passe-t-elle ? Qui sont les person-nages ? Aidez-vous de l'introduction pour répondre.

2 Qu'est-ce que la « Peau de chagrin » ? Quelle vertu cette peau possède-t-elle ?

3 **a.** Pourquoi le vieillard ne s'est-il jamais servi de cette peau pour lui-même ?
b. Quelle mise en garde adresse-t-il à Raphaël ?

4 **a.** Quelle décision Raphaël prend-il ?
b. Quelles en seront les conséquences ?

5 **a.** Ligne 26, puis lignes 55 à 64, relevez tous les groupes nominaux qui désignent Raphaël : qu'ont-ils en commun ? **b.** Lignes 55 à 57, relevez une compa-raison : quelle image donne-t-elle du vieillard ?
c. Quel rôle le vieillard joue-t-il, dans ce texte ?

6 **Débat** À votre avis, Raphaël peut-il vivre heureux avec sa Peau de chagrin ? Développez et justifiez votre point de vue.

ou Parcours de lecture ★★

1 Où la scène se passe-t-elle ? Qui sont les person-nages ? Aidez-vous de l'introduction pour répondre.

2 Le vieillard vous paraît-il un sage de bon conseil ou un personnage maléfique ? Développez et justifiez votre réponse en vous appuyant sur le texte, en particulier sur les lignes 14 à 33 et 55 à 65.

3 Dans les lignes 38 à 54, par quels moyens la violence des désirs de Raphaël s'exprime-t-elle ? *Tâche complexe*

▶ **Coup de pouce**
• Observez le vocabulaire employé et le rôle des nombres.
• Soyez attentif à la ponctuation.
• Lignes 51 à 54, quelle conjonction de coordination est répétée ? Qu'exprime-t-elle ?
• Pourquoi le nom *débauche* (l. 44) a-t-il une majuscule ? Comment cette image est-elle développée dans la suite de la phrase ?
• Relevez dans les lignes tous les mots qui évoquent la chaleur. Sont-ils péjoratifs ou mélioratifs ? Justifiez votre réponse.

4 La nouvelle situation de Raphaël vous paraît-elle enviable ? Développez votre réponse.

Vocabulaire

1 **a.** Quelle est la nature du mot *gravement* (l. 14) ?
b. Analysez sa formation en précisant le sens de chaque élément qui le compose.

2 **a.** Donnez un synonyme d'*ardent* (l. 44).
b. Dans la suite du paragraphe, trouvez un nom de la même famille et donnez son sens.

3 **a.** Sur quel radical le verbe *embrasser* (l. 50) est-il formé ? Déduisez-en son sens. **b.** Cherchez un syno-nyme d'*embrasser*. **c.** Trouvez dans la suite de la phrase un nom de la famille de ce synonyme.

4 **a.** Rappelez le sens de l'adjectif *interdit*. **b.** Quelle est la nature du mot *interdit* ligne 56 ? **c.** Déduisez-en son sens.

5 Quel est ici le sens de *sinistre* (l. 49) ?

Entre l'amour et la damnation

Robert Louis Stevenson

(1850-1894)
Il est un écrivain écossais. Épris de voyage et d'aventure, il est le père de grands romans comme *L'Île au trésor* ou *L'Étrange Cas du Dr Jekyll et de Mr Hyde*.

L'histoire se passe dans l'île d'Hawaï. Keawee est entré en possession d'une bouteille ensorcelée : elle réalise tous les désirs de celui qui la possède. Mais il faut la vendre, et obligatoirement moins cher qu'on ne l'a achetée, avant de mourir, sinon, le diable emportera l'âme du propriétaire. Tourmenté par cette perspective, Keawee se montre raisonnable : une fois que la bouteille lui a procuré une belle maison et une fortune confortable, il ne cherche pas à en obtenir davantage et la revend. Peu après, Keawee s'éprend de la belle Kukoa. Cet amour est réciproque. Mais, peu de temps avant le mariage, Keawee découvre qu'il est atteint de lèpre. Prêt à tout pour pouvoir épouser celle qu'il aime, il se met en devoir de retrouver la bouteille, qui est son seul espoir de guérison.

Au cours des jours qui suivirent, Keawee rendit de nombreuses visites et, partout, il trouvait des habits neufs et des voitures neuves, de belles maisons neuves aussi, ainsi que des hommes très satisfaits d'eux-mêmes, encore que, ma foi, chacun d'eux devînt très grave au premier mot qu'il
5 leur touchait de son affaire.

« À n'en point douter, pensait Keawee, je suis sur la bonne piste. Ces habits neufs et ces voitures neuves sont tous et toutes des cadeaux du démon et ces visages hilares sont des visages d'hommes qui ont tiré profit de leur aubaine[1] et se sont, en temps opportun, débarrassés du maudit
10 objet. Quand je verrai des joues creuses et que j'entendrai des soupirs, je saurai que la bouteille n'est plus très loin. »

Le hasard voulut enfin qu'on le recommandât à un Blanc qui habitait Beritania Street. Lorsqu'il atteignit sa porte, vers l'heure du dîner, il constata encore une fois que la maison était neuve, le jardin récemment
15 planté et la lumière électrique installée dans toutes les pièces. Cependant, à l'arrivée du propriétaire, un frisson d'espoir et de crainte parcourut tout le corps de Keawee. Devant lui, il y avait un jeune homme, aussi blanc qu'un cadavre, avec des cernes violets sous les yeux, des cheveux retombant sur le front et un tel air de misère dans toute sa physionomie qu'on eût dit un
20 condamné attendant de monter sur le gibet[2]. « Nous y sommes », pensa Keawee, et il alla droit au but :

– Je suis venu pour acheter la bouteille, dit-il.

À ces mots, le jeune Blanc de Beritania Street chancela et s'appuya contre le mur.

25 – La bouteille ! haleta-t-il. Vous voulez acheter la bouteille ?

Alors on eût dit qu'il allait suffoquer ; pourtant, saisissant Keawee par le bras, il l'emmena dans la salle à manger, prit deux verres dans un buffet et les remplit de vin.

1. Aubaine : chance, bonne fortune.

2. Gibet : potence, construction de bois à laquelle on pendait les condamnés à mort.

La Mort et les Masques, James Ensor (1860-1949), huile sur toile, 1897, musée d'Art moderne, Liège.

– À votre santé, dit Keawee, qui connaissait les usages des Blancs à force
de les avoir fréquentés. Eh oui, monsieur, je suis venu acheter la bouteille.
30   Combien vaut-elle à présent ?

En entendant cela, le jeune homme laissa son verre s'échapper de sa
main ; il regarda Keawee comme on regarde un fantôme.

– Ce qu'elle vaut ! balbutia-t-il, ce qu'elle vaut ! Vous ne savez pas ce
35   qu'elle vaut ?

– Bien sûr que non, puisque je vous le demande ! Allons, pourquoi avez-
vous l'air si soucieux ? Y a-t-il quelque chose qui cloche dans le prix de
cet objet ?

– C'est que… Voyez-vous… monsieur… monsieur Keawee… C'est
40   que… Il a bien baissé depuis votre temps !

– Bien, bien ! Le marché ne sera que plus avantageux. Combien l'avez-
vous payée vous-même ?

Le jeune homme devint blanc comme un linge.

– Deux « cents », dit-il.

45   – Quoi, s'écria Keawee, deux « cents » ? Mais alors, vous ne pouvez la
vendre que pour un « cent » ? Et celui qui l'achètera…

Les mots s'étranglèrent dans son gosier. L'homme qui l'achèterait ne
pourrait jamais plus la revendre. Le flacon maudit et le diable qui l'habitait devraient rester sa propriété jusqu'à l'heure de sa mort et, quand il
50   mourrait, il irait tout droit en enfer.

Le jeune homme de Beritania Street se jeta à genoux.

– Pour l'amour de Dieu, achetez-la-moi. Je vous donne toute ma fortune par-dessus le marché. J'étais fou quand j'ai consenti à cet achat ! J'avais dérobé de l'argent dans la caisse de mes patrons. Sans cela, j'aurais été
55 perdu ! Les gendarmes m'auraient mis en prison !

– Pauvre créature ! s'écria Keawee. Pour éviter quelques années de cellule, bien méritées d'ailleurs, vous avez compromis le salut de votre âme ! Et vous croyez que j'hésiterais lorsque j'ai à choisir entre l'amour et la damnation. Donnez-moi la bouteille et la monnaie que vous avez toute
60 prête, je gage. Voici une pièce de cinq « cents ».

ROBERT LOUIS STEVENSON, « Le diable dans la bouteille »,
traduction de Charles-Albert Reichen, © La Guilde du Livre de Lausanne, 1947,
© Gallimard 1978.

Lecture

Pour bien lire

1 a. Qui est Keawee ? Que cherche-t-il ? Pourquoi ? Aidez-vous de l'introduction pour répondre.
b. Quel danger cet objet présente-t-il ?

2 Pourquoi Keawee s'étrangle-t-il lorsqu'il apprend le prix de la bouteille ?

3 a. Face à quel dilemme se trouve-t-il ?
b. Quelle décision prend-il alors ?

Pour approfondir

4 a. Dans le portrait du Blanc (l. 17 à 20), relevez toutes les indications qui vous renseignent sur son état d'esprit : quel est cet état d'esprit ? **b.** Pourquoi peut-on dire que ce portrait contraste avec le premier paragraphe du texte ? Que pouvez-vous en conclure ?

5 a. Au cours du dialogue, quelles émotions successives le Blanc éprouve-t-il ? Justifiez vos réponses en relevant les expressions qui traduisent ces émotions.
b. Expliquez ces émotions. **c.** Keawee comprend-il les réactions de son interlocuteur ? Pourquoi ?

6 À votre avis, quel est l'intérêt du dialogue dans ce passage ?

7 **Oral** À votre avis, quelle peut être la suite de cette histoire ? Justifiez vos hypothèses.

8 Faites une recherche sur le mythe de Faust et Marguerite : quels sont les points communs avec ce récit ?
Éducation aux médias

Vocabulaire

1 a. Rappelez le sens de *grave* (l. 4).
b. Trouvez dans les lignes qui suivent un adjectif de sens opposé et précisez son sens exact.

2 *Haleter* (l. 25), *balbutier* (l. 34) : quel est le sens exact de ces verbes ? Que nous apprennent-ils sur celui qui parle ?

3 Complétez les phrases avec le verbe de parole qui convient, choisi dans la liste suivante : *balbutier – chuchoter – haleter – rugir – susurrer*.
1. « Encore un effort... Nous y sommes presque », ... Tom. **2.** « Suivez-moi sans faire aucun bruit », ... la jeune fille. **3.** « Vous avez osé vous introduire dans mon jardin ! » ... le propriétaire. **4.** « Viens, n'aie pas peur, prends cette bouteille, ... le diable, elle ne va pas te manger. » **5.** « Vous ... vous... Êtes-vous vraiment le diable ? » ... Keawee.

Écriture

1 Complétez les incises avec les groupes suivants, qui renseigneront sur les émotions de celui qui parle : *en écarquillant les yeux – en se prenant la tête dans les mains – en poussant un soupir de soulagement*.
1. « Je n'y comprends rien, répétait Mathieu ..., c'est à devenir fou. » **2.** « Vous ici ? » répéta Damien ... .
3. « Nous voici enfin à l'abri », déclara M. Rummell ... .

2 Même travail avec des groupes de votre invention.
1. « Et vous m'avez laissé signer un pareil contrat ? » balbutia Raphaël ... . **2.** « Un fantôme ! c'est un fantôme ! » s'écria Walter ... .

Maudite vieille

Alexandre Pouchkine

(1799-1837)
Il est un des plus grands écrivains russes, qui s'est illustré aussi bien dans la poésie et le roman que le théâtre ou les nouvelles.

Hermann, jeune officier peu fortuné, a découvert le secret d'une vieille comtesse que l'on dit capable de deviner les cartes gagnantes au jeu. Voulant à tout prix faire fortune, il séduit Lisabeta, la dame de compagnie de la comtesse, s'introduit nuitamment dans la chambre de la vieille et la supplie de l'aider. Mais la vieille dame se montrant insensible à ses prières, il la menace, provoquant ainsi sa mort. Vient le jour des obsèques.

À son tour, Hermann s'avança vers le cercueil. Il s'agenouilla un moment sur les dalles jonchées de branches de sapin. Puis il se leva, et, pâle comme la mort, il monta les degrés du catafalque[1] et s'inclina… quand tout à coup il lui sembla que la morte le regardait d'un œil moqueur en

5 clignant un œil. Hermann, d'un brusque mouvement, se rejeta en arrière et tomba à la renverse. […]

Toute la journée, Hermann fut en proie à un malaise extraordinaire. Dans le restaurant solitaire où il prenait ses repas, il but beaucoup contre son habitude, dans l'espoir de s'étourdir ; mais le vin ne fit qu'allumer

10 son imagination et donner une activité nouvelle aux idées qui le préoccupaient. Il rentra chez lui de bonne heure, se jeta tout habillé sur son lit, et s'endormit d'un sommeil de plomb.

Lorsqu'il se réveilla, il était nuit, la lune éclairait sa chambre. Il regarda l'heure ; il était trois heures moins un quart. Il n'avait plus envie de dor-

15 mir. Il était assis sur son lit et pensait à la vieille comtesse.

En ce moment, quelqu'un dans la rue s'approcha de la fenêtre comme pour regarder dans sa chambre, et passa aussitôt. Hermann y fit à peine attention. Au bout d'une minute, il entendit ouvrir la porte de son antichambre. Il crut que son *denschik*[2], ivre selon son habitude, rentrait de

20 quelque excursion nocturne ; mais bientôt il distingua un pas inconnu. Quelqu'un entrait en traînant doucement des pantoufles sur le parquet. La porte s'ouvrit, et une femme vêtue de blanc s'avança dans sa chambre. Hermann s'imagina que c'était sa vieille nourrice, et il se demanda ce qui pouvait l'amener à cette heure de la nuit ; mais la femme en blanc, tra-

25 versant la chambre avec rapidité, fut en un moment au pied de son lit, et Hermann reconnut la comtesse !

« Je viens à toi contre ma volonté, dit-elle d'une voix ferme. Je suis contrainte d'exaucer ta prière. Trois-sept-as gagneront pour toi l'un après l'autre ; mais tu ne joueras pas plus d'une carte en vingt-quatre heures, et

30 après, pendant toute ta vie, tu ne joueras plus ! Je te pardonne ma mort, pourvu que tu épouses ma demoiselle de compagnie, Lisabeta Ivanovna. »

---

1. Catafalque : estrade richement décorée servant à exposer le cercueil lors des cérémonies funéraires.

2. Denschik : domestique au service d'un officier.

Les Vieilles,
Francisco de Goya
(1746-1828), huile
sur toile, musée des
Beaux-Arts, Lille.

À ces mots, elle se dirigea vers la porte et se retira en traînant encore ses pantoufles sur le parquet. Hermann l'entendit pousser la porte de l'antichambre, et vit un ins-
35 tant après une figure blanche passer dans la rue et s'arrêter devant la fenêtre comme pour le regarder.

Hermann demeura quelque temps tout abasourdi ; il se leva et entra dans l'antichambre. Son *denschik*, ivre comme à l'ordinaire, dormait couché sur le parquet. Il eut beau-
40 coup de peine à le réveiller, et n'en put obtenir la moindre explication. La porte de l'antichambre était fermée à clé.

Quelques jours plus tard, Hermann se rend dans un cercle de jeu. Il mise toute sa fortune sur le trois.

Hermann tira de sa poche un billet et le tendit à Tchekalinski, qui, après l'avoir examiné d'un clin d'œil, le posa sur la carte de Hermann.
45 Il tailla[3], à droite vint un dix, à gauche un trois. « Je gagne », dit Hermann en montrant sa carte. Un murmure d'étonnement circula parmi les joueurs. Un moment, les sourcils du banquier se contractèrent, mais aussitôt son sourire habituel reparut sur son visage. « Faut-il régler ? demanda-t-il au gagnant.
50 – Si vous avez cette bonté. » Tchekalinski tira des billets de banque de son portefeuille et paya aussitôt. Hermann empocha son gain et quitta la table. Naroumof n'en revenait pas. Hermann but un verre de limonade et rentra chez lui.

Le lendemain au soir, il revint chez Tchekalinski, qui était encore à tail-
55 ler. Hermann s'approcha de la table ; cette fois, les pontes s'empressèrent de lui faire une place. Tchekalinski s'inclina d'un air caressant. Hermann attendit une nouvelle taille, puis prit une carte sur laquelle il mit ses quarante-sept mille roubles et, en outre, le gain de la veille. Tchekalinski commença à tailler. Un valet sortit à droite, un sept à gauche. Hermann mon-
60 tra un sept. Il y eut un ah ! général. Tchekalinski était évidemment mal à son aise. Il compta quatre-vingt-quatorze mille roubles et les remit à Hermann, qui les prit avec le plus grand sang-froid, se leva et sortit aussitôt.

Il reparut le lendemain à l'heure accoutumée. Tout le monde l'attendait ; les généraux et les conseillers privés avaient laissé leur whist[4] pour assister
65 à un jeu si extraordinaire. Les jeunes officiers avaient quitté les divans, tous les gens de la maison se pressaient dans la salle. Tous entouraient Hermann. À son entrée, les autres joueurs cessèrent de ponter[5] dans leur impatience de le voir aux prises avec le banquier qui, pâle, mais toujours souriant, le regardait s'approcher de la table et se disposer à jouer seul contre lui.
70 Chacun d'eux défit à la fois un paquet de cartes. Hermann coupa ; puis il prit une carte et la couvrit d'un monceau de billets de banque. On eût dit les apprêts d'un duel. Un profond silence régnait dans la salle.

---

3. Tailler : au jeu, couper, diviser le jeu de cartes en plusieurs parties.

4. Whist : jeu de cartes.

5. Ponter : miser, parier.

Tchekalinski commença à tailler ; ses mains tremblaient. À droite, on vit sortir une dame ; à gauche un as.

75 « L'as gagne, dit Hermann, et il découvrit sa carte.

– Votre dame a perdu », dit Tchekalinski d'un ton de voix mielleux.

Hermann tressaillit. Au lieu d'un as, il avait devant lui une dame de pique. Il n'en pouvait croire ses yeux, et ne comprenait pas comment il avait pu se méprendre de la sorte.

80 Les yeux attachés sur cette carte funeste, il lui sembla que la dame de pique clignait de l'œil et lui souriait d'un air railleur. Il reconnut avec horreur une ressemblance étrange entre cette dame de pique et la défunte comtesse…

« Maudite vieille ! » s'écria-t-il épouvanté. Tchekalinski, d'un coup de 85 râteau, ramassa tout son gain. Hermann demeura longtemps immobile, anéanti. Quand enfin il quitta la table de jeu, il y eut un moment de causerie bruyante. Un fameux ponte ! disaient les joueurs. Tchekalinski mêla les cartes, et le jeu continua.

ALEXANDRE POUCHKINE, « La dame de pique », 1834, traduction de Prosper Mérimée.

Lecture

Pour bien lire

1 Quels sont les deux événements extraordinaires qui se produisent dans la première partie du récit ?

2 Quelle faveur la comtesse accorde-t-elle à Hermann ? Que demande-t-elle en échange ?

3 a. À quelle suite peut-on s'attendre ?
b. La fin du récit remplit-elle cette attente ? Développez votre réponse.

Pour approfondir

4 Relisez le premier paragraphe du texte : Hermann est-il sûr de ce qu'il voit ? Justifiez votre réponse en vous appuyant sur des mots précis du texte.

5 Dans le deuxième paragraphe, quels sont les différents éléments qui peuvent expliquer ce qui se passe ?

6 a. Comparez l'avant-dernier paragraphe et le premier paragraphe : que remarquez-vous ?
b. Quelles sont les différentes interprétations que vous pouvez faire de la situation ?

Vocabulaire

1 Ici, que désigne le mot *degrés* (l. 3) ? Aidez-vous du contexte pour répondre.

2 Analysez la formation du mot *antichambre* (l. 18-19) et déduisez-en son sens.

3 Qu'est-ce qu'un *divan* (l. 65) ?

4 Quelle est la connotation des adjectifs *caressant* (l. 56) et *mielleux* (l. 76) ?

5 Analysez la formation du mot *apprêts* (l. 72) et déduisez-en son sens.

Écriture

Récrivez les phrases suivantes de façon à créer une incertitude. *Exemple : La morte le regardait.* → *Il lui sembla que la morte le regardait.* Vous pouvez utiliser les expressions suivantes : *il lui sembla – on eût dit – il crut*.
1. La jeune fille flottait dans les airs. **2.** Il vit une silhouette blanche traverser le couloir. **3.** La morte respirait encore.

Le visage de mon âme

Oscar Wilde

(1854-1900)
Il est un écrivain irlandais. Son œuvre, souvent pleine d'humour, mais parfois dramatique, célèbre le goût du beau et de la légèreté.

Le peintre Basil Hallward exécute le portrait de Dorian Gray, un jeune homme d'une beauté exceptionnelle. En contemplant ce chef-d'œuvre, Dorian formule le vœu de rester éternellement jeune et beau, et acquiert le tableau. Or, tandis que les années passent, rien n'altère le visage de Dorian : le tableau vieillit à sa place. Dorian emploie cette beauté à séduire toutes sortes de personnes. Quand la jeune fille dont il est tombé amoureux sans s'en rendre compte, convaincue de sa cruauté, se suicide, Dorian réalise qu'il est devenu un monstre. Il rappelle Hallward pour lui avouer la vérité.

Il sortit de la pièce et s'engagea dans l'escalier, suivi de près par Basil Hallward. Ils montèrent doucement comme on fait instinctivement la nuit. La lampe projetait des ombres capricieuses sur le mur et l'escalier. Un vent qui se levait faisait craquer certaines fenêtres.

5 Lorsqu'ils arrivèrent sur le palier du dernier étage, Dorian posa la lampe par terre et, prenant la clef, la tourna dans la serrure.

– Tu tiens à savoir, Basil ? demanda-t-il à voix basse.

– Oui !

– J'en suis ravi, répondit-il souriant, ajoutant aussitôt d'un ton bourru :
10 Tu es le seul homme qui soit autorisé à tout savoir à mon sujet. Tu as joué un plus grand rôle que tu ne le penses dans ma vie.

Reprenant la lampe, il ouvrit la porte et pénétra dans la pièce. Un courant d'air froid les assaillit et la lampe jeta l'espace d'un instant une flamme d'un orange brouillé. Il frissonna.

15 – Ferme la porte derrière toi, chuchota Dorian en posant la lampe sur la table.

Hallward jeta un œil autour de lui, l'air perplexe. La pièce semblait inhabitée depuis des années. Une tapisserie flamande déteinte, un tableau recouvert d'un rideau, un vieux *cassone*[1] italien et une bibliothèque presque vide
20 – c'était tout ce qu'elle paraissait contenir en plus d'une chaise et d'une table. Lorsque Dorian Gray alluma une chandelle à demi consumée qui était posée sur la tablette de la cheminée, il vit que l'endroit était tout couvert de poussière et que le tapis était en lambeaux. Une souris courut se cacher derrière la plinthe. Cela sentait le moisi et l'humidité.

25 – Ainsi, tu crois qu'il y a seulement Dieu qui voit les âmes, Basil ? Écarte le rideau et tu verras la mienne.

Il avait prononcé ces mots d'une voix dure et cruelle.

– Tu es fou, Dorian, ou tu joues, murmura Hallward en fronçant les sourcils.

30 – Tu ne veux pas ? Alors je vais le faire moi-même, dit le jeune homme qui arracha le rideau de sa tringle et le jeta par terre.

Une exclamation d'horreur s'échappa des lèvres du peintre lorsqu'il vit

---

1. Cassone : mot italien signifiant coffre.

Le Portrait de Dorian Gray, film réalisé par Albert Lewin (1945).

dans la faible lumière le visage hideux qui lui souriait sur la toile. Il y avait quelque chose dans son expression qui le remplit de dégoût et de répugnance. Grands dieux ! C'était le visage de Dorian Gray qu'il regardait ! L'horreur, quelle qu'elle fût cependant, n'avait pas encore entièrement ravagé sa stupéfiante beauté. Il restait encore des reflets d'or dans la chevelure qui s'éclaircissait et un peu de rouge sur la bouche sensuelle. Les yeux bouffis avaient gardé quelque chose de la beauté de leur bleu. Le contour de ses narines et le modelé du cou n'avaient pas encore perdu complètement la noblesse de leurs courbes. C'était bien Dorian. Mais qui avait peint ce tableau ? Il lui semblait reconnaître son coup de pinceau. Quant au cadre, il était de lui. C'était une idée monstrueuse et pourtant il eut peur ! Il prit la chandelle allumée et la tint devant le portrait. Son nom figurait dans le coin gauche, tracé en longues lettres d'un vermillon brillant.

Il s'agissait d'une infâme caricature, d'un canular honteux, ignoble. Il n'avait jamais peint cette chose. C'était pourtant son tableau. Il le savait et eut l'impression que son sang s'était en un rien de temps changé de feu en glace molle. Son tableau ! Qu'est-ce que cela signifiait ? Pourquoi s'était-il transformé ? Il se retourna et jeta sur Dorian Gray un regard maladif. Sa bouche se contracta et sa langue desséchée parut incapable d'articuler un mot. Il passa sa main sur son front ; il était moite de sueur.

Le jeune homme, appuyé contre la tablette de la cheminée, le regardait avec l'étrange expression que l'on voit sur le visage de gens absorbés par la représentation d'une pièce dans laquelle joue un grand artiste. On n'y lisait ni véritable douleur ni véritable joie, la passion seulement du spectateur avec peut-être dans le regard une lueur de triomphe. Il avait retiré la fleur de la boutonnière de son manteau et la humait, ou faisait semblant.

– Qu'est-ce que cela veut dire ? s'écria finalement Hallward.

Sa voix lui sembla criarde, insolite.

– Il y a des années, lorsque j'étais un adolescent, dit Dorian Gray en écrasant la fleur dans sa main, tu as fait ma connaissance, tu m'as flatté et tu m'as appris à être fier de ma beauté. Un jour, tu m'as présenté à un de

tes amis, qui m'a expliqué le prodige de la jeunesse tandis que toi, tu ter-
minais ce portrait, qui m'a révélé le prodige de la beauté. Dans un moment
80 de folie dont je ne sais pas, même maintenant, si je le regrette ou non, j'ai
fait un vœu, tu diras peut-être une prière…

– Je me souviens ! Oh ! comme je me souviens bien ! Non ! C'est impossible. La pièce est humide. La toile a moisi. Les pigments que j'utilisais
comportaient une saleté de poison minéral. Je te dis que c'est impossible.

85 – Tiens donc, qu'est-ce qui est impossible ? murmura le jeune homme
qui alla vers la fenêtre et appuya son front contre la vitre froide couverte
de buée.

– Tu m'avais dit que tu l'avais détruit.

– Je m'étais trompé. C'est lui qui m'a détruit !

90 – Je ne crois pas qu'il s'agisse de mon tableau. […] Tu étais pour moi un
idéal tel que je n'en rencontrerai jamais plus. Là, c'est le visage d'un satyre².

– C'est le visage de mon âme !

> **Oscar Wilde**, *Le Portrait de Dorian Gray*, 1890, traduction de Richard Crevier,
> © Flammarion, 1995.

2. Satyre : monstre mythologique, mi-homme, mi-bouc, réputé pour son goût démesuré des plaisirs.
Par extension : homme au comportement obscène.

Lecture

Pour bien lire

❶ Où et quand la scène se passe-t-elle ?

❷ Présentez les personnages en une ou deux phrases. Vous pouvez vous aider de l'introduction.

❸ **a.** Qu'est-ce que Dorian montre à Hallward ?
b. Quels sentiments Hallward éprouve-t-il alors ? Pourquoi ?

Pour approfondir

❹ **a.** Dans les premières lignes, quels éléments du contexte accentuent l'atmosphère mystérieuse de la scène ?
b. Dans les lignes 17 à 19, relevez les adjectifs qui décrivent la pièce : quelle est leur connotation ?

❺ Relisez les phrases de dialogue dans les lignes 7 à 26 : comment Dorian suscite-t-il la curiosité de Hallward et du lecteur ?

❻ **a.** Lignes 34 à 54, observez la ponctuation : quels sentiments les différents points utilisés traduisent-ils ?
b. À travers les yeux de quel personnage découvre-t-on le tableau ? Justifiez votre réponse en vous appuyant sur le texte.
c. Quel est l'intérêt de ce procédé ?

❼ **a.** Quelle explication Hallward donne-t-il à ce qu'il voit ? Et Dorian ?
b. Expliquez la dernière phrase du texte.

Écriture

Insérez dans le texte ci-dessous trois phrases interrogatives ou exclamatives afin de traduire l'horreur de celui qui assiste à la scène.

C'était bien son ami, mais il était méconnaissable. Son corps était difforme et couvert de poils drus. Le visage était tordu dans une expression animale. La bouche était devenue une gueule hirsute. Quand elle s'ouvrit pour parler, il n'en sortit qu'un grondement sourd.

Vocabulaire

❶ Trouvez dans la même phrase un synonyme de *répugnance* (l. 36-37).

❷ Donnez un synonyme de *hideux* (l. 33) et de *humer* (l. 72).

Étude
d'une œuvre

« Quelle journée admirable ! »

Bords de la Seine,
Pierre Bonnard (1867-1947),
vers 1921,
musée d'Orsay, Paris.

8 *mai.* – Quelle journée admirable ! J'ai passé toute la matinée étendu sur l'herbe, devant ma maison, sous l'énorme platane qui la couvre, l'abrite et l'ombrage tout entière. J'aime ce pays, et j'aime y vivre parce que j'y ai mes racines, ces profondes et délicates racines, qui attachent un homme
5 à la terre où sont nés et morts ses aïeux, qui l'attachent à ce qu'on pense et à ce qu'on mange, aux usages comme aux nourritures, aux locutions locales[1], aux intonations des paysans, aux odeurs du sol, des villages et de l'air lui-même.

1. **Locution locale :**
expression particulière
à une région.

J'aime ma maison où j'ai grandi. De mes fenêtres, je vois la Seine qui
10 coule, le long de mon jardin, derrière la route, presque chez moi, la grande
et large Seine, qui va de Rouen au Havre, couverte de bateaux qui passent.

À gauche, là-bas, Rouen, la vaste ville aux toits bleus, sous le peuple
pointu des clochers gothiques. Ils sont innombrables, frêles ou larges,
dominés par la flèche de fonte de la cathédrale, et pleins de cloches qui
15 sonnent dans l'air bleu des belles matinées, jetant jusqu'à moi leur doux et
lointain bourdonnement de fer, leur chant d'airain que la brise m'apporte,
tantôt plus fort et tantôt plus affaibli, suivant qu'elle s'éveille ou s'assoupit.

Comme il faisait bon ce matin !

Vers onze heures, un long convoi de navires, traînés par un remorqueur,
20 gros comme une mouche, et qui râlait de peine en vomissant une fumée
épaisse, défila devant ma grille.

Après deux goélettes[1] anglaises, dont le pavillon rouge ondoyait sur le ciel,
venait un superbe trois-mâts brésilien, tout blanc, admirablement propre et
luisant. Je le saluai, je ne sais pourquoi, tant ce navire me fit plaisir à voir.

GUY DE MAUPASSANT, « Le Horla », deuxième version, 1887.

1. Goélette :
bateau léger
à deux mâts.

Lecture

Pour bien lire

1 Quelle forme particulière l'auteur a-t-il donnée au récit ? Pour répondre, appuyez-vous sur l'indication de temps qui ouvre l'extrait.

2 Quel genre de vie le narrateur semble-t-il mener ? Justifiez votre réponse.

3 a. Lignes 1 à 11 : quel verbe est répété ? Que cela nous révèle-t-il de l'état d'esprit du narrateur ? **b.** Relevez dans l'ensemble du texte deux phrases qui confirment cet état d'esprit.

Pour approfondir

4 Quelle impression se dégage de cette journée ? Développez votre réponse en vous appuyant sur le texte.

Tâche complexe

▶ **Coup de pouce**
• Quel sentiment la première phrase du texte exprime-t-elle ? Par quels moyens ?
• À quelle saison le récit se déroule-t-il ? Que symbolise cette saison ?
• Lignes 1 à 11, observez l'emploi des déterminants : quelle impression s'en dégage-t-il ?
• Dans les lignes 9 à 18, relevez les adjectifs : quelle est leur connotation ?
• Relevez, au début et à la fin du texte, tous les termes évoquant le plaisir.

Vocabulaire

1 Expliquez le sens des mots *pays* (l. 3) et *racines* (l. 4) dans le texte.

2 Que signifie *frêles* (l. 13) ?

3 Expliquez la formation du nom *convoi* (l. 19) et donnez son sens.

Écriture

Récrivez les lignes 9 à 18 en utilisant un vocabulaire péjoratif de façon à assombrir la journée évoquée.

« Ai-je perdu la raison ? »

Portrait de l'artiste, dit Le Désespéré, Gustave Courbet (1819-1877), huile sur toile, 1841, collection privée.

Depuis le 8 mai, le narrateur est souffrant : il se sent épié, a des troubles du sommeil. Ayant consulté en vain un médecin, il décide de faire un voyage au Mont-Saint-Michel pour se changer les idées. À son retour, il pense être guéri, mais rapidement, les étranges sensations réapparaissent…

5 *juillet.* – Ai-je perdu la raison ? Ce qui s'est passé, ce que j'ai vu la nuit dernière est tellement étrange, que ma tête s'égare quand j'y songe !

Comme je le fais maintenant chaque soir, j'avais fermé ma porte à clef ; puis, ayant soif, je bus un demi-verre d'eau, et je remarquai par hasard
5 que ma carafe était pleine jusqu'au bouchon de cristal.

Je me couchai ensuite et je tombai dans un de mes sommeils épouvantables, dont je fus tiré au bout de deux heures environ par une secousse plus affreuse encore.

Figurez-vous un homme qui dort, qu'on assassine, et qui se réveille, avec
10 un couteau dans le poumon, et qui râle couvert de sang, et qui ne peut plus respirer, et qui va mourir, et qui ne comprend pas – voilà.

Ayant enfin reconquis ma raison, j'eus soif de nouveau ; j'allumai une bougie et j'allai vers la table où était posée ma carafe. Je la soulevai en la

penchant sur mon verre ; rien ne coula. – Elle était vide ! Elle était vide
15 complètement ! D'abord, je n'y compris rien ; puis, tout à coup, je ressentis
une émotion si terrible, que je dus m'asseoir, ou plutôt, que je tombai sur
une chaise ! puis, je me redressai d'un saut pour regarder autour de moi !
puis je me rassis, éperdu d'étonnement et de peur, devant le cristal transparent ! Je le contemplais avec des yeux fixes, cherchant à deviner. Mes
20 mains tremblaient ! On avait donc bu cette eau ? Qui ? Moi ? moi, sans
doute ? Ce ne pouvait être que moi ? Alors, j'étais somnambule, je vivais,
sans le savoir, de cette double vie mystérieuse qui fait douter s'il y a deux
êtres en nous, ou si un être étranger, inconnaissable et invisible, anime, par
moments, quand notre âme est engourdie, notre corps captif qui obéit à
25 cet autre, comme à nous-mêmes, plus qu'à nous-mêmes.

Ah ! qui comprendra mon angoisse abominable ? Qui comprendra l'émotion d'un homme, sain d'esprit, bien éveillé, plein de raison et qui regarde
épouvanté, à travers le verre d'une carafe, un peu d'eau disparue pendant
qu'il a dormi ! Et je restai là jusqu'au jour, sans oser regagner mon lit.

Guy de Maupassant, « Le Horla », deuxième version, 1887.

Lecture

Pour bien lire

1 Combien de temps s'est-il écoulé depuis le début du journal ? Qu'est-il arrivé au narrateur ? Qu'a-t-il fait ?

2 Quelle partie de la journée le narrateur évoque-t-il ?

3 Ligne 4 : que remarque le narrateur « par hasard » ? Quel événement se produit ensuite ?

4 Quelle hypothèse le narrateur formule-t-il pour expliquer cet événement ? Cela le convainc-t-il ? Justifiez.

Pour approfondir

5 Lignes 12 à 29 : dans quel état d'esprit le narrateur se trouve-t-il ? **Tâche complexe**

▶ **Coup de pouce**
• Observez les types de phrases, la ponctuation, le rythme, les répétitions.
• Relevez les verbes de mouvement au début du passage : que montrent-ils ?
• Observez les mots et expressions constituant le champ lexical de l'émotion : comment les émotions sont-elles qualifiées ? Quelle progression remarquez-vous ?

6 Montrez, en citant le texte, qu'il essaie de rationaliser (raisonner de manière scientifique) ce qui lui arrive. Y parvient-il pour autant ?

7 a. Relevez la phrase dans laquelle le narrateur s'adresse au lecteur : en quoi est-ce surprenant ? **b.** Dans quelle autre phrase le lecteur est-il invité à s'intéresser à la situation du narrateur ? Pourquoi ?

Vocabulaire

1 a. Donnez le sens d'*éperdu* (l. 18) : sur quel verbe est-il formé ?
b. Donnez trois synonymes que vous emploierez dans des phrases faisant clairement apparaître leur sens.

2 Expliquez la formation d'*engourdi* (l. 24) et donnez son sens.

3 a. Donnez le sens de *captif* (l. 24) et expliquez son étymologie.
b. Récrivez les phrases suivantes en remplaçant chaque mot en italique par un mot de la famille de *captif*.

1. Les services secrets ont *intercepté* un message compromettant.
2. Ce roman est vraiment *passionnant* !
3. « La *Prisonnière* du désert » est un des plus beaux films qui soient.
4. Ce politicien est doué : il *ensorcelle* toujours son auditoire.
5. L'*emprisonnement* d'Edmond Dantès a duré de longues années.
6. La police est enfin parvenue à *arrêter* le malfaiteur.

« Il est venu »

19 *août.* – Je sais… je sais… je sais tout ! Je viens de lire ceci dans la *Revue du Monde scientifique* : « Une nouvelle assez curieuse nous arrive de Rio de Janeiro. Une folie, une épidémie de folie, comparable aux démences contagieuses qui atteignirent les peuples d'Europe au Moyen Âge, sévit en
5 ce moment dans la province de San-Paulo. Les habitants éperdus quittent leurs maisons, désertent leurs villages, abandonnent leurs cultures, se disant poursuivis, possédés, gouvernés comme un bétail humain par des êtres invisibles bien que tangibles, des sortes de vampires qui se nourrissent de leur vie, pendant leur sommeil, et qui boivent en outre de l'eau
10 et du lait sans paraître toucher à aucun autre aliment.

« M. le professeur Don Pedro Henriquez, accompagné de plusieurs savants médecins, est parti pour la province de San-Paulo afin d'étudier sur place les origines et les manifestations de cette surprenante folie, et de proposer à l'Empereur les mesures qui lui paraîtront le plus propres à
15 rappeler à la raison ces populations en délire. »

Ah ! Ah ! je me rappelle, je me rappelle le beau trois-mâts brésilien qui passa sous mes fenêtres en remontant la Seine, le 8 mai dernier ! Je le trouvais si joli, si blanc, si gai ! L'Être était dessus, venant de là-bas, où sa race est née ! Et il m'a vu ! Il a vu ma demeure blanche aussi ; et il a sauté du
20 navire sur la rive. Oh ! mon Dieu !

À présent, je sais, je devine. Le règne de l'homme est fini.

Il est venu, Celui que redoutaient les premières terreurs des peuples naïfs, Celui qu'exorcisaient les prêtres inquiets, que les sorciers évoquaient par les nuits sombres, sans le voir apparaître encore, à qui les pressentiments
25 des maîtres passagers du monde prêtèrent toutes les formes monstrueuses ou gracieuses des gnomes, des esprits, des génies, des fées, des farfadets.

[…] Il est venu, le… le… comment se nomme-t-il… le… il me semble qu'il me crie son nom, et je ne l'entends pas… le… oui… il le crie… J'écoute… je ne peux pas… répète… le… Horla… J'ai entendu… le Horla… c'est
30 lui… le Horla… il est venu !…

Ah ! le vautour a mangé la colombe ; le loup a mangé le mouton ; le lion a dévoré le buffle aux cornes aiguës ; l'homme a tué le lion avec la flèche, avec le glaive, avec la poudre ; mais le Horla va faire de l'homme ce que nous avons fait du cheval et du bœuf : sa chose, son serviteur et
35 sa nourriture, par la seule puissance de sa volonté. Malheur à nous ! […]

....

Qu'ai-je donc ? C'est lui, lui, le Horla, qui me hante, qui me fait penser ces folies ! Il est en moi, il devient mon âme ; je le tuerai !

19 août. – Je le tuerai. Je l'ai vu ! je me suis assis hier soir, à ma table ; et je
40 fis semblant d'écrire avec une grande attention. Je savais bien qu'il viendrait

rôder autour de moi, tout près, si près que je pourrais peut-être le toucher, le saisir ? Et alors !... alors, j'aurais la force des désespérés ; j'aurais mes mains, mes genoux, ma poitrine, mon front, mes dents pour l'étrangler, l'écraser, le mordre, le déchirer.

45 Et je le guettais avec tous mes organes surexcités.

J'avais allumé mes deux lampes et les huit bougies de ma cheminée, comme si j'eusse pu, dans cette clarté, le découvrir.

En face de moi, mon lit, un vieux lit de chêne à colonnes ; à droite, ma cheminée ; à gauche, ma porte fermée avec soin, après l'avoir laissée longtemps
50 ouverte, afin de l'attirer ; derrière moi, une très haute armoire à glace, qui me servait chaque jour pour me raser, pour m'habiller, et où j'avais coutume de me regarder, de la tête aux pieds, chaque fois que je passais devant.

Donc, je faisais semblant d'écrire, pour le tromper, car il m'épiait lui aussi ; et soudain, je sentis, je fus certain qu'il lisait par-dessus mon épaule,
55 qu'il était là, frôlant mon oreille.

Je me dressai, les mains tendues, en me tournant si vite que je faillis tomber. Eh bien ?... on y voyait comme en plein jour, et je ne me vis pas dans ma glace ! ... Elle était vide, claire, profonde, pleine de lumière ! Mon image n'était pas dedans... et j'étais en face, moi ! Je voyais le grand verre limpide du haut
60 en bas. Et je regardais cela avec des yeux affolés ; et je n'osais plus avancer, je n'osais plus faire un mouvement, sentant bien pourtant qu'il était là, mais qu'il m'échapperait encore, lui dont le corps imperceptible avait dévoré mon reflet.

Comme j'eus peur ! Puis voilà que tout à coup je commençai à m'apercevoir dans une brume, au fond du miroir, dans une brume comme à travers
65 une nappe d'eau ; et il me semblait que cette eau glissait de gauche à droite, lentement, rendant plus précise mon image, de seconde en seconde. C'était comme la fin d'une éclipse. Ce qui me cachait ne paraissait point posséder de contours nettement arrêtés, mais une sorte de transparence opaque, s'éclaircissant peu à peu.

70 Je pus enfin me distinguer complètement, ainsi que je le fais chaque jour en me regardant.

Je l'avais vu ! L'épouvante m'en est restée, qui me fait encore frissonner.

Guy de Maupassant, « Le Horla », deuxième version, 1887.

Parcours de lecture ★

1 Qu'a de particulier la rédaction de cette journée ? Que cela révèle-t-il ?

2 Qu'apprend le narrateur dans la *Revue du Monde scientifique* ? Que cela lui rappelle-t-il ?

3 Quels sentiments le narrateur éprouve-t-il ? À quoi le voit-on ?

4 Que se passe-t-il avec la glace ? Comment le narrateur réagit-il ?

5 Le Horla est-il décrit précisément ? À votre avis, pourquoi ?

6 À quoi peut-on s'attendre pour la suite de l'histoire ?

Parcours de lecture ★★

D'après votre lecture du texte, qu'est-ce que le Horla ? Quelles émotions suscite-t-il chez le narrateur ?

> Tâche complexe

▶ **Coup de pouce**

Pour répondre, vous vous appuierez sur les événements racontés, les réactions du narrateur et la description du Horla (l. 63 à 69).

Vocabulaire

1 **a.** Expliquez le sens du verbe *sévir* (l. 4).
b. Recopiez les phrases suivantes en remplaçant les mots en italique par *sévir* ou un mot de sa famille :

1. Les malades les plus *gravement* atteints ont été soignés en priorité. **2.** Pour être obéi, il faut parfois *punir*. **3.** Le juge s'est montré particulièrement *dur* avec l'accusé. **4.** Ce pauvre homme a été victime de *mauvais traitements*.

2 **a.** Donnez l'étymologie du mot *tangible* (l. 8) et expliquez son sens.
b. Employez ce mot au sens figuré dans une phrase de votre invention.

3 Lignes 60 à 72 : relevez les mots appartenant au champ lexical de la peur et donnez leur définition.

Écriture

Vous vous promenez seul dans la nature : il fait nuit. Peu à peu, vous vous sentez envahi par la peur. Racontez.

Pour réussir :
– Imaginez les différentes formes que vous croyez voir : vous les décrirez à l'aide de métaphores ou de comparaisons.
– Utilisez le vocabulaire de la peur de manière à en faire sentir l'augmentation progressive.
– Utilisez la ponctuation.

Débat

À votre avis, le narrateur a-t-il toute sa raison ? Pour argumenter, appuyez-vous sur vos réponses aux questions.

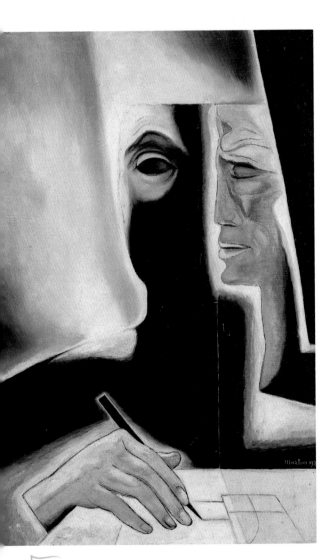

L'esprit travaille, Alberto Martini (1876-1954), huile sur toile, 1929, Museo Civico, Trévise.

« Est-il mort ? »

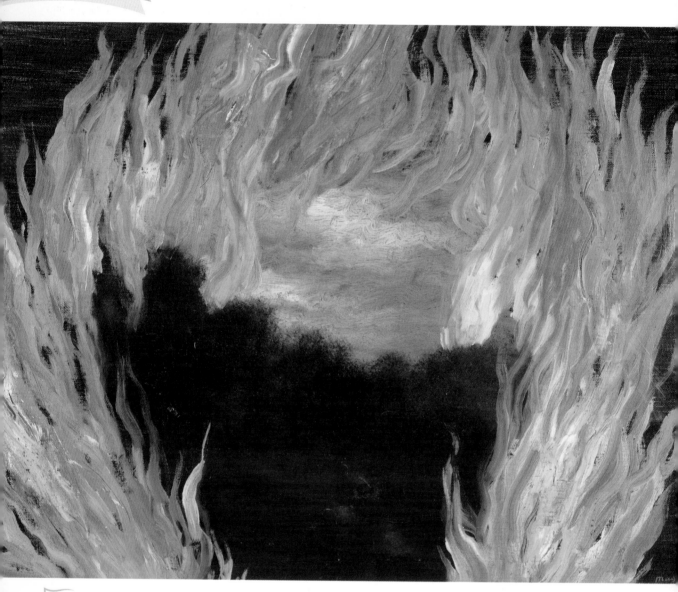

Le Paysage en feu,
René Magritte
(1898-1967), huile
sur toile, 1928,
collection privée.

Le narrateur a pris la décision de tuer le Horla, mais hésite sur le moyen. Le 21 août, il a fait venir un serrurier pour faire poser des persiennes (volets) et une porte de fer. Son journal ne reprend que le 10 septembre.

10 *septembre.* – Rouen, hôtel Continental. C'est fait… c'est fait… mais est-il mort ? J'ai l'âme bouleversée de ce que j'ai vu.

Hier donc, le serrurier ayant posé ma persienne et ma porte de fer, j'ai laissé tout ouvert jusqu'à minuit, bien qu'il commençât à faire froid.

5 Tout à coup, j'ai senti qu'il était là, et une joie, une joie folle m'a saisi. Je me suis levé lentement, et j'ai marché à droite, à gauche, longtemps pour qu'il ne devinât rien ; puis j'ai ôté mes bottines et mis mes savates avec négligence ; puis j'ai fermé ma persienne de fer, et revenant à pas tranquilles

vers la porte, j'ai fermé la porte aussi à double tour. Retournant alors vers
la fenêtre, je la fixai par un cadenas, dont je mis la clef dans ma poche.

Tout à coup, je compris qu'il s'agitait autour de moi, qu'il avait peur à
son tour, qu'il m'ordonnait de lui ouvrir. Je faillis céder ; je ne cédai pas,
mais m'adossant à la porte, je l'entrebâillai, tout juste assez pour passer,
moi, à reculons ; et comme je suis très grand ma tête touchait au linteau[1].
J'étais sûr qu'il n'avait pu s'échapper et je l'enfermai, tout seul, tout seul.
Quelle joie ! Je le tenais ! Alors, je descendis, en courant ; je pris dans mon
salon, sous ma chambre, mes deux lampes et je renversai toute l'huile sur
le tapis, sur les meubles, partout ; puis j'y mis le feu, et je me sauvai, après
avoir bien refermé, à double tour, la grande porte d'entrée.

Et j'allai me cacher au fond de mon jardin, dans un massif de lauriers.
Comme ce fut long ! comme ce fut long ! Tout était noir, muet, immobile ; pas un souffle d'air, pas une étoile, des montagnes de nuages qu'on
ne voyait point, mais qui pesaient sur mon âme si lourds, si lourds.

Je regardais ma maison, et j'attendais. Comme ce fut long ! Je croyais déjà
que le feu s'était éteint tout seul, ou qu'il l'avait éteint, Lui, quand une des
fenêtres d'en bas creva sous la poussée de l'incendie, et une flamme, une
grande flamme rouge et jaune, longue, molle, caressante, monta le long
du mur blanc et le baisa jusqu'au toit. Une lueur courut dans les arbres,
dans les branches, dans les feuilles, et un frisson, un frisson de peur aussi.

Les oiseaux se réveillaient ; un chien se mit à hurler ; il me sembla que le
jour se levait ! Deux autres fenêtres éclatèrent aussitôt, et je vis que tout
le bas de ma demeure n'était plus qu'un effrayant brasier. Mais un cri,
un cri horrible, suraigu, déchirant, un cri de femme passa dans la nuit, et
deux mansardes s'ouvrirent ! J'avais oublié mes domestiques ! Je vis leurs
faces affolées, et leurs bras qui s'agitaient !...

Alors, éperdu d'horreur, je me mis à courir vers le village en hurlant :
« Au secours ! au secours ! au feu ! au feu ! » Je rencontrai des gens qui
s'en venaient déjà et je retournai avec eux, pour voir !

La maison, maintenant, n'était plus qu'un bûcher horrible et magnifique, un bûcher monstrueux, éclairant toute la terre, un bûcher où brûlaient des hommes, et où il brûlait aussi, Lui, Lui, mon prisonnier, l'Être
nouveau, le nouveau maître, le Horla !

Soudain le toit tout entier s'engloutit entre les murs et un volcan de
flammes jaillit jusqu'au ciel. Par toutes les fenêtres ouvertes sur la fournaise,
je voyais la cuve de feu, et je pensais qu'il était là, dans ce four, mort...

Mort ? Peut-être ?... Son corps ? son corps que le jour traversait n'était-il
pas indestructible par les moyens qui tuent les nôtres ?

S'il n'était pas mort ?... seul peut-être le temps a prise sur l'Être Invisible et Redoutable. Pourquoi ce corps transparent, ce corps inconnaissable, ce corps d'Esprit, s'il devait craindre, lui aussi, les maux, les bles-
sures, les infirmités, la destruction prématurée ?

La destruction prématurée ? toute l'épouvante humaine vient d'elle !
Après l'homme, le Horla. – Après celui qui peut mourir tous les jours, à

1. **Linteau** : pièce
horizontale au-dessus
d'une ouverture.

55 toutes les heures, à toutes les minutes, par tous les accidents, est venu celui qui ne doit mourir qu'à son jour, à son heure, à sa minute, parce qu'il a touché la limite de son existence !

Non… non… sans aucun doute, sans aucun doute… il n'est pas mort… Alors… alors… il va donc falloir que je me tue, moi !

Guy de maupassant, « Le Horla », deuxième version, 1887.

Lecture

Pour bien lire

1 Où se trouve le narrateur lorsqu'il rédige cette dernière page de son journal ? Pourquoi ?

2 Que le narrateur fait-il pour enfermer le Horla ?

3 **a.** Comment met-il le feu à sa maison ?
b. Qu'a-t-il oublié ?

4 **a.** Pourquoi, à votre avis, le narrateur choisit-il le feu pour détruire le Horla ?
b. Lignes 24 à 28 : que suggère l'évocation de la flamme ? Et le dernier paragraphe ?

Pour approfondir

5 Comparez cette journée avec la première du journal.
a. Relisez chaque extrait en remplissant le tableau suivant :

	8 mai	10 septembre
Saison		
Moment de la journée		
Position du narrateur		
Visions du narrateur		
Éléments évoqués		

b. Lignes 21 à 23 : en quoi l'atmosphère ici dépeinte s'oppose-t-elle radicalement à celle qui est dépeinte dans le récit de la première journée ? Justifiez votre réponse en citant le texte.

6 **a.** Lignes 5 à 19 : relevez les expressions qui évoquent l'enfermement.
b. Depuis le début de la nouvelle, comment la perception du monde qu'a le narrateur a-t-elle évolué ?

7 À la fin de la nouvelle, le lecteur est-il en mesure de trancher entre une explication rationnelle (folie du narrateur) ou une explication surnaturelle (existence du Horla) ? Justifiez votre réponse en vous appuyant sur l'ensemble de la nouvelle.

Vocabulaire

1 Lignes 24 à 45 : relevez les mots et expressions développant le champ lexical du feu et expliquez-les.

2 **a.** Expliquez la formation du mot *inconnaissable* (l. 49-50) et donnez son sens. **b.** Quelle nuance de sens le différencie de *méconnaissable* ? **c.** Employez ces deux mots dans deux phrases de votre invention faisant apparaître leur sens.

Définition du genre fantastique

✳ Les récits fantastiques racontent **le surgissement brutal du surnaturel dans un univers réaliste**. **Un personnage ordinaire** (l'employé de bureau du « Veston ensorcelé », un jeune soldat joueur) se trouve confronté à **des événements extraordinaires** : apparition du diable, morts qui reviennent à la vie, objets qui s'animent, arrêt du temps…

✳ Le fantastique repose donc sur **l'effet de surprise et sur la peur**. **Les descriptions** habilement travaillées entretiennent **une atmosphère mystérieuse**. Le personnage principal est en proie au doute et à l'effroi, et souvent, le récit entretient une **hésitation** quant à la réalité de ce qu'il vit. Ainsi ne saura-t-on jamais si le narrateur du « Horla » est fou ou s'il est réellement victime d'une puissance mystérieuse. Parfois, au contraire, le récit repose sur le surgissement indéniable de **créatures maléfiques** comme le diable ou les vampires.

Le thème du pacte diabolique

✳ Issu de la culture religieuse, le diable occupe parmi ces créatures une place privilégiée. Il est **le tentateur**, celui qui offre la satisfaction des désirs, mais toujours dans un but malveillant. S'il tient sa promesse, c'est à nos dépens. Mais le diable est aussi souvent **trompeur**, comme la vieille comtesse de « La dame de pique ». Il représente **la violence de nos désirs**, qui nous aveuglent et nous rendent malheureux. Le moment où le personnage signe un pacte avec le diable, c'est le moment où il cesse d'être raisonnable pour céder à ses désirs. Dans la violence de ses passions, comme le Raphaël de *La Peau de chagrin*, il oublie les règles sociales et morales, crée des catastrophes et frôle la folie.

✳ Ainsi, la littérature fantastique en général et le thème du diable en particulier sont un moyen de **réfléchir sur la nature humaine**, sur ce qui se passerait si l'homme pouvait faire tout ce qu'il voulait, en dehors de toute règle établie. Ces récits explorent les passions humaines et leurs dangers, et nous donnent à voir, comme le portrait de Dorian Gray, « le visage de notre âme ».

Costume pour Méphistophélès,
dans Léon Sault,
L'Art du déguisement, 1850,
Bibliothèque des Arts décoratifs,
Paris.

Les Visiteurs du soir

Dans le film *Les Visiteurs du soir*, le réalisateur Marcel Carné met en scène le Diable précédé de deux de ses envoyés. Pour le scénario et les dialogues, Carné a fait appel au poète Jacques Prévert.

Film français en noir et blanc.
120 min, 1942
Réalisation : Marcel Carné
Scénario et dialogues :
Jacques Prévert et Pierre Laroche
Sociétés de distribution :
Discina, Les Films du Têtras.
Date de sortie : 1942 ; Resortie 2012.

A Pour comprendre le film

Les personnages

1 Qui sont les différents personnages de l'histoire ? Précisez leurs liens.

2 **a.** Quelle est la mission de Dominique et Gilles dans le château ? **b.** Quel pacte ont-ils conclu avec le Diable ? **c.** Connaissez-vous d'autres exemples de pacte de ce genre dans la littérature ?

3 Quelle est l'histoire de Gilles et Dominique avant leur arrivée au château ? Quels sentiments les unissent ? Développez votre réponse.

Amour, damnation et salut

4 **a.** Qui Dominique séduit-elle ? **b.** Dominique est-elle amoureuse ? **c.** À quels signes le voyez-vous ? **d.** Que vous inspire son comportement ? Argumentez.

5 **a.** Qui Gilles séduit-il ?
b. Est-il amoureux ?

6 **a.** En quoi les personnages d'Anne et de Dominique s'opposent-ils ? Pour répondre, examinez leur caractère mais aussi la façon dont ils sont mis en scène dans le film.
b. Quels sont les effets respectifs de leur amour sur Gilles d'une part et sur Renaud et sur le baron d'autre part ?

7 Quel événement fantastique se produit à la fin du film ?

8 Comment expliquez-vous la réaction finale du Diable ?

9 Pour vous, quelle est la morale du film ? Argumentez.

B Étude de la séquence 1 : le début du film (du début à 7'07)

1 À quoi servent les premières images du film montrant le livre ?

2 a. À quoi sert la scène avec le pêcheur de grenouilles ? **b.** Qui est-il ?

3 a. Le genre de Gilles et Dominique, masculin ou féminin, est-il bien identifiable ? Pourquoi ? **b.** Leur apparence évolue-t-elle au cours du film ? Argumentez.

4 a. Dans la scène avec le montreur d'ours, Gilles et Dominique réagissent-ils de la même façon ? **b.** Qu'en déduisez-vous de leurs caractères respectifs ?

5 Le caractère de chacun influencera-t-il leur comportement dans la suite du film ? Développez votre réponse.

C Étude de la séquence 2 : l'arrivée du Diable (de 1 h 07 à 1 h 15)

1 Par quels signes cette arrivée est-elle annoncée ?

2 Comment le Diable se présente-t-il ?

3 a. Que comprend le spectateur de l'identité du visiteur ? Par quels moyens ?
b. Et les autres personnages ?

4 a. Dans quel but le Diable rejoint-il Gilles et Dominique ?
b. À quelles paroles le spectateur comprend-il cette intention ?
c. Les autres personnages comprennent-ils complètement le sens des paroles du visiteur ?

5 a. Quelle va être l'action du Diable dans le château ?
b. Qui cherche-t-il à séduire ?

6 a. Observez son costume, son visage, ses discours, son comportement. Comment l'acteur, Alain Cuny, joue-t-il son personnage ?
b. Comparez à l'image traditionnelle du Diable.
c. Quelle adaptation le film en propose-t-elle ?

7 Quels sentiments vous inspire le Diable du film ? Argumentez.

Les mots du fantastique

1 ★★ **Lisez les séries de mots suivantes.**

A. affres – calvaire – douleur – gêne – malaise – supplice – tourment.

B. abomination – aversion – dégoût – exécration – horreur – répugnance – répulsion.

C. ébahi – étonné – frappé – médusé – saisi – stupéfait – surpris.

D. affolement – angoisse – appréhension – crainte – effroi – épouvante – frayeur – inquiétude – peur – panique.

a. À quel champ lexical les mots de chaque série appartiennent-ils ?

b. À l'intérieur de chaque série, classez les mots selon leur degré d'intensité.

c. Dans chaque série, choisissez un mot d'intensité faible, un mot d'intensité forte, et rédigez avec chacun de ces mots une phrase qui mettra son sens en valeur.

2 ★★ **À partir des noms de la série D de l'exercice précédent, formez des adjectifs qualificatifs.**

3 ★★★ **Recopiez les phrases en remplaçant les expressions en gras par un mot unique de même sens, construit sur le radical du mot souligné.**

1. Le comte voulut **mettre à l'épreuve** son courage. – **2.** Hermann **trouvait** ce jeu fort à **son goût**, et s'y livrait tous les soirs. – **3.** La veuve errait dans les couloirs du château, livide, **les cheveux en désordre**. – **4.** Les enfants, **ayant perdu toute maîtrise d'eux-mêmes à force d'avoir peur**, s'enfuirent en hurlant. – **5.** Emma, **frappée de stupeur**, contemplait la silhouette fantomatique qui se dressait devant elle. – **6.** La pauvre créature était si affreuse qu'elle **suscitait l'horreur chez** tous ceux qui la voyaient. – **7.** Les enfants **éprouvaient de l'horreur envers** (ab…) cette vieille tante aussi laide que cruelle.

4 ★ **Dans les séries suivantes, repérez le mot qui n'appartient pas au même champ lexical que les autres.**

A. peur – stupeur – épouvantable – terrible.

B. inclination – abhorrer – exécrer – répulsion.

C. envoûter – fasciner – captiver – capturer.

D. lassitude – langueur – ardeur – mollesse.

E. damnation – condamnation – perte – nation.

5 ★★ **a. À quel champ lexical les mots suivants appartiennent-ils ? Quel est leur degré d'intensité ?**

b. Pour chacun d'eux, proposez un nom de la même famille.

c. Pour chacun d'eux, proposez un antonyme respectant le degré d'intensité du mot.

hideux – laid – monstrueux – repoussant – répugnant

6 ★ **Recopiez ces phrases en les complétant par un des noms suivants :** *clarté – éclat – feu – lueur.*

1. La bougie vacillante ne projetait dans la pièce qu'une faible … .

2. Le brusque … de la lampe nous aveugla.

3. Le feu nous enveloppait de sa chaleur réconfortante et de sa douce … .

4. Le jour finissant jetait ses derniers … .

7 ★ **Même consigne avec :** *clair-obscur – obscurité – pénombre – ténèbres.*

1. D'épaisses … envahirent le ciel. – **2.** Cette pièce, orientée au nord, est toujours dans la … . – **3.** Les deux amants appréciaient le … complice des sous-bois. – **4.** Les lumières s'éteignirent et nous fûmes plongés dans une totale … .

8 ★★ **Associez chacun des termes suivants de la liste A à son synonyme dans la liste B.**

Liste A : affres – chétif – désemparé – fardeau – hideux – livide – lugubre – suaire – tombeau.

Liste B : affreux – blême – frêle – linceul – perdu – poids – sépulcre – sinistre – tourments.

9 ★★ **Associez chacun des adjectifs de la liste A au nom de la liste B qu'il pourrait qualifier (attention, les accords ne sont pas faits).**

Liste A : un arbre – un visage – un paysage – un corps – un mur – un cri – une lueur.

Liste B : blême – désolé – difforme – lugubre – rabougri – suintant – vacillant.

10 ★★ **Complétez le texte à l'aide des mots suivants :** *cercueil – grimaçantes – linceul – livide – lueur – sépulcre.*

Après la mort de sa femme, le comte était résolu à en finir. À minuit, à la … de la lune, il se rendit au cimetière et se dirigea vers un immense … de marbre dressé en son centre. Il força la grille ornée de silhouettes … et entra. À sa grande surprise, le … était ouvert. Il pouvait voir, entre les plis écartés du …, plus … que jamais, le visage de sa femme.

Écrire un récit fantastique

➜ Créer une atmosphère fantastique

1 Voici le début d'un conte fantastique.

a. Relevez les indices de temps et de lieu.

b. Quelle atmosphère les précisions météorologiques apportent-elles au récit ? À votre avis, quel est leur intérêt ?

c. Sur ce modèle, rédigez deux phrases comportant indices de lieu, de temps, et précisions météorologiques qui pourraient servir de début à un récit fantastique.

> L'année dernière, je fus invité, ainsi que deux de mes camarades d'atelier, Arrigo Cohic et Pedrino Borgnioli, à passer quelques jours dans une terre au fond de la Normandie. Le temps, qui, à notre départ, promettait d'être superbe, s'avisa de changer tout à coup, et il tomba tant de pluie, que les chemins creux où nous marchions étaient comme le lit d'un torrent.
>
> **T. GAUTIER**, « La cafetière », 1831.

2 Récrivez le texte ci-dessous en le modifiant de façon à créer une atmosphère lugubre.

En cette belle soirée de mai, la campagne était particulièrement riante. Une lande fleurie s'étendait sous le ciel bleu jusqu'au château de Moor, dont nous apercevions déjà l'élégante silhouette blanche.

3 Complétez les phrases avec le verbe de parole qui convient : *susurrer – chuchoter – bégayer – hurler – gronder.*

1. Sauvez-vous ! … le guide en fuyant à toutes jambes.

2. Comment osez-vous me tromper ? … le diable en se dressant de toute sa hauteur.

3. Ce… ce n'est pas possible ! … Gustave en roulant des yeux effarés.

4. Allons ! Tu as bien mérité de te faire plaisir, … à mon oreille la délicieuse créature.

5. Approchez-vous, …-je, il faut que je vous révèle un secret.

4 Développez les incises des répliques suivantes par des compléments qui montreront la peur de celui qui parle. *Exemple* : *Pensez-vous que nous allons rester là pour toujours ? demanda Peggy. → Pensez-vous que nous allons rester là pour toujours ? demanda Peggy en tordant son mouchoir dans ses mains.*

Vous pouvez utiliser les expressions suivantes, ou d'autres expressions de votre choix : *d'une voix blanche – subitement pâle – les yeux agrandis par la peur – en tremblant de tous ses membres.*

1. Est-il vraiment nécessaire que nous entrions ? demanda Arthur. – **2.** Êtes-vous vraiment le diable ? demanda Adèle. – **3.** Je ne pourrai jamais, gémit Oscar. – **4.** Allez-vous-en… Allez-vous-en d'ici, bégaya le jeune homme.

➜ Traduire incertitude et émotions

5 Récrivez ces phrases en exprimant le doute de deux manières différentes : d'abord à l'aide d'une interrogative puis en utilisant un verbe modalisateur *(il me semblait que – j'eus l'impression que…).*

Exemple : *J'étais peut-être en train de rêver. → Étais-je en train de rêver ? → Il me semblait que j'étais en train de rêver.*

1. Le rideau avait bougé.

2. On avait déplacé mes papiers.

3. Elle essayait de me dire quelque chose.

6 Mettez en avant l'émotion du personnage en transformant les phrases suivantes en exclamatives ou en interrogatives.

J'étais prisonnier. Je ne savais pas comment sortir de cette fosse. Il n'y avait aucune issue. Je me demandais combien de temps je resterais enfermé ici et si ma mort serait douloureuse.

7 Dans un récit fantastique, si votre personnage est terrorisé dès les premières lignes, vous aurez du mal à faire monter la tension. Apprenez à faire monter la peur peu à peu :

a. Classez les expressions de la liste A par intensité croissante.

b. Rédigez un petit paragraphe insérant des expressions de la liste A, qui disent les émotions du personnage, dans les phrases de la liste B, qui font avancer le récit. N'oubliez pas d'ajouter des mots de liaison *(d'abord – puis – ensuite – alors…).*

Liste A : avec terreur – plein d'angoisse – complètement affolé – malgré une légère inquiétude – plus mort que vif.

Liste B : Je poussai la porte du château, entrai sans bruit et découvris le hall monumental, sombre et délabré. J'avançai vers l'immense escalier. Un grognement étrange retentit dans l'obscurité. Je m'arrêtai. Je sentis une masse énorme tapie derrière le rideau. Je détalai vers la sortie.

Écrire une nouvelle fantastique

SUJET

Un jour, le diable se présente à vous et vous offre de réaliser votre désir le plus cher, sous certaines conditions. Racontez cette histoire à la première personne, aux temps du passé, en développant les conséquences de ce pacte.

N.B. Vous pouvez inventer votre personnage, son sexe, son âge, sa situation.

La Vision, Evelyn De Morgan (1855-1919), huile sur toile, 1914, collection privée.

→ 1ʳᵉ étape : le début du récit

• Présentez le narrateur et esquissez en quelques lignes le cadre spatio-temporel du récit. Ce cadre doit être réaliste. Le narrateur décrit sa situation avant le début de ses aventures et expose son problème.

• Cherchez des idées : quel est le problème de votre personnage ? A-t-il besoin d'argent ? Est-il amoureux d'une personne qui le dédaigne ? Veut-il rester éternellement jeune ?

→ 2ᵉ étape : le pacte

• Le diable apparaît au narrateur. Imaginez les circonstances : où et quand cette apparition a-t-elle lieu ? Est-ce la nuit dans un décor lugubre ? dans un cadre familier ? Est-ce au contraire à un moment tout à fait inattendu, par exemple dans la voiture du narrateur alors qu'il attend à un feu rouge ? Sous quelle forme le diable apparaît-il au narrateur ? Est-ce avec ses fourches et ses cornes ? Sous l'apparence d'une séduisante personne ? d'un animal ? d'un enfant innocent ?

• Relatez ce pacte en utilisant un dialogue et en insistant sur les émotions du narrateur. Qu'est-ce que le diable offre au narrateur ? Quelle est la condition ?

→ 3ᵉ étape : une période exaltante

• Grâce au pacte qu'il a contracté, le narrateur vit une période d'excitation, au cours de laquelle il profite de ce qu'il a obtenu. Résumez cette période en relatant les changements qui se produisent dans la vie du narrateur.

→ 4ᵉ étape : la situation se dégrade

• Arrive l'heure où il faut payer le diable. Comment le narrateur réagit-il à l'approche de ce moment fatidique ? Profite-t-il toujours de ses avantages ? Sa joie est-elle gâchée ? Comment sa vie quotidienne évolue-t-elle ?

• Vous montrerez l'évolution du personnage en utilisant des indices de temps choisis parmi les suivants : *peu à peu – jour après jour – à dater de ce jour – chaque jour – à tout moment...*

→ 5ᵉ étape : la fin

• Il vous faut trouver une fin à votre récit. Votre personnage est-il tout simplement emporté par le diable ? Quelles sont alors ses dernières pensées ? Parvient-il à tromper le diable ? Comment ? Parvient-il à faire damner un autre à sa place ? Si oui, par quel moyen ? Conserve-t-il alors ce qu'il avait acquis grâce au diable ? Est-il sauvé par une autre personne ? Laquelle ? Comment ?

Des livres

La Dimension fantastique, Librio, 2014.

Pour découvrir les grands classiques du genre, avec des contes d'Hoffmann, Gautier, Poe, Maupassant, Lovecraft…

L'Étrange Cas du docteur Jekyll et de Mr Hyde, R. L. Stevenson, 1886, le Livre de poche, 1999.

Un savant met au point une potion qui lui permet de changer d'apparence afin de se livrer à la débauche en toute impunité.

Le K, Dino Buzzati, traduit de l'italien par **Jacqueline Remillet,** Pocket, 2002.

Cinquante contes fantastiques d'un grand écrivain italien du XXe siècle.

Histoires extraordinaires, E. A. Poe, Le Livre de poche, 2011.

Considéré comme un des maîtres du genre fantastique, Poe livre toute une série de récits pour nous faire frissonner.

Des films

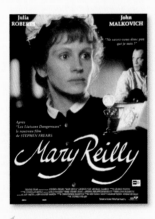

Mary Reilly, Stephen Frears, 1996.

Une très belle interprétation de l'histoire de Jekyll et Hyde.

Dracula, Francis Ford Coppola, 1994.

Coppola revisite le mythe, faisant de Dracula un amoureux éperdu dans la grande tradition romantique.

Entretien avec un vampire, Neil Jordan, 1994.

D'après le roman d'Anne Rice, une belle réflexion sur l'immortalité et la valeur de la vie.

Frankenstein, Kenneth Branagh, 1995.

Une adaptation fidèle du roman de Shelley avec Robert De Niro dans le rôle de la créature.

6

Javert/Valjean : le duel

> ▶ *Conflit moral, conflit sociétal, comment le roman s'en empare-t-il ?*

Pistes pour un EPI **Histoire**

▶ **Les grands événements historiques vus à travers l'art :** étude de *La Liberté guidant le peuple* de Delacroix ou du *Radeau de la Méduse* de Géricault ; perception des épisodes révolutionnaires dans *Les Misérables* ; Hugo, un écrivain engagé dans son siècle ; écrire un récit qui mêle histoire et fiction.

Le laboureur bien fatigué rentre chez lui très doucement,
Arthur Hardwick Marsh (1842-1909), huile sur toile, Laing Art Gallery,
Newcastle-upon-Tyne, Royaume-Uni.

Pour entrer dans le chapitre

1 Décrivez ce personnage : son allure générale, sa tenue, son visage.

2 Que fait-il ? Qu'imaginez-vous à son propos ?

3 Que pouvez-vous dire du paysage ? D'où vient la lumière ? Quelle impression suscite-t-elle ?

Victor Hugo dans la tourmente du XIXᵉ siècle

La Liberté guidant le peuple, Eugène Delacroix (1798-1863), huile sur toile, 1830, musée du Louvre, Paris.

D'un régime à l'autre

• Au cours du XIXᵉ siècle, le régime républicain instauré par la Révolution française fut plusieurs fois remis en question par l'**instauration de l'empire** puis par le **rétablissement de la monarchie**. Mais les Français restaient profondément attachés aux principes de la Révolution et, sous la pression du peuple, le modèle démocratique subsista.

• Ainsi, lorsque **le roi Charles X** chercha à renforcer le pouvoir royal, la population parisienne se révolta et l'obligea à abdiquer en 1830. Lorsque **Louis-Philippe** lui succéda, il gouverna en s'appuyant davantage sur la bourgeoisie et en adoptant les **symboles républicains** (il choisit le drapeau bleu, blanc, rouge et se fait nommer « roi des Français »).

• Mais la misère poussa les ouvriers républicains à de **nouvelles révoltes** : on éleva des barricades en 1832 et 1834, puis on se révolta de nouveau en 1848, date à laquelle Louis-Philippe abdiqua à son tour. Ce fut le **début de la IIᵉ République**.

Question

❶ Qui sont les rois et empereurs qui se succèdent au XIXᵉ siècle ? Pour répondre, aidez-vous de la frise.

Les conditions sociales

• Au cours de ce même siècle, le **développement de l'industrie** entraîna une prospérité économique qui enrichit la bourgeoisie mais profita peu aux ouvriers. Les hommes, mais aussi les femmes et les enfants effectuaient un **travail souvent pénible**, jusqu'à quinze heures par jour, pour un maigre salaire, et vivaient dans des logements insalubres.

• Poussés par la misère, ils s'organisèrent pour réclamer des salaires plus justes et de meilleures conditions de travail. Mais les **mesures susceptibles d'améliorer leur sort se firent attendre**.

• Ainsi, en 1841, **une loi limite la durée du travail des enfants** (8 heures pour les 8-12 ans et 12 heures pour les 12-16 ans) et en 1864, le droit de grève est acquis.

Enfants travaillant dans une mine, 5 octobre 1844.

Question

❷ Qu'est-ce qui pousse le peuple à se révolter ?

L'écrivain et son siècle

• **Victor Hugo**, né en 1802 et mort en 1885, **tente de décrire ce siècle et de le comprendre à travers son œuvre.** Républicain, il croit en un possible progrès de l'humanité et œuvre en ce sens par son **engagement politique et littéraire.**

• Ainsi entreprend-il en 1845 une grande fresque, qu'il intitule d'abord *Les Misères* et qui raconte la **vie de personnages du XIXe siècle mis au ban de la société.** Le héros, Jean Valjean, est un forçat dont les aventures personnelles croisent les grands événements de l'histoire.

• Mais Victor Hugo n'est pas uniquement préoccupé par les injustices sociales, il réfléchit également à tout ce qui fonde la dignité de l'être humain et il raconte, à travers le parcours de Jean Valjean, **l'histoire quasi mythique d'un homme qui découvre le bien.**

Victor Hugo, écrivain français, Léon Bonnat, huile sur toile, 1879, musée national des Châteaux de Versailles et de Trianon, Versailles.

Questions

3 Dans quel but Victor Hugo s'engage-t-il politiquement ?

4 Que signifie l'expression « être mis au ban de la société » ?

5 Qu'est-ce qu'un forçat ?

6 Faites une recherche sur l'histoire du bagne en France et dites en quelques lignes quelles sont les conditions de vie des forçats au XIXe siècle. *Éducation aux médias*

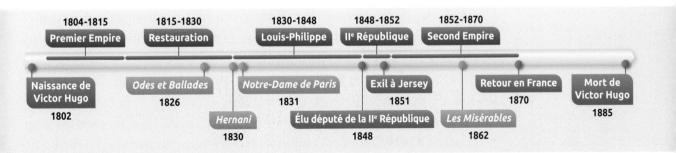

1804-1815	1815-1830	1830-1848	1848-1852	1852-1870
Premier Empire	Restauration	Louis-Philippe	IIe République	Second Empire

Naissance de Victor Hugo — 1802

Odes et Ballades — 1826

Hernani — 1830

Notre-Dame de Paris — 1831

Élu député de la IIe République — 1848

Exil à Jersey — 1851

Les Misérables — 1862

Retour en France — 1870

Mort de Victor Hugo — 1885

« Je m'appelle Jean Valjean »

Jean Valjean est condamné à cinq ans de bagne pour avoir volé un pain. Il aggrave sa durée de détention par diverses tentatives d'évasion. Au bout de dix-neuf ans, il sort enfin, mais ne trouve nul endroit pour se loger, sa condition d'ancien forçat le condamnant aux yeux de tous. Il frappe à la porte d'une maison qu'une vieille femme lui a indiquée. C'est celle d'un évêque, monseigneur Myriel, qui vit en compagnie de sa sœur, mademoiselle Baptistine, et d'une servante, madame Magloire.

La porte s'ouvrit.

Elle s'ouvrit vivement, toute grande, comme si quelqu'un la poussait avec énergie et résolution.

Un homme entra.

5 Cet homme, nous le connaissons déjà. C'est le voyageur que nous avons vu tout à l'heure errer cherchant un gîte.

Il entra, fit un pas, et s'arrêta, laissant la porte ouverte derrière lui. Il avait son sac sur l'épaule, son bâton à la main, une expression rude, hardie, fatiguée et violente dans les yeux. Le feu de la cheminée l'éclairait. Il 10 était hideux. C'était une sinistre apparition.

Madame Magloire n'eut pas même la force de jeter un cri. Elle tressaillit, et resta béante.

Mademoiselle Baptistine se retourna, aperçut l'homme qui entrait et se dressa à demi d'effarement, puis, ramenant peu à peu sa tête vers la che-15 minée, elle se mit à regarder son frère et son visage redevint profondément calme et serein.

L'évêque fixait sur l'homme un œil tranquille.

Comme il ouvrait la bouche, sans doute pour demander au nouveau venu ce qu'il désirait, l'homme appuya ses deux mains à la fois sur son 20 bâton, promena ses yeux tour à tour sur le vieillard et les femmes, et, sans attendre que l'évêque parlât, dit d'une voix haute :

– Voici. Je m'appelle Jean Valjean. Je suis un galérien. J'ai passé dix-neuf ans au bagne. Je suis libéré depuis quatre jours et en route pour Pontarlier qui est ma destination. Quatre jours que je marche depuis Toulon. 25 Aujourd'hui, j'ai fait douze lieues à pied. Ce soir, en arrivant dans ce pays, j'ai été dans une auberge, on m'a renvoyé à cause de mon passeport jaune[1] que j'avais montré à la mairie. Il avait fallu. J'ai été à une autre auberge. On m'a dit : Va-t'en ! Chez l'un, chez l'autre. Personne n'a voulu de moi. J'ai été à la prison, le guichetier n'a pas ouvert. J'ai été dans la niche d'un 30 chien. Ce chien m'a mordu et m'a chassé, comme s'il avait été un homme. On aurait dit qu'il savait qui j'étais. Je m'en suis allé dans les champs pour coucher à la belle étoile. Il n'y avait pas d'étoile. J'ai pensé qu'il pleuvrait,

---

1. Passeport jaune : passeport porté par les anciens forçats.

*Et dans ses yeux
j'ai vu la mort*,
Ejnar Nielsen (1872-
1956), huile sur toile,
1897, National Museum
of Art, Copenhague.

et qu'il n'y avait pas de bon Dieu pour empêcher de pleuvoir, et je suis rentré dans la ville pour y trouver le renfoncement d'une porte. Là, dans la place, j'allais me coucher sur une pierre. Une bonne femme m'a montré votre maison et m'a dit : Frappe là. J'ai frappé. Qu'est-ce que c'est ici ? êtes-vous une auberge ? J'ai de l'argent. Ma masse[2]. Cent neuf francs quinze sous que j'ai gagnés au bagne par mon travail en dix-neuf ans. Je payerai. Qu'est-ce que cela me fait ? j'ai de l'argent. Je suis très fatigué, douze lieues à pied, j'ai bien faim. Voulez-vous que je reste ?

– Madame Magloire, dit l'évêque, vous mettrez un couvert de plus.

L'homme fit trois pas et s'approcha de la lampe qui était sur la table.

– Tenez, reprit-il, comme s'il n'avait pas bien compris, ce n'est pas ça. Avez-vous entendu ? Je suis un galérien. Un forçat. Je viens des galères. – Il tira de sa poche une grande feuille de papier jaune qu'il déplia. – Voilà mon passe-port. Jaune, comme vous voyez. Cela sert à me faire chasser de partout où je suis. Voulez-vous lire ? Je sais lire, moi. J'ai appris au bagne. Il y a une école pour ceux qui veulent. Tenez, voilà ce qu'on a mis sur le passeport : « Jean Valjean, forçat libéré, natif de… – cela vous est égal… – Est resté dix-neuf ans au bagne. Cinq ans pour vol avec effraction. Quatorze ans pour avoir tenté de s'évader quatre fois. Cet homme est très dangereux. » – Voilà ! Tout le monde m'a jeté dehors. Voulez-vous me recevoir, vous ? Est-ce une auberge ? Voulez-vous me donner à manger et à coucher ? avez-vous une écurie ?

– Madame Magloire, dit l'évêque, vous mettrez des draps blancs au lit de l'alcôve.

Nous avons déjà expliqué de quelle nature était l'obéissance des deux femmes.

2. Masse : somme
d'argent attribuée
au forçat pendant
son incarcération
au bagne.

Madame Magloire sortit pour exécuter ces ordres. L'évêque se tourna vers l'homme.

60 — Monsieur, asseyez-vous et chauffez-vous. Nous allons souper dans un instant, et l'on fera votre lit pendant que vous souperez.

Ici l'homme comprit tout à fait. L'expression de son visage, jusqu'alors sombre et dure, s'empreignit de stupéfaction, de doute, de joie, et devint extraordinaire. Il se mit à balbutier comme un homme fou :

65 — Vrai ? quoi ? vous me gardez ? vous ne me chassez pas ! un forçat ! vous m'appelez *monsieur* ! vous ne me tutoyez pas ! Va-t'en, chien ! qu'on me dit toujours. Je croyais bien que vous me chasseriez. Aussi j'avais dit tout de suite qui je suis. Oh ! la brave femme qui m'a enseigné ici ! je vais souper ! un lit ! un lit avec des matelas et des draps ! comme tout le monde !

70 il y a dix-neuf ans que je n'ai couché dans un lit ! vous voulez bien que je ne m'en aille pas ! Vous êtes de dignes gens ! D'ailleurs j'ai de l'argent. Je payerai bien. Pardon, monsieur l'aubergiste, comment vous appelez-vous ? Je payerai tout ce qu'on voudra. Vous êtes un brave homme. Vous êtes aubergiste n'est-ce pas ?

75 — Je suis, dit l'évêque, un prêtre qui demeure ici.

Victor Hugo, *Les Misérables*, 1862.

Lecture

Pour bien lire

1 Qui est Jean Valjean ? Expliquez sa situation.

2 Chez qui vient-il chercher refuge ? Comment réagissent les différents personnages à son arrivée ?

Pour approfondir

3 Des lignes 1 à 6, que remarquez-vous sur les répétitions et la longueur des phrases ?
Quel est l'effet recherché ?

4 Quelle image avons-nous de Jean Valjean ?

▶ **Coup de pouce**

Tâche complexe

• Relevez les adjectifs qui caractérisent le voyageur. Dans son discours, quel est le niveau de langue employé ? Que remarquez-vous sur la longueur des phrases et la manière dont elles s'enchaînent ? Qu'éprouve-t-on en entendant son récit ? Quels arguments emploie-t-il pour convaincre ses hôtes ?

5 Quelle phrase montre la métamorphose de Valjean lorsqu'il comprend qu'on l'accueille ? Trouvez un adjectif de la famille de *croire* pour qualifier son attitude.

6 Qu'est-ce qui, dans les paroles de l'évêque, permet au forçat de se voir traité comme un hôte à part entière ?

7 Comment qualifieriez-vous l'attitude de monseigneur Myriel ? Quelle conception de l'homme la motive ?

Écriture

Jean Valjean a été renvoyé d'une auberge : imaginez cette scène.

– **Dans un premier paragraphe**, racontez l'arrivée du forçat dans l'auberge : décrivez le personnage et le lieu dans lequel il entre.
– **Dans un deuxième paragraphe**, décrivez plus succinctement les autres personnages présents : aubergistes, voyageurs… Évoquez leurs premières réactions à l'arrivée de Valjean : jeux de regard, chuchotements…
Imaginez ensuite un dialogue entre l'aubergiste et le forçat, l'un proférant des paroles d'exclusion, l'autre tentant de se défendre et d'argumenter pour pouvoir rester.
– **Dans un troisième paragraphe**, racontez la sortie de Valjean en insistant sur le tragique de sa situation.

Vocabulaire

1 Donnez un adjectif de la même famille que *résolution* (l. 3), puis donnez deux synonymes de cet adjectif.

2 Quels noms correspondent à ces adjectifs : *rude, hardi, fatigué, violent, hideux* (l. 8 à 10) ?

« C'est votre âme que je vous achète »

Pendant la nuit, Jean Valjean dérobe à ses hôtes des couverts en argent, puis il prend la fuite.

Comme le frère et la sœur allaient se lever de table, on frappa à la porte.

— Entrez, dit l'évêque.

La porte s'ouvrit. Un groupe étrange et violent apparut sur le seuil. Trois hommes en tenaient un quatrième au collet. Les trois hommes étaient des
5 gendarmes ; l'autre était Jean Valjean.

Un brigadier de gendarmerie, qui semblait conduire le groupe, était près de la porte. Il entra et s'avança vers l'évêque en faisant le salut militaire.

— Monseigneur… dit-il.

À ce mot Jean Valjean, qui était morne et semblait abattu, releva la tête
10 d'un air stupéfait.

— Monseigneur ! murmura-t-il. Ce n'est donc pas le curé ?…

— Silence ! dit un gendarme. C'est monseigneur l'évêque.

Cependant monseigneur Bienvenu s'était approché aussi vivement que son grand âge le lui permettait.

15 — Ah ! vous voilà ! s'écria-t-il en regardant Jean Valjean. Je suis aise de vous voir. Et bien mais ! je vous avais donné les chandeliers aussi, qui sont en argent comme le reste et dont vous pourrez bien avoir deux cents francs. Pourquoi ne les avez-vous pas emportés avec vos couverts ?

Jean Valjean ouvrit les yeux et regarda le vénérable évêque avec une
20 expression qu'aucune langue humaine ne pourrait rendre.

— Monseigneur, dit le brigadier de gendarmerie, ce que cet homme disait était donc vrai ? Nous l'avons rencontré. Il allait comme quelqu'un qui s'en va. Nous l'avons arrêté pour voir. Il avait cette argenterie…

— Et il vous a dit, interrompit l'évêque en souriant, qu'elle lui avait été
25 donnée par un vieux bonhomme de prêtre chez lequel il avait passé la nuit ? Je vois la chose. Et vous l'avez ramené ici ? C'est une méprise.

— Comme cela, reprit le brigadier, nous pouvons le laisser aller ?

— Sans doute, répondit l'évêque.

Les gendarmes lâchèrent Jean Valjean qui recula.

30 — Est-ce que c'est vrai qu'on me laisse ? dit-il d'une voix presque inarticulée et comme s'il parlait dans le sommeil.

— Oui, on te laisse, tu n'entends donc pas ? dit un gendarme.

— Mon ami, reprit l'évêque, avant de vous en aller, voici vos chandeliers. Prenez-les.

35 Il alla à la cheminée, prit les deux flambeaux d'argent et les apporta à Jean Valjean. Les deux femmes le regardaient faire sans un mot, sans un geste, sans un regard qui pût déranger l'évêque.

Jean Valjean tremblait de tous ses membres. Il prit les deux chandeliers machinalement et d'un air égaré. Maintenant, dit l'évêque, allez en paix.

40 – À propos quand vous reviendrez, mon ami, il est inutile de passer par le jardin. Vous pourrez toujours entrer et sortir par la porte de la rue. Elle n'est fermée qu'au loquet, jour et nuit.

Puis se tournant vers la gendarmerie :

– Messieurs, vous pouvez vous retirer.

45 Les gendarmes s'éloignèrent.

Jean Valjean était comme un homme qui va s'évanouir.

L'évêque s'approcha de lui, et lui dit à voix basse :

– N'oubliez pas, n'oubliez jamais que vous m'avez promis d'employer cet argent à devenir honnête homme.

50 Jean Valjean, qui n'avait aucun souvenir d'avoir rien promis, resta interdit. L'évêque avait appuyé sur ces paroles en les prononçant. Il reprit avec une sorte de solennité :

– Jean Valjean, mon frère, vous n'appartenez plus au mal mais au bien. C'est votre âme que je vous achète ; je la retire aux pensées noires et à

55 l'esprit de perdition, et je la donne à Dieu.

Victor Hugo, *Les Misérables*, 1862.

Lecture

Pour bien lire

❶ **a.** Avec qui Jean Valjean se présente-t-il ? Pourquoi ? À quoi s'attend-il ?

b. Dites ce qui le déconcerte en arrivant chez l'évêque. Vous rédigerez trois phrases en employant les mots de liaison suivants : *tout d'abord – ensuite – pour finir*.

Parcours de lecture ★

❷ Lignes 3 à 5 : comparez l'arrivée de Jean Valjean avec son arrivée dans le texte 1 : que remarquez-vous ?

❸ **a.** Relevez des lignes 11 à 34 tout ce qui montre l'hostilité des gendarmes.
b. Relevez dans le même passage les paroles de bienveillance de l'évêque à son égard.

❹ Relevez dans l'ensemble du texte les expressions qui évoquent la stupeur de Valjean.

❺ « C'est votre âme que je vous achète » (l. 54) :
a. Dans la littérature fantastique, quel personnage utilise habituellement cette formule ?
b. De quelle manière est-elle ici détournée ?
c. Cherchez dans un dictionnaire la définition du mot *rédemption*. Quel rôle Hugo donne-t-il à l'évêque en lui faisant prononcer cette phrase ?

ou Parcours de lecture ★★★

❷ En préambule à l'un des chapitres du roman, Hugo écrit qu'il veut « faire le poème de la conscience humaine, ne fût-ce qu'à propos d'un seul homme, ne fût-ce qu'à propos du plus infime des hommes ».
a. Comment l'évêque s'y prend-il pour provoquer une « prise de conscience » chez Jean Valjean ? Que cherche-t-il ?
b. Comment Victor Hugo met-il en scène cette prise de conscience ?

Vocabulaire

❶ Que signifie l'adjectif *interdit* dans « Jean Valjean [...] resta interdit » (l. 50-51) ?

❷ *Absoudre, expier, disculper* :
a. Cherchez le sens précis de ces verbes.
b. Donnez pour chacun d'eux un nom de la même famille. Soulignez le suffixe.
c. Voici une famille de mots construite sur le radical *culp* qui signifie la faute : *inculper, culpabilité, disculper*. Expliquez la formation de chacun de ces mots.

Oral

À votre avis, Jean Valjean va-t-il suivre les préceptes de l'évêque ? Comment va-t-il s'y prendre pour se racheter une conduite ?

« Il faudrait être diablement fort »

À la suite de sa rencontre avec monseigneur Bienvenu, Jean Valjean commet un dernier forfait : il vole une pièce à un enfant. Mais aussitôt pris de remords, il décide de se racheter : il prend le nom de M. Madeleine et, grâce à l'argent fourni par l'évêque, il crée une entreprise, s'enrichit et se consacre à améliorer le sort de ses ouvriers. Il devient le maire de la ville de Montreuil-sur-mer, où il vit désormais. Mais Jean Valjean est toujours recherché pour le vol de la pièce à l'enfant et Javert, l'inspecteur de police qui a travaillé auparavant au bagne de Toulon, croit reconnaître dans le maire l'ancien forçat. Il commence à le surveiller.

M. Madeleine passait un matin dans une ruelle non pavée de Montreuil-sur-mer. Il entendit du bruit et vit un groupe à quelque distance. Il y alla. Un vieux homme, nommé le père Fauchelevent, venait de tomber sous sa charrette dont le cheval s'était abattu. […]

5 M. Madeleine arriva. On s'écarta avec respect.

– À l'aide ! criait le vieux Fauchelevent. Qui est-ce qui est bon enfant pour sauver le vieux ?

M. Madeleine se tourna vers les assistants :

– A-t-on un cric ?

10 – On en est allé quérir un, répondit un paysan.

– Dans combien de temps l'aura-t-on ?

– On est allé au plus près, au lieu Flachot, où il y a un maréchal ; mais c'est égal, il faudra bien un bon quart d'heure.

– Un quart d'heure ! s'écria Madeleine.

15 Il avait plu la veille, le sol était détrempé, la charrette s'enfonçait dans la terre à chaque instant et comprimait de plus en plus la poitrine du vieux charretier. Il était évident qu'avant cinq minutes il aurait les côtes brisées. […]

– Écoutez, reprit Madeleine, il y a encore assez de place sous la voi-
20 ture pour qu'un homme s'y glisse et la soulève avec son dos. Rien qu'une demi-minute, et l'on tirera le pauvre homme. Y a-t-il ici quelqu'un qui ait des reins et du cœur ? Cinq louis d'or à gagner !

Personne ne bougea dans le groupe.

– Dix louis, dit Madeleine.

25 Les assistants baissaient les yeux. Un d'eux murmura :

– Il faudrait être diablement fort. Et puis, on risque de se faire écraser !

– Allons ! recommença Madeleine, vingt louis ! Même silence.

– Ce n'est pas la bonne volonté qui leur manque, dit une voix.

M. Madeleine se retourna, et reconnut Javert. Il ne l'avait pas aperçu
30 en arrivant.

Javert continua :

– C'est la force. Il faudrait être un terrible homme pour faire la chose de lever une voiture comme cela sur son dos.

Puis, regardant fixement M. Madeleine, il poursuivit en appuyant sur chacun des mots qu'il prononçait :

– Monsieur Madeleine, je n'ai jamais connu qu'un seul homme capable de faire ce que vous demandez là.

Madeleine tressaillit.

Javert ajouta avec un air d'indifférence, mais sans quitter des yeux Madeleine :

– C'était un forçat.

– Ah ! dit Madeleine.

– Du bagne de Toulon.

Madeleine devint pâle.

Cependant la charrette continuait à s'enfoncer lentement. Le père Fauchelevent râlait et hurlait :

– J'étouffe ! Ça me brise les côtes ! Un cric ! quelque chose ! Ah !

Madeleine regarda autour de lui :

– Il n'y a donc personne qui veuille gagner vingt louis et sauver la vie à ce pauvre vieux ?

Aucun des assistants ne remua. Javert reprit :

– Je n'ai jamais connu qu'un homme qui pût remplacer un cric. C'était ce forçat.

– Ah ! voilà que ça m'écrase ! cria le vieillard.

Jean Gabin (Jean Valjean) dans le film de Jean-Paul Le Chanois, 1958.

55 Madeleine leva la tête, rencontra l'œil de faucon de Javert toujours attaché sur lui, regarda les paysans, immobiles, et sourit tristement. Puis, sans
dire une parole, il tomba à genoux, et avant même que la foule eût eu le
temps de jeter un cri, il était sous la voiture.

Il y eut un affreux moment d'attente et de silence.

60 On vit Madeleine presque à plat ventre sous ce poids effrayant essayer
deux fois en vain de rapprocher ses coudes de ses genoux. […]

Les assistants haletaient. Les roues avaient continué de s'enfoncer, et
il était déjà devenu presque impossible que Madeleine sortît de dessous
la voiture.

65 Tout à coup on vit l'énorme masse s'ébranler, la charrette se soulevait
lentement, les roues sortaient à demi de l'ornière. On entendit une voix
étouffée qui criait : Dépêchez-vous ! aidez ! C'était Madeleine qui venait
de faire un dernier effort.

Ils se précipitèrent. Le dévouement d'un seul avait donné de la force
70 et du courage à tous. La charrette fut enlevée par vingt bras. Le vieux
Fauchelevent était sauvé.

Madeleine se releva. Il était blême, quoique ruisselant de sueur. Ses
habits étaient déchirés et couverts de boue. Tous pleuraient. Le vieillard
lui baisait les genoux et l'appelait le bon Dieu. Lui, il avait sur le visage je
75 ne sais quelle expression de souffrance heureuse et céleste, et il fixait son
œil tranquille sur Javert qui le regardait toujours.

VICTOR HUGO, *Les Misérables*, 1862.

Lecture

Pour bien lire

1 Quelle phrase montre au début du récit que M. Madeleine est un personnage important ?

2 De quelles qualités fait-il preuve au cours de cet événement ?

3 Qui est Javert ? Comment s'y prend-il pour tenter de reconnaître l'ancien forçat derrière le personnage de Madeleine ?

Pour approfondir

4 a. Lignes 34 à 54 : relevez les compléments circonstanciels de manière décrivant l'attitude de Javert.
b. Pourquoi ce personnage est-il particulièrement cynique ?

5 Comment M. Madeleine réagit-il aux paroles de Javert ?

6 Au cœur de ce duel, quelles phrases mettent en avant l'urgence de la situation ?

7 Pourquoi peut-on dire que, dans ce passage, Jean Valjean poursuit le travail entamé par monseigneur Bienvenu ?

Tâche complexe

▶ **Coup de pouce**
• Analysez le champ lexical employé dans le dernier paragraphe.
• Comment évolue le personnage de Valjean au cours de cette scène ?
• En quoi Javert contribue-t-il à cette transformation ?

Vocabulaire

1 *Dévouement* (l. 69) :
a. Cherchez la définition de ce nom dans le dictionnaire.
b. Donnez un verbe de la même famille et employez-le dans une phrase qui mettra son sens en évidence.

2 « Y a-t-il ici quelqu'un qui ait des reins et du cœur ? » (l. 21-22)
a. Que signifie le mot *cœur* dans cette phrase ?
b. Classez les expressions suivantes dans un tableau, selon que le mot *cœur* désigne le courage et la fierté ou la bonté et la pitié.

1. Le cœur lui manqua. **2.** À votre bon cœur. **3.** Vous n'avez pas de cœur. **4.** Faire contre mauvaise fortune bon cœur. **5.** Mettre du cœur à l'ouvrage. **6.** Avoir le cœur sur la main. **7.** Avoir du cœur au ventre. **8.** Un cœur de pierre.

« Il n'y a point de M. Madeleine »

Fantine, poussée par la misère, est amenée à se prostituer pour faire vivre sa fille Cosette, qu'elle a confiée à des aubergistes qui l'exploitent et la maltraitent. M. Madeleine la sauve des mains de Javert qui voulait l'arrêter, la fait admettre à l'hôpital pour la soigner et lui promet de lui ramener sa fille. Mais voilà qu'un homme est accusé d'être Jean Valjean, l'auteur du vol de la pièce à Petit Gervais. Ne pouvant laisser condamner un innocent, M. Madeleine se rend au procès et se dénonce. Il retourne ensuite au chevet de Fantine. Arrive alors Javert.

La Fantine n'avait point vu Javert depuis le jour où M. le maire l'avait arrachée à cet homme. […] Elle ne put supporter cette figure affreuse, elle se sentit expirer, elle cacha son visage de ses deux mains et cria avec angoisse :

5 – Monsieur Madeleine, sauvez-moi !

Jean Valjean, – nous ne le nommerons plus désormais autrement, – s'était levé. Il dit à Fantine de sa voix la plus douce et la plus calme :

– Soyez tranquille. Ce n'est pas pour vous qu'il vient.

Puis il s'adressa à Javert et lui dit :

10 – Je sais ce que vous voulez.

Javert répondit :

– Allons, vite !

Il y eut dans l'inflexion qui accompagna ces deux mots je ne sais quoi de fauve et de frénétique. Javert ne dit pas : Allons, vite ! il dit : Allonouaite !

15 Aucune orthographe ne pourrait rendre l'accent dont cela fut prononcé ; ce n'était plus une parole humaine, c'était un rugissement.

Il ne fit point comme d'habitude ; il n'entra point en matière ; il n'exhiba point de mandat d'amener[1]. Pour lui, Jean Valjean était une sorte de combattant mystérieux et insaisissable, un lutteur ténébreux qu'il étreignait

20 depuis cinq ans sans pouvoir le renverser. Cette arrestation n'était pas un commencement, mais une fin. Il se borna à dire : Allons, vite !

En parlant ainsi, il ne fit point un pas ; il lança sur Jean Valjean ce regard qu'il jetait comme un crampon, et avec lequel il avait coutume de tirer violemment les misérables à lui.

25 C'était ce regard que la Fantine avait senti pénétrer jusque dans la moelle de ses os deux mois auparavant.

Au cri de Javert, Fantine avait rouvert les yeux. Mais M. le maire était là. Que pouvait-elle craindre ?

Javert avança au milieu de la chambre et cria :

30 – Ah çà ! viendras-tu ?

1. Mandat d'amener : ordre écrit émanant de la justice visant à arrêter une personne pour qu'elle soit jugée.

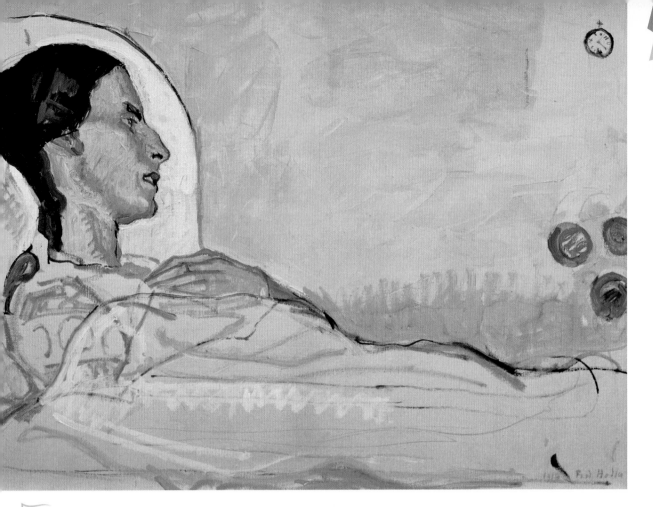

Valentine Godé-Darel dans son lit d'hôpital, Ferdinand Hodler (1853-1918), huile sur toile, 1914, musée d'Art, Soleure.

La malheureuse regarda autour d'elle. Il n'y avait personne que la religieuse et monsieur le maire. À qui pouvait s'adresser ce tutoiement abject ? À elle seulement. Elle frissonna.

Alors elle vit une chose inouïe, tellement inouïe que jamais rien de pareil
35 ne lui était apparu dans les plus noirs délires de la fièvre.

Elle vit le mouchard Javert saisir au collet monsieur le maire ; elle vit monsieur le maire courber la tête. Il lui sembla que le monde s'évanouissait.

Javert, en effet, avait pris Jean Valjean au collet.

– Monsieur le maire ! cria Fantine.

40 Javert éclata de rire, de cet affreux rire qui lui déchaussait toutes les dents.

– Il n'y a plus de monsieur le maire ici !

Jean Valjean n'essaya pas de déranger la main qui tenait le col de sa redingote. Il dit :

– Javert…

45 Javert l'interrompit : – Appelle-moi monsieur l'inspecteur.

– Monsieur, reprit Jean Valjean, je voudrais vous dire un mot en particulier.

– Tout haut ! parle tout haut ! répondit Javert ; on me parle tout haut à moi !

Jean Valjean continua en baissant la voix :

50 – C'est une prière que j'ai à vous faire…

– Je te dis de parler tout haut.

– Mais cela ne doit être entendu que de vous seul…

– Qu'est-ce que cela me fait ? je n'écoute pas !

Jean Valjean se tourna vers lui et lui dit rapidement et très bas :

55 – Accordez-moi trois jours ! trois jours pour aller chercher l'enfant de cette malheureuse femme ! Je payerai ce qu'il faudra. Vous m'accompagnerez si vous voulez. […]

Il [Javert] regarda fixement Fantine et ajouta en reprenant à poignée la cravate, la chemise et le collet de Jean Valjean :

60 – Je te dis qu'il n'y a point de monsieur Madeleine et qu'il n'y a point de monsieur le maire. Il y a un voleur, il y a un brigand, il y a un forçat appelé Jean Valjean ! c'est lui que je tiens ! voilà ce qu'il y a !

Fantine se dressa en sursaut, appuyée sur ses bras roides et sur ses deux mains, elle regarda Jean Valjean, elle regarda Javert, elle regarda la reli-65 gieuse, elle ouvrit la bouche comme pour parler, un râle sortit du fond de sa gorge, ses dents claquèrent, elle étendit les bras avec angoisse, ouvrant convulsivement les mains, et cherchant autour d'elle comme quelqu'un qui se noie, puis elle s'affaissa subitement sur l'oreiller. Sa tête heurta le chevet du lit et vint retomber sur sa poitrine, la bouche béante, les yeux 70 ouverts et éteints.

VICTOR HUGO, *Les Misérables*, 1862.

Lecture

Pour bien lire

1 Que vient faire Javert au lit de mort de Fantine ? Que croit Fantine ?

2 Pourquoi Jean Valjean demande-t-il un répit à Javert ?

3 Quels sentiments éprouvez-vous pour Fantine et Jean Valjean ? pour Javert ?

Pour approfondir

4 Comment Javert s'y prend-il pour humilier Valjean ?

Tâche complexe

▶ **Coup de pouce**
• Quel type de phrases emploie-t-il ?
• Quelles répliques expriment son sentiment de revanche ?
• Lignes 60 à 62 : que remarquez-vous ?

5 Lignes 13 à 24 : à quoi Javert est-il comparé ? Appuyez-vous sur des citations du texte. À quoi Valjean est-il alors assimilé ?

6 **a.** Relevez le champ lexical de la peur dans les passages concernant le personnage de Fantine. Expliquez pourquoi cette peur lui est fatale.
b. L'auteur passe par le regard de Fantine pour décrire la scène de l'arrestation. Que cela apporte-t-il au récit ?

7 En quoi peut-on dire que l'ancien forçat et l'ancienne prostituée appartiennent au peuple des misérables ? Pourquoi Javert peut-il être également qualifié de misérable ? Quel sens donnerez-vous alors à ce mot ?

Vocabulaire

1 *Expirer* (l. 3) :
a. Relevez le préfixe de ce verbe. Quel est son sens ?
b. Modifiez le préfixe pour trouver l'antonyme de ce verbe.

2 *Insaisissable* (l. 19) :
a. Quel est le préfixe de ce mot ? Quel est le sens de ce préfixe ?
b. Classez les mots suivants en deux colonnes selon le sens du préfixe *in* : inaccessible – inadmissible – introduire – invariable – importer – insuffler – indécision – inscrire.

Écriture

« Alors elle vit une chose inouïe, tellement inouïe que jamais rien de pareil ne lui était apparu dans les plus noirs délires de la fièvre » (l. 34-35).

Employez la même structure de phrase pour exprimer :
– l'étonnement d'une personne face au record de vitesse d'un coureur ;
– l'émerveillement d'un enfant devant un jouet ;
– la frayeur d'un marin face à une vague énorme.

Le Radeau de la Méduse

Le Radeau de la Méduse, Théodore Géricault (1791-1824), huile sur toile, 491 x 716 cm, 1819, musée du Louvre, Paris.

Du texte à l'image

Ce tableau est une des œuvres capitales du XIXᵉ siècle. Il évoque le sauvetage de quelques rescapés du naufrage de la frégate *La Méduse* qui sombra en 1816, près des côtes mauritaniennes. Cent cinquante hommes avaient pris place sur un radeau qui dériva pendant dix jours. Quinze passagers étaient survivants quand un vaisseau vint à leur secours.

Une représentation réaliste

1 Qu'est-ce qui vous frappe le plus dans ce tableau ?

2 Observez la composition du tableau :
a. Où se trouvent les cadavres et les personnages à l'agonie ? **b.** Vers quoi les survivants se tournent-ils ? Quel geste font-ils ? Pourquoi ? **c.** Quel personnage se distingue par son attitude et sa position dans le tableau ?

Peindre une tragédie

3 Le jour où les naufragés furent sauvés, la mer était calme et le ciel dégagé.
a. Pourquoi Géricault a-t-il choisi une mer agitée et un ciel tourmenté ?
b. Dans quel sens le vent souffle-t-il ? Qu'est-ce qui vous l'indique ?

4 Quel est l'effet de la lumière sur les corps ? À quel moment du jour sommes-nous ? Que symbolise cette lumière ?

5 Quelles sont les principales couleurs utilisées ? Quelle impression créent-elles ?

6 Pourquoi le peintre a-t-il choisi d'illuminer l'horizon ?

7 À travers ce tableau, qu'a voulu montrer le peintre de la société de son temps ?

« Vous êtes libre »

Jean Valjean parvient à s'échapper des mains de la justice et à récupérer la petite Cosette, qu'il élève comme sa propre fille. Mais il vit traqué et doit sans cesse ruser pour échapper aux griffes de Javert. Lors des émeutes de 1832, Valjean, du côté des insurgés, se fait remarquer par son courage. C'est alors qu'il retrouve Javert que les insurgés ont capturé et qu'ils veulent éliminer.

Ici Jean Valjean apparut.

Il était confondu dans le groupe des insurgés. Il en sortit, et dit à Enjolras[1] :

– Vous êtes le commandant ?

– Oui.

5 – Vous m'avez remercié tout à l'heure.

– Au nom de la République. La barricade a deux sauveurs : Marius Pontmercy[2] et vous.

– Pensez-vous que je mérite une récompense ?

– Certes.

10 – Eh bien, j'en demande une.

– Laquelle ?

– Brûler moi-même la cervelle à cet homme-là.

Javert leva la tête, vit Jean Valjean, eut un mouvement imperceptible, et dit :

– C'est juste.

15 Quant à Enjolras, il s'était mis à recharger sa carabine ; il promena ses yeux autour de lui :

– Pas de réclamations ?

Et il se tourna vers Jean Valjean :

– Prenez le mouchard[3].

20 Jean Valjean, en effet, prit possession de Javert en s'asseyant sur l'extrémité de la table. Il saisit le pistolet, et un faible cliquetis annonça qu'il venait de l'armer. [...]

Quand Jean Valjean fut seul avec Javert, il défit la corde qui assujettissait le prisonnier par le milieu du corps, et dont le nœud était sous la table.
25 Après quoi, il lui fit signe de se lever.

Javert obéit, avec cet indéfinissable sourire où se condense la suprématie de l'autorité enchaînée.

Jean Valjean prit Javert par la martingale[4] comme on prendrait une bête de somme par la bricole[5], et, l'entraînant après lui, sortit du cabaret, len-
30 tement, car Javert, entravé aux jambes, ne pouvait faire que de très petits pas. [...]

Jean Valjean mit le pistolet sous son bras, et fixa sur Javert un regard qui n'avait pas besoin de paroles pour dire : – Javert, c'est moi.

Javert répondit :

35 – Prends ta revanche.

Combat de l'Hôtel de Ville de Paris le 28 juillet 1830, Jean-Victor Schnetz (1787-1870), 1833, musée du Petit Palais, Paris.

1. Enjolras : chef des insurgés.

2. Marius : il est amoureux de Cosette, la fille de Fantine, que Valjean élève et aime.

3. Mouchard : désigne de manière populaire les indicateurs de police.

4. Martingale : ici corde qui emprisonne Javert.

5. Bricole : courroie du harnais qu'on applique aux chevaux.

Jean Valjean tira de son gousset un couteau, et l'ouvrit.

– Un surin[6] ! s'écria Javert. Tu as raison. Cela te convient mieux.

Jean Valjean coupa la martingale que Javert avait au cou, puis il coupa les cordes qu'il avait aux poignets, puis se baissant, il coupa la ficelle qu'il avait aux pieds ; et, se redressant, il lui dit :

– Vous êtes libre.

Javert n'était pas facile à étonner. Cependant, tout maître qu'il était de lui, il ne put se soustraire à une commotion[7]. Il resta béant et immobile.

Jean Valjean poursuivit :

– Je ne crois pas que je sorte d'ici. Pourtant, si, par hasard, j'en sortais, je demeure, sous le nom de Fauchelevent[8], rue de l'Homme-Armé, numéro sept.

Javert eut un froncement de tige[9] qui lui entr'ouvrit un coin de la bouche, et il murmura entre ses dents :

– Prends garde.

– Allez, dit Jean Valjean.

Javert reprit :

– Tu as dit Fauchelevent, rue de l'Homme-Armé ?

– Numéro sept.

Javert répéta à demi-voix : – Numéro sept.

Il reboutonna sa redingote, remit de la roideur militaire entre ses deux épaules, fit demi-tour, croisa les bras en soutenant son menton dans une de ses mains, et se mit à marcher dans la direction des halles. Jean Valjean le suivait des yeux. Après quelques pas, Javert se retourna, et cria à Jean Valjean :

– Vous m'ennuyez. Tuez-moi plutôt.

Javert ne s'apercevait pas lui-même qu'il ne tutoyait plus Jean Valjean :

– Allez-vous-en, dit Jean Valjean.

Javert s'éloigna à pas lents. Un moment après, il tourna l'angle de la rue des Prêcheurs.

Quand Javert eut disparu, Jean Valjean déchargea le pistolet en l'air.

Puis il rentra dans la barricade et dit :

– C'est fait.

Victor Hugo, *Les Misérables*, 1862.

---

6. Surin : poignard.

7. Commotion : choc, traumatisme.

8. Fauchelevent : Jean Valjean se cache sous le nom de l'homme qu'il a sauvé lors de l'accident de charrette et qui l'a sauvé à son tour.

9. Froncement de tige : grimace.

Lecture

Pour bien lire

1 Dans quelles conditions Javert et Valjean se retrouvent-ils ? Pourquoi sommes-nous ici à un moment crucial du récit ?

2 Qu'est-ce qui vous surprend dans l'attitude de Valjean vis-à-vis de Javert ?

Pour approfondir

3 Des lignes 25 à 37, qui parle ? De quelle manière Valjean s'adresse-t-il à Javert ?

4 a. Relevez toutes les actions dont Valjean est le sujet. Que croit Javert ? et le lecteur ?

b. Quelle est l'attitude de Javert tant qu'il se croit condamné ? Relevez les phrases dans lesquelles il s'adresse à Valjean. Quels sentiments traduisent-elles ?

5 Comment réagit-il une fois que Valjean lui annonce sa remise en liberté ? Appuyez-vous sur des citations du texte.

6 Expliquez ces paroles de Javert : « Vous m'ennuyez. Tuez-moi plutôt. » (l. 60)

7 Expliquez l'attitude de Jean Valjean. Pour cela, comparez ce passage avec le texte 1, p. 162.

« Que faire maintenant ? » L'impossible conversion

Javert, libéré par Jean Valjean, vit pour la première fois un cas de conscience : rendre à Jean Valjean ce qu'il lui doit l'oblige à trahir ses principes de policier scrupuleux et intransigeant. Il réfléchit, seul, sur les bords de la Seine.

John Malkovich (Javert), dans le feuilleton de Josée Dayan, 1999, TF1.

Javert appuya ses deux coudes sur le parapet, son menton dans ses deux mains, et, pendant que ses ongles se crispaient machinalement dans l'épaisseur de ses favoris[1], il songea.

Une nouveauté, une révolution, une catastrophe, venait de se passer au
5 fond de lui-même ; et il y avait de quoi s'examiner.

Javert souffrait affreusement.

Depuis quelques heures Javert avait cessé d'être simple. Il était troublé ; ce cerveau, si limpide dans sa cécité[2], avait perdu sa transparence ; il y avait un nuage dans ce cristal. Javert sentait dans sa conscience le devoir
10 se dédoubler, et il ne pouvait se le dissimuler. […]

Il voyait devant lui deux routes également droites toutes deux, mais il en voyait deux ; et cela le terrifiait, lui qui n'avait jamais connu dans sa vie qu'une ligne droite. Et, angoisse poignante, ces deux routes étaient contraires. L'une de ces deux lignes droites excluait l'autre. Laquelle des
15 deux était la vraie ?

Sa situation était inexprimable.

Devoir la vie à un malfaiteur, accepter cette dette et la rembourser, être, en dépit de soi-même, de plain-pied avec un repris de justice, et lui payer un service avec un autre service ; se laisser dire : Va-t'en, et lui dire à son
20 tour : Sois libre ; sacrifier à des motifs personnels le devoir, cette obligation générale, et sentir dans ces motifs personnels quelque chose de général aussi, et de supérieur peut-être ; trahir la société pour rester fidèle à sa conscience ; que toutes ces absurdités se réalisassent et qu'elles vinssent s'accumuler sur lui-même, c'est ce dont il était atterré. […]
25 Où en était-il ? Il se cherchait et ne se trouvait plus.

Que faire maintenant ? Livrer Jean Valjean, c'était mal ; laisser Jean Valjean libre, c'était mal. Dans le premier cas, l'homme de l'autorité tombait plus bas que l'homme du bagne ; dans le second, un forçat montait plus haut que la loi et mettait le pied dessus. Dans les deux cas, déshonneur
30 pour lui Javert. Dans tous les partis qu'on pouvait prendre, il y avait de la chute. La destinée a de certaines extrémités à pic sur l'impossible, et au-delà desquelles la vie n'est plus qu'un précipice. Javert était à une de ces extrémités-là. […]

Jean Valjean, c'était là le poids qu'il avait sur l'esprit.

1. Favori : touffe de poils qu'un homme laisse pousser sur sa joue, de chaque côté du visage.

2. Cécité : aveuglement.

Soir d'orage,
Eugene Fredrik
Jansson (1862-1915),
huile sur toile, 1898,
Nasjonalmuseet, Oslo.

35   Jean Valjean le déconcertait. Tous les axiomes[3] qui avaient été les points d'appui de toute sa vie s'écroulaient devant cet homme. La générosité de Jean Valjean envers lui Javert l'accablait. D'autres faits, qu'il se rappelait et qu'il avait autrefois traités de mensonges et de folies, lui revenaient maintenant comme des réalités. M. Madeleine reparaissait derrière Jean Valjean, 40 et les deux figures se superposaient de façon à n'en plus faire qu'une, qui était vénérable. Javert sentait que quelque chose d'horrible pénétrait dans son âme, l'admiration pour un forçat. Le respect d'un galérien, est-ce que c'est possible ? Il en frémissait, et ne pouvait s'y soustraire. Il avait beau se débattre, il était réduit à confesser dans son for intérieur la sublimité de 45 ce misérable. Cela était odieux.

3. **Axiome :** règle.

Un malfaiteur bienfaisant, un forçat compatissant, doux, secourable, clément, rendant le bien pour le mal, rendant le pardon pour la haine, préférant la pitié à la vengeance, aimant mieux se perdre que de perdre son ennemi, sauvant celui qui l'a frappé, agenouillé sur le haut de la vertu,
50 plus voisin de l'ange que de l'homme ! Javert était contraint de s'avouer que ce monstre existait. […]

Javert pencha la tête et regarda. Tout était noir. […] On ne voyait rien, mais on sentait la froideur hostile de l'eau et l'odeur fade des pierres mouillées. Un souffle farouche montait de cet abîme. […] Tout à coup, il
55 ôta son chapeau et le posa sur le rebord du quai. Un moment après, une figure haute et noire, que de loin quelque passant attardé eût pu prendre pour un fantôme, apparut debout sur le parapet, se courba vers la Seine, puis se redressa et tomba droite dans les ténèbres ; il y eut un clapotement sourd ; et l'ombre seule fut dans le secret des convulsions de cette forme
60 obscure disparue sous l'eau.

⟜ **Victor Hugo**, *Les Misérables*, 1862.

Parcours de lecture ★

1 Quel est le cas de conscience dans lequel se trouve Javert ?

2 À quels paragraphes correspondent les titres suivants :
– Javert comprend qu'il existe des devoirs moraux supérieurs aux devoirs imposés par la loi ;
– Javert comprend qu'il se déshonore quel que soit son choix ;
– Javert éprouve de l'admiration pour Valjean.

3 Quelle solution Javert choisit-il finalement ? Pourquoi ?

4 À partir de la ligne 11, quelle métaphore l'auteur emploie-t-il pour exprimer le cas de conscience de Javert ?

5 **a.** À partir de la ligne 36, relevez les antithèses et oxymores qui montrent les oppositions auxquelles Javert est confronté.
b. Dans quel passage Valjean est-il décrit comme un saint ? Quel nom désignant Valjean vient clore ce portrait ? En vous aidant d'un dictionnaire, expliquez l'emploi de ce terme ici.

6 Dans le dernier paragraphe, relevez le champ lexical de la noirceur. Dans la symbolique chrétienne, qu'appelle-t-on le monde des ténèbres ? À quoi s'apparente cette mort ?

Vocabulaire

1 *Atterrer* (l. 24) :
a. Trouvez trois synonymes à ce verbe.
b. Employez ces quatre verbes dans des phrases de votre choix, d'abord à la voix active puis à la voix passive.

2 *Inexprimable* (l. 16) : expliquez la construction de cet adjectif.

ou Parcours de lecture ★★★

1 Expliquez la phrase suivante : « Depuis quelques heures Javert avait cessé d'être simple » (l. 7).

2 Comment l'auteur s'y prend-il pour montrer le tourment dans lequel Javert est plongé ? Soyez attentifs à l'emploi des figures de style : comparaisons, métaphores, figures d'opposition…

3 En quoi le personnage de Javert est-il en totale opposition avec celui de Valjean ?

Écriture

Votre meilleur ami a commis un vol dont vous avez été le témoin : que faire ? Le dénoncer ou le couvrir ?

Évoquez dans un paragraphe votre questionnement en mettant en évidence le dilemme de la situation. Désignez cet ami par une série d'antithèses que vous construirez à l'aide des mots suivants : *vil / noble – droit / fourbe – insensé / raisonnable*.

Une vision historique

✳ Le roman de Victor Hugo est ancré dans **l'histoire du xixe siècle** : les personnages subissent de plein fouet la misère qui régnait à cette époque dans certains milieux. C'est la faim qui pousse Jean Valjean au vol et Fantine à la prostitution.

✳ De même les **grands événements** du récit sont liés à la tourmente des événements historiques : Jean Valjean et Javert se retrouvent pour la dernière fois sur les barricades de 1832. L'histoire apparaît donc comme une force qui pousse les personnages à différentes extrémités.

Une vision poétique et morale

✳ Le **contexte social** est l'occasion pour Victor Hugo de mettre en scène **l'universel drame humain**. Les personnages ne sont pas juste en lutte avec la misère sociale mais également avec la **misère morale**. Jean Valjean apprend à la dépasser et se montre capable de **grandeur rédemptrice**, tandis que Javert s'avère incapable de toute évolution et refuse aux autres cette possibilité. L'un est attentif au petit et au pauvre, l'autre demeure indifférent aux hommes, confondant justice et autorité. Leur affrontement les mène l'un au dépassement sublime, l'autre à la chute et à la mort.

 ## La force d'une écriture

✳ Pour Victor Hugo, l'écrivain est chargé d'une mission et doit être **le guide et l'éducateur du peuple**. Ainsi souhaite-t-il frapper l'esprit et l'imagination de son lecteur de diverses façons.

✳ Il met souvent en place **des oppositions**, tant dans les situations que vivent ses personnages que dans son écriture, où l'on retrouve souvent la figure de l'antithèse. Il emploie volontiers les figures de **l'exagération**, comme l'hyperbole. Enfin, il aime surprendre son lecteur par des retournements de situation ou en **théâtralisant** l'apparition de ses personnages.

✳ Ainsi, l'œuvre hugolienne, tissée de symboles religieux, raconte le **combat du bien et du mal**, la tension entre damnation et rédemption. Cette symbolique donne au récit une **dimension épique** et transforme les personnages en véritables **figures mythiques**.

Affiche du film de Jean-Paul Le Chanois, 1958, collection Pathé.

Accentuer les traits d'un portrait

1 ★ Remplacez les expressions en gras par un terme **plus expressif** : *béant – égaré – abject – ruisselant de – une éternité – interdit – diablement – grotesque – morne – extravagant*. **Accordez si nécessaire.**
1. Fantine semblait **perdue** au milieu de cette tourmente. – 2. Un sourire **bien laid** se dessina sur le visage de Javert. – 3. Valjean, **trempé par la** sueur, fit un dernier effort pour soulever la charrette. – 4. Cet homme est **très fort** ! s'écria Javert. – 5. Cette après-midi grise était **bien triste**. – 6. La blessure du soldat était **grande ouverte**. – 7. Elle portait toujours des chapeaux **bizarres**. – 8. Il demeura **très surpris** à l'annonce de cette nouvelle. – 9. Nous vîmes arriver un homme à l'allure **ridicule**. – 10. Je vous attends depuis **bien longtemps**.

2 ★ a. Trouvez des adjectifs évoquant l'intensité construits sur le même radical que les termes suivants : *astronomie – colosse – prodige – exorbité – mesure – monstre*.
b. Employez ces adjectifs dans une phrase de votre composition.
c. Trouvez trois adjectifs signifiant « très petit ».

3 ★★ Pour évoquer la perfection, trouvez un adjectif de la même famille que les mots suivants : *Dieu – ciel – absolument – idée*.
Employez ces adjectifs dans une phrase de votre composition.

4 ★★ Les préfixes *sur-* et *hyper-* permettent d'évoquer l'intensité. Choisissez l'un de ces préfixes pour mettre au superlatif les adjectifs suivants : *abondant – sensible – nerveux – doué – peuplé – tendu – humain – chargé*.

5 ★★ À partir des noms suivants, trouvez des adjectifs pour évoquer la vitesse. Employez-les dans une phrase de votre composition : *vivacité – frénésie – précipitation – diable*.

6 ★★ Voici des noms exprimant la colère. Classez-les du plus faible au plus fort : *emportement – rage – courroux – irritation – furie – mécontentement – exaspération*.
Trouvez trois verbes synonymes de « se mettre très en colère ».

7 ★★ Voici des verbes exprimant l'émotion. Classez-les du plus faible au plus fort. Donnez pour chacun d'eux un nom de la même famille : *perturber – bouleverser – émouvoir – troubler – ébranler*.

8 ★★ Complétez les phrases par les termes suivants évoquant la difficulté : *fastidieux – insurmontable – infranchissable – inextricable – laborieux*.
1. Cette étape de montagne est ... pour qui ne s'est pas entraîné très régulièrement. – 2. Le prisonnier s'arrêta au pied d'un mur ... . – 3. Il s'est mis dans une situation ... . – 4. Classer ces fiches paraît vraiment ... . – 5. Il s'est lancé dans un travail ... auquel il a consacré ses plus belles années.

9 ★★ En vous aidant d'un dictionnaire, regroupez les adjectifs suivants par couples d'antonymes.
Liste 1 : *audacieux – intègre – nonchalant – avenant – taciturne – courtois – gauche – loyal*.
Liste 2 : *grossier – craintif – habile – bourru – énergique – perfide – volubile – corrompu*.

10 ★★ Trouvez l'antonyme des adjectifs suivants en leur ajoutant un préfixe ou en les modifiant : *cultivé – bienveillant – résolu – loyal – courtois – délicat*.

11 ★★ Regroupez les mots suivants par couples de synonymes et soulignez celui qui a une connotation péjorative.
Liste 1 : *persévérant – hardi – fier – discret – indulgent – humble*.
Liste 2 : *obstiné – soumis – arrogant – faible – effacé – téméraire*.

12 ★★★ Complétez les phrases avec les adjectifs suivants : *intègre – perspicace – froid – austère – magnanime – prévenant – impassible – inflexible*.
1. Sherlock Holmes est un détective ... à qui aucun indice n'échappe. – 2. Notre hôte se montra très ... et nous offrit même ses services lorsqu'il fallut monter les bagages. – 3. On proposa au juge une belle somme pour acheter son silence, mais il était ... et refusa catégoriquement. – 4. Elle suppliait Barbe-Bleue de lui laisser la vie sauve, mais il demeurait ... . – 5. Son regard cruel et ... la terrifiait. – 6. Ce roi ... libéra les ennemis et les laissa rentrer dans leur royaume. – 7. Lorsqu'on l'amena au bûcher, elle monta vers le supplice, ... et fière. – 8. Cet homme ... jeûnait souvent et ne souriait qu'en de rares occasions.

13 ★★★ Donnez un nom de la même famille que les adjectifs suivants : *vertueux – hardi – bienveillant – résolu – lucide – persévérant – loyal – brave – fougueux – intransigeant – déterminé*.

Mettre en scène un personnage

→ Créer un effet d'attente

1

« La porte s'ouvrit. Elle s'ouvrit vivement, toute grande, comme si quelqu'un la poussait avec énergie et résolution. (**HUGO**)

a. Relevez les groupes qui permettent de préciser la manière dont la porte s'ouvre : quelle est leur nature ?

b. Employez la même structure de phrase pour évoquer l'arrivée d'un personnage réservé et timide, puis celle d'un personnage hors de lui.

2 Rejetez en fin de phrase le sujet et le verbe, afin de créer un effet d'attente.

Exemple : Tout à coup, à la fenêtre voisine de celle où étaient les enfants, sur le fond pourpre du flamboiement, une haute figure apparut. (HUGO)

1. Et tout à coup, le sanglier passa, brisant les branches, couvert de sang, secouant les chiens qui s'attachaient à lui. (MAUPASSANT)

2. Soudain l'homme s'abattit, touché en pleine poitrine, tournoyant sur lui-même.

3. Soudain un déluge d'eau croula, dans la cour, juste derrière lui, comme une écluse qui s'ouvre.

4. Un vol d'oies sauvages passa, poussant d'aigres cris et déchirant le ciel gris d'automne.

3 Insérez des propositions entre le sujet et l'attribut.

Exemple : Ce vieillard, qui avait sur la tête une calotte rouge, était enveloppé dans une vaste robe de chambre et portait des bas de soie pourprés, n'était rien moins qu'Armand Duplessis, Cardinal de Richelieu. (VIGNY)

a. Délimitez dans cette phrase le sujet, les propositions qui le complètent, le verbe, l'attribut.

b. Dans les phrases suivantes, ajoutez des compléments au sujet :

1. Cette fillette ... était bien l'enfant adorée de Fantine.

2. Ce grand personnage ... n'était rien moins que le diable en personne.

3. Cet homme ... était en réalité Javert lui-même.

c. En vous inspirant de la phrase de Vigny, évoquez un personnage célèbre : un homme politique, un chanteur, un sportif...

→ Mettre en relief

4 Mettez en relief le COD de la phrase avec le présentatif *ce que... c'est...*

Exemple : Ce qu'on avait sous les yeux, c'était une haute tour, ronde, toute seule, au coin du bois comme un malfaiteur. (HUGO)

1. Il veut me dire que je suis dans mon tort et que je devrais tourner le dos à toute cette affaire. – **2.** Il aperçoit au loin sa maison qui brûle et jette des reflets rougeoyants dans la nuit. – **3.** On entend dans le grenier les pas d'une chouette qui va et vient sur le vieux plancher. – **4.** Elle cherche à lui montrer tout le bonheur qu'elle éprouve depuis son retour. – **5.** Il t'explique qu'il ne remettra plus jamais les pieds dans ce village où il a grandi.

5 Mettez en valeur le groupe en caractères gras par une mise en apposition au début de la phrase.

*Exemple : **Il était droit, debout, adossé aux échelons face au précipice** et il se mit à descendre l'échelle en silence avec une majesté de fantôme.*
→ *Droit, debout, adossé aux échelons face au précipice, il se mit à descendre l'échelle en silence avec une majesté de fantôme.*

1. Quelques gouttes de pluie, qui étaient **lourdes et tièdes,** tombaient à travers l'air humide et à peine rafraîchi.

2. Anna, qui était **toujours nerveuse et préoccupée**, parlait beaucoup, les mains souvent en mouvement.

3. Il parut **interloqué**, se tut et roula des prunelles sauvages.

▶ **Le saviez-vous ?**

Lorsqu'elle est voulue, la répétition donne de la force à une idée ou à un sentiment.

Exemple : Alors elle vit une chose inouïe, tellement inouïe que jamais rien de pareil ne lui était apparu dans les plus noirs délires de la fièvre.
Elle vit le mouchard Javert saisir au collet monsieur le maire ; elle vit monsieur le maire courber la tête. Il lui sembla que le monde s'évanouissait. (HUGO)

6 Employez les mêmes structures de phrase et des répétitions volontaires pour évoquer la peur d'un personnage qui entend un bruit étrange, puis la joie d'un personnage qui fait une découverte extraordinaire. Vous commencerez ainsi :
1. Alors elle entendit...
2. Alors il découvrit...

Réaliser le portrait d'un héros

> De sourds craquements se mêlaient aux pétillements du brasier. Les vitres des armoires de la bibliothèque se fêlaient, et tombaient avec bruit. Il était évident que la charpente cédait. Aucune force humaine n'y pouvait rien. Encore un moment et tout allait s'abîmer. On n'attendait plus que la catastrophe. On entendait les petites voix répéter : Maman ! maman ! On était au paroxysme de l'effroi.
>
> VICTOR HUGO, *Quatre-vingt-treize*.

Imaginez la suite de ce texte : une figure héroïque arrive et vient sauver les enfants. Faites le portrait de ce personnage et montrez ses qualités à travers les différentes actions qu'il mène.

Jean Valjean soutenant l'atlante à Toulon, dessin au fusain d'Émile Bayard (1837-1891), musée Victor-Hugo, Paris.

➡ Bâtir un plan

• Vous construirez cette suite de texte en **trois parties** :
– apparition et présentation du héros ;
– portrait en action, ponctué des réactions de la foule ;
– dénouement heureux ou tragique.

➡ Construire le portrait

• À la manière de Victor Hugo, **mettez en scène l'arrivée du personnage**, sans dévoiler immédiatement son identité et de manière à créer un effet d'attente.

• Construisez le **portrait physique** du héros en le liant étroitement au **portrait moral**. Faites un **portrait en action** : c'est à travers ses actes et son attitude que le personnage révèle son caractère.

➡ Utiliser des procédés de mise en relief

• Mettez en valeur les qualités du héros par des **structures syntaxiques** particulières : répétitions, rejet de l'attribut du sujet en fin de phrase, mise en valeur de l'adjectif par l'apposition, emploi de la structure *ce que... c'est*.

• Employez des mots pour amplifier votre description (voir p. 180).

• Évoquez les réactions des gens qui assistent au sauvetage : effroi, admiration... Vous pouvez introduire du discours direct.

Des livres

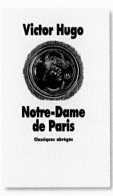

Notre-Dame de Paris, **Victor Hugo**, « Classiques abrégés », L'école des loisirs, 1985.

Au cœur du Paris médiéval, la belle bohémienne Esmeralda est convoitée par Frollo, le sombre archidiacre de Notre-Dame, qui garde sous sa coupe un monstrueux sonneur de cloches appelé Quasimodo. Mais son cœur est pour Phoebus, le bel officier…

David Copperfield, **Charles Dickens**, Hachette jeunesse, édition abrégée, 2002.

Un autre héros aux prises avec la misère du XIXe siècle, mais cette fois, il s'agit d'un jeune garçon, maltraité par son beau-père, qui est envoyé en pension et travaille à Londres pour survivre. Il n'a plus qu'une idée en tête : retrouver sa liberté et son bonheur perdu.

Le Comte de Monte-Cristo, **Alexandre Dumas**, en 2 volumes, Le Livre de poche jeunesse, 2007.

Injustement emprisonné, le comte de Monte-Cristo entreprend de se venger de tous ceux qui ont œuvré à son arrestation. Un parcours opposé à celui de Jean Valjean.

Des films

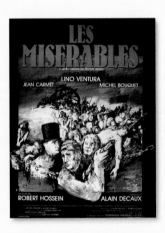

Les Misérables, **Raymond Bernard**, 1934.

Une version admirable du roman de Victor Hugo, un film expressionniste qui, par ses choix artistiques, participe avec force à l'intensité dramatique.

Les Misérables, **Robert Hossein**, 1982.

Cette version plus récente met en valeur, par le jeu des acteurs, le duel entre Valjean et Javert, incarnés par Lino Ventura et Michel Bouquet.

La vie est belle, **Frank Capra**, 1946.

Au bord du suicide, George Bailey est éclairé par un ange gardien qui lui montre ce qu'aurait été la vie de certaines personnes, s'il n'avait pas existé. Ce personnage va alors changer de vie et reprendre foi en l'homme.

L'amour, la poésie

▶ Que nous dit de l'amour la poésie lyrique ?

Texte écho

Pistes pour un EPI **Musique**

▶ Le mythe d'Orphée et l'opéra ; la mise en musique des poèmes de la Renaissance au XXe siècle ; mettre des poèmes en musique ou en voix.

Le Baiser, de Gustav Klimt (1862-1918), huile sur toile, 180 x 180 cm, 1908, Österreichische Galerie im Belvedere, Vienne.

1 Observez la manière dont le couple est enlacé, ainsi que les tissus qui les entourent. Qu'a voulu montrer le peintre ?

2 Comparez les motifs employés sur les étoffes couvrant chaque personnage : que constatez-vous ?

3 Quel effet produit l'emploi de la couleur dorée ?

Le lyrisme

Des origines antiques

• L'amour est un thème privilégié de la poésie lyrique, qui doit son nom à la **lyre, instrument qui, dans l'Antiquité grecque, accompagne le chant des poètes**. Dans la mythologie, c'est aux accents de cet instrument qu'Orphée parvient à dompter les bêtes sauvages et à suspendre les supplices des Enfers où il s'est rendu afin d'aller chercher Eurydice, sa bien-aimée. Lorsqu'il demeure inconsolable après la disparition de celle-ci, c'est toujours accompagné de sa lyre qu'il passe le reste de ses jours à chanter son chagrin et sa mélancolie (voir p. 212).

• Ainsi la poésie lyrique est-elle liée à la **destinée de l'homme** et à l'**évocation des sentiments personnels**.

Questions

1 Quelle est l'origine du mot *lyrisme* ?

2 Pourquoi l'histoire d'Orphée et Eurydice est-elle tragique ?

Orphée, Lechter Melchior (1865-1936), pastel sur papier transposé sur carton, 1896, Münster.

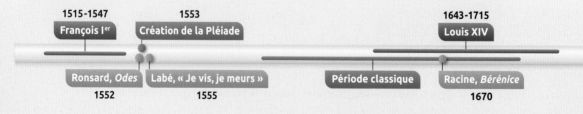

1515-1547
François I er

1553
Création de la Pléiade

1643-1715
Louis XIV

Ronsard, *Odes*
1552

Labé, « Je vis, je meurs »
1555

Période classique

Racine, *Bérénice*
1670

Le Printemps, Sandro Botticelli
(1445-1510), musée des Offices, Florence.

Du Moyen Âge à l'âge classique

• Avec la **Renaissance**, la poésie devient une **expression plus personnelle** et authentique qui permet d'évoquer les tumultes de la vie et les angoisses qui s'ensuivent.

• **Les poètes s'inspirant de l'Antiquité grecque et latine donnent alors une nouvelle forme au lyrisme :** à travers odes et sonnets, ils **chantent l'amour** en multipliant les comparaisons avec la nature et en introduisant une méditation sur la destinée et les ravages du temps.

• À partir du XVIIᵉ siècle, durant la **période classique**, les poètes privilégient l'éloquence et n'ont plus goût pour les confidences. Les plus beaux passages lyriques se retrouvent alors non dans la poésie, mais dans les **tragédies de Corneille et de Racine**.

Questions

3 En feuilletant le chapitre, citez deux poètes de la Renaissance.

4 Quel genre privilégie l'expression lyrique au XVIIᵉ siècle ?

Les débuts de la modernité

• Il faut attendre **la fin du XVIIIᵉ siècle** pour assister à un **renouveau du lyrisme**. Le poète prend alors des **libertés avec les contraintes formelles** et, tout en privilégiant l'imagination et la sensibilité, n'hésite pas à s'emparer de sujets nouveaux. **Ces poètes, comme Baudelaire ou Desbordes-Valmore**, dépeignent leur passion tout en recherchant l'expression de l'intimité.

• Au **XXᵉ siècle**, certains poètes poursuivront dans ce sens tout en accordant plus d'importance à la recherche de **nouvelles formes d'écriture** et en s'ouvrant aux **innovations du monde moderne**.

Les deux saltimbanques
Pablo Picasso (1881-1973), huile sur toile, 1901, musée Pouchkine, Moscou.

Questions

5 À quel siècle appartiennent Baudelaire, Apollinaire ?

6 Cherchez des précisions sur le mythe d'Orphée : http://mythologica.fr/grec/orphee.htm.

> Éducation aux médias

7 Quels furent ses exploits lors de son périple avec les Argonautes ? Comment mourut-il ?

8 Quels sont les artistes qui s'inspirent du mythe en musique et en peinture ?

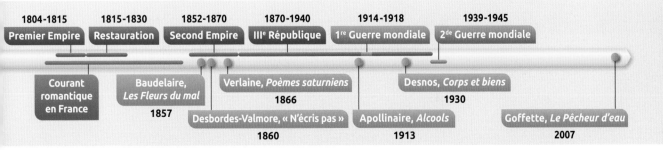

1804-1815	1815-1830	1852-1870	1870-1940	1914-1918	1939-1945
Premier Empire	Restauration	Second Empire	IIIᵉ République	1ʳᵉ Guerre mondiale	2ᵈᵉ Guerre mondiale

Courant romantique en France

Baudelaire, *Les Fleurs du mal*
1857

Verlaine, *Poèmes saturniens*
1866

Desbordes-Valmore, « N'écris pas »
1860

Apollinaire, *Alcools*
1913

Desnos, *Corps et biens*
1930

Goffette, *Le Pêcheur d'eau*
2007

Ode à Cassandre

La légende veut qu'en 1544, au cours d'un bal, à Blois, Ronsard rencontre Cassandre Salviati, qui sera sa première inspiratrice. Il a vingt ans, elle en a treize. Il écrira en mémoire d'elle son premier recueil, qui lui vaudra la gloire.

Pierre de Ronsard

(1524-1585)
Poète à la cour de François Ier, Ronsard fonde avec Du Bellay le groupe de la Pléiade, qui cherche à renouveler la poésie française en jouant davantage sur les ressources de la langue. Ensemble, ces poètes vont rédiger les premiers traités de versification, qui fixent les règles de la poésie.

À Cassandre

Mignonne, allons voir si la rose
Qui ce matin avait déclose[1]
Sa robe de pourpre au soleil,
A point perdu cette vêprée[2]
5 Les plis de sa robe pourprée,
Et son teint au vôtre pareil.

Las ! voyez comme en peu d'espace,
Mignonne, elle a dessus la place,
Las, las ses beautés laissé choir[3] !
10 Ô vraiment marâtre Nature,
Puisqu'une telle fleur ne dure
Que du matin jusques au soir !

Donc, si vous me croyez, mignonne,
Tandis que votre âge fleuronne
15 En sa plus verte nouveauté,
Cueillez, cueillez votre jeunesse :
Comme à cette fleur, la vieillesse
Fera ternir votre beauté.

Pierre de Ronsard, *Odes*, 1552.

1. **Déclore** : ouvrir, éclore.
2. **Vêprée** : soir.
3. **Choir** : tomber

Tenture de la Dame à la licorne : *l'odorat*, entre 1484 et 1500, musée de Cluny, Paris.

Lecture

Pour bien lire

1 Décrivez la forme de ce poème (strophes, types de vers, rimes utilisées).

2 À qui le poète s'adresse-t-il ? Que propose-t-il à la personne à qui il s'adresse ?

3 Résumez le propos de chaque strophe : quel est le rôle de la dernière strophe ? Justifiez votre réponse en relevant une conjonction de coordination.

Pour approfondir

4 **a.** Comment le poète établit-il, dans la première strophe, une comparaison entre la rose et la jeune fille ? Quelle image a-t-on de l'une et de l'autre ?
b. Comment cette métaphore est-elle prolongée dans la troisième strophe ?

5 Relevez dans la première strophe les compléments circonstanciels de temps : que suggèrent-ils ?

6 **a.** Dans la deuxième strophe, quels éléments traduisent la plainte du poète ?

b. Qui est désigné par le terme *marâtre* (v. 10) : comment expliquez-vous son emploi ?

7 À quel mode est le premier verbe du texte ? Où retrouve-t-on ce mode par la suite ? Quelle en est la valeur ?

8 **a.** Quel enseignement le poète tire-t-il de l'observation de la nature ?
b. À votre avis, dans quel but transmet-il cet enseignement à celle qu'il aime ?
c. Comment le poète peut-il lutter contre la fuite du temps et la disparition de la beauté ?

Vocabulaire

1 Analysez la formation du mot *déclose* (v. 2) et expliquez son sens.

2 Quelle couleur désigne le mot *pourpre* (v. 3) ?

3 Qu'est-ce qu'une *marâtre* (v. 10) ? Comment ce mot est-il formé ?

4 Cherchez la définition du verbe *ternir* (v. 18) et donnez un adjectif de la même famille, puis un antonyme de cet adjectif.

Horace

(65-8 avant J.-C.)
Poète romain proche d'Auguste. Il célèbre à la fois les victoires et les vertus de l'empereur. Il développe aussi des thèmes plus lyriques, comme l'amour de la vie et la hantise de la mort, et sa poésie influencera toute la poésie européenne, notamment à travers le thème du *carpe diem* (profite de l'instant présent).

Texte écho

Ode à Leuconoé

Ne cherche pas, Leuconoé, c'est sacrilège,
Quelle fin les dieux nous ont donnée ; les horoscopes,
Ne les consulte pas : mieux vaut subir les choses !
Que Jupiter nous accorde ou non d'autres hivers

5 Après cette tempête qui brise la mer tyrrhénienne
Sur les écueils rongés, sois sage, filtre ton vin,
Coupe les ailes de l'espoir. Nous parlons, le temps fuit,
Jaloux de nous. Cueille le jour sans croire à demain.

HORACE, *Odes*, I, 11, 23 av. J.-C., traduction de Jean-Yves Maleuvre.

Parcours de lecture ★★

1 **a.** À qui le poète s'adresse-t-il ?
b. Que l'invite-t-il à ne pas faire ? À votre avis pourquoi ?

2 **a.** Dans la seconde strophe, quelle image l'auteur emploie-t-il pour évoquer les dangers de la vie ? **b.** Quelle leçon en tire-t-il ? Suggère-t-il, comme Ronsard, de profiter des plaisirs de l'existence ?

ou Parcours de lecture ★★★

3 Quels points communs constatez-vous entre ce poème et celui de Ronsard ?

Tâche complexe

Vanité avec crâne, Letellier (1668-1694), musée des Beaux-Arts, Dunkerque.

Du texte à l'image

1 Qu'est-ce qu'une nature morte en peinture ?

2 Observez les différents objets et classez-les dans un tableau selon ce qu'ils symbolisent.

Le luxe	Les beautés de la nature	La culture	Le temps qui passe

3 **a.** Quel adjectif signifie « qui ne dure pas » ?
b. Qu'a voulu montrer le peintre en posant un crâne au cœur de cette composition ?

4 Que signifie l'adjectif *vain* ? À votre avis, pourquoi a-t-on appelé ce genre de peinture une *vanité* ?

Je vis, je meurs

Louise Labé

(1524-1566)
Issue d'un milieu bourgeois, elle fait des études à Lyon, grand foyer de l'humanisme en France, et fréquente les poètes de la Pléiade. On dit même qu'elle eut Du Bellay pour amant. Elle fit scandale avec ses poèmes qui célèbrent la passion amoureuse.

1. **Froidure** : le froid répandu dans l'air.
2. **Maint, mainte** : plusieurs.
3. **Grief, ève** : qui est grave, accablant.
4. **Inconstamment** : avec inconstance et légèreté.
5. **Heur** : bonne fortune, chance.

Je vis, je meurs ; je me brûle et me noie ;
J'ai chaud extrême en endurant froidure[1] :
La vie m'est et trop molle et trop dure.
J'ai grands ennuis entremêlés de joie.

5 Tout à un coup je ris et je larmoie,
Et en plaisir maint[2] grief[3] tourment j'endure ;
Mon bien s'en va, et à jamais il dure ;
Tout en un coup je sèche et je verdoie.

Ainsi Amour inconstamment[4] me mène ;
10 Et, quand je pense avoir plus de douleur,
Sans y penser je me trouve hors de peine.

Puis, quand je crois ma joie être certaine,
Et être au haut de mon désiré heur[5],
Il me remet en mon premier malheur.

> **LOUISE LABÉ**, *Sonnets*, vers 1555.

Lecture

Pour bien lire

1 Présentez formellement ce poème : type de poème, de strophes, de vers, disposition des rimes.

2 Qui parle dans ce poème ?

3 Relevez, dans chaque strophe, les termes qui s'opposent : que pouvez-vous en déduire de l'état d'esprit de la poétesse ?

4 D'après le vers 9, qui est responsable de cet état d'esprit ? Quelle figure de style est employée ?

Pour approfondir

5 Dans quel vers la poétesse se compare-t-elle à une plante ? Comment appelle-t-on cette figure de style ?

6 a. Relisez les deux dernières strophes : sont-elles aussi construites sur une série d'oppositions ? Développez votre réponse. **b.** En quoi peut-on dire que le dernier vers du poème nous ramène au premier vers ?

7 Quelle image ce poème donne-t-il de la passion amoureuse ? Vous paraît-elle enviable ? Justifiez votre réponse.

Vocabulaire

1 Analysez la formation du mot *froidure* (v. 2) et, avec le même suffixe, fabriquez des noms sur les radicaux suivants : *cheveu – vert – voile*.

2 a. Sur quel radical le verbe *larmoyer* (v. 5) est-il formé ? Déduisez-en son sens. **b.** Relevez dans le poème un autre verbe formé avec le même suffixe. **c.** Avec le même suffixe, formez des verbes à partir des mots suivants : *fête – rude – pitié – flamme – guerre – onde – tourner*. Choisissez trois verbes et employez-les dans des phrases de votre invention.

3 Donnez des synonymes du mot *tourment* (v. 6).

Bérénice

Titus, empereur de Rome, aime Bérénice, reine de Palestine, et lui promet de l'épouser, mais le peuple romain n'est pas favorable à ce mariage et Titus décide d'y renoncer pour la gloire de Rome.

TITUS

[…] Je sais tous les tourments où ce dessein me livre.
Je sens bien que sans vous je ne saurais plus vivre,
Que mon cœur de moi-même est prêt à s'éloigner,
Mais il ne s'agit plus de vivre, il faut régner.

BÉRÉNICE

5 Eh bien ! régnez, cruel, contentez votre gloire :
Je ne dispute[1] plus. J'attendais, pour vous croire,
Que cette même bouche, après mille serments
D'un amour qui devait unir tous nos moments,
Cette bouche, à mes yeux s'avouant infidèle,
10 M'ordonnât elle-même une absence éternelle.
Moi-même j'ai voulu vous entendre en ce lieu.
Je n'écoute plus rien, et pour jamais Adieu…
Pour jamais ! Ah, Seigneur ! songez-vous en vous-même
Combien ce mot cruel est affreux quand on aime ?
15 Dans un mois, dans un an, comment souffrirons-nous,
Seigneur, que tant de mers me séparent de vous ?

Jean Racine
....

(1639-1699)
Il est l'un des plus grands auteurs de tragédie de la période classique, et l'un des favoris de Louis XIV. Il s'inspire des tragédies grecques qu'il réécrit pour mettre en valeur la passion amoureuse dévastatrice. Les personnages de ces tragédies, rois ou empereurs, tentent en vain de lutter contre une passion qui les anime et les détruit tout à la fois.

1. Disputer : discuter, débattre.

Séparation,
Edvard Munch (1863-1944), vers 1896, Munch-Museet, Oslo.

Que le jour recommence et que le jour finisse,
Sans que jamais Titus puisse voir Bérénice,
Sans que de tout le jour je puisse voir Titus ?
20 Mais quelle est mon erreur, et que de soins perdus !
L'ingrat, de mon départ consolé par avance,
Daignera-t-il compter les jours de mon absence ?
Ces jours si longs pour moi lui sembleront trop courts.

JEAN RACINE, *Bérénice*, 1670, Acte IV, scène 5.

Parcours de lecture ★

1 a. De quel genre de scène s'agit-il : une rencontre amoureuse ? une déclaration ? une rupture ?
b. Qui sont les personnages ? À quel milieu appartiennent-ils ?

2 Relevez dans la réplique de Titus une tournure verbale qui exprime le devoir : à quoi Titus oppose-t-il ce devoir ?

3 a. Bérénice est-elle surprise de ce qu'elle apprend ? Justifiez votre réponse par une citation.
b. *Résignation* : donnez un adjectif de la même famille que ce nom et expliquez son sens. Dans quel passage Bérénice se montre-t-elle résignée ?
c. Dans quel passage exprime-t-elle la souffrance de la séparation ?

4 a. Comment Bérénice nomme-t-elle Titus au vers 5 ? Qu'est-ce qui justifie l'emploi de ce terme ? Comment le nomme-t-elle à partir du vers 13 ?
b. Quelles remarques pouvez-vous faire sur le rythme du vers 12 ?

5 a. Que désigne le groupe nominal « ce mot cruel » au vers 14 ?
b. Quelles images Bérénice emploie-t-elle pour montrer de manière concrète la séparation ?

6 À partir du vers 17, quel pronom personnel emploie-t-elle pour désigner Titus ? Que montre l'emploi de ce pronom ?

7 Que signifie le terme *ingrat* au vers 21 ? Justifiez l'emploi de ce terme.

Oral

Lisez la tirade de Bérénice en mettant en évidence les deux temps qui la composent : la colère puis le désespoir.

ou Parcours de lecture ★★

1 a. À quoi Titus sacrifie-t-il son amour ?
b. Quels sont, dans la réplique de Titus, les deux verbes à l'infinitif qui s'opposent ?
c. Montrez qu'il s'agit pour lui aussi d'un renoncement douloureux.

2 Distinguez, dans la tirade de Bérénice, deux passages correspondant chacun à un sentiment différent.

3 a. Quel type de vers est employé dans ce texte ?
b. Quelle remarque pouvez-vous faire à propos du rythme des vers 5 et 12 ? Quel sentiment exprime-t-il ?

4 a. « une absence éternelle » (v. 10) : à quelle expression s'oppose ce groupe nominal ?
b. Quels vers viennent illustrer cette « absence éternelle » ? Quels noms y sont répétés ? Quel en est l'effet ?

5 Observez les différentes manières dont Bérénice nomme Titus, ainsi que les différents pronoms employés : que cela révèle-t-il ?

6 Quelle figure de style est employée dans le dernier vers ? Qu'exprime-t-elle ?

Vocabulaire

1 Que signifie le terme *dessein* au vers 1 ? Remplacez chaque expression en gras par un synonyme :
1. Ce jeune homme **a pour dessein** de devenir comédien.
2. C'est **à dessein** qu'elle n'a pas répondu au téléphone.

2 a. Employez le verbe *dédaigner* dans une phrase de votre composition.
b. Dans la phrase suivante, remplacez le nom en gras par un nom de la famille de *dédaigner* :

Mon voisin m'a lancé un regard de **mépris**.

Les séparés (N'écris pas…)

Marceline Desbordes-Valmore

(1786-1859)
Elle débute une carrière de comédienne avant de se consacrer à l'écriture. Éprouvée par la vie, puisqu'elle perd plusieurs enfants en bas âge, elle n'hésite pas à composer une poésie dans laquelle elle exprime ses chagrins et ses passions. Les grands poètes de son époque, Baudelaire ou Verlaine, louent la sincérité de son expression.

N'écris pas. Je suis triste, et je voudrais m'éteindre.
Les beaux étés sans toi, c'est la nuit sans flambeau.
J'ai refermé mes bras qui ne peuvent t'atteindre,
Et frapper à mon cœur, c'est frapper au tombeau.
5   N'écris pas !

N'écris pas. N'apprenons qu'à mourir à nous-mêmes.
Ne demande qu'à Dieu… qu'à toi, si je t'aimais !
Au fond de ton absence écouter que tu m'aimes,
C'est entendre le ciel sans y monter jamais.
10   N'écris pas !

N'écris pas. Je te crains ; j'ai peur de ma mémoire ;
Elle a gardé ta voix qui m'appelle souvent.
Ne montre pas l'eau vive à qui ne peut la boire.
Une chère écriture est un portrait vivant.
15   N'écris pas !

N'écris pas ces doux mots que je n'ose plus lire :
Il semble que ta voix les répand sur mon cœur ;
Que je les vois brûler à travers ton sourire ;
Il semble qu'un baiser les empreint sur mon cœur.
20   N'écris pas !

MARCELINE DESBORDES-VALMORE, « N'écris pas », 1860.

Lecture

Pour bien lire

1 Comment ce poème est-il construit ? Faites des remarques sur le type de vers, de strophes, la disposition des rimes, les répétitions et l'énonciation.

2 Expliquez le titre de ce poème. Qu'éprouvez-vous à sa lecture ?

Pour approfondir

3 Relevez dans l'ensemble du poème les images employées pour exprimer l'impossibilité de la relation amoureuse : qu'ont-elles en commun ?

4 Quel effet la répétition du dernier vers crée-t-elle ?

5 Relevez les expressions qui emploient le champ lexical de la mort : que traduisent-elles ?

6 Relisez les strophes 3 et 4. Selon la poétesse, quelles sont les caractéristiques de l'écriture ? Justifiez votre réponse par des citations. Pourquoi l'écriture devient-elle une source de souffrance ?

Jeune femme lisant une lettre, fenêtre ouverte,
Johannes Vermeer (1632-1675), vers 1659,
Gemäldegalerie, Dresde.

Vocabulaire

1 a. Donnez l'infinitif du verbe *empreint* au vers 19,
puis employez-le, dans une phrase de votre choix, à
la voix passive afin d'exprimer un sentiment.
b. Donnez un nom de la même famille.

Écriture

Marceline Desbordes-Valmore évoque dans son texte
la douleur de l'absence.

À votre tour, évoquez, dans un paragraphe, la douleur éprouvée à cause d'une séparation avec un être
cher. Choisissez un objet, un support qui vous rappelle
la présence de l'être aimé (objet personnel, photographie, musique…) et, à partir de ce souvenir, exprimez la souffrance de la séparation.

L'invitation au voyage

L'amour occupe une place privilégiée dans la poésie de Baudelaire. Il y voit une source d'évasion et un remède aux maux de l'âme. La femme, parée de vertus et de charmes, est perçue comme une confidente, une sœur. Mais elle peut également être source de souffrance, en faisant preuve de cruauté et de traîtrise.

Charles Baudelaire

(1821-1867)
Après des études secondaires, il mène à Paris une vie de bohème. En 1841, il s'embarque à destination des côtes d'Afrique et d'Orient, d'où il revient avec une provision d'images et d'impressions exotiques qui marqueront sa poésie. Il publie en 1857 *Les Fleurs du mal*, recueil de poèmes résolument moderne par les sujets qui y sont abordés : il y dépeint la tension entre la quête de l'idéal et l'enlisement dans les tourments du quotidien.

Mon enfant, ma sœur,
Songe à la douceur
D'aller là-bas vivre ensemble !
Aimer à loisir,
5 Aimer et mourir
Au pays qui te ressemble !
Les soleils mouillés
De ces ciels brouillés
Pour mon esprit ont les charmes
10 Si mystérieux
De tes traîtres yeux,
Brillant à travers leurs larmes.

Là, tout n'est qu'ordre et beauté,
Luxe, calme et volupté.

15 Des meubles luisants,
Polis par les ans,
Décoreraient notre chambre ;
Les plus rares fleurs
Mêlant leurs odeurs
20 Aux vagues senteurs de l'ambre[1],
Les riches plafonds,
Les miroirs profonds,
La splendeur orientale,
Tout y parlerait
25 À l'âme en secret
Sa douce langue natale.

Là, tout n'est qu'ordre et beauté,
Luxe, calme et volupté.

Vois sur ces canaux
30 Dormir ces vaisseaux
Dont l'humeur est vagabonde ;
C'est pour assouvir
Ton moindre désir
Qu'ils viennent du bout du monde.

1. Ambre : parfum précieux qui évoque également la couleur jaune d'or.

2. Hyacinthe : pierre à la couleur jaune doré.

35 – Les soleils couchants
    Revêtent les champs,
    Les canaux, la ville entière,
    D'hyacinthe² et d'or ;
    Le monde s'endort
40 Dans une chaude lumière.

    Là, tout n'est qu'ordre et beauté,
    Luxe, calme et volupté.

Charles Baudelaire,
Les Fleurs du mal, 1857.

Mer calme,
Emil Nolde (1867-1956),
huile sur toile, 1936.

Parcours de lecture ★

1 En quels termes le poète s'adresse-t-il à sa bien-aimée ? Que vous évoquent ces termes ?

2 a. Relevez au vers 2 un verbe à l'impératif puis expliquez le titre du poème. **b.** Relevez dans la première strophe les mots évoquant une destination : que constatez-vous ?

3 Dites pour chaque strophe ce qui caractérise les lieux parcourus par les amants.

4 Relevez dans la première strophe les expressions qui associent le lieu et la femme aimée. En quoi cela renforce-t-il l'impression d'harmonie ?

5 a. Quelles sortes de vers sont employées dans les trois strophes ?
b. Comment qualifieriez-vous le rythme de ce poème ?
c. Quelle impression est créée par la répétition du refrain ?

6 a. Quel mode est employé dans la deuxième strophe ? Qu'exprime-t-il ?
b. Relevez le verbe à l'impératif de la troisième strophe : quelle progression constatez-vous ?

7 Quels sont les termes qui évoquent la lumière ? Qu'est-ce qui la caractérise au début du poème puis à la fin ? Aidez-vous, pour répondre, des mots à la rime.

Vocabulaire

1 *Volupté* (v. 14) : cherchez la définition de ce nom et donnez un adjectif de la même famille.

2 Quelle est la définition de l'adjectif *vagabonde* (v. 31) ?

ou Parcours de lecture ★★

1 En quels termes le poète s'adresse-t-il à sa bien-aimée ? Que vous évoquent ces termes ?

2 À quel genre de voyage l'invite-t-il ? Justifiez votre réponse par des citations.

3 Relevez les lieux parcourus dans chaque strophe. Que vous évoquent-ils ?

4 Comment l'auteur s'y prend-il pour créer une impression d'harmonie dans l'ensemble du poème ?

Tâche complexe

▶ **Coup de pouce**
• Soyez attentif aux expressions qui associent la femme et le lieu évoqué, aux termes exprimant la beauté, au rythme des vers…

Écriture

À votre tour, écrivez un texte poétique dans lequel vous invitez l'un de vos proches à un voyage imaginaire, tout en évoquant les sentiments qui vous lient à cette personne. Il peut s'agir d'un voyage dans le passé, dans une demeure où vous avez vécu, dans un pays rêvé.

Mon rêve familier

Paul Verlaine

(1844-1896)
Poète mélancolique, il connaît une vie tumultueuse où alternent les périodes d'abattement et les crises de violence. S'attachant tout particulièrement aux jeux sur les rythmes et les sonorités, sa poésie frappe par sa musicalité. Le recueil *Les Poèmes saturniens*, publié en 1866, est son premier recueil poétique.

Je fais souvent ce rêve étrange et pénétrant
D'une femme inconnue, et que j'aime, et qui m'aime,
Et qui n'est, chaque fois, ni tout à fait la même
Ni tout à fait une autre, et m'aime et me comprend.

5   Car elle me comprend, et mon cœur, transparent
Pour elle seule, hélas ! cesse d'être un problème
Pour elle seule, et les moiteurs de mon front blême,
Elle seule les sait rafraîchir, en pleurant.

Est-elle brune, blonde ou rousse ? – Je l'ignore.
10 Son nom ? Je me souviens qu'il est doux et sonore,
Comme ceux des aimés que la Vie exila.

Son regard est pareil au regard des statues,
Et, pour sa voix, lointaine, et calme, et grave, elle a
L'inflexion des voix chères qui se sont tues.

— **Paul Verlaine**, *Poèmes saturniens*, 1866.

Lecture

Pour bien lire

1 De quel type de poème s'agit-il ? Quel est le mètre utilisé ?

2 Relisez les deux quatrains. **a.** Comment est présentée la femme rêvée ? Qu'en attend le poète ? **b.** Quelle image nous est donnée de l'amour ?

3 Relisez les deux tercets. **a.** Quels nouveaux aspects du portrait de la femme y sont développés ? **b.** Quelle expression évoque la mort ? Quelle est la figure de style utilisée ?

Pour approfondir

4 Relevez les répétitions et les anaphores qui parcourent le poème. Quel effet produisent-elles ?

5 Dans les deux quatrains, relevez une assonance et analysez l'effet qu'elle produit.

6 Dans la deuxième strophe, relevez deux enjambements : quelle expression est ainsi mise en valeur ?

7 a. Dans le titre et dans le premier quatrain, relevez les expressions qui présentent le rêve évoqué comme habituel. **b.** Relevez, dans l'ensemble du poème, les expressions qui viennent contredire cette impression de familiarité.

8 Quelle impression nous laisse ce poème ? Développez votre réponse.

Les yeux clos, Odilon Redon (1840-1916), 1890, musée d'Orsay, Paris.

Vocabulaire

1 Donnez le sens de l'adjectif *blême* (v. 7).

2 Quelle connotation ce mot prend-il dans le poème ?

Écriture

Comme Verlaine, écrivez deux quatrains dans lesquels vous ferez résonner par la rime et les assonances le mot *âme*.

Le pont Mirabeau

Guillaume Apollinaire

(1880-1918)
Au début du XXᵉ siècle, ce poète s'impose comme l'une des figures de l'avant-garde artistique : originale, son œuvre renouvelle les formes et les grands thèmes classiques de la poésie par une sensibilité très personnelle. Il composa « Le pont Mirabeau » en 1912 suite à sa rupture avec le peintre Marie Laurencin dont il était très épris. Blessé au cours de la Première Guerre mondiale, il meurt en 1918 des suites de la grippe espagnole.

Sous le pont Mirabeau coule la Seine
Et nos amours
Faut-il qu'il m'en souvienne
La joie venait toujours après la peine

5   Vienne la nuit sonne l'heure
Les jours s'en vont je demeure

Les mains dans les mains restons face à face
Tandis que sous
Le pont de nos bras passe
10   Des éternels regards l'onde si lasse

Vienne la nuit sonne l'heure
Les jours s'en vont je demeure

L'amour s'en va comme cette eau courante
L'amour s'en va
15   Comme la vie est lente
Et comme l'Espérance est violente

Vienne la nuit sonne l'heure
Les jours s'en vont je demeure

Passent les jours et passent les semaines
20   Ni temps passé
Ni les amours reviennent
Sous le pont Mirabeau coule la Seine

Vienne la nuit sonne l'heure
Les jours s'en vont je demeure

Guillaume Apollinaire, *Alcools*, 1913.

Lecture

Pour bien lire

1 **a.** À qui le poète s'adresse-t-il ?

b. Que comprenez-vous des relations entre ces deux personnes ? Justifiez votre réponse en citant des mots précis du poème.

2 Où se trouve le poète ? Que regarde-t-il ?

3 Quels sont les sentiments successifs évoqués par le poète ? Remettez-les dans l'ordre : *espoir – nostalgie – résignation – usure du temps et lassitude.*

Pour approfondir

4 **a.** Relevez dans le poème le champ lexical du mouvement : qu'exprime-t-il ? **b.** Relevez deux verbes qui évoquent la stabilité : quel est leur sujet ? **c.** Que pouvez-vous déduire de cette opposition ?

5 **a.** Quels sont les différents vers utilisés dans les quatrains ? **b.** Analysez les rimes des quatrains : que remarquez-vous ? Que pouvez-vous en conclure ? **c.** Analysez le rythme du refrain : en quoi s'oppose-t-il au rythme des quatrains ?

6 La complainte, forme poétique née au Moyen Âge, est une chanson qui exprime une plainte. Quels éléments de ce poème le rapprochent de la complainte ?

Clair de lune sur la rivière, Harrison Lowell-Birge (1854-1929), vers 1919, musée d'Orsay, Paris.

Vocabulaire

1 Donnez le sens de *lasse* (v. 10) et proposez un nom de la même famille.

2 Complétez les phrases suivantes avec un des mots proposés : *mélancolique – langueur – tourments – las – accablé – nostalgie.*

1. Il est ... par le poids des soucis.
2. J'ai souvent la ... des jours heureux de mon enfance.
3. Je suis ... de ce paysage mille fois contemplé.
4. C'est un caractère sombre, profondément ... .
5. L'amour l'avait rendue rêveuse, plongée dans une étrange ... .
6. L'absence lui faisait souffrir maints ... .

Écriture

1 Comme Apollinaire dans le refrain du poème, formulez un souhait avec le subjonctif en complétant les phrases suivantes :

1. Passent...
2. Puissent...
3. Viennent...
4. Finisse...

2 Évoquez, dans un texte poétique, votre lassitude devant l'aspect irrémédiable du temps. Employez le vocabulaire et les verbes au subjonctif de l'exercice précédent.

J'ai tant rêvé de toi

Robert Desnos

(1900-1945)
Écrivain autodidacte, il rejoint l'aventure surréaliste en 1922 mais rompt avec le groupe pour des différends politiques en 1929. Il alternera alors une carrière de journaliste avec celle de poète. Grand amateur de musique, il publie de nombreux poèmes aux allures de comptines. Le recueil *Corps et biens* (1930) rassemble des poèmes de jeunesse, écrits entre 1919 et 1929.

J'ai tant rêvé de toi que tu perds ta réalité.

Est-il encore temps d'atteindre ce corps vivant et de baiser sur cette bouche la naissance de la voix qui m'est chère ?

5 J'ai tant rêvé de toi que mes bras habitués en étreignant ton ombre à se croiser sur ma poitrine ne se plieraient pas au contour de ton corps, peut-être.

Et que, devant l'apparence réelle de ce qui me hante et me gouverne depuis des jours et des années, je devien-

10 drais une ombre sans doute,

Ô balances sentimentales.

J'ai tant rêvé de toi qu'il n'est plus temps sans doute que je m'éveille. Je dors debout, le corps exposé à toutes les apparences de la vie et de l'amour et toi, la seule

15 qui compte aujourd'hui pour moi, je pourrais moins toucher ton front et tes lèvres que les premières lèvres et le premier front venu.

J'ai tant rêvé de toi, tant marché, parlé, couché avec ton fantôme qu'il ne me reste plus peut-être, et pourtant,

20 qu'à être fantôme parmi les fantômes et plus ombre cent fois que l'ombre qui se promène et se promènera allègrement sur le cadran solaire de ta vie.

> **R. Desnos**, « À la mystérieuse », recueilli dans *Corps et biens*,
> © Éditions Gallimard, 1930.

Lecture

Pour bien lire

1 À qui s'adresse le poète ? Cette personne est-elle présente ? Justifiez votre réponse.

2 Lignes 1 à 11. **a.** Qu'est-ce qui *hante* le poète ?
b. Pourquoi ses bras ne se *plieraient* peut-être pas ?

3 Lignes 12 à 17 : que redoute le poète ? Pourquoi ?

4 Lignes 18 à 22 : à quelle conclusion le poète parvient-il ? Comment l'expliquez-vous ?

Pour approfondir

5 Ce poème est composé de sept versets : d'après vos observations, expliquez ce qui distingue le verset du vers.

6 Montrez comment le poète crée une opposition entre le rêve et la réalité.

> **Tâche complexe**

▶ **Coup de pouce**
• Relevez une anaphore : que souligne-t-elle ?
• Relevez les mots et expressions appartenant au champ lexical du corps : à quel autre champ lexical s'opposent-ils ?
• Relevez les verbes conjugués au conditionnel et précisez-en la valeur. Quelles expressions viennent renforcer cette valeur ?

7 **a.** Relevez les mots et expressions faisant référence au temps : lesquels évoquent la fuite du temps ?
b. En quoi l'amour évoqué est malgré tout ancré dans la durée ? Vous vous aiderez notamment des différents temps auxquels sont conjugués les verbes.

8 Dans le dernier verset, quels mots viennent éclairer la complainte du poète ? Expliquez en quoi.

9 À votre avis, l'amour évoqué par le poète pourra-t-il devenir réalité ?

Femme aux yeux bleus,
Amedeo Modigliani
(1884-1920), 1918,
musée d'Art moderne, Paris.

Vocabulaire

1 Donnez le sens d'*étreindre* (l. 5) et employez-le dans des phrases de votre invention avec les compléments suivants : *sur son cœur – la main – son adversaire.*

2 **a.** Quel est le sens de *gouverner* (l. 9) ? **b.** Complétez les phrases suivantes avec ces mots de la même famille : *gouverneur – gouvernement – gouvernante – gouvernail – gouverne.*

1. Nous avons décidé d'employer une ... pour l'éducation de nos enfants.

2. Pour ta ..., sache que nous n'admettons pas l'impolitesse dans cette maison.

3. Le Premier ministre vient de désigner les nouveaux membres du ... .

4. Le capitaine ne pouvait plus diriger le bateau car le ... avait été endommagé durant la tempête.

5. Hier, le ... du Texas a gracié dix condamnés à mort.

3 **a.** Quelle est la classe grammaticale de *allègrement* (l. 22) ? Expliquez sa formation.

b. Donnez deux synonymes de ce mot.

Chantier de l'élégie

Guy Goffette

(né en 1947)
Ce poète et écrivain belge, tour à tour enseignant, libraire et éditeur de poésie, a voyagé en Europe avant de s'installer à Paris. Il compose une poésie du quotidien où se mêlent simplicité de la parole et réflexion sur l'existence.

1. Oripeau : vieux vêtement usé mais gardant encore un aspect clinquant.

Mais la mort a passé sa main lourde
dans la chevelure des étés

et le dernier soleil a fait une torche
devant nous des oripeaux[1] de tilleul,

5   éclaboussant de pourpre et d'or
le jardin fermé de notre amour

et nos yeux d'habitude, puis la brume
est venue, et tes larmes, et l'hiver

accrochant aux barbelés de l'horizon
10 la robe du premier bal, la robe

sans couture et la promesse non tenue
de changer l'eau des jours en vin,

de changer l'eau, chaque jour,
et la soif, et la mer,

15 l'amer visage du monde,
chaque jour

– en vain.

GUY GOFFETTE, *Le Pêcheur d'eau*, 2007,
Poésie/Gallimard.

Lecture

Pour bien lire

1 À qui le poète s'adresse-t-il ?

2 Dans les trois premières strophes, quelle saison est décrite ? Justifiez votre réponse par des citations du texte.

3 a. Quelle saison est évoquée dans la suite du texte ?
b. À quels moments de la relation amoureuse correspondent ces saisons ?

Pour approfondir

4 Expliquez la métaphore employée dans la deuxième strophe. Commentez l'emploi du terme *oripeau* (v. 4).

5 Dans la quatrième strophe, comment l'auteur s'y prend-il pour exprimer l'idée de succession ?

6 Que symbolise « la robe du premier bal » (v. 10) ?

7 a. Expliquez l'expression « changer l'eau des jours en vin » (v. 12).
b. Quel jeu de mots le poète fait-il à partir de cette expression ?
c. Relevez dans ce texte un autre jeu de mots.

8 Que remarquez-vous sur le rythme des trois dernières strophes ? Quel est l'effet créé ?

Arbre couché, Chaïm Soutine (1894-1943),
vers 1922-1923, musée de l'Orangerie, Paris.

Vocabulaire

1 Que signifie l'adjectif *vain* ? Donnez un nom et un adverbe de la même famille.

2 Complétez les phrases suivantes avec les mots que vous avez trouvés :

1. Le jardinier ramasse ... les feuilles mortes que le vent disperse à nouveau.

2. Cette discussion est ... car nous ne parviendrons jamais à nous mettre d'accord.

3. Il tire ... des talents de son père, alors que lui-même se montre incapable du moindre effort.

Cherchez des images (comparaison, métaphore) permettant de décrire l'automne. Associez à cette description le sentiment de nostalgie.

La poésie lyrique

 ## L'expression du moi

✳ La poésie lyrique se définit avant tout comme **l'expression personnelle des sentiments du poète**. Ainsi s'y manifestent toutes sortes d'émotions liées à la condition humaine : le temps, l'amour et la mort sont ses sujets de prédilection.

✳ Mais si le poète lyrique part d'un sentiment qui lui est propre, **sa poésie parle au lecteur qui reconnaît ses propres émotions dans la forme choisie par le poète**, puisqu'il met en scène les sentiments et leur donne une forme particulière. Baudelaire évoque un amour heureux en invitant sa bien-aimée à un voyage imaginaire.

 ## Un monde d'images

✳ Pour rendre sensibles ces expériences personnelles souvent difficiles à exprimer, le poète lyrique multiplie les **figures de comparaison** : c'est par une rose que Ronsard évoque la vieillesse de la femme aimée, c'est par l'écoulement de la Seine qu'Apollinaire exprime sa mélancolie. Le poète joue également avec l'énonciation, s'adressant de manière fictive à l'être aimé qui est souvent idéalisé, comme dans « L'invitation au voyage » ou « Mon rêve familier ». La femme incarne alors la figure sublime de celle qui comprend tout et partage tout avec le poète.

 ## Une parole tendue vers l'idéal

✳ Pour donner force aux émotions, le poète lyrique cherche un **langage expressif et énergique**. Le point d'exclamation et la répétition sont très récurrents et marquent l'emportement et la passion du poète qui tente de rendre sublime le sujet évoqué.

✳ De même, le **travail sur les sons et le rythme** permet de rendre sensibles les senteurs, les coloris, la vie bruissante et multiforme, ou au contraire terne et teintée d'ennui. **Le poème se fait célébration** : célébration de la passion amoureuse et de ses tourments chez Louise Labé ou chez Racine, célébration de la femme idéale chez Verlaine.

Le pont de Chatou, Maurice de Vlaminck (1876-1958), huile sur toile, 1908, Wallraf-Richartz Museum, Cologne.

Les sentiments

1 ★ a. **Classez les noms dans un tableau, selon qu'ils désignent la colère, la tristesse ou la joie :** *dépit – ravissement – accablement – désolation – félicité – affliction – morosité – rage – courroux – mélancolie.*

b. **Employez ces noms pour compléter les phrases suivantes.**

1. C'est un ... de voir un spectacle d'une telle qualité. – 2. Les élèves s'ennuyaient et la ... se lisait sur chaque visage. – 3. La ... des soleils couchants berce mon cœur. – 4. Cette plaine n'était que ruine et ... . – 5. Pierre se fait une ... d'avoir enfin obtenu son diplôme de médecine. – 6. Le ... de Zeus s'abattit sur les mortels. – 7. Il lui en voulait terriblement et la ... se lisait dans ses yeux. – 8. Depuis la mort de son époux, la pauvre femme demeurait dans l'... . – 9. Comme on lui refusait une place, le spectateur repartit avec ... . – 10. Quel ... de voir toutes ces femmes en deuil !

c. **Donnez pour chacun des noms soulignés un adjectif de la même famille que vous emploierez dans une phrase de votre composition.**

2 ★ **Employez ces verbes pour compléter les phrases suivantes :** *s'apaiser – se désespérer – endurer – s'enivrer – s'extasier – se lamenter – pâtir de – se tourmenter – s'échauffer.*

1. La mère ... pour l'avenir de son fils.
2. Il rassure l'enfant en sanglots qui ... .
3. Ce professeur manque de rigueur et les élèves en ... .
4. Le peintre ... devant les fresques de la chapelle Sixtine.
5. Ce paysan ... une vie de misère, mais ne ... jamais sur son sort.
6. Nous ... de n'avoir toujours pas reçu de lettre de sa part.
7. Notre voisin se met vite en colère et ... pour un rien.
8. Elle ... de bonheur.

3 ★★ **Employez chacun de ces verbes dans une phrase, ayant pour sujet un élément de la nature et pour complément un sentiment, un état d'âme :** *évoquer – susciter – souligner – traduire – répandre.*

4 ★★ a. **Classez les verbes suivants du sentiment le plus faible au plus fort :** *déchirer – émouvoir – ébranler – frapper – impressionner – ravager – remuer – saisir – secouer.*

b. **Employez chacun de ces verbes à la voix passive dans une phrase qui exprime un sentiment.**

5 ★★ **À quel sentiment chacune de ces expressions peut-elle correspondre ?**

les yeux lui sortent de la tête – un frisson lui parcourt l'échine – les mains moites – son cœur bat la chamade – son visage s'éclaire – les yeux pétillants – le regard noir

6 ★★★ a. **Remplacez chaque adjectif en gras par l'un de ces synonymes :** *gai – larmoyant – ferme – triste – amoureux – sinistre – satisfait.*

1. L'empereur demeura **inflexible** malgré toutes les requêtes de la princesse.
2. **Éplorée**, elle s'agenouilla devant lui.
3. Elle posa sur son amant un regard <u>langoureux</u>.
4. Je suis envahi d'un **funeste** pressentiment.
5. C'est par un matin gris et **morne** qu'il entra au village.
6. Robert arriva d'un pas <u>allègre</u> et nous regarda avec un sourire <u>béat</u>.

b. **Pour les adjectifs soulignés, donnez un nom de la même famille.**

7 ★★★ a. **Reliez chaque verbe à son sujet.**

1. Le remords   a. le hante.
2. Ce souvenir   b. le consume.
3. La passion   c. le trouble.
4. Le charme de cette personne d. le dévore.
5. L'envie   e. le ronge.

b. **Récrivez les phrases obtenues en conjuguant les verbes à la voix passive.**

8 ★★★ *Affliction, amertume, nostalgie, mélancolie, accablement, morosité.*

a. **À quel champ lexical appartiennent ces noms ?**

b. **Donnez pour chacun de ces noms un adjectif de la même famille.**

c. **Employez chacun de ces adjectifs dans une phrase de votre invention.**

9 ★★★ **Reliez chaque terme à son antonyme.**

1. inclination   a. antipathie
2. sympathie   b. haine
3. amour   c. dégoût
4. penchant   d. aversion

10 ★★★ **Complétez le texte avec les termes suivants :** *transports – ardeur – fatalité – passion – déclarer sa flamme – s'éprit.*

Titus ... de Bérénice sitôt qu'il la vit. Ils connurent tous les deux les ... de l'amour et l'... de la passion. Il se décida à lui ... avant qu'elle ne regagnât sa patrie. Mais la ... eut raison de leur ... .

Utiliser les figures de style

→ Les figures d'analogie

▶ **Le saviez-vous ?**

La comparaison et la métaphore enrichissent les sensations : on évoque un objet réel à l'aide de sensations provoquées par un autre objet qui s'en approche.

Voici comment Richepin décrit un soleil couchant sur la mer :

« Draperie ondulante

Où le soleil se plante

Comme un vieux clou rouillé »

1 **En trois vers, construisez images et métaphores en employant la liste de mots proposés :**

1. falaise, mur, mer, prisonnière. – **2.** septembre, or, embrasement, feuillage. – **3.** plaine, planer, voile, brume. – **4.** vent, mugissement, monotone, dénudé.

2 **Employez des comparaisons pour exprimer des sentiments.**

1. Son regard s'est posé sur moi comme … . – **2.** Ses paroles ont pénétré mon cœur telles … . – **3.** Le remords me ronge comme … – **4.** Son souvenir me hante comme … .

▶ **Le saviez-vous ?**

En poésie, « tout est plein d'âme », disait Victor Hugo. Employer des verbes d'action pour des sujets inanimés permet de rendre la description plus vivante : c'est ce qu'on appelle la personnification. _Exemple_ : _Le brouillard danse._

3 **a. Proposez un sujet inanimé pour les verbes suivants :** s'endormir – errer – bercer – émerger.

b. Employez la personnification pour rédiger une strophe sur un paysage plongé dans le brouillard et qui exprime votre mélancolie.

▶ **Le saviez-vous ?**

Les poètes peuvent aussi personnifier des sentiments ou des idées abstraites, on appelle alors cette figure une allégorie : « Avec quelle rigueur, Destin, tu me poursuis », disait Racine.

c. Évoquez de manière allégorique : _la vieillesse – le remords – la tristesse_. **Vous mettrez une majuscule à chacun de ces noms.**

→ Une figure d'opposition

▶ **Le saviez-vous ?**

La poésie cherche parfois à rapprocher des termes que leur sens devrait éloigner, permettant ainsi d'exprimer ce qui est inconcevable et de créer une réalité surprenante : c'est ce qu'on appelle l'oxymore. _Exemple_ : _Cette obscure clarté qui tombe des étoiles._ (CORNEILLE)

4 **a. Qualifiez chaque nom suivant par un adjectif, de manière à créer un oxymore et à évoquer une émotion particulière :**

une paix … – un silence … – la … consolation – une douceur … – la flamme … – une tristesse …

b. Exprimez un sentiment à l'aide de ces couples d'antonymes.

1. Froid/chaud pour exprimer la passion amoureuse. – **2.** Rigueur/douceur pour parler de la vieillesse et du temps qui passe. – **3.** Noirceur/clarté pour évoquer un souvenir qui vous est cher.

→ Les sonorités

▶ **Le saviez-vous ?**

La poésie crée des impressions sonores.

Verlaine, dans la strophe suivante, fait entendre la plainte, par des allitérations (présence des liquides) et des assonances en _o_.

Les sanglots longs

Des violons

De l'automne

Blessent mon cœur

D'une langueur

Monotone.

5 **a. Écrivez avec six mots choisis parmi les suivants deux strophes pour décrire un paysage évoquant la tristesse :** _morne – frissonner – sombre – branches – rouillé – rayon – rochers – route – harassant – éperdu_.

b. Relevez les allitérations présentes dans ces vers de Baudelaire :

J'écoute en frémissant chaque bûche qui tombe ;

L'échafaud qu'on bâtit n'a pas d'écho plus sourd.

c. Quelle impression provoquent-elles ?

d. Écrivez quelques vers avec ces mêmes allitérations pour exprimer votre hantise devant le temps qui passe. Vous pouvez employer les mots suivants : _implacable – abattre – tomber – claquer – tic-tac – trépas – fatal…_

6 **a. Écrivez avec sept mots choisis parmi les suivants deux strophes pour décrire un paysage lumineux :** _soleil – feu – majestueux – pareil – vermeil – abeille – briller – ivre – luire – bleuir – bruire – cuivre – fruit_.

b. Quelle impression provoquent les assonances ?

Écrire un poème lyrique

SUJET

Composez un sonnet dans lequel vous évoquerez un sentiment qui vous hante : joie, mélancolie, désespoir, crainte du temps qui passe... Associez ce sentiment à un paysage, un lieu, une saison, un moment de la journée...

Nuit d'été, Homer Winslow (1836-1910), 1890, musée d'Orsay, Paris.

A Trouver des idées

• Faites une liste des **sensations** visuelles, auditives, olfactives que vous associez au paysage ou au lieu que vous avez choisi d'évoquer.

• Quelle situation de la vie a suscité en vous le sentiment que vous souhaitez exprimer ?

• Décrivez les éléments du paysage ou du lieu à l'aide de **comparaisons** et de **métaphores** qui mettent en évidence vos sentiments. Utilisez des mots dont les sonorités sont évocatrices.

• **Personnifiez** le sentiment qui vous habite.

• Employez les **figures d'opposition** afin de montrer la tension que ce sentiment entraîne.

B Mettre en forme

Si vous choisissez la forme fixe.

• Consacrez les **deux quatrains** à l'évocation du lieu ou du moment choisi et précisez dans les **deux tercets** la cause du sentiment évoqué.

• Choisissez **un mètre** pour l'ensemble du sonnet et efforcez-vous de conserver le **même nombre de syllabes dans chaque vers**. Vous pouvez, s'il le faut, remplacer un mot par un synonyme plus court ou plus long, ajouter un mot de liaison (*mais, or, et...*) ou des interjections (*oh, ah, hélas*).

• Pensez à créer des **effets sonores** (assonances, allitérations, rimes) afin de mettre en valeur les mots qui, pour vous, sont les plus importants.

Si vous choisissez la forme libre.

• Insistez sur les effets **sonores, les répétitions, les oppositions**.

• **Mettez en relief certains termes** : déplacez en tête de phrase les mots sur lesquels vous voulez insister.

• Pensez à adopter une **présentation particulière** sur la page et à passer à la ligne afin de mettre certains mots en valeur.

La poésie dans la chanson et au cinéma

Poésie et chanson

• La poésie et la chanson sont intimement liées. Dans l'Antiquité et au Moyen Âge, les poèmes sont souvent chantés. Le recueil de Ronsard *Les Amours* paraît avec un livret musical composé par les grands interprètes de l'époque, comme Clément Janequin. Verlaine dira que la poésie est « de la musique avant toute chose ».

• De nombreux chanteurs contemporains continuent de mettre en musique les grands poètes : Serge Gainsbourg interprète le fameux « Sonnet d'Arvers », Léo Ferré, Jean-Louis Murat ont chanté Baudelaire… Mais les chanteurs font aussi vivre les grands thèmes lyriques dans des créations originales.

A Rendez-vous sur Internet pour écouter les chansons suivantes, puis répondez aux questions.

1. « Les Feuilles mortes » (1945) est une chanson dont le texte est composé par le poète Jacques Prévert (1900-1977) et la musique par Joseph Kosma (1905-1969) pour le film de Marcel Carné *Les Portes de la nuit* (1946). Elle est interprétée par Yves Montand.

2. « La Chanson de Prévert » est une chanson de Serge Gainsbourg parue en 1961 dans son troisième album, *L'Étonnant*. Nourri dès son enfance de musique classique et de poésie, Serge Gainsbourg (1928-1991) s'inspire souvent, dans ses créations, d'œuvres poétiques ou musicales célèbres.

3. « Mon amie la rose », écrite par Cécile Caulier pour la chanteuse Françoise Hardy en 1964, est reprise de façon magistrale en 1999 par Natacha Atlas. Cette chanteuse belge d'origine égyptienne née en 1964 essaie de concilier dans son art les traditions orientales et occidentales.

4. Jean-Philippe Goude (né en 1952) compose « Une éternelle nuit » à partir de vers de différents poèmes de Du Bellay.

❶ Quel grand sujet lyrique chacune de ces chansons reprend-elle ? Justifiez votre réponse en vous appuyant sur les paroles.

❷ Par quelles images la fuite du temps est-elle évoquée ? Quels points communs voyez-vous avec les textes étudiés au fil du chapitre ?

❸ La musique, la façon d'interpréter le texte vous semblent-elles en accord avec les sentiments évoqués ? Développez votre réponse.

B Les artistes français à avoir interprété des textes lyriques sont nombreux. Explorez les propositions suivantes, choisissez un titre qui vous plaît et présentez à la classe l'œuvre et son auteur.
Léo Ferré, Jacques Brel, Georges Brassens, Jean Ferrat, Serge Reggiani, Charles Aznavour, Juliette Gréco, Barbara, Édith Piaf, Claude Nougaro, Georges Moustaki, Dalida, Michel Polnareff, Julien Clerc…

C À la manière de Goude, composez un sonnet à partir de plusieurs vers que vous aimez. Mettez en voix le résultat pour vos camarades.

Poésie et cinéma

• Le cinéma aussi se fait régulièrement l'écho de la poésie, certains films ayant popularisé des œuvres lyriques peu connues du grand public.

• *Le Cercle des poètes disparus*, film de Peter Weir sorti en 1989, met en scène un professeur qui transmet à ses élèves l'amour de la poésie. Il fait connaître en France Walt Whitman, poète américain du XIXe siècle.

A Cherchez sur Internet l'extrait « Cercle des poètes disparus Walt Whitman ».

❶ Quelle justification le professeur donne-t-il à la poésie ?

❷ **a.** À quel sujet Whitman s'interroge-t-il dans le poème cité ? **b.** Quelle réponse apporte-t-il ? **c.** À quel thème récurrent de la poésie lyrique pouvez-vous rattacher cette réponse ?

• En 1994, la comédie de Mike Newell *Quatre mariages et un enterrement* fait découvrir au monde entier « Funeral blues » du poète anglais contemporain, W.H. Auden (1907-1973).

B Cherchez sur Internet l'extrait « Funeral blues 4 mariages et un enterrement ».

❸ Quels sont les sentiments évoqués dans ce poème ? Par quels moyens ?

Coin lecture, coin musique, coin cinéma

Des livres

La Poésie lyrique,
« ClassicoCollège »,
Belin-Gallimard, 2010.

Cette anthologie vous fera découvrir les grands poètes lyriques, du Moyen Âge à nos jours. Vous y lirez la plainte mélancolique et le chant exalté.

Le Grand Meaulnes,
Alain-Fournier,
Pocket, 2009.

Deux personnages en quête d'amour et d'absolu, entre rêve et réalité. Une évocation lyrique du monde de l'adolescence.

Des films

Bright Star,
Jane Campion, 2010.

Les dernières années du poète John Keats ; une tragique histoire d'amour.

L'Histoire d'Adèle H,
François Truffaut, 1975.

Adèle, deuxième fille de Victor Hugo, connaît un amour passionné qui la mène à l'écriture et à la folie.

De la musique

Jean Ferrat chante Aragon, 1971.

La musique de Ferrat scande les poèmes d'Aragon pour mieux en révéler toute l'émotion.

Léo Ferré chante les poètes,
compilation, 2003.

Tel un passeur, Ferré donne toute son énergie pour nous faire entendre Apollinaire, Baudelaire, Verlaine.

James Ollivier dit et chante Brassens et les poètes, compilation, 2010.

Une voix chaleureuse pour chanter Desnos, Verlaine, Ronsard.

Alcools, Guillaume Apollinaire, variété française, 2006.

Ferré, Montand, Beaucarne et bien d'autres encore chantent les poèmes d'Apollinaire.

Debussy : Mélodies, Colloque sentimental, Emmanuel Strosser, Véronique Dietschy, 2007.

Dossier EPI 2 — La figure d'Orphée

Arts plastiques

Éducation musicale

Langues et cultures de l'Antiquité

Objectifs

- Découvrir le mythe antique d'Orphée.
- S'initier à l'opéra.
- Découvrir différentes représentations de ce mythe dans les arts.
- Écrire une plainte.

Orphée, le premier poète

Souvent considéré comme le **premier poète**, Orphée est celui qui eut l'idée d'ajouter à la lyre une neuvième corde, comme autant de muses.

Il est le symbole d'un **amour indéfectible** aussi bien que **fatal**, celui qui l'unit à Eurydice. Il est aussi et surtout connu pour **la force de son chant**, capable d'émouvoir ce qui ne peut être ému. Le mythe d'Orphée, symbolisant le pouvoir qui unit **la musique et la poésie**, inspire les artistes. On considère parfois qu'il symbolise aussi **l'inspiration poétique**, qui s'évanouit au moment où on croit enfin la toucher.

1 Le premier poète

De Calliope[1] et d'Œagre[2], naquirent Linus et Orphée, qui passaient pour fils d'Apollon ; Linus fut tué par Hercule, et Orphée s'étant appliqué à la musique faisait mouvoir par ses chants les arbres et les rochers.

APOLLODORE, *Bibliothèque*, I-3-2, traduction d'Étienne Clavier, 1805.

1. Muse de la poésie épique. 2. Roi de Thrace.

Questions

Document 1

1 a. Quel dieu passe pour être le père d'Orphée ? De quoi est-il le dieu ?

b. Qu'est ce qu'une muse ?

2 Pourquoi peut-on dire qu'Orphée, par sa naissance, était voué à la musique ?

3 Montrez le pouvoir magique d'Orphée.

Document 2

1 Rappelez ce qu'est une mosaïque.

2 Décrivez le personnage central de cette mosaïque. Que symbolise l'instrument qu'il tient ?

3 Quels animaux l'entourent ? Comment sont-ils disposés ? Quel est leur point commun ? Comment définiriez-vous leur attitude ?

4 En vous appuyant sur vos observations, donnez un titre à cette mosaïque.

2

Mosaïque, IIᵉ-IIIᵉ siècles, musée des Beaux-Arts, Saragosse.

Orphée aux Enfers

Extrait 1

Eurydice fuyait, hélas ! et ne vit pas
Un serpent que les fleurs recelaient[1] sous ses pas.
La mort ferma ses yeux : les nymphes[2] ses compagnes
De leurs cris douloureux remplirent les montagnes ; [...]
5   Son époux s'enfonça dans un désert sauvage :
Là, seul, touchant sa lyre, et charmant[3] son veuvage,
Tendre épouse ! c'est toi qu'appelait son amour,
Toi qu'il pleurait la nuit, toi qu'il pleurait le jour.

1. Receler : cacher.

2. Nymphe : divinité féminine secondaire.

3. Charmer : apaiser

Extrait 2

C'est peu : malgré l'horreur de ses profondes voûtes,
Il franchit de l'enfer les formidables routes ;
Et, perçant ces forêts où règne un morne effroi,
Il aborda des morts l'impitoyable roi,
5   Et la Parque[1] inflexible, et les pâles Furies[2],
Que les pleurs des humains n'ont jamais attendries.
Il chantait ; et ravis jusqu'au fond des enfers,
Au bruit harmonieux de ses tendres concerts,
Les légers habitants de ces obscurs royaumes,
10 Des spectres pâlissants, de livides fantômes,
Accouraient, plus pressés que ces oiseaux nombreux
Qu'un orage soudain ou qu'un soir ténébreux
Rassemble par milliers dans les bocages sombres ; [...]
L'enfer même s'émut ; les fières Euménides[3]
15 Cessèrent d'irriter leurs couleuvres livides ; [...]
Et Cerbère[4] , abaissant ses têtes menaçantes,
Retint sa triple voix dans ses gueules béantes.

1. La Mort. Les Parques étaient trois divinités qui filaient, dévidaient et coupaient le fil de la vie.

2. Divinités vengeresses.

3. Autre nom des Furies. Elles étaient connues pour leur chevelure entrelacée de serpents.

4. Chien tricéphale, gardien des Enfers.

Questions

Lisez l'extrait 1.

1 Qui est Eurydice ?
Citez le texte pour justifier votre réponse.

2 Que lui arrive-t-il ?

3 Quelle est la réaction d'Orphée ?
Comment est-elle mise en valeur dans le texte ?

Lisez l'extrait 2.

Éducation aux médias

1 Cherchez ce qu'étaient les Enfers dans l'Antiquité ?

2 Où Orphée arrive-t-il ? Quelle image le texte nous donne-t-il de ce lieu ?

3 Que fait Orphée ? Que cela provoque-t-il ?

4 D'après vous, que peut symboliser cette histoire ?

Extrait 3

Eurydice s'écrie : « Ô destin rigoureux !
Hélas ! Quel dieu cruel nous a perdus tous deux ?
Quelle fureur ! Voilà qu'au ténébreux abîme
Le barbare destin rappelle sa victime.
5 Adieu ; déjà je sens dans un nuage épais
Nager mes yeux éteints, et fermés pour jamais.
Adieu, mon cher Orphée ! Eurydice expirante
En vain te cherche encor de sa main défaillante ;
L'horrible mort, jetant un voile autour de moi,
10 M'entraîne loin du jour, hélas ! et loin de toi. »
Elle dit, et soudain dans les airs s'évapore.
Orphée en vain l'appelle, en vain la suit encore,
Il n'embrasse qu'une ombre ; et l'horrible nocher[1]
De ces bords désormais lui défend d'approcher.

1. Charon, qui conduisait les morts sur sa barque.

VIRGILE, *Géorgiques*, IV, traduction de Jacques Delille, 1819.

Questions

Lisez l'extrait 3.

Éducation aux médias

1 **a.** Cherchez ce qu'obtient Orphée aux Enfers et à quelle condition. **b.** Quelle faute commet-il ?

2 Quelle est la conséquence de sa faute ?

3 Comment les sentiments d'Eurydice sont-ils montrés ?

4 Quelle transformation physique subit-elle ?

5 Qu'est-ce qui rend ce mythe extraordinaire ? Qu'est-ce qui le rend terriblement émouvant ?

6 Faites une recherche : quel destin Orphée connaît-il ensuite ?

Éducation aux médias

Orphée ramenant Eurydice des Enfers,
Camille Corot (1796-1875), 1861,
Museum of Fine Arts, Houston.

Du texte à l'image

1 Décrivez les personnages au premier plan. Qui peuvent-ils être ? Quelle direction suivent-ils ?

2 Quels personnages sont peints nettement ? Lesquels sont plus flous ? Comment l'expliquez-vous ?

3 Pourquoi le peintre a-t-il représenté un cours d'eau ?

4 En vous appuyant sur vos observations précédentes, justifiez le titre de ce tableau.

Orphée et l'opéra

 *L'Orfeo* (1607) de Claudio Monteverdi (1567-1643)

Monteverdi est souvent considéré comme le véritable créateur de **l'opéra, c'est-à-dire un grand drame dans lequel tous les rôles sont chantés**. *La Favola d'Orfeo* (*La légende d'Orphée*), raconte l'histoire d'Orphée et Eurydice avec quelques variations par rapport à la version antique. Le livret, écrit par Alessandro Striggio (1573-1630), est rédigé en italien.

1 Le désespoir d'Orphée

Tu se' morta mia vita, ed io respiro ?	Tu es morte, ô ma vie, et moi je respire ?
Tu se' da me partita, se' da me partita	Tu m'as quitté, m'as quitté
Per mai più mai più non tornare, ed io rimango ?	Pour ne plus jamais revenir, et moi je reste ?
No, no, che sei versi alcuna cosa ponno,	Non, car si mes vers ont quelque pouvoir,
N'andrò sicuro a' più profondi abissi,	Je descendrai sans crainte aux plus profonds abîmes,
E internerito il cor del Re dell'ombre	Et, après avoir attendri le cœur du roi des ombres,
Meco trarrotti a riveder le stelle,	Je t'entraînerai avec moi pour revoir les étoiles,
O se ciò negherammi empio destino,	Et si un destin impie me refuse cela,
Rimarrò teco in compagnia di morte.	Je resterai avec toi en compagnie de la mort,
Addio terra, addio cielo e sole, addio.	Adieu, terre, adieu, ciel et soleil, adieu !

L'Orfeo, opéra de C. Monteverdi, livret d'A. Striggio, 1607.

Question

Écoutez le **lamento (air plaintif)** « Tu se' morta » tiré de cet opéra.

1 Comment la douleur d'Orphée est-elle montrée ?

> *Tâche complexe*

▶ **Coup de pouce**
- Le rythme est-il lent ou rapide ?
- L'air est-il varié ?
- Sur quels mots insiste-t-on ?
- La voix du chanteur est-elle plutôt grave ou aiguë sur les mots *ombre* (ombre) ; *stelle* (étoiles) ; *morte* (mort) ; *terra* (terre) ; *cielo* (ciel) ; *sole* (soleil) ?
- Le mot *no* (non) est-il chanté avec force ou faiblement ? De façon **liée** ou sur une **note détachée** (un **piqué**) ?

Le point sur Les voix d'opéra

● De la plus basse (grave) à la plus haute (aiguë), les voix d'homme sont : **basse ; baryton ; ténor.**

● De la plus basse à la plus haute, les voix de femme sont : **contralto ; mezzo-soprano ; soprano.**

● Les rôles sont écrits pour un type de voix particulier. Ainsi, le rôle-titre de *L'Orfeo* était initialement un castrat (chanteur dont la voix d'enfant a été conservée par une mutilation subie avant la puberté). C'est désormais un ténor qui l'interprète.

● L'opéra se chante **sans microphone**. C'est la technique de chant, associée à une maîtrise du **souffle**, qui permet **de projeter la voix** en la faisant **résonner** dans la tête ou la poitrine. C'est grâce à leur technique que certains ténors parviennent à atteindre les notes suraiguës : on appelle ces chanteurs des **contreténors**.

Le point sur))) Les paroles de l'opéra

Le compositeur peut insister sur certains termes par le biais de la poésie, par exemple en les mettant en valeur à la **fin du vers**, comme par le biais de la musique : par des **vocalises** ou en variant le **rythme**.

2

L'Orfeo **de Monteverdi,** mise en scène de Jordi Savall, La Capella Reial de Catalunya, 2007.

Questions

1 À quoi reconnaît-on Orphée sur cette photographie ? Que fait-il ?

2 a. Quelle impression cherche-t-on à créer avec la mise en scène ? Justifiez votre réponse.
b. D'après vous, quel moment de l'histoire est représenté ? Expliquez.

Orphée et Eurydice (1762) de C.W. Gluck (1714-1787)

Cet opéra fut initialement créé en 1762 à Vienne avec un livret en italien. Le rôle d'Orphée était écrit pour un castrat qui devient un ténor dans la version française de 1774. Le rôle est souvent tenu, cependant, par une femme contralto.

Le compositeur reprend **le mythe d'Orphée** avec une **variation finale** puisque les dieux, émus, rendent Eurydice à Orphée après qu'il l'a perdue une deuxième fois.

Un des airs les plus célèbres est probablement « J'ai perdu mon Eurydice » (« Che farò senza Euridice » en italien).

2 J'ai perdu mon Eurydice

J'ai perdu mon Eurydice,
Rien n'égale mon malheur ;
Sort cruel ! quelle rigueur !
Rien n'égale mon malheur !
Je succombe à ma douleur !
Eurydice…, Eurydice…,
Réponds, quel supplice !
Réponds-moi !
C'est ton époux fidèle ;
Entends ma voix qui t'appelle […]

J'ai perdu mon Eurydice, etc.

Eurydice, Eurydice !
Mortel silence ! Vaine espérance !
Quelle souffrance !
Quel tourment déchire mon cœur !

J'ai perdu mon Eurydice, etc.

RANIERI DE' CALZABIGI, *Orphée et Eurydice*, tragédie-opéra en trois actes, 1762, traduction de Pierre-Louis Moline, 1774.

Écoutez « J'ai perdu mon Eurydice » de Gluck.

1 Comment la douleur d'Orphée est-elle renforcée par la musique ?

Tâche complexe

▶ **Coup de pouce**
• Observez les répétitions de paroles. Sont-elles chantées de la même façon ?
• Le rythme est-il varié ? Y a-t-il des **crescendo** (renforcement progressif du son) et des **decrescendo** ?
• S'agit-il d'un **récitatif** (morceau qui fait avancer l'action) ou d'un **air** (morceau qui développe le sentiment du personnage) ?

2 À quel passage du mythe ce chant correspond-il ?

3 **Oral** Lisez le texte de ce chant de façon expressive, en reprenant, sans chanter, certains éléments musicaux (variation du rythme, du ton, de la hauteur de la voix…).

Orphée aux Enfers (1858) de Jacques Offenbach (1819-1880)

Offenbach s'est emparé du mythe antique de façon **parodique**, c'est-à-dire en le **détournant dans le but d'amuser**. Dans cet **opéra-bouffe (opéra traitant d'un sujet léger)**, Orphée et Eurydice ne sont guère fidèles l'un à l'autre. Quand Eurydice meurt, Orphée, d'abord ravi, est cependant contraint de descendre aux Enfers pour la rechercher. Là, rien ne va plus : les dieux se révoltent contre Jupiter, Junon exprime sa jalousie, Jupiter cherche à priver Pluton de sa conquête… Les dieux ne sont plus des personnages sublimes mais des **personnages ordinaires** et sans noblesse. La pièce, **irrévérencieuse**, a pu choquer lors de sa création. On en retient cependant sa grande **gaieté**. L'un des morceaux les plus célèbres est « Le galop infernal ».

Écriture

Seul ou en groupe, écrivez la plainte d'Eurydice de retour aux Enfers, puis lisez-la à vos camarades. Vous pouvez imaginer une mise en scène de cette lecture (décors, costumes et jeu théâtral, éventuellement mise en musique).

▶ **Coup de pouce**
• Imaginez le désespoir d'Eurydice à l'idée de demeurer éternellement aux Enfers, parmi les ombres et de terrifiants monstres.
• Exprimez sa douleur d'avoir perdu Orphée.
• Inspirez-vous des textes lus et des effets musicaux étudiés pour rendre votre texte émouvant.

1

Orphée aux Enfers, de Jacques Offenbach, mise en scène d'Yves Beaunesne, Théâtre de l'Archevêché, Aix-en-Provence, 2009.

Un film à découvrir : *Orfeu Negro* de Marcel Camus, une transposition du mythe d'Orphée au Brésil, à la fin des années 1950.

Questions

Écoutez « Galop infernal ».

1 À quelle danse est-il souvent associé ?

2 L'air correspond-il à l'idée que vous vous faisiez du mythe ? Pourquoi ?

3 Quelle atmosphère se dégage de la scène ? Observez sur l'image les mimiques et les postures.

Cyrano de Bergerac : de la pièce au film

> ▶ *Pourquoi mêler rire et larmes au théâtre ?*
> ▶ *Quelle nouvelle figure héroïque Cyrano dessine-t-il ?*

Pistes pour un EPI — **Arts plastiques** **Musique**

▶ Transposer au cinéma une scène de théâtre ; choisir une mise en scène ; mettre en valeur des émotions par le biais des mots, de l'image, de la musique.

Un triomphe théâtral

Edmond Rostand

• Né à Marseille en 1868, il entame de brillantes études avant de devenir dramaturge et poète. Il ne rencontre pas immédiatement le succès, malgré la participation, à plusieurs de ses pièces, de la fameuse actrice **Sarah Bernhardt**. En 1897, enfin, **c'est le triomphe avec *Cyrano de Bergerac*.** Il connaît de nouveau le succès avec *L'Aiglon* en 1900, mais *Chantecler* déçoit en 1910. Edmond Rostand est reçu à **l'Académie française** en 1903. Il meurt de la grippe espagnole en 1918.

Questions

1 Quelles pièces de Rostand connurent le succès ?

2 Donnez le nom d'une célèbre actrice de la fin du XIXe siècle.

Portrait d'Edmond Rostand (1868-1918), extrait des *Œuvres complètes* d'Edmond Rostand, éd. Pierre Lafitte, 1910.

Affiche de la pièce *Cyrano de Bergerac*, illustration de Lucien Metivet, 1898.

Questions

3 Durant quel siècle Rostand vécut-il ?

4 Durant quel siècle le véritable Cyrano vécut-il ?

5 Qu'est-ce qui favorisa le succès de la pièce à l'époque de sa création ?

Cyrano de Bergerac, de l'inspiration au succès

• La légende voudrait que l'auteur, conseillant un jeune homme peu habile à séduire, eût trouvé ainsi l'inspiration de sa pièce. Cherchant un héros, il lui donna le nom et certains traits du véritable **Savinien de Cyrano de Bergerac**, qui vécut au **XVIIe siècle :** **soldat, redoutable escrimeur, écrivain et libre-penseur.** Si la pièce fut écrite à la fin du XIXe siècle, il convient de se rappeler que **l'intrigue se déroule deux siècles auparavant.**

• **Rien n'annonçait le succès** de cette pièce qui ne put être montée que grâce au soutien de l'acteur Coquelin, vedette de l'époque, qui tenait le rôle-titre. Pourtant, lors de la première représentation, le public **enthousiaste** acclama l'auteur, décoré le soir même de la Légion d'honneur. Le contexte politique et social de cette toute fin du XIXe siècle peut en partie expliquer l'engouement du public. La France blessée dans son patriotisme par la **défaite de 1871 contre la Prusse**, heurtée par divers **scandales**, aima **l'héroïsme** de Cyrano et sa quête personnelle de **l'honneur**. Le talent de l'auteur fit le reste.

Cyrano au cinéma : un « opéra verbal »

• À ce jour, ce succès ne s'est pas démenti avec plus de 15 000 représentations de *Cyrano de Bergerac* et plusieurs adaptations cinématographiques, dont celle de Jean-Paul Rappeneau en 1990, avec Gérard Depardieu dans le rôle de Cyrano. Pour le passage sur grand écran, le cinéaste fit le choix de simplifier parfois le texte, de le raccourcir, pour le rendre plus intelligible, tout en conservant la musicalité de l'alexandrin. Le public et la critique saluèrent le film, qui fut de nombreuses fois récompensé.

Questions

Consultez la filmographie de Gérard Depardieu
et celle de Jean-Paul Rappeneau.

Éducation aux médias

6 Pourquoi peut-on dire que Gérard Depardieu est un acteur populaire ? Dans quelles autres adaptations d'œuvres littéraires a-t-il joué ?

7 Quels films du réalisateur Jean-Paul Rappeneau connaissez-vous ?

Cyrano de Bergerac

• **Réalisation :** Jean-Paul Rappeneau
• **Scénario :** Jean-Claude Carrière
et Jean-Paul Rappeneau
Adapté de la pièce d'Edmond Rostand

Date de sortie : 28 mars 1990

• Gérard Depardieu :
  Savinien Cyrano de Bergerac
• Anne Brochet : Madeleine Robin,
  dite Roxane
• Vincent Pérez : Christian de Neuvillette
• Jacques Weber : le comte de Guiche
• Roland Bertin : Rageneau
• Catherine Ferran : Lise Rageneau
• Josiane Stoléru : la duègne
• Philippe Morier-Genoud : Le Bret
• Philippe Volter : le vicomte de Valvert
• Pierre Maguelon : Carbon de Castel-Jaloux
• Jean-Marie Winling : Lignière
• Gabriel Monnet : Montfleury

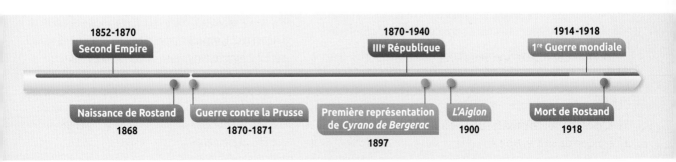

1852-1870	1870-1940	1914-1918
Second Empire	**IIIe République**	**1re Guerre mondiale**

Naissance de Rostand	**Guerre contre la Prusse**	**Première représentation** de *Cyrano de Bergerac*	*L'Aiglon*	**Mort de Rostand**
1868	1870-1871	1897	1900	1918

Découvrir la pièce
avec le film de J.-P. Rappeneau

A Découvrir la pièce (du début à 8')

1 Vers quel endroit la foule se dirige-t-elle ? Quelle atmosphère règne dans ce lieu ? Répondez à l'aide de détails précis.

2 Quels personnages découvre-t-on au fur et à mesure ? Que savons-nous d'eux ? Observez bien les jeux de regard : qui regarde qui ? qui renseigne qui ? Qu'est-ce qui distingue le personnage de Roxane des autres ?

3 Quels éléments de l'intrigue sont annoncés ?

Vocabulaire

1 « La pudeur vous défend de voir ma lame nue ? »

a. Cherchez ce qu'est la *pudeur*. **b.** Montrez que Cyrano joue sur le rapprochement entre le sens propre et le sens figuré.

2 « Non, pas de protecteur... / Mais une protectrice ! » Que désigne ici le protecteur ? la protectrice ?

3 « Gros homme, si tu joues / Je vais être obligé de te fesser les joues ! » Pour quelles raisons ce vers est-il comique ?

4 On peut employer une métonymie pour parler d'un objet : on le désigne par une de ses parties ou par sa matière. Complétez les expressions suivantes.
1. Bien manier l'épée : être fine ... .
2. Se battre à l'épée : croiser le ... .

B Un personnage attendu
(de 8' à 15')

1 Qui attend-on ? Repérez les étapes de la découverte progressive de ce personnage.

2 Pourquoi Cyrano interdit-il à Montfleury de jouer ? Comment l'emporte-t-il sur lui ?

3 **a.** Que devrait logiquement regarder le public ? Que regarde-t-il en réalité ? Où le spectacle a-t-il lieu ?
b. Pourquoi peut-on parler ici de « théâtre dans le théâtre » ?

4 Rendez-vous sur le site : Éducation aux médias
https://www.herodote.net/Le_theatre_du_XVIIe_siecle_a_nos_jours-synthese-1724.php

Quels éléments propres au théâtre du XVIIe siècle retrouvez-vous dans ce passage ?

5 **a.** Que savons-nous de Cyrano, à ce stade de l'histoire ? Comment peut-on qualifier son caractère ? Cherchez des exemples précis.
b. Ce personnage vous paraît-il sympathique ?

Cyrano de Bergerac, E. Rostand

La tirade des nez

Cyrano, qui avait interdit à l'acteur Montfleury de monter sur scène, a interrompu la représentation. Le spectacle n'est plus sur scène, mais dans la salle. Et ce n'est pas du goût de tout le monde…

DE GUICHE, *qui est descendu de la scène, avec les marquis.*
Mais à la fin il nous ennuie !

LE VICOMTE DE VALVERT, *haussant les épaules.*
Il fanfaronne[1] !

DE GUICHE
Personne ne va donc lui répondre ?…

LE VICOMTE
Personne ?

Attendez ! Je vais lui lancer un de ces traits[2] !…

(Il s'avance vers Cyrano qui l'observe, et se campant devant lui d'un air fat[3].)
Vous… vous avez un nez… heu… un nez… très grand.

CYRANO, *gravement.*
Très.

LE VICOMTE, *riant.*
5 Ha !

CYRANO, *imperturbable.*
C'est tout ?…

LE VICOMTE
Mais…

CYRANO
Ah ! non ! c'est un peu court, jeune homme !
On pouvait dire… Oh ! Dieu !… bien des choses en somme…
En variant le ton, – par exemple, tenez :
Agressif : « Moi, monsieur, si j'avais un tel nez,
Il faudrait sur-le-champ que je me l'amputasse[4] ! »
10 Amical : « Mais il doit tremper dans votre tasse !
Pour boire, faites-vous fabriquer un hanap[5] ! »
Descriptif : « C'est un roc !… c'est un pic !… c'est un cap !
Que dis-je, c'est un cap ?… C'est une péninsule[6] ! »
Curieux : « De quoi[7] sert cette oblongue[8] capsule ?
15 D'écritoire, monsieur, ou de boîte à ciseaux ? »
Gracieux : « Aimez-vous à ce point les oiseaux
Que paternellement vous vous préoccupâtes
De tendre ce perchoir à leurs petites pattes ? » […]

1. **Fanfaronner :** exagérer son courage par ses paroles ou son attitude.
2. **Trait :** mot d'esprit.
3. **Fat :** médiocre mais satisfait de lui-même.
4. Imparfait du subjonctif du verbe *amputer* (couper, sectionner).
5. **Hanap :** Grande coupe à boire.
6. **Péninsule :** très grande presqu'île.
7. **De quoi :** à quoi.
8. **Oblong :** plus long que large.

20 – Voilà ce qu'à peu près, mon cher, vous m'auriez dit
Si vous aviez un peu de lettres et d'esprit :
Mais d'esprit, ô le plus lamentable des êtres,
Vous n'en eûtes jamais un atome, et de lettres
Vous n'avez que les trois qui forment le mot : sot !
25 Eussiez-vous eu, d'ailleurs, l'invention qu'il faut
Pour pouvoir là, devant ces nobles galeries,
Me servir toutes ces folles plaisanteries,
Que vous n'en eussiez pas articulé le quart
De la moitié du commencement d'une, car
Je me les sers moi-même, avec assez de verve,
30 Mais je ne permets pas qu'un autre me les serve.

      De Guiche, *voulant emmener le vicomte pétrifié.*
Vicomte, laissez donc !

              Le Vicomte, *suffoqué* [9].
                Ces grands airs arrogants !
Un hobereau[10] qui… qui… n'a même pas de gants !
Et qui sort sans rubans, sans bouffettes[11], sans ganses[12] !

             Cyrano
Moi, c'est moralement que j'ai mes élégances.
35 Je ne m'attife[13] pas ainsi qu'un freluquet[14],
Mais je suis plus soigné si je suis moins coquet ;
Je ne sortirais pas avec, par négligence,
Un affront pas très bien lavé, la conscience
Jaune encore de sommeil dans le coin de son œil,
40 Un honneur chiffonné, des scrupules en deuil[15].
Mais je marche sans rien sur moi qui ne reluise,
Empanaché[16] d'indépendance et de franchise ; […]
           Je n'ai pas de gants ?… La belle affaire !
Il m'en restait un seul… d'une très vieille paire !
45 – Lequel m'était d'ailleurs encor fort importun :
Je l'ai laissé dans la figure de quelqu'un[17].

             Le Vicomte
Maraud, faquin, butor de pied plat ridicule[18].

      Cyrano, *ôtant son chapeau et saluant*
      comme si le vicomte venait de se présenter.
Ah ? … Et moi, Cyrano-Savinien-Hercule
50 De Bergerac.

          (Rires.)

    Edmond Rostand, *Cyrano de Bergerac*, 1897, Acte I, scène 4.

9. Suffoqué : qui respire difficilement sous le coup de l'émotion.

10. Hobereau : gentilhomme de petite noblesse vivant sur ses terres. Le terme est péjoratif.

11. Bouffette : nœud bouffant ornant un vêtement.

12. Ganse : ruban plat ornant un vêtement.

13. S'attifer : s'habiller avec un goût plus ou moins sûr.

14. Freluquet : jeune homme soigné, frivole et prétentieux.

15. Avoir les ongles en deuil, c'est avoir les ongles sales, bordés de noir. L'image est reprise avec « scrupules ».

16. Empanaché : paré, décoré.

17. Traditionnellement, jeter le gant à la face de quelqu'un, c'est le provoquer en duel.

18. Insultes.

Parcours de lecture ★★

1 Que promet le Vicomte à de Guiche ? Est-ce un succès ?

2 En quoi la réponse de Cyrano consiste-t-elle ? Que parvient-il à démontrer ?

3 a. Que nous apprennent les didascalies sur les personnages ?
b. Observez la répartition de la parole entre les personnages. Qui l'emporte dans ce duel verbal ?

4 « Ah ! non ! c'est un peu court, jeune homme ! » (v. 5) Qu'est-ce qui est court ? À quoi cet adjectif pourrait-il s'opposer ?

5 Vers 5 à 23. **a.** Observez la ponctuation : que remarquez-vous ?
b. Analysez la façon dont Cyrano varie le ton. Quel est l'effet produit ?

6 Vers 22. **a.** Quel est le double sens du nom *lettres* ? Pourquoi le Vicomte est-il *suffoqué* ?
b. Comment cela se traduit-il dans ses vers ?

7 a. Quelle critique le Vicomte émet-il alors à l'égard de Cyrano ? Qu'en pensez-vous ?
b. Quels champs lexicaux Cyrano oppose-t-il dans sa réponse ? Comment rend-il digne sa pauvreté ?

8 Expliquez la pointe finale (c'est-à-dire le trait d'esprit de la dernière réplique). Pourquoi est-il important que Cyrano ait un public ?

ou Parcours de lecture ★★★

1 Montrez que cette scène fonctionne comme un duel. Qui est vainqueur ? *Tâche complexe*

▶ **Coup de pouce**
• Qui parle le plus ?
• Observez la ponctuation des répliques du Vicomte et les didascalies. Que nous apprennent-elles sur ce personnage ?
• En quoi Cyrano et le vicomte s'opposent-ils ?
• En quoi la virtuosité de Cyrano consiste-t-elle ? Donnez des exemples précis. Que parvient-il à prouver ?
• Quel est le rôle du public ?

2 Le personnage de Cyrano semble-t-il sympathique dans cette scène ? Pourquoi ?

Vocabulaire

1 Trouvez des mots de même famille que le verbe *fanfaronner* (v. 1).
1. Un vantard : un ... . 2. Une vantardise : une ... .

2 *Imperturbable* : quelle est la nature de ce mot ? Décomposez-le et précisez son sens. Quels mots de même famille connaissez-vous ?

3 Que signifie *importun* (v. 45) ? Trouvez un verbe de même famille.

4 Le nom *verve* (v. 29) provient du latin *verbum* (le mot, la parole). **a.** Cherchez la signification de l'expression « être en verve » et employez-la dans une phrase mettant son sens en valeur.
b. Trouvez des mots provenant de la même racine.

1. Parler fort : avoir le ... haut .
2. Une violence par la parole : une violence ... .
3. Un discours redondant, trop abondant est ... .
4. Du ... est une abondance de paroles creuses.

Écriture

« C'est un roc !... c'est un pic !... c'est un cap !
Que dis-je, c'est un cap ?... C'est une péninsule ! »
(v. 12-13)
a. Quelle figure de style repérez-vous ?
b. Sur le même principe, imaginez quelques images, à partir des situations suivantes dont vous exagérerez la gravité :
- une bousculade dans la rue (→ un délit, un crime, un assassinat) ;
- un morceau de musique dissonant ;
- un coup de vent ;
- un film ennuyeux ;
- un plat trop cuit.

Oral

À votre tour de varier le ton : récitez, à plusieurs, la tirade des nez en respectant le ton voulu.

Un rendez-vous galant

A Comprendre ce qui précède
(22' à 28')

Les confidences de Cyrano
(22 min à 25 min)

1 Quel est le « motif de la haine » de Cyrano envers Montfleury ?

2 Qui Cyrano aime-t-il ? Pourquoi s'interdit-il de déclarer sa flamme ?

3 Quelle facette nouvelle du personnage découvre-t-on ? Comment le décor s'accorde-t-il au sentiment de Cyrano ?

Un bretteur sans pareil
(25 min à 28 min)

4 Cherchez ce qu'est une duègne. Quelle demande apporte celle de Roxane ? Comment Cyrano réagit-il ?

5 Montrez de quelle façon, par l'image et le son, le cinéma souligne l'héroïsme de Cyrano.

B Comprendre la scène
(31' à 39')

Une discussion intime

1 À quoi Cyrano s'occupe-t-il en attendant Roxane ? Pourquoi, d'après vous, le cinéaste a-t-il fait le choix de placer un miroir dans le décor ?

2 « Je me suis donc battu, madame, et c'est tant mieux /
Non pour mon vilain nez, mais bien pour vos beaux
[yeux. »

Qui dit cela ? Expliquez ces vers.

3 Qu'est-ce qui, dans le décor ou le sujet abordé, permet de rendre la scène intime ?

4 Pourquoi y a-t-il quiproquo ? Quand Cyrano comprend-il son erreur ?

5 Expliquez ce dernier vers :
ROXANE.
Cent hommes ! Quel courage !
CYRANO, *la saluant.*

Oh ! j'ai fait mieux depuis.
(Acte II, scène 6)

6 Montrez que la scène est cruelle pour Cyrano.

Vocabulaire

1 « Oui, tous les mots sont fins quand la moustache
[est fine. »
a. Quel adjectif est répété ? Quelle variation de sens subit-il ? Expliquez le sens de cette réplique.
b. Cherchez le sens des expressions suivantes et employez-les dans des phrases mettant leur sens en évidence : *la fine fleur – avoir le nez fin – être fine lame – jouer au plus fin – avoir l'air fin – le fin du fin – des perles fines – être fin prêt.*
c. Trouvez des mots de même famille :
  1. Un chocolat d'une qualité supérieure : un chocolat ... .
  2. Rendre plus fin : ... .
  3. Un homme élégant et distingué est ... .

2 À quel niveau de langue le mot *bobo* appartient-il ? Qu'apporte à la scène l'emploi de ce langage ?

Oral

1 Quelles sont les différentes manières de jouer les « ah ! » lors de la confidence de Roxane ? Quels sentiments l'acteur exprime-t-il tour à tour ?

2 À vous de jouer : avec cette seule onomatopée, exprimez la colère, le doute, la tristesse, la déception, la surprise, l'admiration, le soulagement, la joie.

La tirade
des « non, merci »

De Guiche a apprécié les vers de Cyrano. Il lui propose de l'introduire auprès de Richelieu, homme très puissant, qui pourrait le protéger et le soutenir financièrement. C'est pour Cyrano une aubaine extraordinaire qu'il refuse par souci de préserver sa liberté.

LE BRET[1]

Si tu laissais un peu ton âme mousquetaire[2],
La fortune et la gloire…

CYRANO

    Et que faudrait-il faire ?
Chercher un protecteur puissant, prendre un patron[3],
Et comme un lierre obscur qui circonvient[4] un tronc
5 Et s'en fait un tuteur[5] en lui léchant l'écorce,
Grimper par ruse au lieu de s'élever par force ?
Non, merci. Dédier, comme tous ils le font,
Des vers aux financiers ? se changer en bouffon
Dans l'espoir vil[6] de voir, aux lèvres d'un ministre,
10 Naître un sourire, enfin, qui ne soit pas sinistre ?
Non, merci. Déjeuner, chaque jour, d'un crapaud[7] ?
Avoir un ventre usé par la marche ? une peau
Qui plus vite, à l'endroit des genoux, devient sale ?
Exécuter des tours de souplesse dorsale ?… […]
15 Non, merci ! Travailler à se construire un nom
Sur un sonnet, au lieu d'en faire d'autres ? Non,
Merci ! Ne découvrir du talent qu'aux mazettes[8] ?
Être terrorisé par de vagues gazettes[9],
Et se dire sans cesse : « Oh, pourvu que je sois
20 Dans les petits papiers du *Mercure François*[10] ? »…
Non, merci ! Calculer, avoir peur, être blême,
Préférer faire une visite qu'un poème,
Rédiger des placets[11], se faire présenter ?
Non, merci ! non, merci ! non, merci ! Mais… chanter,
25 Rêver, rire, passer, être seul, être libre,
Avoir l'œil qui regarde bien, la voix qui vibre,
Mettre, quand il vous plaît, son feutre de travers,
Pour un oui, pour un non, se battre, – ou faire un vers !
Travailler sans souci de gloire ou de fortune,
30 À tel voyage, auquel on pense, dans la lune !

1. Ami de Cyrano.
2. Qui a l'élégance ou le comportement d'un mousquetaire.
3. **Patron** : ici, protecteur ; personne influente pouvant favoriser une carrière.
4. **Circonvenir** : faire le tour. Au sens figuré : séduire par des manœuvres.
5. **Tuteur** : soutien.
6. **Vil** : bas, méprisable.
7. **Avaler un crapaud** : faire, contre son gré, une chose désagréable.
8. **Mazette** : personne peu habile.
9. **Gazette** : journal.
10. Première revue française connue.
11. **Placet** : requête, texte destiné à obtenir une faveur.

N'écrire jamais rien qui de soi ne sortît,

Et modeste d'ailleurs, se dire : mon petit,

Sois satisfait des fleurs, des fruits, même des feuilles,

Si c'est dans ton jardin à toi que tu les cueilles !

35 Puis, s'il advient d'un peu triompher, par hasard,

Ne pas être obligé d'en rien rendre à César,

Vis-à-vis de soi-même en garder le mérite,

Bref, dédaignant d'être le lierre parasite,

Lors même qu'on n'est pas le chêne ou le tilleul,

40 Ne pas monter bien haut, peut-être, mais tout seul !

LE BRET

Tout seul, soit ! mais non pas contre tous ! Comment diable

As-tu donc contracté la manie effroyable

De te faire toujours, partout, des ennemis ?

CYRANO

À force de vous voir vous faire des amis,

45 Et rire à ces amis dont vous avez des foules,

D'une bouche empruntée au derrière des poules !

J'aime raréfier sur mes pas les saluts,

Et m'écrie avec joie : un ennemi de plus !

LE BRET

Quelle aberration !

CYRANO

50 Eh bien ! oui, c'est mon vice.

Déplaire est mon plaisir. J'aime qu'on me haïsse.

EDMOND ROSTAND, *Cyrano de Bergerac*, 1897, Acte II, scène 8.

1 De quoi Le Bret s'inquiète-t-il ?

2 Repérez les deux grandes parties de la tirade de Cyrano et résumez-les en une phrase. Quelle conjonction permet d'introduire la seconde partie ? Qu'exprime cette conjonction ?

3 Quelle expression rythme la tirade de Cyrano ? Quel trait de caractère cette répétition met-elle en évidence ?

4 Vers 3 à 6 : quelle image est utilisée ? Où la retrouve-t-on ? Que sert-elle à condamner ?

5 Quel champ lexical est employé vers 12 à 14 ? Expliquez l'image.

6 Vers 25 à 40, quelle métaphore évoque l'idéal de Cyrano ? À quelle vertu cet idéal est-il associé ?

7 En quoi Cyrano et Le Bret s'opposent-ils vers 41 à 51 ? Observez les champs lexicaux pour justifier votre réponse.

1 Montrez que cette scène fonctionne comme un duel. Lisez attentivement la tirade de Cyrano et résumez, une à une, les idées exprimées. Que méprise-t-il ? Que défend-il ?

2 Quel procédé littéraire repérez-vous dans la dernière réplique de Cyrano ? Que nous apprend-elle sur le caractère du personnage ?

3 Quel prix Cyrano est-il prêt à payer pour vivre selon son idéal ? Appuyez-vous sur le texte pour répondre.

4 Lisez la fable « Le Chien et le Loup » de Jean de La Fontaine. Quels points communs observez-vous avec la tirade de Cyrano ?

Vocabulaire

1 **a.** Quelle est l'arme du mousquetaire ? Celle du lancier ? du carabinier ? du grenadier ? du hallebardier ? de l'archer ?
b. Comment appelle-t-on le salaire du soldat ?

2 **a.** Décomposez le verbe *raréfier* (v. 47). Quel est le sens du suffixe ?
b. Avec le même suffixe, trouvez les verbes formés sur les adjectifs suivants : *ample – clair – fort – vif – bon.*
c. Trouvez les verbes formés sur les noms suivants : *horreur – terreur – paix – gloire – dieu.*

3 **a.** Repérez, dans le texte, l'antonyme de *vertu.*
b. Trouvez des mots de même famille : **1.** De manière vertueuse : ... . **2.** Se donner beaucoup de peine : s'... .
3. Un individu techniquement très doué : un ... .

Cyrano de Bergerac, par Auguste A. Gorguet (1862-1927), collection particulière.

Écriture

Quel défaut vous paraît particulièrement condamnable (l'égoïsme, l'orgueil, la malhonnêteté, le manque de courage, l'impatience, la sottise, la servilité, etc.) ? Rédigez, en quelques lignes, votre propre tirade des « non, merci ! ».
– Énumérez des actions décrivant ce défaut. Les verbes seront à l'infinitif.
– N'oubliez pas de rythmer votre tirade par « non, merci ! ».
– Utilisez des images pour enrichir votre propos.

Oral

1 Comparez la ponctuation et le rythme des phrases dans les deux parties de la tirade de Cyrano. Qu'observez-vous ?

2 Comment la différence est-elle soulignée dans le film (43 min à 46 min) ?
À votre tour, entraînez-vous à lire cette tirade en respectant le rythme et le ton voulus, afin de mettre en évidence les sentiments du personnage.

Scène du balcon
(mise en relation avec le film)

Christian, qui manque d'esprit, a déçu Roxane par la platitude de ses paroles. Cyrano vient alors en aide à son ami et lui propose de se placer sous le balcon de la chambre de Roxane. Là, à la faveur de la nuit, il pourra se dissimuler et souffler à Christian des répliques spirituelles. Encore sous le coup de la déception, Roxane veut d'abord chasser son visiteur du soir, mais elle se ravise…

ROXANE, CHRISTIAN, CYRANO, *d'abord caché sous le balcon.* [...]

ROXANE, *qui allait refermer sa fenêtre, s'arrêtant.*
Tiens, mais c'est mieux !

CHRISTIAN, *même jeu.*
L'amour grandit bercé dans mon âme inquiète…
Que ce… cruel marmot[1] prit pour… barcelonnette[2] !

ROXANE, *s'avançant sur le balcon.*
C'est mieux ! – Mais, puisqu'il est cruel, vous fûtes sot
5   De ne pas, cet amour, l'étouffer au berceau !

CHRISTIAN, *même jeu.*
Aussi l'ai-je tenté, mais tentative nulle :
Ce… nouveau-né, Madame, est un petit… Hercule[3].

ROXANE
C'est mieux !

CHRISTIAN, *même jeu.*
De sorte qu'il… strangula[4] comme rien…
Les deux serpents… Orgueil et… Doute.

---

1. On associe souvent l'amour au dieu Cupidon, représenté sous les traits d'un enfant ailé.

2. Barcelonnette : berceau.

3. Hercule : fils de Jupiter et d'une mortelle. Junon voulut se venger sur l'enfant des infidélités de son époux Jupiter : elle envoya des serpents dans le berceau d'Hercule, qui les étrangla, manifestant déjà les signes de sa célèbre force.

4. Stranguler : étrangler.

ROXANE, *s'accoudant au balcon*

Ah ! c'est très bien.

10 – Mais pourquoi parlez-vous de façon peu hâtive ?

Auriez-vous donc la goutte à l'imaginative ?

CYRANO, *tirant Christian sous le balcon et se glissant à sa place.*

Chut ! Cela devient trop difficile !…

ROXANE

Aujourd'hui…

Vos mots sont hésitants. Pourquoi ?

CYRANO, *parlant à mi-voix, comme Christian.*

C'est qu'il fait nuit,

Dans cette ombre, à tâtons, ils cherchent votre oreille.

ROXANE

15 Les miens n'éprouvent pas difficulté pareille.

CYRANO

Ils trouvent tout de suite ? oh ! cela va de soi,

Puisque c'est dans mon cœur, eux, que je les reçois ;

Or, moi, j'ai le cœur grand, vous, l'oreille petite.

D'ailleurs vos mots à vous descendent : ils vont plus vite,

20 Les miens montent, Madame : il leur faut plus de temps !

ROXANE

Mais ils montent bien mieux depuis quelques instants.

CYRANO

De cette gymnastique, ils ont pris l'habitude !

ROXANE

Je vous parle en effet d'une vraie altitude !

CYRANO

Certes, et vous me tueriez si de cette hauteur

25 Vous me laissiez tomber un mot dur sur le cœur !

ROXANE, *avec un mouvement.*

Je descends !

CYRANO, *vivement.*

Non !

ROXANE, *lui montrant le banc qui est sous le balcon.*

Grimpez sur le banc, alors, vite !

CYRANO, *reculant avec effroi dans la nuit.*

Non !

ROXANE

Comment… non ?

CYRANO, *que l'émotion gagne de plus en plus.*

Laissez un peu que l'on profite…

De cette occasion qui s'offre… de pouvoir

30 Se parler doucement, sans se voir.

ROXANE

Sans se voir ?

CYRAN

Mais oui, c'est adorable. On se devine à peine.
Vous voyez la noirceur d'un long manteau qui traîne,
J'aperçois la blancheur d'une robe d'été :
Moi je ne suis qu'une ombre, et vous qu'une clarté !
35 Vous ignorez pour moi ce que sont ces minutes !
Si quelquefois je fus éloquent…

ROXANE

Vous le fûtes !

CYRANO

Mon langage jamais jusqu'ici n'est sorti
De mon vrai cœur…

ROXANE

Pourquoi ?

CYRANO

Parce que… jusqu'ici
Je parlais à travers…

ROXANE

Quoi ?

CYRANO

… le vertige où tremble
40 Quiconque est sous vos yeux !… Mais ce soir, il me semble…
Que je vais vous parler pour la première fois !

ROXANE

C'est vrai que vous avez une tout autre voix.

CYRANO, *se rapprochant avec fièvre.*
Oui, tout autre, car dans la nuit qui me protège
J'ose être enfin moi-même, et j'ose…

(Il s'arrête et, avec égarement.)
Où en étais-je ?
45 Je ne sais… tout ceci, – pardonnez mon émoi, –
C'est si délicieux… c'est si nouveau pour moi !

ROXANE

Si nouveau ?

CYRANO, *bouleversé, et essayant toujours de rattraper ses mots.*
Si nouveau… mais oui… d'être sincère :
La peur d'être raillé, toujours au cœur me serre…

ROXANE

Raillé de quoi ?

CYRANO

Mais de… d'un élan !… Oui, mon cœur

50 Toujours, de mon esprit s'habille, par pudeur :

Je pars pour décrocher l'étoile, et je m'arrête

Par peur du ridicule, à cueillir la fleurette[5] !

ROXANE

La fleurette a du bon.

CYRANO

Ce soir, dédaignons-la !

ROXANE

Vous ne m'aviez jamais parlé comme cela !

5. Fleurette : amour
sentimental.

➤ **EDMOND ROSTAND,** *Cyrano de Bergerac,* 1897, Acte III, scène 7.

Étude

Comprendre ce qui précède
(film, 1 h 01 à 1 h 06)

❶ À quel moment Christian et Roxane se parlent-ils pour la première fois ?

❷ Qu'espère chacun d'entre eux ? Pourquoi est-ce un échec ?

Comprendre la scène (1 h 06 à 1 h 13)

A. Roxane au balcon (texte et film, 1 h 06 à 1 h 08)

❶ Décrivez le décor de la scène dans le film. Pourquoi ces choix, d'après vous ?

❷ Quel détail rend Roxane particulièrement visible ?

❸ À quel moment Roxane accepte-t-elle d'écouter Christian ? Pourquoi ? Citez le texte.

❹ Observez les mouvements de la caméra et le point de vue adopté : qui devient le personnage principal de la scène ?

B. L'entrée en scène de Cyrano
(texte et film, 1 h 07 à 1 h 11)

❶ Pourquoi Cyrano prend-il la place de Christian ? Comment justifie-t-il la lenteur de Christian ?

❷ Quel champ lexical repérez-vous du vers 31 au vers 34 ? À quels personnages ces idées correspondent-elles ?

❸ À quel moment Cyrano devient-il sincère ? Qu'est-ce qui change dans sa façon de s'exprimer ? Montrez le double sens de ses répliques.

❹ Comment son amour s'exprime-t-il enfin ?

C. Le baiser (film, 1 h 10 à 1 h 13)

❶ Pourquoi Christian reprend-il la parole ? Comment les autres personnages réagissent-ils à sa demande ?

❷ Qui reçoit le baiser ? Qui l'aurait mérité ?

❸ **a.** Sur quelle image la scène se clôt-elle ? **b.** Analysez l'allure et la position du personnage ainsi que les éléments du décor. **c.** Quel sentiment cela vous inspire-t-il ?

Vocabulaire

❶ L'adjectif *éloquent* (v. 36) provient du verbe latin *loquor* (je parle). **a.** Cherchez le sens de cet adjectif. **b.** Trouvez des mots de même famille : **1.** Cyrano s'exprime avec … . **2.** Christian parle peu, il n'est guère … . **3.** La voix de cet artiste … semble provenir de son ventre. **4.** Roxane semble inter… par la demande de Christian.

❷ Le nom *pudeur* (v. 50) provient du latin *pudor,* la honte. **a.** Qu'est-ce que la pudeur, de nos jours ? **b.** Trouvez des mots de même famille :
  1. Cyrano, …, n'ose révéler ses sentiments.
  2. Christian est … : il agit de façon audacieuse et effrontée.

❸ Trouvez les noms appartenant à la même famille que les verbes suivants puis employez chacun d'eux dans une phrase pour mettre leur sens en évidence : *railler* (v. 48) – *émouvoir* – *dédaigner* (v. 53).

Écriture

« Moi je ne suis qu'une <u>ombre</u>, et vous qu'une <u>clarté</u> ! » (v. 34)

❶ Quelle figure de style est employée ?

❷ Sur le même modèle, imaginez quelques phrases opposant des couples d'antonymes. Variez les verbes employés.

Texte écho ⊖

Shakespeare, Roméo et Juliette

William Shakespeare

(1564-1616)
Poète et dramaturge anglais de la Renaissance. Il s'est illustré dans tous les genres ; ses tragédies (*Roméo et Juliette, Hamlet...*) comme ses comédies (*Le Songe d'une nuit d'été...*) sont considérées comme des chefs-d'œuvre.

À Vérone, en Italie, deux familles se haïssent et se déchirent : les Montaigu et les Capulet. Or, Roméo, un Montaigu, aime Juliette, une Capulet. Dans cette scène, qui suit celle de la rencontre, Roméo s'est secrètement introduit de nuit dans le jardin des Capulet. Juliette apparaît à la fenêtre.

ROMÉO

Mais silence ! quelle lumière éclate à la fenêtre ?
C'est l'Orient[1] et Juliette est le soleil !
Lève-toi clair soleil, et tue l'envieuse lune
Déjà malade et pâle de chagrin
5 De voir que sa servante est bien plus belle qu'elle. […]
Voici ma Dame ! oh elle est mon amour !
Oh si elle savait qu'elle l'est !
Elle parle et pourtant ne dit rien, mais qu'importe,
Ses yeux font un discours et je veux leur répondre.
10 Je suis trop hardi, ce n'est pas à moi qu'elle parle :
Deux des plus belles étoiles dans tout le ciel
Ayant quelque affaire, ont supplié ses yeux
De briller dans leurs sphères
Jusqu'à ce qu'elles reviennent.
15 Que serait-ce si ses yeux étaient là-haut
Et les étoiles dans sa tête ?
Car l'éclat de sa joue ferait honte aux étoiles
Comme le jour à une lampe, tandis que ses yeux au ciel
Répandraient à travers la région aérienne un si grand éclat
20 Que les oiseaux chanteraient croyant la nuit terminée.
Voyez, comme elle pose sur sa main sa joue !
Oh si j'étais le gant sur cette main
Que je puisse toucher cette joue !

JULIETTE

Ah !

ROMÉO

Elle a parlé :

Oh parle encor, lumineux ange ! Car tu es
25 Aussi glorieuse à cette nuit, te tenant par-dessus ma tête,
Que pourrait l'être un messager ailé du ciel
Aux yeux retournés blancs d'émerveillement
Des mortels, qui se renversent pour le voir,

1. Orient : est (où apparaît le soleil le matin).

Quand il enjambe les nuages paresseux

30 Quand il glisse sur la poitrine de l'air.

JULIETTE

Ô Roméo, Roméo ! Pourquoi es-tu Roméo ?

Renie ton père, refuse ton nom ;

Ou si tu ne le fais, sois mon amour juré

Et moi je ne serai plus une Capulet.

ROMÉO

35 L'écouterai-je encore

Ou vais-je lui parler ?

JULIETTE

C'est seulement ton nom qui est mon ennemi.

Tu es toi-même, tu n'es pas un Montaigu.

Qu'est-ce un Montaigu ? Ce n'est ni pied ni main

40 Ni bras ni visage, ni aucune partie

Du corps d'un homme. Oh sois un autre nom !

➤ **WILLIAM SHAKESPEARE**, *Roméo et Juliette*, 1597, Acte II, scène 2,
trad. Pierre-Jean Jouve et Georges Pitoëff, 1937, Gallimard.

Roméo et Juliette, Ford Madox Brown (1821-1893),
aquarelle, 1868-1871, collection privée.

Lecture

Pour bien lire

1 Quand et où la scène se passe-t-elle ? Pourquoi est-ce important ?

2 Qui parle le plus ? De quoi est-il question ? À qui ces paroles s'adressent-elles ?

3 Quels sont les vers qui montrent que Roméo et Juliette s'aiment ?

Pour aller plus loin

4 Vers 1 à 20, quelle métaphore est développée ? Dans quel but ? Relevez quelques exemples.

5 Quel regret Juliette exprime-t-elle vers 31 à 41 ? Comment ce sentiment est-il amplifié ? Observez la ponctuation et le mode des verbes pour répondre.

6 En quoi la scène du balcon dans *Cyrano de Bergerac* vous fait-elle penser à cette scène ? En quoi est-elle différente ?

Vocabulaire

1 Quels adjectifs signifient « de l'est » ? « de l'ouest » ? « du nord » ? « du sud » ?

2 Quel pays appelle-t-on : « pays du soleil levant » ?

Les aveux manqués

1 Exposez les circonstances du mariage de Roxane et Christian.

2 Quelle est la vengeance de De Guiche ?

3 Comment la guerre nous est-elle montrée (1 h 22) ?

4 À quelles difficultés et dangers les cadets de Gascogne sont-ils soumis ? Pourquoi ?

5 Quel danger Cyrano accepte-t-il de courir chaque jour ? Que comprend alors Christian ?

6 Quelle nouvelle facette du caractère de Roxane découvrons-nous ?

B · Comprendre la scène (1 h 40 à 1 h 49)

Parcours de lecture ★

1 Comment de Guiche obtient-il l'estime des cadets ?

2 a. Comment le danger est-il montré ? Pour répondre, examinez si la guerre est filmée de près ou de loin, avec un premier plan ou non.
b. Comment suggère-t-on la présence d'un grand nombre de soldats ?
c. Comment le son renforce-t-il l'intensité dramatique du moment ?

3 Que font comprendre à Christian les mots d'amour de Roxane ? À quoi voit-on qu'il est bouleversé ?

4 Par quels sentiments Cyrano passe-t-il tout au long de la scène ? Expliquez.

5 À quoi voit-on la douleur de Roxane ?

Parcours de lecture ★★

Quelle est l'importance de cette scène dans la pièce ? ⟨ Tâche complexe ⟩

▶ **Pour vous aider**
• Montrez qu'il y a un basculement dans l'intrigue.
• Identifiez ce qui rend la scène pathétique.
• Montrez que Cyrano est victime d'un coup du sort.

C · Lire le texte de la scène
(acte IV, scènes 9 et 10)

1 Comprend-on le passage suivant de la même façon une fois qu'on connaît la fin de la scène ? Expliquez.

CHRISTIAN
    Qu'elle choisisse !
Tu vas lui dire tout !
CYRANO
                Non, non ! Pas ce supplice !
CHRISTIAN
Je tuerais ton bonheur parce que je suis beau ?
C'est trop injuste !
CYRANO
            Et moi, je mettrais au tombeau
Le tien, parce que, grâce au hasard qui fait naître,
J'ai le don d'exprimer... ce que tu sens peut-être ?

2 Expliquez ce vers.

CYRANO
J'ai deux morts à venger : Christian et mon bonheur.

Écriture

« Adieu, Roxane ! »

En quelques lignes, exprimez la douleur et les regrets de Cyrano.

– Opposez l'espoir du début à la douleur de la résignation.
– Montrez la grandeur d'âme du personnage qui s'interdit de révéler la supercherie.
– Vous pouvez commencer par : « Adieu, Roxane, je ne puis plus vous dire mon amour. »

Un aveu tardif

Désespérée par la mort de Christian, Roxane s'est retirée dans un couvent. Quinze ans plus tard, Cyrano lui rend toujours fidèlement visite. Or, ce jour-là, il arrive en retard, affaibli. Il obtient de Roxane la permission de lire la lettre d'adieu de Christian.

(Le crépuscule commence à venir.) […]

CYRANO, *lisant.*

« Roxane, adieu, je vais mourir !... »

ROXANE, *s'arrêtant, étonnée.*

Tout haut ?

CYRANO, *lisant.*

« C'est pour ce soir, je crois, ma bien-aimée !

« J'ai l'âme lourde encor d'amour inexprimée,

« Et je meurs ! jamais plus, jamais mes yeux grisés,

5 « Mes regards dont c'était... »

ROXANE

Comme vous la lisez,

Sa lettre ! […]

Vous la lisez...

CYRANO

« Ma chère, ma chérie,

« Mon trésor... »

ROXANE, *rêveuse.*

D'une voix...

CYRANO

« Mon amour !... »

ROXANE

D'une voix...

(Elle tressaille.)

Mais... que je n'entends pas pour la première fois !

(Elle s'approche tout doucement, sans qu'il s'en aperçoive, passe derrière le fauteuil, se penche sans bruit, regarde la lettre. – L'ombre augmente.)

CYRANO

« Mon cœur ne vous quitta jamais une seconde,

10 « Et je suis et serai jusque dans l'autre monde

« Celui qui vous aima sans mesure, celui... »

ROXANE, *lui posant la main sur l'épaule.*

Comment pouvez-vous lire à présent ? Il fait nuit.

(Il tressaille, se retourne, la voit là tout près, fait un geste d'effroi, baisse la tête. Un long silence. Puis, dans l'ombre complètement venue, elle dit avec lenteur, joignant les mains.)

Et pendant quatorze ans, il a joué ce rôle
D'être le vieil ami qui vient pour être drôle !

CYRANO

15 Roxane !

ROXANE

C'était vous.

CYRANO

Non, non, Roxane, non !

ROXANE

J'aurais dû deviner quand il disait mon nom !

CYRANO

Non ! ce n'était pas moi !

ROXANE

C'était vous !

CYRANO

Je vous jure…

ROXANE

J'aperçois toute la généreuse imposture :
Les lettres, c'était vous…

CYRANO

Non !

ROXANE

Les mots chers et fous,

20 C'était vous…

CYRANO

Non !

ROXANE

La voix dans la nuit, c'était vous.

CYRANO

Je vous jure que non !

ROXANE

L'âme, c'était la vôtre !

CYRANO

Je ne vous aimais pas.

ROXANE

Vous m'aimiez !

CYRANO, *se débattant.*

C'était l'autre !

ROXANE

Vous m'aimiez !

CYRANO, *d'une voix qui faiblit.*

Non !

ROXANE

Déjà vous le dites plus bas !

CYRANO

Non, non, mon cher amour, je ne vous aimais pas !

EDMOND ROSTAND, *Cyrano de Bergerac*, 1897, Acte V, scène 5.

Étude

Pour bien lire

1 Qui est l'auteur de la lettre lue par Cyrano ? Que découvre Roxane grâce à cette lecture ?

2 Relisez les vers correspondant à la lettre : de quel type de lettre s'agit-il ? Que comprend le spectateur avant Roxane ?

Pour approfondir la lecture

3 Qui paraît le plus affirmatif au début ? Et ensuite ? À quoi le voit-on ? Pour répondre, analysez les types de phrase et le vocabulaire employés.

4 Quel est le rôle de l'obscurité ? Que symbolise le crépuscule ?

5 Quels points communs voyez-vous entre cette scène et celle du balcon ?

6 Quels sentiments cette scène vous inspire-t-elle ? Pourquoi ?

Comprendre la scène (film, 1 h 55 à 2 h 02)

1 Comment Roxane est-elle vêtue ? Pourquoi ?

2 Observez les mouvements de caméra. Que choisit de montrer le cinéaste durant la lecture de la lettre ?

3 Quel détail annonce la fin prochaine de Cyrano ?

Vocabulaire

1 **a.** Cherchez ce qu'est une *imposture* (v. 18). Quel est le sens de l'expression : « généreuse imposture » ? **b.** Comment nomme-t-on celui qui commet une imposture ?

2 **a.** « Aimer sans mesure » (v. 11). Expliquez le sens de l'expression.
b. Quel adjectif signifie « sans mesure » ?
c. Trouvez les mots manquants dans les expressions suivantes : 1. au ... et à mesure – 2. exagérer : ... la mesure – 3. juger de façon inéquitable : avoir ..., deux mesures – 4. pouvoir : ... en mesure.

3 Cherchez à quoi correspondent les termes et expressions suivants : *le crépuscule – l'aube – l'aurore – le point du jour.*

Écriture

Roxane se souvient de la voix qui montait tandis qu'elle était au balcon. En quelques lignes, elle évoque son souvenir.

Le dernier combat de Cyrano

Cyrano, montrant sa blessure, révèle qu'il est mourant, victime d'une embûche : un laquais, par-derrière, lui a donné un coup de bûche sur la tête.

CYRANO

C'est très bien. J'aurai tout manqué, même ma mort. […]

(À Roxane.)

Vous souvient-il du soir où Christian vous parla
Sous le balcon ? Eh bien toute ma vie est là :
Pendant que je restais en bas, dans l'ombre noire,
5 D'autres montaient cueillir le baiser de la gloire !
C'est justice, et j'approuve au seuil de mon tombeau :
Molière a du génie et Christian était beau ! […]

ROXANE

Je n'aimais qu'un seul être et je le perds deux fois ! […]

CYRANO

[…] Je ne veux pas que vous pleuriez moins ce charmant,
10 Ce bon, ce beau Christian ; mais je veux seulement
Que lorsque le grand froid aura pris mes vertèbres,
Vous donniez un sens double à ces voiles funèbres,
Et que son deuil sur vous devienne un peu mon deuil.

ROXANE

Je vous jure !… […]

Cyrano se lève brusquement pour affronter la mort debout.

CYRANO

15 Elle vient. Je me sens déjà botté de marbre,
– Ganté de plomb !

(Il se raidit.)

Oh ! mais !… puisqu'elle est en chemin,
Je l'attendrai debout,

(Il tire l'épée.)

et l'épée à la main ! […]

Je crois qu'elle regarde…

Qu'elle ose regarder mon nez, cette Camarde[1] !

(Il lève son épée.)

Que dites-vous ?… C'est inutile ?… Je le sais !

1. Camard : qui a le nez aplati. La Camarde, ici, est la mort (qu'on représente souvent sans nez).

20 Mais on ne se bat pas dans l'espoir du succès !

Non ! non, c'est bien plus beau lorsque c'est inutile !

– Qu'est-ce que c'est que tous ceux-là ! – Vous êtes mille ?

Ah ! je vous reconnais, tous mes vieux ennemis !

Le Mensonge ?

(Il frappe de son épée le vide.)

Tiens, tiens ! – Ha ! ha ! les Compromis,

25 Les Préjugés, les Lâchetés !…

(Il frappe.)

Que je pactise[2] ?

Jamais, jamais ! – Ah ! te voilà, toi, la Sottise !

– Je sais bien qu'à la fin vous me mettrez à bas ;

N'importe : je me bats ! je me bats ! je me bats !

(Il fait des moulinets immenses et s'arrête haletant.)

Oui, vous m'arrachez tout, le laurier et la rose !

30 Arrachez ! Il y a malgré vous quelque chose

Que j'emporte, et ce soir, quand j'entrerai chez Dieu,

Mon salut balaiera largement le seuil bleu,

Quelque chose que sans un pli, sans une tache,

J'emporte malgré vous,

2. **Pactiser** : conclure un
pacte, se mettre
d'accord (souvent avec
une nuance péjorative).

(Il s'élance l'épée haute.)

et c'est…

*(L'épée s'échappe de ses mains, il chancelle, tombe dans les bras
de Le Bret et de Ragueneau.)*

ROXANE, *se penchant sur lui et lui baisant le front.*

C'est ?…

CYRANO, *rouvre les yeux, la reconnaît et dit en souriant.*

Mon panache.

EDMOND ROSTAND, *Cyrano de Bergerac*, 1897, Acte V, scènes 6 et 7.

Parcours de lecture ★★

1 « J'aurai tout manqué, même ma mort. » (v. 1) Expliquez le sens de cette phrase en prenant appui sur le texte ainsi que sur l'introduction.

2 Que demande Cyrano à Roxane ?

3 Contre qui Cyrano tire-t-il son épée ?

4 a. Comment la proximité de la mort est-elle suggérée ? Citez le texte pour répondre. **b.** Comment la mort est-elle nommée ? Quelle est la figure de style employée ? Quel est l'intérêt de ce procédé ?

5 Comment la combativité de Cyrano est-elle montrée ? Lui sera-t-elle utile ?

6 Que symbolisent « le laurier et la rose » (v. 29) ?

7 a. Qu'emportera Cyrano avec lui ? Comment crée-t-on un effet d'attente ? **b.** Pourquoi, d'après vous, l'auteur a-t-il choisi de clore sa pièce sur ce dernier mot ?

Vocabulaire

1 Qu'est-ce qu'un *seuil* ? Que désigne l'expression « seuil bleu » (v. 32) ?

2 a. Ne confondez pas *tache* (v. 33) et *tâche*. Vérifiez le sens de ces deux noms. **b.** Le nom *tache* (v. 33) doit-il est compris au sens propre ou figuré ? **c.** Trouvez des mots de même famille : **1.** Enlever une tache : … – **2.** Nuire à la réputation de quelqu'un : … sa réputation. – **3.** Le pelage de la panthère est … .

3 Vers 24 à 26. **a.** Décomposez le nom *préjugé*. Qu'est-ce qu'un préjugé ? **b.** Qu'est-ce que la *sottise* ? Donnez deux mots de même famille. **c.** Donnez la définition de *lâcheté* et de *compromis*.

ou Parcours de lecture ★★★

En quoi réside la beauté de ce dernier combat ?

Tâche complexe

▶ **Coup de pouce**
• Que regrette Cyrano ?
• Quel est le dernier combat de Cyrano ? Qui sont ses adversaires ? Peut-il l'emporter ?
• Sur quel mot la scène se clôt-elle ? Montrez que ce mot pourrait résumer en quelque sorte la pièce.
• Que ressent le spectateur ? Qu'est-ce qui provoque son émotion ?

Étude

Comprendre la scène (le film)
(de 2 h 02 à la fin)

1 Quel moment du jour est filmé ? Quelle saison ? Pour quelle raison ?

2 Quelles sont les couleurs dominantes ? Quelle impression créent-elles ?

3 Prêtez attention à la musique : à quel moment gagne-t-elle en intensité ? Quand se tait-elle ?

4 Que suggère le mouvement final de la caméra ?

Écriture

1 « Je ne veux pas que vous pleuriez moins ce charmant, Ce bon, ce beau Christian. » (v. 9-10)
Récrivez cette phrase en remplaçant « Christian » par « Cyrano » et en modifiant l'énumération de qualités.

2 « Mais on ne se bat pas dans l'espoir du succès ! » (v. 20)
Rédigez trois phrases contenant l'expression « dans l'espoir de ».

→ Cyrano

1 Voici quelques traits du caractère de Cyrano : *querelleur – intransigeant – courageux – provocateur – indépendant – amoureux – ayant le sens de l'honneur – poète – spirituel – généreux – lucide – sensible.* Associez-les à une situation précise de la pièce (ou du film).

2 Quels traits de caractère de Cyrano retrouve-t-on chez les cadets de Gascogne ?

3 Qu'est-ce que le panache, au sens propre comme au sens figuré ?

4 **Débat** Cyrano vous semble-t-il un personnage attachant ? Pourquoi ?

→ Les autres personnages

1 Comment le personnage de De Guiche évolue-t-il au fil de la pièce ?

2 Qui est Ragueneau ? Qu'apporte ce personnage à l'intrigue ?

3 Pourquoi Christian provoque-t-il Cyrano lors de leur première rencontre ? Pourquoi Cyrano ne le châtie-t-il pas ?

4 En vous appuyant sur la définition de *préciosité* dans le dictionnaire (http://www.cnrtl.fr/definition/), expliquez en quoi Roxane est une précieuse.

5 Expliquez pourquoi Cyrano et Christian forment à eux deux l'amoureux idéal pouvant plaire à Roxane.

→ Les genres littéraires

1 Quels éléments de la pièce peuvent vous faire penser à une comédie ? Pourquoi ?

2 Quels sont ceux qui évoquent le genre de la tragédie (voir page 269) ?

3 Cherchez ce qu'est un mélodrame. Quels emprunts Rostand fait-il à ce genre ?

→ L'adaptation cinématographique

1 Quel personnage sert de fil conducteur ? À quels moments le retrouve-t-on ?

2 Qu'apporte la musique aux scènes jouées ? Donnez des exemples précis.

3 **Débat** D'après vous, qu'apporte l'adaptation cinématographique d'une pièce de théâtre comme *Cyrano de Bergerac* ? Répondez de façon organisée en prenant des exemples précis.

→ Cyrano, un personnage populaire

Lisez la planche de bande dessinée p. 244.

1 Quels sont les deux champs lexicaux développés ? Dans quel but ?

2 Qu'est-ce qui, chez le personnage en blanc, rappelle Cyrano de Bergerac ? Analysez le dessin autant que les paroles et le caractère du personnage.

De cape et de crocs, scénario Ayroles, dessin Masbou, tome 8, *Le Maître d'armes*, 2007, Delcourt.

Le drame de la scène à l'écran

Un drame foisonnant

✳ *Cyrano de Bergerac* est une pièce foisonnante, qui offre un spectacle pour tous les goûts : des amours contrariées et leur lot de larmes, l'héroïsme et la grandiloquence d'un personnage digne des plus célèbres **romans de cape et d'épée**, de **tragiques** coups du sort, le **comique** des jeux de mots, du pittoresque, une leçon de courage et de dignité. C'est un **va-et-vient constant et équilibré entre le rire et les larmes**, entre la force de l'indignation et la retenue de la pudeur.

✳ Tout émouvante qu'elle est, *Cyrano de Bergerac* est une pièce de théâtre **qui ne se prend jamais totalement au sérieux**, adressant des clins d'œil à la littérature et à l'histoire. Ainsi voit-on s'animer le XVIIᵉ siècle de Richelieu, de Molière, du siège d'Arras et pense-t-on à Shakespeare devant la scène du balcon.

Un héros malheureux et grandiose

✳ Rostand s'est inspiré du personnage historique pour écrire sa pièce. **Mais le double théâtral a effacé l'homme de l'histoire** dans l'esprit du public. C'est le Cyrano des « non, merci ! », imaginé par Rostand, que tout un chacun connaît, l'escrimeur des mots et ses pointes fameuses. Plus que tout, on retient le **panache** du personnage, cet héroïsme constant, dans les combats ou en amour.

✳ Cyrano met sa vie **au service de sa propre dignité, paie le prix de son intransigeance** – la solitude, la pauvreté, le danger –, et ne refuse aucun combat, même sans espoir. « Mais on ne se bat pas dans l'espoir du succès ! / Non ! non, c'est bien plus beau lorsque c'est inutile ! » (acte V, scène 6)

De la pièce au film

✳ Les contraintes du théâtre ne sont pas celles du cinéma, qui exige **dynamisme et mouvement**. Outre l'adaptation du texte, certains **aménagements** furent nécessaires pour le film de J.-P. Rappeneau : ajout de scènes muettes, variété des décors dans lesquels les personnages se déplacent, musique venant en renfort des émotions. Cyrano eut d'abord le visage de l'acteur Coquelin ; la pellicule lui donna, pour beaucoup de spectateurs, les traits de Gérard Depardieu, qui offrit au cinéma un personnage attachant, fier et sensible, digne et généreux.

Cyrano et Montfleury,
extrait des *Œuvres complètes* d'Edmond Rostand, éd. Pierre Lafitte, 1910.

Les valeurs

1 ★ a. **Cherchez la définition d'*éloge* et celle de *blâme*. b. Trouvez des mots de même famille que chacun de ces deux noms. c. Que signifie le verbe *louer* ? Trouvez des mots de même famille.**

2 ★ **Les termes suivants se retrouveraient-ils plutôt dans un éloge ou dans un blâme ?**

cruauté – sens de l'honneur – bravoure – fourberie – esprit – générosité – piété – franchise – dévouement – égoïsme – poltronnerie – goujaterie – volonté – frivolité

3 ★★ a. **Associez les mots de la liste A à leur synonyme de la liste B.**

Liste A : élégance – fidélité – clémence – droiture – humilité – courtoisie – **verve**.

Liste B : indulgence – loyauté – modestie – **savoir-vivre** – distinction – honnêteté – éloquence.

b. **Trouvez l'adjectif provenant de chacun de ces noms, à l'exception de ceux en gras. c. Ces mots ont-ils une connotation positive ou négative ? d. Employez cinq des noms dans des phrases de votre choix mettant leur sens en valeur.**

4 ★★ a. **Associez les paires d'antonymes. b. Trouvez l'adjectif provenant de la même famille que chaque nom. c. Employez cinq des noms dans des phrases de votre choix mettant leur sens en valeur.**

1. esprit – bravoure – dévouement – honneur – constance – modestie – galanterie.
2. couardise – légèreté – goujaterie – égoïsme – sottise – arrogance – indignité.

5 ★★ **Oral** **Certains synonymes peuvent avoir une connotation positive ou négative. Choisissez, pour qualifier le personnage décrit dans chaque phrase, le terme qui convient le mieux.**

a. brave – audacieux – téméraire – fanfaron
1. Ce chef de guerre pensait avant tout à sa gloire, méprisant les dangers. – 2. Le jeune soldat clamait qu'il saurait vaincre seul un régiment entier. – 3. Le capitaine risqua sa vie pour sauver le matelot qui allait se noyer. – 4. Le navigateur osa prendre des risques et découvrit ainsi une terre nouvelle.

b. pudique – pudibond
1. Garance n'aime pas dévoiler ses sentiments les plus intimes. – 2. Laurence manifeste une gêne exagérée lorsque quelqu'un prononce un mot grossier.

c. humble – effacé – réservé
1. On avait tendance à oublier Elsa, qui ne semblait jamais avoir d'avis sur rien. – 2. Sidonie ne se sentait jamais digne de louanges. – 3. Son caractère poussait Claire à rester en retrait, observant plutôt que parlant.

d. fier – arrogant – noble
1. Le vicomte était tellement persuadé de sa propre valeur qu'il en devenait méprisant. – 2. Savinien était pauvre ; mais, soucieux de sa dignité, il feignait de ne pas souffrir de la faim. – 3. Qu'il s'agît de ses actions ou de ses pensées, rien, chez Émile, ne pouvait paraître vulgaire.

6 ★★★ **Oral** **Imaginez une situation qui pourrait être qualifiée par chacun des termes suivants. Vous pouvez vous inspirer de la pièce :** *la pudeur – le sens de l'honneur – la servilité – la droiture – la dignité – la goujaterie – le dévouement – la frivolité.*

7 ★★ **Cherchez le sens des expressions suivantes puis employez-les dans les phrases ci-dessous.**

flétrir ses lauriers – s'endormir sur ses lauriers – brandir le glaive – relever le gant – s'escrimer – à la pointe de l'épée – pourfendre

1. Ce projet, quoique complexe, m'intéresse. Je … ! – 2. Rien n'est jamais donné : il a obtenu ses succès … . – 3. Le général vainqueur n'aurait pas dû … : il fut surpris par la contre-offensive. – 4. Vous donnâtes autrefois une belle victoire à la patrie. Mais en la trahissant, vous avez … . – 5. La paix est en danger : le bruit court que le peuple … . – 6. J'ai beau … à faire le ménage, la poussière revient toujours. 7. Cyrano … la sottise.

8 ★★★ **Complétez les phrases avec les adjectifs suivants.**

humble – spirituel – frivole – irrévérencieux –pédant – cavalier – arrogant – servile

1. Roger est bien … ! Il arrive en retard, sans même présenter ses excuses ! – 2. Luc était trop … pour oser se vanter. – 3. Qu'il est … de parler chiffons alors que tant de sujets pourraient retenir notre attention ! – 4. Samuel ne brillait pas par sa dignité : il se montrait … avec ses pairs, … avec ses supérieurs. – 5. Nous aimions écouter les discours … de l'oncle Célestin. C'était un homme cultivé, mais jamais … ; il se montrait un peu … parfois, mais jamais grossier.

9 ★★★ **Une devise est une courte formule résumant une règle de vie ou un idéal. Quelle serait la vôtre ? Imaginez-la en vous inspirant du vocabulaire étudié.**

Mettre en valeur les émotions

→ Donner du relief aux idées

1 Pour éviter l'emploi de verbes communs et donner du relief à une idée, on peut employer un verbe expressif.

Aidez-vous des verbes entre parenthèses pour transformer les phrases. Vous pouvez ajouter des <u>compléments</u>.

Exemple : *Il avait de l'ambition.* (ronger) → *L'ambition lui rongeait <u>le cœur</u>.*

1. Il était plein de rage. (*bouillonner*) – **2.** Elle éprouvait de la douleur. (*poignarder*) – **3.** Il avait du courage dans sa vie. (*guider*) – **4.** Ce vieillard avait beaucoup de chagrin. (*consumer*) – **5.** Elle éprouvait de l'amour. (*illuminer*)

2 Pour rendre une idée plus saisissante, on peut lui donner une apparence humaine.

Exemple : *La voilà, la Justice aux yeux bandés. Elle tend vers moi le glaive qui doit me pourfendre.*

Personnifiez à votre tour les idées suivantes en leur attribuant une apparence et des actions humaines :
Le voici, l'Amour… – Je vois la Mort… – Sois sage, ô ma Douleur… – Mon Destin m'appelle… – La Gloire…

3 « Qu'elle ose regarder mon nez, cette Camarde ! »
À votre tour, employez le subjonctif dans trois phrases exclamatives pour manifester un sentiment d'indignation vis-à-vis d'une idée personnifiée. Tâchez d'employer des métaphores pour rendre vos phrases plus saisissantes.

Exemple : *Qu'elle vienne cracher son venin détestable, la Haine !*

→ Surprendre par des oppositions

4 Je n'aimais pas César moins, j'aimais Rome davantage. (**Shakespeare**)

Sur le même modèle, complétez les phrases suivantes pour justifier un choix.
1. Je n'aimais pas … moins, j'aimais … davantage.
2. Je ne voulais pas … moins, je voulais … davantage.
3. Je n'espérais pas … moins, j'espérais … davantage.

5 Pour montrer un échec, opposez deux termes proches, l'un suggérant le succès et l'autre l'échec.

Exemple : *Il voulut être chêne, il ne fut que roseau.*
Il voulut être un aigle, il ne fut que moineau.

1. Il voulut être le fleuve, il ne fut que … . – **2.** Il voulut être montagne, … . – **3.** Il voulut être roi, … . – **4.** Il voulut être le feu, … . – **5.** Il voulut être un tigre, … .

6 Utilisez l'antithèse pour surprendre.

Imaginez trois phrases opposant, par exemple, le vice et la vertu, la beauté et la laideur, la lâcheté et le courage, la force et la faiblesse, la lumière et l'obscurité, la pesanteur et la légèreté…

Exemples : **Déplaire** *est mon* <u>plaisir</u>. *J'aime qu'on me* **haïsse**.
Sa **bassesse** *morale lui permet de* <u>s'élever</u> *à la cour du roi.*

→ Amplifier les idées pour toucher

7 Pour amplifier une idée et créer une connivence avec le lecteur, on peut employer une question rhétorique (qui n'attend pas réellement de réponse).

Exemple : *Qui parmi vous est assez vil pour accepter d'être esclave ?* (**Shakespeare**)

Sur le même modèle, complétez les questions suivantes.
1. Quel homme serait assez cruel pour … ?
2. Qui parmi vous est égoïste au point de … ?
3. L'un de vous est-il assez fourbe pour … ?
4. Est-il, parmi nous, un homme trop lâche pour … ?
5. Qui manquera d'honneur au point de … ?

8 Ajoutez à ces phrases des interjections (*Ah ! Hélas ! Malheur ! Parbleu !* etc.) et des <u>apostrophes</u> pour amplifier le sentiment exprimé. Vous pouvez aussi employer la forme exclamative.

Exemple : *Je regrette de t'avoir blessé.*
→ *Ah,* <u>Christian</u> *! Comme je regrette de t'avoir blessé !*

1. J'aurais dû t'avouer mon secret. – **2.** J'ai manqué de bravoure. – **3.** J'ai flétri mes lauriers.

9 Insérez une énumération dans les phrases suivantes, de manière à insister sur les sentiments du personnage.

Exemple : *Il protesta contre cette injustice.* → <u>*Abasourdi, furieux, révolté*</u>, *il protesta contre cette injustice.*

1. Elle regardait pensivement la lune opaline.
2. Le mousquetaire engagea le combat.
3. Les cadets de Gascogne vantèrent leur mérite.
4. L'acteur dut quitter la scène.

À vos plumes !

Faire l'éloge d'un personnage

SUJET

Cyrano vient de mourir. Roxane prend alors la parole pour louer la mémoire du disparu et exprimer ses regrets. Imaginez son discours.

→ Chercher et organiser les idées

Soyez précis pour éviter les banalités.

• Vous devez rédiger un éloge : il faut donc rappeler les qualités de Cyrano et vanter son amour. Commencez par rechercher quelles qualités Roxane pourrait décider de faire valoir. À travers ce discours, on doit voir se dessiner la personnalité de Cyrano.

• On peut imaginer le bouleversement de Roxane et la multitude de sentiments qu'elle éprouve. Analysez-les en prenant appui sur votre connaissance de l'œuvre : amour, regret, désespoir...

• Faites un plan : dans quel ordre allez-vous présenter les idées ? Soignez tout particulièrement le début et la fin du discours.

→ Tenir compte du destinataire

Visualisez mentalement la scène pour rendre votre texte vivant.

• À qui Roxane s'adresse-t-elle ? Les sentiments exprimés ne seront pas les mêmes selon qu'elle s'adressera à feu Cyrano, aux proches présents, à Christian, au Destin...

• Votre style doit soutenir le sentiment exprimé : jouez sur les oppositions, les amplifications. Trouvez des images qui donneront du relief à l'idée exprimée. Amplifiez l'émotion par des répétitions voulues.

• Créez un effet de connivence en vous adressant à l'auditoire : jouez sur les pronoms, usez de l'apostrophe, variez les types de phrase...

→ Rendre le discours agréable à entendre

Un discours n'est pas destiné à être lu mais entendu. Entraînez-vous à haute voix pour repérer les maladresses éventuelles de votre brouillon :

• Les phrases sont-elles trop longues et peu intelligibles ? Trop courtes, hachant le rythme ?

• Le style est-il répétitif : rythme, vocabulaire, structure des phrases ?

• Le vocabulaire est-il le plus précis possible ? Des tournures originales, des formules bien trouvées marquent-elles l'esprit de l'auditeur ?

Oral

Lisez votre texte à vos camarades, de manière à mettre en évidence les sentiments de Roxane.

▶ **Pour vous entraîner :**
• Ne lisez pas trop vite. Respectez bien la ponctuation et le rythme du texte. Parlez suffisamment fort.
• Variez le ton pour faire entendre les sentiments de Roxane.
• Avant de lire publiquement, entraînez-vous à plusieurs ou enregistrez-vous.

Marie Kauffmann, *Cyrano de Bergerac,* mise en scène de Georges Lavaudant, Théâtre MC93, Bobigny, 2013.

Des livres

De cape et de crocs, tome 1
scénario **Ayroles**, dessin **Masbou**,
1999, Delcourt.

Une bande dessinée riche aux dialogues ciselés et au dessin soigné. Un univers de fantasy où se mêlent l'humour parodique et le goût de la référence littéraire.

Les Trois Mousquetaires,
Alexandre Dumas, « Les Classiques de Poche », Le Livre de poche.

Les aventures de D'Artagnan, jeune Gascon monté à Paris pour devenir mousquetaire. Ses amis, Athos, Porthos et Aramis, et lui sauront-ils déjouer les ruses de la séduisante mais très dangereuse Milady de Winter ?

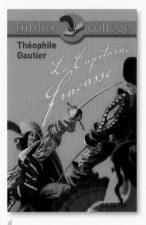

Le Capitaine Fracasse,
Théophile Gautier,
« Biblio collège », Hachette.

Un jeune noble désargenté se joint à une troupe de théâtre et tombe amoureux d'une belle actrice. Mais qui est-elle vraiment ? Duels, enlèvements, coups de théâtre, tout vous fera palpiter dans ce roman de cape et d'épée.

Des films

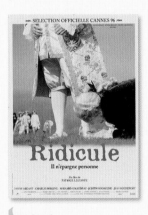

Ridicule,
Patrice Leconte, 1996.

Au XVIIIe siècle, à la cour du roi, on cultive le bel esprit. Un bon mot peut ouvrir des portes, mais le ridicule tue. Un jeune noble désargenté en fait le cruel apprentissage.

**Beaumarchais,
l'insolent**, **Édouard
Molinaro**, 1996.

On suit Beaumarchais dans les péripéties de son existence, du théâtre à l'espionnage. Le portrait tourbillonnant d'un homme à la verve corrosive, mettant sa plume au service de ses idées.

Le Bossu,
Philippe de Broca, 1997.

La longue histoire d'une vengeance, celle du chevalier de Lagardère dont l'ami, le duc de Nevers, a été assassiné. Déguisé en bossu, Lagardère parviendra-t-il à son but ?

Cyrano de Bergerac,
Claude Barma, 1960.

L'adaptation, pour la télévision, de la pièce de Rostand. Daniel Sorano campe un Cyrano très convaincant.

10

Le Cid : l'honneur à l'épreuve

> ▶ Qu'est-ce que la tragédie classique ?
> ▶ Quelles valeurs le héros tragique incarne-t-il ?

Pistes pour un EPI   **EPS**

▶ Travailler la mise en espace ; s'exprimer à travers son corps ; jouer une scène de théâtre.

Olivier Bénard et Clio Van de Walle dans *Le Cid*,
mise en scène de Thomas Le Douarec,
Théâtre Comédia, Paris, 2009.

Pour entrer dans le chapitre

❶ Quel type de spectacle est ici photographié ? Donnez le titre exact, la date de représentation.

❷ Observez l'attitude et l'expression des personnages : que pouvez-vous imaginer de la situation ?

Le théâtre classique

Portrait de Louis XIII (1601-1643),
peinture de Juste d'Egmont (1601-1674),
musée du château de Versailles.

La monarchie absolue

• Le Moyen Âge et la Renaissance ont été des périodes où le roi, en France, concurrencé par des vassaux parfois puissants, avait relativement peu de pouvoir.

• Le XVIIᵉ siècle se caractérise par la volonté de consolider le pouvoir royal : la **monarchie absolue** se met en place. Louis XIII puis Louis XIV concentrent tous les pouvoirs et s'efforcent de maintenir sous contrôle les puissants du royaume.

Questions

1 Comment appelait-on, au Moyen Âge, le système politique qui accordait aux seigneurs une terre et des pouvoirs en échange de leur fidélité au roi ?

2 En quoi la monarchie absolue est-elle différente de ce régime ?

Le classicisme

• Pour promouvoir l'ordre et l'obéissance, le cardinal de Richelieu, ministre de ces deux souverains, s'appuie notamment sur les arts. Il fonde l'Académie française, qui a pour but de définir les règles de la langue et de la littérature. Au théâtre, trois grands genres sont ainsi définis :

- **la comédie** vise à faire rire par la représentation de personnages ordinaires aux prises avec toutes sortes de difficultés quotidiennes ;

- **la tragédie** met en scène **des personnages de rang élevé confrontés à des événements dramatiques qui les conduisent à la mort** ; elle cherche à susciter chez le spectateur « **terreur et pitié** » ;

- **la tragi-comédie** mêle des éléments de l'un et l'autre genre, avec une intrigue dramatique mais une fin heureuse.

Richelieu (1585-1642) reçoit les premiers Académiciens, peinture de François Joseph Heim, XIXᵉ siècle, musée Fabre, Montpellier.

Questions

3 Quel est le rôle de l'Académie française ?

4 Qu'est-ce qu'une tragédie ?

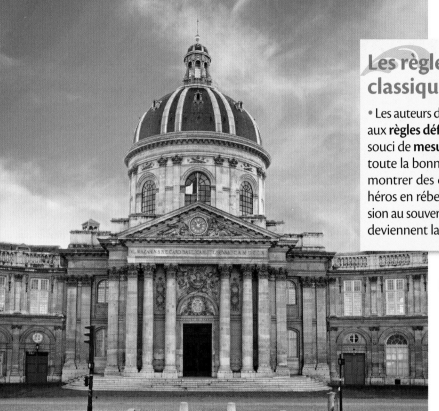

Les règles du théâtre classique

• Les auteurs doivent se conformer non seulement aux **règles définies par l'Académie**, mais aussi au souci de **mesure et de raison** qui se répand dans toute la bonne société : il n'est plus question de montrer des déchaînements de violence ni des héros en rébellion contre le pouvoir. La soumission au souverain et le respect des bonnes mœurs deviennent la règle.

L'Académie française, créée en 1635.

Corneille et *Le Cid*

• **Pierre Corneille** (1606-1684) est un auteur chargé d'écrire pour le cardinal. Il s'illustre dans tous les genres mais reste célèbre pour ses tragédies. *Le Cid*, créé en 1637, est la première pièce écrite selon les **règles classiques** (voir p. 269).

• Cette œuvre met en scène un jeune **chevalier déchiré entre l'amour et le devoir**. Elle rencontre un succès immédiat et reste encore aujourd'hui une des pièces françaises les plus célèbres.

Questions

5 Pour qui Corneille écrit-il ? En quoi cela peut-il influencer son travail ?

6 Citez un auteur contemporain de Corneille.

Portrait de Corneille (1606-1684), musée national du château de Versailles.

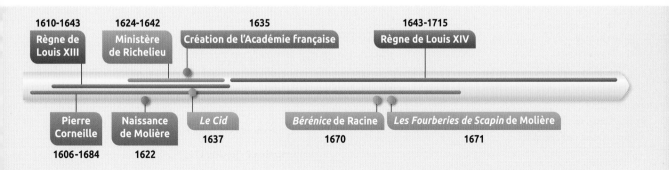

1610-1643	1624-1642	1635	1643-1715
Règne de Louis XIII	Ministère de Richelieu	Création de l'Académie française	Règne de Louis XIV

Pierre Corneille	Naissance de Molière	*Le Cid*	*Bérénice* de Racine	*Les Fourberies de Scapin* de Molière
1606-1684	1622	1637	1670	1671

Le Cid, Pierre Corneille — Étude d'une œuvre

« Ô rage ! ô désespoir ! »

Nazim Boudjenah et Jean-Pierre Jorris, mise en scène de Wissam Arbache,
théâtre de Gennevilliers, 2007.

Rodrigue, fils de don Diègue, noble seigneur espagnol, aime Chimène, fille de don Gomès, comte de Gormas, et Chimène aime Rodrigue. Ils sont promis au mariage. Mais voilà que don Gomès, jaloux de la faveur royale accordée à don Diègue, choisi pour être précepteur du prince, insulte celui-ci. Un tel affront exige réparation.

Acte I, scène 4 - DON DIÈGUE

DON DIÈGUE

Ô rage ! ô désespoir ! ô vieillesse ennemie !
N'ai-je donc tant vécu que pour cette infamie ?
Et ne suis-je blanchi[1] dans les travaux[2] guerriers
Que pour voir en un jour flétrir tant de lauriers ?
5 Mon bras, qu'avec respect toute l'Espagne admire,
Mon bras, qui tant de fois a sauvé cet empire,
Tant de fois affermi le trône de son roi,
Trahit donc ma querelle[3], et ne fait rien pour moi ?
Ô cruel souvenir de ma gloire passée !
10 Œuvre de tant de jours en un jour effacée !
Nouvelle dignité, fatale à mon bonheur !
Précipice[4] élevé d'où tombe mon honneur !
Faut-il de votre éclat voir triompher le Comte,
Et mourir sans vengeance, ou vivre dans la honte ?
15 Comte, sois de mon prince à présent gouverneur :
Ce haut rang n'admet point un homme sans honneur ;
Et ton jaloux orgueil, par cet affront insigne[5],
Malgré le choix du Roi, m'en a su rendre indigne.
Et toi, de mes exploits glorieux instrument,
20 Mais d'un corps tout de glace inutile ornement,
Fer, jadis tant à craindre, et qui, dans cette offense,
M'as servi de parade, et non pas de défense,
Va, quitte désormais le dernier des humains,
Passe, pour me venger, en de meilleures mains.

1. Ne suis-je blanchi : n'ai-je vieilli.

2. Travail (sens classique) : entreprise difficile, douloureuse.

3. Ma querelle : ma cause.

4. Précipice : ici, hauteur.

5. Insigne (adj. qual.) : remarquable, extraordinaire.

Acte I, scène 5 - DON DIÈGUE, DON RODRIGUE

DON DIÈGUE

25 Rodrigue, as-tu du cœur[6] ?

DON RODRIGUE

                    Tout autre que mon père
L'éprouverait[7] sur l'heure.

DON DIÈGUE

                    Agréable colère !
Digne ressentiment à ma douleur bien doux !
Je reconnais mon sang à ce noble courroux ;
Ma jeunesse revit en cette ardeur si prompte.
30 Viens, mon fils, viens, mon sang, viens réparer ma honte ;
Viens me venger.

DON RODRIGUE

      De quoi ?

DON DIÈGUE

                    D'un affront si cruel,
Qu'à l'honneur de tous deux il porte un coup mortel :
D'un soufflet. L'insolent en eût perdu la vie ;
Mais mon âge a trompé ma généreuse[8] envie :
35 Et ce fer que mon bras ne peut plus soutenir,
Je le remets au tien pour venger et punir.
Va contre un arrogant éprouver ton courage :
Ce n'est que dans le sang qu'on lave un tel outrage ;
Meurs ou tue. Au surplus, pour ne te point flatter,
40 Je te donne à combattre un homme à redouter :
Je l'ai vu, tout couvert de sang et de poussière,
Porter partout l'effroi dans une armée entière.
J'ai vu par sa valeur cent escadrons rompus ;
Et pour t'en dire encor quelque chose de plus,
45 Plus que brave soldat, plus que grand capitaine,
C'est…

DON RODRIGUE

      De grâce, achevez.

DON DIÈGUE

                 Le père de Chimène.

DON RODRIGUE

    Le…

DON DIÈGUE

      Ne réplique point, je connais ton amour ;
Mais qui peut vivre infâme est indigne du jour.
Plus l'offenseur est cher, et plus grande est l'offense.

---

6. Cœur : ici a le sens de courage.

7. Éprouver : vérifier par l'expérience.

8. Généreux (sens classique) : noble.

50 Enfin tu sais l'affront, et tu tiens la vengeance :
Je ne te dis plus rien. Venge-moi, venge-toi ;
Montre-toi digne fils d'un père tel que moi.
Accablé des malheurs où le destin me range,
Je vais les déplorer : va, cours, vole, et nous venge.

PIERRE CORNEILLE, *Le Cid*, 1637, Acte I, scènes 4 et 5.

Lecture

Pour bien lire

1 Qui sont les personnages ? Quel est leur rang social ?

2 Pourquoi don Diègue est-il désespéré ? Développez votre réponse.

3 Que désigne le mot *bras* (v. 5-6) ?

4 **a.** À qui don Diègue s'adresse-t-il dans les vers 21 à 24 ?
b. Expliquez le sens du dernier vers du monologue.

5 À qui don Diègue confie-t-il le soin de le venger ? En quoi ce choix est-il problématique ?

Pour approfondir

6 **a.** Expliquez le sens du mot *cœur* au vers 25.
b. À votre avis, sur quel ton faut-il dire la première réplique de Rodrigue, vers 25-26 ? Justifiez votre réponse.
c. Qu'est-ce que cela vous apprend sur le caractère du jeune homme ?

7 **a.** Face à Rodrigue, pourquoi Don Diègue tarde-t-il tant à nommer son agresseur ?
b. Dans les vers 47 à 54, quels autres moyens emploie-t-il pour empêcher Rodrigue de protester ?

8 Dans quelle situation Rodrigue se trouve-t-il à la fin de la scène 5 ? Pourquoi ?

Vocabulaire

1 **a.** Qu'est-ce qu'un *affront* (v. 17) ? Trouvez dans les vers 32 à 36 un mot de sens proche.
b. Qu'est-ce qu'une *infamie* (v. 2) ? Relevez dans les vers 47 à 54 un adjectif de la même famille : quelle remarque pouvez-vous faire quant à son orthographe ?

2 Dans les vers 26 à 31, relevez deux mots appartenant au champ lexical de la colère, vérifiez leur sens exact et réemployez-les dans une phrase de votre invention.

3 Rappelez le sens des mots *ardeur* et *prompt* (v. 29).

4 En vous aidant des notes, donnez le sens classique de *généreux* (v. 34).

Débat

À votre avis, que doit faire Rodrigue ?

Écriture

1 Transformez les phrases suivantes en apostrophes introduites par le « ô » vocatif afin de donner toute sa force à l'émotion.
Exemple : Que je suis joyeux ! → *Ô joie !*

1. Comme ma colère est insoutenable !
2. Ma tristesse est infinie.
3. Son charme est indicible.
4. Je fus plongé dans la stupeur.

2 Récrivez le texte suivant en utilisant la ponctuation, de manière à mettre en évidence les sentiments exprimés. Vous pouvez transformer les phrases et ajouter des interjections ou des mots exclamatifs ou interrogatifs.

Mon père est mort. Et c'est Rodrigue qui l'a tué. Je me demande si c'est bien vrai. Je n'aurais jamais cru cela possible. Rodrigue est l'assassin de mon père. Je suis stupéfaite. Je suis désespérée. Peut-être que je me trompe. Peut-être que tout cela n'est qu'un songe affreux. Mais non, c'est vrai. Je suis au comble du malheur. Ma peine est si grande que je ne sais plus quoi faire, je ne sais plus quoi dire.

« Percé jusques au fond du cœur... »

DON RODRIGUE

Percé jusques au fond du cœur
D'une atteinte imprévue aussi bien que mortelle,
Misérable vengeur d'une juste querelle[1],
Et malheureux objet d'une injuste rigueur,
5 Je demeure immobile, et mon âme abattue
    Cède au coup qui me tue.
    Si près de voir mon feu[2] récompensé,
      Ô Dieu, l'étrange peine !
    En cet affront mon père est l'offensé,
10   Et l'offenseur le père de Chimène !

    Que je sens de rudes combats !
Contre mon propre honneur mon amour s'intéresse :
Il faut venger un père, et perdre une maîtresse :
L'un m'anime le cœur, l'autre retient mon bras.
15 Réduit au triste choix ou de trahir ma flamme[3],
    Ou de vivre en infâme,
    Des deux côtés mon mal est infini.
      Ô Dieu, l'étrange peine !
    Faut-il laisser un affront impuni ?
20   Faut-il punir le père de Chimène ? [...]

    Il vaut mieux courir au trépas.
Je dois à ma maîtresse aussi bien qu'à mon père :
J'attire en me vengeant sa haine et sa colère ;
J'attire ses mépris en ne me vengeant pas.
25 À mon plus doux espoir l'un me rend infidèle,
    Et l'autre indigne d'elle.
    Mon mal augmente à le vouloir guérir ;
      Tout redouble ma peine.
    Allons, mon âme ; et puisqu'il faut mourir,
30   Mourons du moins sans offenser Chimène.

    Mourir sans tirer ma raison[4] !
Rechercher un trépas si mortel à ma gloire !
Endurer[5] que l'Espagne impute à ma mémoire
D'avoir mal soutenu l'honneur de ma maison !
35 Respecter un amour dont mon âme égarée

1. **Une juste querelle :** une juste cause.

2. **Mon feu :** mon amour.

3. **Ma flamme :** mon amour.

4. **Sans tirer ma raison :** sans obtenir réparation de l'affront essuyé.

5. **Endurer :** supporter, tolérer.

Voit la perte assurée !

N'écoutons plus ce penser suborneur[6],

Qui ne sert qu'à ma peine.

Allons, mon bras, sauvons du moins l'honneur,

40 Puisqu'après tout il faut perdre Chimène.

Oui, mon esprit s'était déçu[7].

Je dois tout à mon père avant qu'à ma maîtresse :

Que je meure au combat, ou meure de tristesse,

Je rendrai mon sang pur comme je l'ai reçu.

45 Je m'accuse déjà de trop de négligence :

Courons à la vengeance ;

Et tout honteux d'avoir tant balancé[8],

Ne soyons plus en peine,

Puisqu'aujourd'hui mon père est l'offensé

50 Si l'offenseur est père de Chimène.

Pierre Corneille, *Le Cid*, 1637, Acte I, scène 6.

6. **Ce penser suborneur** : cette mauvaise pensée.
7. **Déçu** : ici, trompé.
8. **Balancer** : hésiter.

Parcours de lecture ★

1 Dans quelle situation Rodrigue se trouve-t-il à présent ? Citez plusieurs vers qui résument cette situation.

2 On appelle stances un ensemble de strophes qui ont la même structure et développent chacune une idée précise. Quels sentiments Rodrigue exprime-t-il dans les strophes 1 et 2 ? Justifiez votre réponse par le relevé d'un champ lexical précis.

3 a. À quelle solution songe-t-il à la strophe 3 ?
b. Que décide finalement Rodrigue ? Pourquoi ?

4 a. Analysez ici la structure des stances : nombre et type de vers employés, disposition des rimes.
b. Comparez avec le texte précédent : à votre avis, quel est l'intérêt de ces changements de vers ?

5 Repérez l'apparition, dans ces stances, des mots *honneur*, *amour*, *offensé*, *offenseur*, *père* et *maîtresse* : lesquels sont répétés ? à quelle place ? Comment ces mots sont-ils reliés entre eux ? Dans quel but ?

6 Quels mots sont répétés à la même place de stance en stance ? Quel est l'effet produit ?

7 a. Cherchez le sens du mot *lyrique* et son radical.
b. Cette scène est-elle lyrique ? Justifiez votre réponse.

ou Parcours de lecture ★★

1 Découpez le texte en trois parties et donnez-leur un titre que vous justifierez.

2 Comment le texte met-il en évidence le dilemme qui déchire Rodrigue ? Comment traduit-il sa souffrance ?

Tâche complexe

▶ **Coup de pouce**
• Soyez attentif aux mots employés (champs lexicaux), aux répétitions, aux mots mis en valeur à la rime et à la façon dont les mots sont associés deux à deux.
• Analysez la construction des strophes et le rythme des vers.
• Cherchez une allitération qui traverse tout le texte et quel sentiment elle exprime.

3 Selon vous, cette scène fait-elle progresser l'action ou constitue-t-elle une pause dans le déroulement des événements ? Développez et justifiez votre réponse.

**Alexandre Pavloff
et Audrey Bonnet**,
mise en scène de Brigitte
Jaques-Wajeman,
Comédie-Française,
2005.

Du texte à l'image

Observez la photo de la mise en scène de B. Jaques-Wajeman.

1 Quelle atmosphère se dégage de cette mise en scène ? Par quels moyens ?

2 a. Comment l'amour de Rodrigue pour Chimène est-il montré ?
b. Comment le caractère impossible de cet amour est-il suggéré ?

Écriture

À partir des couples de mots proposés, rédigez des phrases contenant une antithèse pour exprimer la difficulté d'une situation.
Exemple : *(rire, pleurer)* → *L'amour me malmène, je ris et je pleure dans le même instant.*

1. transporter, accabler – **2.** joie, fléau – **3.** raison, folie

Vous pouvez compléter cette liste par d'autres antithèses de votre invention.

Vocabulaire

1 a. Dans les deux premières stances, quels mots désignent l'amour ? Quelle est la figure de style utilisée ?
b. Quel est ici le sens du mot *maîtresse* (v. 13) ?

2 Rappelez le sens classique du mot *infâme* (v. 16).

3 Cherchez, dans les vers 21 à 30, un synonyme du nom *mort*.

Oral

Apprenez et dites de façon expressive les deux premières strophes du texte.

« Je ne te hais point »

Claire Sermonne, mise en scène
d'Alain Ollivier, théâtre Gérard-Philipe,
Saint-Denis, 2007.

DON RODRIGUE, CHIMÈNE, ELVIRE

DON RODRIGUE

[…] Quatre mots seulement :
Après, ne me réponds qu'avecque cette épée.

CHIMÈNE

Quoi ! du sang de mon père encor toute trempée !

DON RODRIGUE

Ma Chimène…

CHIMÈNE

Ôte-moi cet objet odieux,
5 Qui reproche ton crime et ta vie à mes yeux.

DON RODRIGUE

Regarde-le plutôt pour exciter ta haine,
Pour croître ta colère, et pour hâter ma peine.

CHIMÈNE

Il est teint de mon sang.

DON RODRIGUE

Plonge-le dans le mien,
Et fais-lui perdre ainsi la teinture du tien.

CHIMÈNE

10 Ah ! quelle cruauté, qui tout en un jour tue
Le père par le fer, la fille par la vue !
Ôte-moi cet objet, je ne puis le souffrir :
Tu veux que je t'écoute, et tu me fais mourir !

DON RODRIGUE

Je fais ce que tu veux, mais sans quitter l'envie
15 De finir par tes mains ma déplorable vie ;
Car enfin n'attends pas de mon affection
Un lâche repentir d'une bonne action. […]

CHIMÈNE

Ah ! Rodrigue, il est vrai, quoique ton ennemie,
Je ne puis te blâmer d'avoir fui l'infamie ; […]
20 De quoi qu'en ta faveur notre amour m'entretienne,
Ma générosité doit répondre à la tienne :
Tu t'es, en m'offensant, montré digne de moi ;
Je me dois, par ta mort, montrer digne de toi.

DON RODRIGUE

Ne diffère donc plus ce que l'honneur t'ordonne :

25 Il demande ma tête, et je te l'abandonne ;

Fais-en un sacrifice à ce noble intérêt :

Le coup m'en sera doux, aussi bien que l'arrêt.

Attendre après mon crime une lente justice,

C'est reculer ta gloire autant que mon supplice.

30 Je mourrai trop heureux, mourant d'un coup si beau.

CHIMÈNE

Va, je suis ta partie, et non pas ton bourreau.

Si tu m'offres ta tête, est-ce à moi de la prendre ?

Je la dois attaquer, mais tu dois la défendre ;

C'est d'un autre que toi qu'il me faut l'obtenir,

35 Et je dois te poursuivre, et non pas te punir. […]

DON RODRIGUE

Rigoureux point d'honneur ! Hélas ! quoi que je fasse,

Ne pourrai-je à la fin obtenir cette grâce ?

Au nom d'un père mort, ou de notre amitié,

Punis-moi par vengeance, ou du moins par pitié.

40 Ton malheureux amant aura bien moins de peine

À mourir par ta main qu'à vivre avec ta haine.

CHIMÈNE

Va, je ne te hais point.

DON RODRIGUE

        Tu le dois.

CHIMÈNE

                Je ne puis. […]

DON RODRIGUE

Ô miracle d'amour !

CHIMÈNE

        Ô comble de misères !

DON RODRIGUE

Que de maux et de pleurs nous coûteront nos pères !

CHIMÈNE

45 Rodrigue, qui l'eût cru ?

DON RODRIGUE

        Chimène, qui l'eût dit ?

CHIMÈNE

Que notre heur fût si proche et sitôt se perdît ?

DON RODRIGUE

Et que si près du port, contre toute apparence,

Un orage si prompt brisât notre espérance ?

CHIMÈNE

Ah ! mortelles douleurs !

DON RODRIGUE

Ah ! regrets superflus !

CHIMÈNE

50 Va-t'en, encore un coup, je ne t'écoute plus.

DON RODRIGUE

Adieu : je vais traîner une mourante vie,
Tant que par ta poursuite elle me soit ravie.

CHIMÈNE

Si j'en obtiens l'effet, je t'engage ma foi
De ne respirer pas un moment après toi.
55 Adieu : sors, et surtout garde bien qu'on te voie.

ELVIRE

Madame, quelques maux que le ciel nous envoie…

CHIMÈNE

Ne m'importune plus, laisse-moi soupirer,
Je cherche le silence et la nuit pour pleurer.

PIERRE CORNEILLE, *Le Cid*, 1637, Acte III, scène 4.

Parcours de lecture ★

1 a. À quel moment la scène se passe-t-elle ? Pourquoi Chimène est-elle bouleversée ? **b.** Dans les vers 1 à 12, comment se traduit l'émotion des amants ?

2 a. Relisez les vers 17 à 22 : quelle décision Chimène prend-elle au sujet de Rodrigue ? **b.** Quelle raison avance-t-elle ?

3 Rodrigue se défend-il ? Pourquoi ?

4 Quel aveu Chimène fait-elle au vers 41 ?

5 Vers 42 à 48. **a.** Quels sentiments les deux amants expriment-ils ? **b.** En quoi sont-ils en harmonie ? **c.** Comment la construction des vers souligne-t-elle cette harmonie ?

6 Quel serment Chimène fait-elle à la fin de la scène ? Pourquoi ?

7 Qu'est-ce qui oppose les deux amants dans cette scène ? Qu'est-ce qui les rapproche ? Comparez en particulier la dernière réplique de chacun d'eux.

ou Parcours de lecture ★★

D'après votre lecture de la scène, Chimène est-elle une amante digne de Rodrigue ? Développez et justifiez votre réponse en vous appuyant précisément sur le texte.

Tâche complexe

▶ **Coup de pouce**

Vous pouvez vous aider des questions ci-contre.

Oral

Le texte ne comporte pas de didascalie. Relisez les vers 1 à 35 : quels gestes, quels déplacements des acteurs imaginez-vous ? Pourquoi ?
Jouez le début de la scène, jusqu'au vers 35.

« Nous partîmes cinq cents… »

La prise d'Antequera le 16 septembre 1410, Vicente Carducho, début du XVIIᵉ siècle, huile sur toile, musée de l'Armée, Tolède.

Alors que Chimène réclame justice contre Rodrigue, don Diègue annonce à celui-ci que les Mores approchent des côtes et menacent le pays. Rodrigue rassemble une troupe pour sauver l'Espagne du péril et part, persuadé de mourir au combat. Mais le voilà qui rentre victorieux et fait son rapport au roi.

DON FERNAND, DON DIÈGUE, DON ARIAS,
DON RODRIGUE, DON SANCHE

DON RODRIGUE

Nous partîmes cinq cents ; mais par un prompt renfort
Nous nous vîmes trois mille en arrivant au port,
Tant, à nous voir marcher avec un tel visage,
Les plus épouvantés reprenaient de courage !
5 J'en cache les deux tiers, aussitôt qu'arrivés,
Dans le fond des vaisseaux qui lors furent trouvés ;
Le reste, dont le nombre augmentait à toute heure,
Brûlant d'impatience autour de moi demeure,
Se couche contre terre, et sans faire aucun bruit,
10 Passe une bonne part d'une si belle nuit.
Par mon commandement la garde en fait de même,
Et se tenant cachée, aide à mon stratagème ;
Et je feins hardiment d'avoir reçu de vous
L'ordre qu'on me voit suivre et que je donne à tous.

15   Cette obscure clarté qui tombe des étoiles
Enfin avec le flux nous fait voir trente voiles ;
L'onde s'enfle dessous, et d'un commun effort
Les Mores et la mer montent jusques au port.
On les laisse passer ; tout leur paraît tranquille :
20   Point de soldats au port, point aux murs de la ville.
Notre profond silence abusant[1] leurs esprits,
Ils n'osent plus douter de nous avoir surpris ;
Ils abordent sans peur, ils ancrent, ils descendent,
Et courent se livrer aux mains qui les attendent.
25   Nous nous levons alors, et tous en même temps
Poussons jusques au ciel mille cris éclatants.
Les nôtres, à ces cris, de nos vaisseaux répondent ;
Ils paraissent[2] armés, les Mores se confondent,
L'épouvante les prend à demi descendus ;
30   Avant que de combattre, ils s'estiment perdus.
Ils couraient au pillage, et rencontrent la guerre ;
Nous les pressons sur l'eau, nous les pressons sur terre,
Et nous faisons courir des ruisseaux de leur sang,
Avant qu'aucun résiste ou reprenne son rang.
35   Mais bientôt, malgré nous, leurs princes les rallient ;
Leur courage renaît, et leurs terreurs s'oublient :
La honte de mourir sans avoir combattu
Arrête leur désordre, et leur rend leur vertu[3].
Contre nous de pied ferme ils tirent leurs alfanges[4],
40   De notre sang au leur font d'horribles mélanges
Et la terre, et le fleuve, et leur flotte, et le port,
Sont des champs de carnage où triomphe la mort.
Ô combien d'actions, combien d'exploits célèbres
Sont demeurés sans gloire au milieu des ténèbres,
45   Où chacun, seul témoin des grands coups qu'il donnait,
Ne pouvait discerner où le sort inclinait !
J'allais de tous côtés encourager les nôtres,
Faire avancer les uns, et soutenir les autres,
Ranger ceux qui venaient, les pousser à leur tour,
50   Et ne l'ai pu savoir jusques au point du jour.
Mais enfin sa clarté montre notre avantage :
Le More voit sa perte, et perd soudain courage ;
Et voyant un renfort qui nous vient secourir,
L'ardeur de vaincre cède à la peur de mourir.
55   Ils gagnent leurs vaisseaux, ils en coupent les câbles,
Poussent jusques aux cieux des cris épouvantables,
Font retraite en tumulte[5], et sans considérer
Si leurs rois avec eux peuvent se retirer.
Pour souffrir ce devoir leur frayeur est trop forte :

1. Abuser : tromper, induire en erreur.

2. Paraître : ici, se montrer.

3. Vertu : ici, courage

4. Alfange : sabre, épée courbe.

5. En tumulte : en désordre.

60 Le flux les apporta ; le reflux les remporte,

Cependant que leurs rois, engagés parmi nous,

Et quelque peu des leurs, tous percés de nos coups,

Disputent vaillamment et vendent bien leur vie.

À se rendre moi-même en vain je les convie :

65 Le cimeterre au poing, ils ne m'écoutent pas ;

Mais voyant à leurs pieds tomber tous leurs soldats,

Et que seuls désormais en vain ils se défendent,

Ils demandent le chef : je me nomme, ils se rendent.

Je vous les envoyai tous deux en même temps ;

70 Et le combat cessa faute de combattants.

Pierre Corneille, *Le Cid*, 1637, Acte IV, scène 3.

Parcours de lecture ★

❶ Dites à quels vers correspondent les actions suivantes :
a. Les Espagnols marchent sur le port.
b. Rodrigue met au point son plan d'attaque.
c. Les Mores débarquent.
d. Les Espagnols attaquent.
e. Les Mores paniquent.
f. Ils se reprennent et le combat s'engage.
g. Les Espagnols mettent les Mores en fuite.
h. Les chefs mores se rendent et le combat prend fin.

❷ À quel temps le récit de la bataille est-il fait ? Précisez sa valeur.

❸ Relisez les vers 25 à 42.
a. Quelle impression le récit du combat vous fait-il ? Justifiez votre réponse en vous appuyant sur le texte.
b. « Et nous faisons courir des ruisseaux de leur sang » (v. 33) : quelle est la figure de style employée dans ce vers ?
c. Relevez dans la suite du passage d'autres procédés d'exagération.

❹ Quel est le rôle des nombres, dans ce texte ?

❺ Quelle image vous faites-vous de Rodrigue à l'issue de ce texte ?

OU Parcours de lecture ★★

❶ Où et quand l'affrontement entre les Mores et les Espagnols a-t-il lieu ? Justifiez votre réponse.

❷ Quelle ruse Rodrigue emploie-t-il pour surprendre les Mores ?

❸ Quel rôle Rodrigue joue-t-il dans ce combat ?

❹ **a.** Rappelez ce qu'on appelle le style épique.
b. Quels éléments font de ce récit un récit épique ?

> Tâche complexe

❺ À votre avis, en quoi l'événement raconté peut-il modifier la situation de Rodrigue ? Développez votre réponse en vous appuyant sur votre lecture.

Oral

Apprenez et récitez les vers 1 à 34.

Vocabulaire

❶ **a.** Donnez le sens de *prompt* (v. 1).
b. Donnez un nom et un adverbe de la même famille.

❷ Quel est ici le sens de *vaisseau* (v. 55 à 63) ?

❸ **a.** Qu'est-ce que *le flux* (v. 16) ?
b. Dans les vers 55 à 63, trouvez un nom de la même famille et expliquez le vers.

« Quand un roi commande »

Comme Chimène persiste à réclamer vengeance du meurtre de son père, le roi, Don Fernand, lui propose un duel judiciaire – mais à l'issue de celui-ci, elle devra épouser le vainqueur. Or c'est Rodrigue qui remporte le combat. Le roi, quant à lui, oblige Chimène à confesser son amour pour Rodrigue. Il lui demande ensuite de tenir sa promesse.

DON FERNAND, DON DIÈGUE, DON ARIAS, DON RODRIGUE,
DON ALONSE, DON SANCHE, L'INFANTE, CHIMÈNE, LEONOR, ELVIRE

CHIMÈNE

Relève-toi, Rodrigue. Il faut l'avouer, Sire,
Je vous en ai trop dit pour m'en vouloir dédire.
Rodrigue a des vertus que je ne puis haïr ;
Et quand un roi commande, on lui doit obéir.
5 Mais à quoi que déjà vous m'ayez condamnée,
Pourrez-vous à vos yeux souffrir cet hyménée ?
Et quand de mon devoir vous voulez cet effort,
Toute votre justice en est-elle d'accord ?
Si Rodrigue à l'État devient si nécessaire,
10 De ce qu'il fait pour vous dois-je être le salaire,
Et me livrer moi-même au reproche éternel
D'avoir trempé mes mains dans le sang paternel ?

DON FERNAND

Le temps assez souvent a rendu légitime
Ce qui semblait d'abord ne se pouvoir sans crime :
15 Rodrigue t'a gagnée, et tu dois être à lui.
Mais quoique sa valeur t'ait conquise aujourd'hui,
Il faudrait que je fusse ennemi de ta gloire,
Pour lui donner sitôt le prix de sa victoire.
Cet hymen différé ne rompt point une loi
20 Qui, sans marquer de temps, lui destine ta foi.
Prends un an, si tu veux, pour essuyer tes larmes.
Rodrigue, cependant il faut prendre les armes.
Après avoir vaincu les Mores sur nos bords,
Renversé leurs desseins, repoussé leurs efforts,
25 Va jusqu'en leur pays leur reporter la guerre,
Commander mon armée, et ravager leur terre :
À ce nom seul de Cid ils trembleront d'effroi ;
Ils t'ont nommé seigneur, et te voudront pour roi.
Mais parmi tes hauts faits sois-lui toujours fidèle :
30 Reviens-en, s'il se peut, encor plus digne d'elle ;

Et par tes grands exploits fais-toi si bien priser,
Qu'il lui soit glorieux alors de t'épouser.

DON RODRIGUE

Pour posséder Chimène, et pour votre service,
Que peut-on m'ordonner que mon bras n'accomplisse ?
35 Quoi qu'absent de ses yeux il me faille endurer,
Sire, ce m'est trop d'heur de pouvoir espérer.

DON FERNAND

Espère en ton courage, espère en ma promesse ;
Et possédant déjà le cœur de ta maîtresse,
Pour vaincre un point d'honneur qui combat contre toi,
40 Laisse faire le temps, ta vaillance et ton roi.

PIERRE CORNEILLE, *Le Cid*, 1637, Acte V, scène 7.

Lecture

Pour bien lire

1 À quel moment de la pièce nous situons-nous ? Quelles sont les attentes du lecteur ?

2 Quel rôle le roi joue-t-il ici ?

3 a. Quelles conditions sont imposées à Rodrigue ? Pourquoi ?
b. Relisez la dernière réplique du jeune homme : quelle ultime image avons-nous de lui ?

Pour approfondir

4 En vous appuyant sur le texte, montrez que la décision du roi est bonne à la fois pour les héros et pour le pays.

5 Quelle est l'attitude des héros face au roi ? Justifiez votre réponse par une citation empruntée à Chimène et une autre à Rodrigue.

6 Qui a le mot de la fin ?

7 À votre avis, en quoi le personnage du roi est-il conforme à ce que souhaitait voir Louis XIV ? Pour répondre, aidez-vous de la page 252.

Camille Cottin et Bruno Ouzeau, mise en scène de Bénédicte Budan, théâtre Silvia-Monfort, 2009.

Pour étudier l'œuvre

Le Cid, P. Corneille

→ **La naissance d'un héros**

1 Pourquoi peut-on dire qu'au début de la pièce Rodrigue n'a pas encore fait ses preuves ?

2 a. À quel moment de la pièce Rodrigue apparaît-il ?
b. Quelle image nous en est donnée auparavant ? Par quels moyens ?

3 Quels sont les différents moyens par lesquels Rodrigue s'affirme, tout au long de la pièce ?

4 Quel titre reçoit-il à l'acte IV ? Que signifie ce titre ?

→ **La naissance d'une princesse**

1 Qui est l'infante ?

2 À quel conflit doit-elle faire face ?

3 Comparez l'acte V, scène 2 et l'acte I, scène 6 : quels sont les points communs ?

4 Quelle décision l'infante prend-elle finalement ? pourquoi ?

5 Quels sentiments ce personnage vous inspire-t-il ? Pourquoi ? Développez et justifiez votre réponse en vous appuyant sur votre lecture.

Les Ménines, peinture de Diego Velásquez, 1659, musée du Prado, Madrid.

→ **La mise en scène du pouvoir**

1 Relisez l'acte I, scène 3 et l'acte II, scène 1.
a. Quelle est l'attitude du comte d'une part et de don Diègue d'autre part vis-à-vis du roi ? Justifiez vos réponses en vous appuyant sur des vers précis.
b. Quelle solution le roi offre-t-il au conflit entre les deux hommes ?
c. Pourquoi cette solution n'aboutit-elle pas ?
d. Comparez avec la fin de la pièce : qu'est-ce qui permet à Rodrigue et Chimène de retrouver l'espérance ?

2 Relisez la scène 6 de l'acte II et la scène 5 de l'acte IV.
a. Quel rôle le roi se donne-t-il ?
b. Quelles limites impose-t-il à l'orgueil des nobles ?
c. Quel rôle assigne-t-il à l'héroïsme ?

3 Comment, dans la pièce, Corneille parvient-il à concilier les valeurs héroïques auxquelles la noblesse est attachée et le désir d'ordre et d'obéissance de la monarchie absolue ?

→ **Une pièce classique ?**

Le Cid est présenté, en 1637, comme une tragédie. Elle est considérée comme une des premières pièces classiques.

1 a. Relisez la définition des grands genres dramatiques, p. 252 : auriez-vous classé *Le Cid* parmi les tragédies ? Pourquoi ?
b. À votre avis, qu'est-ce qui a pu justifier la présentation de cette pièce comme une tragédie ?

2 Relisez les règles qui régissent la tragédie : lesquelles vous semblent respectées ? Lesquelles non ?

La tragédie classique

La tragédie classique

❋ *Le Cid* est une **tragédie classique**, c'est-à-dire qu'elle se plie aux **règles héritées de l'Antiquité** et remises au goût du jour par la monarchie absolue.

❋ Ces règles concernent d'abord la composition : chaque pièce est divisée en **cinq actes**.

– Le premier acte est celui de **l'exposition** : il permet de présenter les personnages et leur situation.

– Le deuxième acte est celui de **l'action** : celle-ci se met en place.

– Le troisième acte est **le nœud** de la pièce : la situation atteint un point critique.

– Le quatrième acte est celui du **suspens** : le dramaturge habile retarde le dénouement pour faire durer la tension dramatique.

– Le dernier acte est celui du **dénouement**.

❋ Le théâtre classique est en outre régi par **la règle des trois unités** :

– **L'unité d'action** veut que l'histoire se limite à une seule intrigue.

– **L'unité de temps** veut que cette action se déroule en moins de vingt-quatre heures.

– **L'unité de lieu** impose un lieu unique pour la représentation de cette action.

❋ Enfin, la **bienséance** interdit toute parole et tout sentiment contraires aux bonnes mœurs tandis que la **vraisemblance** exige que l'action et la psychologie des personnages restent crédibles.

Un héros déchiré

❋ **Le conflit entre amour et devoir** est souvent le moteur de la tragédie classique.

❋ Rodrigue, comme tout héros tragique, est **un personnage noble dans tous les sens du terme** : il est animé par un courage jamais démenti, le sens de l'honneur, le souci de sa gloire. Mais le destin le place dans une situation qui rend inconciliables les exigences de l'honneur et de l'amour. Le héros est donc face à un **dilemme** qui exige de lui **un sacrifice**.

❋ Ce conflit de valeurs oblige le héros à s'interroger sur ce qui importe à ses yeux : l'honneur, l'amour, la fidélité au roi… À travers cette figure d'exception, le spectateur, au XVIIe siècle comme aujourd'hui, s'interroge sur ses propres valeurs. Ainsi *Le Cid* est-il aussi une réflexion sur la noblesse, le devoir, la fidélité, qui continue de nous interpeller.

Melpomène, Erato et Polymnie, Eustache Le Sueur (1616-1655), huile sur toile, 1652, musée du Louvre, Paris.

La langue classique

1 ★★ **Associez chacun des mots suivants à son synonyme.**

Liste 1 : cœur – affront – courroux – soufflet – outrage – blâme – funeste – hymen.

Liste 2 : gifle – courage – injure – offense – reproche – fatal – ressentiment – mariage.

2 ★★ **Associez chacun des mots suivants à son antonyme.**

Liste 1 : rigueur – trépas – infamie – honneur – ardeur – arrogant – étrange – généreux.

Liste 2 : outrage – complaisance – ordinaire – gloire – vil – mollesse – humble – vie.

3 ★ **Expliquez ce que désignent les métonymies suivantes :** *le bras – le cœur – la flamme – le fer.*

4 ★★ **a. Parmi les mots suivants, quel est l'intrus ?**

lauriers – glorieux – honneur – fameux – infamie – éclat – exploits – triomphe – dignité

b. À quel champ lexical appartiennent-ils ?

5 ★★ **a. Complétez les phrases avec un des verbes suivants :** *blâmer – croître – déplorer – éprouver – hâter – ôter – périr – se repentir.*

b. Employez à votre tour dans une phrase de votre invention chacun de ces verbes, que vous conjuguerez comme il convient.

1. Le père veut ... le courage de son fils avant de lui remettre son épée.

2. Nous devons nous ... si nous voulons arriver à l'heure.

3. Malgré son courage, Rodrigue ne peut s'empêcher de ... son sort.

4. Il devra ... d'un pareil crime.

5. N'oubliez pas d'... vos chaussures avant d'entrer.

6. Malgré la haine de leurs deux familles, l'amour de Roméo pour Juliette n'a cessé de ... .

7. Tu devras te rendre ou ... !

8. Il ne faut pas le ... trop sévèrement.

6 ★★★ **À l'aide du** *Trésor de la langue française* **ou d'un autre dictionnaire en ligne, cherchez le sens exact des mots en gras. Comment ce sens a-t-il évolué ?**

Éducation aux médias

1. « Il est né seulement pour **charmer** les princesses. » (Corneille, *Médée*) – **2.** « Mon cœur outré d'**ennuis** n'ose rien espérer. » (*Le Cid*) – **3.** « Ne me regarde plus d'un visage **étonné** ; Je cherche le trépas après l'avoir donné. » (*Le Cid*) – **4.** « Ô Dieu ! l'**étrange** peine ! » (*Le Cid*) – **5.** « Ne t'étonne donc plus si mon âme **gênée** / Avec impatience attend leur hyménée. » (*Le Cid*) – **6.** « Quoi qu'absent de ses yeux il me faille **endurer**, / Sire, ce m'est trop d'heur de pouvoir espérer. » (*Le Cid*)

7 ★★★ **Mots croisés**

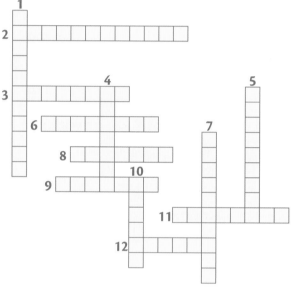

Horizontalement :

1. Colère que l'on ressent contre une personne qui nous a blessé. – **2.** Pièce de théâtre à l'issue malheureuse, qui montre des personnages aux prises avec le destin. – **3.** Supporter, dans la langue classique. – **4.** Mariage. – **5.** Qui apporte la mort. – **6.** Noble. – **7.** Zèle, énergie dévouée.

Verticalement :

1. Rapidement. – **4.** Action déshonorante – **5.** Courage. – **7.** Vers de douze syllabes. – **10.** Mort.

8 ★ Jeu **Time's Up de la tragédie classique**

Réalisez un Time's Up avec le vocabulaire de la page. Pour cela, notez chaque mot sur une carte. Formez des équipes de trois ou quatre. Le jeu se fait en trois manches. À tour de rôle, un élève de chaque équipe pioche une carte. Il doit faire deviner le mot inscrit en en expliquant le sens. Si les autres joueurs trouvent le mot, l'équipe gagne la carte, sinon, celle-ci est remise en jeu.

Pour la deuxième manche, on a droit à un seul mot pour faire deviner la carte.

Pour la troisième manche, on mime le mot.

Écrire une scène tragique

→ Respecter les codes du théâtre

1. Recopiez en mettant en forme le dialogue de théâtre.

César tient un café sur le port de Marseille. Fanny aime en secret Marius, le fils de celui-ci.

CÉSAR (à Marius) Marius, c'est toi qui offres le café ? MARIUS Oui. CÉSAR (impénétrable et froid) Bon. MARIUS Je viens de le faire. Tu en veux une tasse ? CÉSAR Non. MARIUS Pourquoi ? CÉSAR Parce que si nous buvons tous gratis, il ne restera plus rien pour les clients. FANNY (elle rit) Oh ! vous n'allez pas pleurer pour une tasse de café ? CÉSAR Ce n'est pas pour le café, c'est pour la manière. MARIUS Quelle manière ? MARIUS De boire le magasin pendant que je dors. MARIUS Si tu as voulu me faire un affront, tu as réussi.

M. PAGNOL, César, 1929, Éditions de Fallois.

2. Transposez ce texte en dialogue de théâtre.

Missirilli dit à Vanina d'un air assez contraint :
– Dès que la nuit sera venue, il faut que je sorte.
– Aie bien soin de rentrer au palais avant le point du jour ; je t'attendrai.
– Au point du jour je serai à plusieurs milles de Rome.
– Fort bien, dit Vanina froidement, et où irez-vous ?
– En Romagne, me venger.
– Comme je suis riche, reprit Vanina de l'air le plus tranquille, j'espère que vous accepterez de moi des armes et de l'argent.
Missirilli la regarda quelques instants sans sourciller ; puis se jetant dans ses bras :
– Âme de ma vie, tu me fais tout oublier, lui dit-il, et même mon devoir.

STENDHAL, Vanina Vanini, 1829.

3. Lisez la scène suivante, imaginez les didascalies manquantes et rédigez-les comme il convient.

Un soir, après la fermeture, Fanny et Marius se retrouvent en secret dans le bar de César. Mais ils sont dérangés par Honoré Panisse, amoureux de Fanny, qui frappe aux volets.

PANISSE. – Ô César ! C'est moi, c'est Honoré ! […] Marius ! […]
CÉSAR. – Qu'est-ce qu'il y a ?

PANISSE. – J'ai perdu mon étui à cigarettes en or. Tu l'as pas trouvé ?
CÉSAR. – Oui. Il est dans le tiroir du comptoir. […] Marius ! Il est allé se coucher et il laisse l'électricité allumée !

M. PAGNOL, César, 1929, Éditions de Fallois.

→ Mettre en valeur les émotions

4. Dites quel sentiment traduisent les exclamations ou les interrogations suivantes.

1. Comment as-tu pu faire une chose pareille ? – **2.** Que faire ? Où aller ? Vers qui me tourner ? – **3.** Vous ici ? – **4.** Quoi ? Est-ce donc vrai que je ne la reverrai jamais ? – **5.** Hélas ! Que ne lui ai-je dit que je l'aimais ! – **6.** Quel talent ! – **7.** Sonnez trompettes ! Carillonnez clochers ! Tonton Cristobal est revenu !

5. Transformez ces phrases déclaratives :

a. En phrases exclamatives. Utilisez des mots exclamatifs (*que, comme, quel, ô…*) et pensez aux phrases non verbales.

Exemple : Cette douleur est insupportable. → *Ô ! douleur insupportable !*

1. Cette nouvelle est extraordinaire. – **2.** Je suis fou de rage. – **3.** Je suis déçu.

b. En phrases interro-négatives.

Exemple : Il m'avait promis de me défendre.
→ *Ne m'avait-il pas promis de me défendre ?*

1. Je lui ai donné tout ce qu'il souhaitait. – **2.** Il ne m'a donc jamais aimé. – **3.** Ce sont des illusions.

6. Transformez les phrases selon le modèle suivant, afin d'exprimer l'indignation ou l'incrédulité : commencez la première partie de la phrase par le verbe à l'infinitif et la deuxième partie par un pronom personnel.

Exemple : Tu veux te mesurer à moi, alors qu'on ne t'a jamais vu les armes à la main. → *Te mesurer à moi ! toi qu'on n'a jamais vu les armes à la main ?*

1. Il veut quitter sa famille, alors qu'il n'a aucun revenu.
2. Elle prétend remporter cette épreuve alors qu'elle ne s'est jamais entraînée.
3. Je devrais rester calme, alors qu'on m'a déshonoré devant cette assemblée !
4. Je t'accuserais alors que tu es innocent !

Écrire un dialogue tragique

SUJET

Elvire informe Chimène de la mort de son père, tué en duel par Rodrigue. Écrivez la scène en mettant en valeur les émotions de Chimène. Ceux qui le souhaitent peuvent écrire en vers, avec ou sans rimes.

Étape 1   Le dialogue

Le début de la scène est un dialogue. Elvire doit annoncer la situation à Chimène. Est-ce facile pour elle ? Comment son émotion se manifeste-t-elle ? Le fait-elle d'une traite ou peu à peu ? Comment Chimène réagit-elle ?

Étape 2   La tirade de Chimène

Pour soutenir l'intérêt du public, une tirade doit comporter plusieurs mouvements. Vous ferez donc dans la tirade de Chimène trois paragraphes ou strophes consacrés aux sentiments suivants :

• Expression de la surprise et du désarroi : rédigez une série d'interrogations qui montreront l'étonnement et le désarroi du personnage.

• Expression de la tristesse : utilisez le champ lexical de la souffrance.

• Éclatement de la colère et appel à la vengeance : marquez le changement de ton par un mot de liaison. Multipliez les phrases exclamatives. Achevez par un serment qui annonce une action à venir.

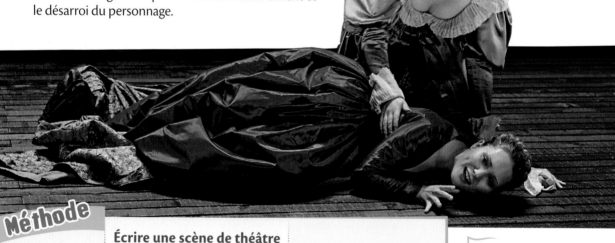

Claire Sermonne et Julie Vidit, mise en scène d'Alain Ollivier, théâtre Gérard-Philipe, Saint-Denis, 2007.

Méthode

Écrire une scène de théâtre

• Respectez la présentation du texte de théâtre (voir p. 271).

• Pensez aux déplacements, aux changements de ton, et insérez des didascalies dans votre texte (voir p. 271).

• Efforcez-vous de rendre le dialogue expressif en variant les types de phrase utilisés.

• Respectez le genre de la pièce : il s'agit ici d'une tragédie du XVIIe siècle. Le niveau de langue est élevé, voire poétique. Soignez le vocabulaire. Réemployez autant que possible le lexique de la pièce. Bannissez toute familiarité du dialogue.

Jouer une scène de théâtre

Par groupes, choisissez une scène de la pièce, que vous allez jouer.

Travail préparatoire

• Photocopiez la scène que vous devez jouer et notez sur cette copie toutes les indications nécessaires à votre travail : pauses, déplacements, changements de ton… Ce sera votre feuille de mise en scène.

• Pour cela, relisez attentivement votre texte et repérez tous les passages (didascalies, dialogues) qui donnent des indications sur le décor, la position des personnages, leurs déplacements, leurs expressions, leur ton.

• Répartissez-vous les rôles et apprenez parfaitement votre texte.

La mise en scène

A Des choix réfléchis

Rendez-vous sur le site http://fresques.ina.fr/en-scenes/ et utilisez la barre de recherche du site pour trouver des extraits de différentes mises en scène du *Cid*. Regardez-les.

• En quoi les choix sont-ils différents ? Lesquels de ces choix préférez-vous ? Pourquoi ?

• Certains de ces choix sont-ils transposables à l'espace et aux moyens dont vous disposez ?

Un conseil : faites simple. Les accessoires ne sont pas indispensables. Le mime et le travail de l'expression peuvent suggérer une épée bien mieux qu'un jouet en plastique. Un décor peut être évoqué par quelques éléments.

B Occuper l'espace

Jouer une scène de théâtre, c'est avant tout s'approprier un espace. Cet espace doit être occupé de façon vivante, harmonieuse et signifiante.

• Ne restez pas trop longtemps immobile, c'est lassant pour le spectateur et difficile pour vous. Cherchez quels sont les déplacements possibles. Pensez que, pendant un dialogue, les personnages peuvent tour à tour s'éloigner ou se rapprocher : cherchez dans votre texte si c'est pertinent pour votre scène. Pensez aussi aux gestes qu'ils peuvent accomplir tout en parlant. Améliorez le travail préparatoire au fil de vos répétitions.

• Ne jouez ni trop près les uns des autres, ni trop éloignés, ni trop au fond de la scène, ni trop devant. Pour apprendre à bien occuper l'espace, vous pouvez, par groupes, marcher à plusieurs sur la scène en vous efforçant de ne jamais vous bousculer. Variez le rythme des déplacements et l'attitude du corps.

• Ne tournez jamais le dos au public.

Dire son texte

• Le spectateur doit vous entendre sans peine. Pour cela, il est indispensable de parler suffisamment fort, mais aussi d'articuler. Respectez bien le rythme des vers.

• Veillez à la diction des alexandrins. Variez le débit de parole.

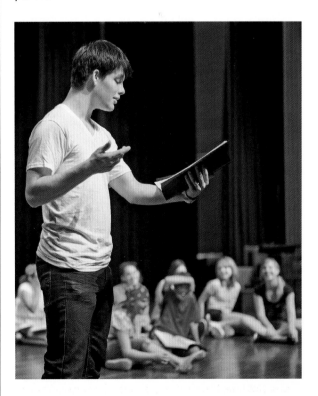

11 Leurs yeux se rencontrèrent

▶ Comment le roman explore-t-il les sentiments ?

Pistes pour un EPI (Arts plastiques) (Musique)

▶ Réaliser une anthologie d'œuvres portant sur l'amour (littérature, peinture, sculpture, opéra) sur un support papier ou numérique.

Vénus et Adonis, Antonio Canova (1757-1822), sculpture de marbre, 1789-1794, musée d'Art et d'Histoire, Genève.

Pour entrer dans le chapitre

1 **a.** Quelle est la nature de l'œuvre présentée ci-dessus ? Décrivez-la précisément, de façon organisée.
b. Quelle atmosphère s'en dégage ?

> Éducation
> aux médias

2 **a.** Cherchez qui étaient Vénus et Adonis.
b. Quel aspect du mythe l'artiste a-t-il ici représenté ?

3 Le matériau utilisé est le marbre, une roche connue pour son extrême dureté. Montrez que l'artiste parvient pourtant à créer une impression de souplesse et de vie dans la représentation de ses personnages.

De grands romanciers

Stendhal, par Jean-Louis Ducis, peinture, 1836, Fonds Boucci, Bibliothèque Sormani, Milan.

George Sand, par Eugène Delacroix, 1838, Ordrupgaard Museum, Copenhague.

Victor Hugo, sculpture d'Auguste Rodin, 1890, musée des Beaux-Arts, Dijon.

Gustave Flaubert, dessin d'Eugène Giraud, 1860, Bibliothèque nationale, Paris.

Questions

1 Qu'est-ce qu'une biographie ? Quelles informations sont indispensables à la rédaction d'une biographie d'écrivain ?

2 Faites la liste des écrivains présentés dans ce chapitre et classez-les dans l'ordre chronologique : quel outil devez-vous utiliser ?

3 Par groupes de trois ou quatre, vous allez réaliser la fiche biographique de l'un de ces auteurs. Vous vous référerez au moins à un document en ligne et un document papier.

Éducation aux médias

Alain-Fournier,
photographie,
XXᵉ siècle.

Gabriel García
Márquez,
photographie,
XXᵉ siècle.

Charlotte Brontë,
par J.H. Thompson,
peinture, fin XIXᵉ siècle.

Méthode

Rédiger et présenter une fiche biographique

Recherche et sélection des informations

• Plusieurs documents permettent de rédiger une biographie complète.

– Documents papier : dictionnaires généralistes (Larousse), dictionnaires des noms propres (Petit Robert), encyclopédies, documentaires spécialisés…

– Internet : encyclopédies en ligne, sites Internet spécialisés (http://www.biographie.net), encyclopédie collaborative en ligne (http://fr.wikipedia.org/wiki/Accueil). Consultez-en plusieurs afin de croiser les informations et vérifier qu'elles sont justes.

• Ne recopiez pas l'intégralité des renseignements trouvés, mais sélectionnez les informations importantes :
– nom, prénom, pseudonyme ;
– lieux et dates de naissance et de mort ;
– origine familiale ;
– contexte historique ;
– mouvement littéraire ;
– déroulement de sa vie, avec les dates importantes (études, métier(s), implications politiques, rencontres importantes…) ;
– bibliographie (liste des principales œuvres et dates). N'oubliez pas de préciser vos sources (au moins deux).

Réalisation de la fiche

• Votre fiche doit être claire, lisible.
• Ne rédigez pas, mais utilisez plutôt des phrases nominales.
• Pour les événements de la vie, précisez les dates ou périodes, toujours dans l'ordre chronologique.
1823-1827 : Études au lycée Condorcet à Paris.
• Pour la bibliographie, classez également les œuvres dans l'ordre chronologique et soulignez les titres.
D'hier et d'aujourd'hui (1972).

Présentation orale

Préparez la présentation de votre fiche :
• Relisez votre fiche à voix haute en vérifiant que vous prononcez correctement les noms propres.
• Entraînez-vous à développer le contenu en faisant des phrases verbales complètes.
• Par groupes, présentez la fiche chacun à votre tour : pour chaque prestation, discutez des points positifs et des points à améliorer.

Ce fut comme une apparition

Gustave Flaubert

(1821-1880)
Fils de chirurgien, il hérite de son père un sens aigu de l'observation. Sa santé fragile l'obligeant à interrompre ses études de droit, il se consacre tôt à l'écriture. Dans ses deux romans les plus célèbres, *Madame Bovary* (1857) et *L'Éducation sentimentale* (1869), qui choquèrent lors de leur parution, il porte un regard ironique et pessimiste sur la nature humaine.

Le 15 septembre 1840, vers six heures du matin, la *Ville-de-Montereau*, près de partir, fumait à gros tourbillons devant le quai Saint-Bernard[1].

Des gens arrivaient hors d'haleine ; des barriques, des câbles, des corbeilles de linge gênaient la circulation ; les matelots ne répondaient à
5   personne ; on se heurtait ; les colis montaient entre les deux tambours[2], et le tapage s'absorbait dans le bruissement de la vapeur, qui, s'échappant par des plaques de tôle, enveloppait tout d'une nuée blanchâtre, tandis que la cloche, à l'avant, tintait sans discontinuer.

Enfin le navire partit ; et les deux berges, peuplées de magasins, de
10   chantiers et d'usines, filèrent comme deux larges rubans que l'on déroule.

Un jeune homme de dix-huit ans, à longs cheveux et qui tenait un album sous son bras, restait auprès du gouvernail, immobile. À travers le brouillard, il contemplait des clochers, des édifices dont il ne savait pas les noms ; puis il embrassa, dans un dernier coup d'œil, l'île Saint-Louis, la Cité, Notre-
15   Dame ; et bientôt, Paris disparaissant, il poussa un grand soupir.

M. Frédéric Moreau, nouvellement reçu bachelier, s'en retournait à Nogent-sur-Seine, où il devait languir pendant deux mois, avant d'aller *faire son droit*. Sa mère, avec la somme indispensable, l'avait envoyé au Havre voir un oncle, dont elle espérait, pour lui, l'héritage ; il en était
20   revenu la veille seulement ; et il se dédommageait de ne pouvoir séjourner dans la capitale, en regagnant sa province par la route la plus longue. [...]

Frédéric pensait à la chambre qu'il occuperait là-bas, au plan d'un drame, à des sujets de tableaux, à des passions futures. Il trouvait que le bonheur mérité par l'excellence de son âme tardait à venir. Il se déclama
25   des vers mélancoliques ; il marchait sur le pont à pas rapides ; il s'avança jusqu'au bout, du côté de la cloche ; – et, [...] pour rejoindre sa place, poussa la grille des Premières[3], dérangea deux chasseurs avec leurs chiens.

Ce fut comme une apparition :

Elle était assise, au milieu du banc, toute seule ; ou du moins il ne distingua
30   personne, dans l'éblouissement que lui envoyèrent ses yeux. En même temps qu'il passait, elle leva la tête ; il fléchit involontairement les épaules ; et, quand il se fut mis plus loin, du même côté, il la regarda.

Elle avait un large chapeau de paille, avec des rubans roses qui palpitaient au vent, derrière elle. Ses bandeaux[4] noirs, contournant la pointe de ses
35   grands sourcils, descendaient très bas et semblaient presser amoureusement l'ovale de sa figure. Sa robe de mousseline claire, tachetée de petits pois, se répandait à plis nombreux. Elle était en train de broder quelque chose ; et son nez droit, son menton, toute sa personne se découpait sur le fond de l'air bleu.

1. Le quai Saint-Bernard se trouve sur la rive gauche de la Seine, dans le Ve arrondissement.

2. **Tambours** : espaces en forme de tambour qui contiennent les roues à aube permettant au bateau d'avancer.

3. **Première** : classe dans un moyen de transport.

4. **Bandeau** : cheveux qui serrent le front.

Au soleil,
Émilie Guillaumot-
Adam, pastel,
XXᵉ siècle, musée des
Beaux-Arts, Paris.

Comme elle gardait la même attitude, il fit plusieurs tours de droite et
de gauche pour dissimuler sa manœuvre ; puis il se planta tout près de
son ombrelle, posée contre le banc, et il affectait d'observer une chaloupe
sur la rivière.

Jamais il n'avait vu cette splendeur de sa peau brune, la séduction de
sa taille, ni cette finesse des doigts que la lumière traversait. Il considérait
son panier à ouvrage avec ébahissement, comme une chose extraordinaire.
Quels étaient son nom, sa demeure, sa vie, son passé ? Il souhaitait connaître
les meubles de sa chambre, toutes les robes qu'elle avait portées, les gens
qu'elle fréquentait ; et le désir de la possession physique même disparaissait
sous une envie plus profonde, dans une curiosité douloureuse qui n'avait
pas de limites.

Une négresse, coiffée d'un foulard, se présenta, en tenant par la main
une petite fille, déjà grande. L'enfant, dont les yeux roulaient des larmes,
venait de s'éveiller. Elle la prit sur ses genoux. « Mademoiselle n'était pas
sage, quoiqu'elle eût sept ans bientôt ; sa mère ne l'aimerait plus ; on lui
pardonnait trop ses caprices. » Et Frédéric se réjouissait d'entendre ces
choses, comme s'il eût fait une découverte, une acquisition.

Il la supposait d'origine andalouse, créole peut-être ; elle avait ramené
des îles cette négresse avec elle ?

Cependant, un long châle à bandes violettes était placé derrière son dos,
60 sur le bordage de cuivre. Elle avait dû, bien des fois, au milieu de la mer,
durant les soirs humides, en envelopper sa taille, s'en couvrir les pieds,
dormir dedans ! Mais, entraîné par les franges, il glissait peu à peu, il
allait tomber dans l'eau ; Frédéric fit un bond et le rattrapa. Elle lui dit :

– « Je vous remercie, monsieur. »
65 Leurs yeux se rencontrèrent.

– « Ma femme, es-tu prête ? » cria le sieur Arnoux, apparaissant dans
le capot de l'escalier.

GUSTAVE FLAUBERT, *L'Éducation sentimentale*, 1869.

Lecture

Pour bien lire

1 Où la scène se passe-t-elle ?

2 Qui est Frédéric Moreau ? D'où vient-il ? Où se rend-il ? Pourquoi ?

3 a. Que sait-on de la femme qui « apparaît » ?
b. Comment Frédéric réagit-il à sa vue ?

4 Quel événement permet aux deux personnages un échange ?

Pour approfondir

5 Lignes 11 à 18.
a. Pourquoi Frédéric soupire-t-il ?
b. Donnez le sens de *languir* (l. 17).
c. Quelle image avons-nous de ce personnage ?

6 Lignes 28 à 32 : comment l'apparition de Mme Arnoux est-elle mise en valeur ?
Tâche complexe

▶ **Coup de pouce**
• Observez la disposition du texte et la ponctuation.
• Par quel mot est-elle désignée ? Dans quelle position se trouve-t-elle lorsque Frédéric l'aperçoit ?
• Lignes 33 à 38 : relevez les éléments mélioratifs de son portrait.

7 Lignes 43 à 58.
a. Que révèlent les phrases interrogatives ?
b. Relevez les mots et expressions qui montrent que Frédéric laisse vagabonder son imagination à propos de la femme.

8 Que laisse entendre la dernière phrase du texte ? Qu'imaginez-vous pour la suite de l'histoire ?

Vocabulaire

1 a. Que signifie *affecter* (l. 41) ?
b. Quels sont les autres sens de ce verbe ?
c. Inventez trois phrases faisant apparaître les différents sens de ce mot.

2 a. *Ébahissement* (l. 45) est formé à partir de l'ancien français *baer* (« être ouvert ») : expliquez le sens de ce mot.
b. Donnez le verbe de la même famille.

Écriture

Frédéric s'interroge sur le passé de Mme Arnoux, sur la vie qu'elle mène. Et Mme Arnoux, comment réagit-elle à la vue du jeune homme ? Imaginez les pensées qui lui traversent l'esprit.

Pour réussir :
– Vous utiliserez essentiellement la phrase interrogative
– Appuyez-vous sur les informations données dans le texte.

Un trouble inattendu

George Sand

....

(1804-1876)

Après une jeunesse passée dans le Berry, Aurore Dupin épouse, en 1822, le baron Dudevant dont elle aura deux enfants. Prenant le pseudonyme de George Sand, elle se lance dans une carrière littéraire et scandalise en raison de sa vie sentimentale très libre et du costume masculin qu'elle adopte parfois. Son œuvre littéraire, très abondante, évoque souvent son Berry natal où elle achève son existence.

Fanchon Fadet, dite la petite Fadette, est une pauvre fille laide et mal habillée, élevée par une grand-mère que l'on dit sorcière. Elle aide un jour Landry, un jeune paysan, à retrouver son frère jumeau, Sylvinet, qui a disparu. En échange, Landry accepte de la faire danser pour la Saint-Andoche. Il s'exécute de mauvais gré, mais n'hésite pas à défendre sa cavalière lorsque les jeunes gens du village se moquent d'elle. Plus tard, il la découvre en larmes et prend le temps de parler avec elle. Il tente alors de l'embrasser.

Le lendemain, quand il alla voir ses bœufs au petit jour, tout en les affenant[1] et les câlinant, il pensait en lui-même à cette causerie d'une grande heure qu'il avait eue dans la carrière du Chaumois avec la petite Fadette, et qui lui avait paru comme un instant. Il avait encore la tête alourdie par
5 le sommeil et par la fatigue d'esprit d'une journée si différente de celle qu'il aurait dû passer. Et il se sentait tout troublé et comme épeuré[2] de ce qu'il avait senti pour cette fille, qui lui revenait devant les yeux, laide et de mauvaise tenue, comme il l'avait toujours connue. Il s'imaginait par moment avoir rêvé le souhait qu'il avait fait de l'embrasser, et le contentement
10 qu'il avait eu de la serrer contre son cœur, comme s'il avait senti un grand amour pour elle, comme si elle lui avait paru tout d'un coup plus belle et plus aimable que pas une fille sur terre.

– Il faut qu'elle soit charmeuse comme on le dit, bien qu'elle s'en défende, pensait-il, car pour sûr elle m'a ensorcelé hier soir, et jamais dans toute
15 ma vie je n'ai senti pour père, mère, sœur ou frère, non pas, certes, pour la belle Madelon[3], et non pas même pour mon cher besson[4] Sylvinet, un élan d'amitié pareil à celui que, pendant deux ou trois minutes, cette diablesse m'a causé. S'il avait pu voir ce que j'avais dans le cœur, mon pauvre Sylvinet, c'est du coup qu'il aurait été mangé par la jalousie. Car
20 l'attache que j'avais pour Madelon ne faisait point de tort à mon frère, au lieu que si je devais rester seulement tout un jour affolé et enflammé comme je l'ai été pour un moment à côté de cette Fadette, j'en deviendrais insensé et je ne connaîtrais plus qu'elle dans le monde.

Et Landry se sentait comme étouffé de honte, de fatigue et d'impatience.
25 Il s'asseyait sur la crèche[5] de ses bœufs, et avait peur que la charmeuse ne lui eût ôté le courage, la raison et la santé.

Mais, quand le jour fut un peu grand et que les laboureurs de la Priche furent levés, ils se mirent à le plaisanter sur sa danse avec le vilain grelet[6], et ils la firent si laide, si mal élevée, si mal attifée[7] dans leurs moqueries,
30 qu'il ne savait où se cacher, tant il avait de honte, non seulement de ce qu'on avait vu, mais de ce qu'il se gardait bien de faire connaître.

---

1. Affener : donner du foin.

2. Épeuré : rempli de peur.

3. Jeune fille que courtise Landry.

4. Besson : jumeau.

5. Crèche : mangeoire.

6. Grelet : insecte noir. C'est ici un des surnoms de la petite Fadette.

7. Attifé : mal vêtu.

Il ne se fâcha pourtant point, parce que les gens de la Priche étaient tous ses amis et ne mettaient point de mauvaise intention dans leurs taquineries. Il eut même le courage de leur dire que la petite Fadette n'était pas ce qu'on
35 croyait, qu'elle en valait bien d'autres, et qu'elle était capable de rendre de grands services. Là-dessus on le railla encore.

– Sa mère, je ne dis pas, firent-ils ; mais elle, c'est un enfant qui ne sait rien, et si tu as une bête malade, je ne te conseille pas de suivre ses remèdes, car c'est une petite bavarde qui n'a pas le moindre secret pour guérir.
40 Mais elle a celui d'endormir les gars, à ce qu'il paraît, puisque tu ne l'as guère quittée à la Saint-Andoche, et tu feras bien d'y prendre garde, mon pauvre Landry ; car on t'appellerait bientôt le grelet de la grelette[8], et le follet de la Fadette[9]. Le diable se mettrait après toi. Georgeon[10] viendrait tirer nos draps de lit et boucler le crin de notre chevaline[11]. Nous serions
45 obligés de te faire exorciser.

– Je crois bien, disait la petite Solange, qu'il aura mis un de ses bas à l'envers hier matin. Ça attire les sorciers, et la petite Fadette s'en est bien aperçue. […]

Toute la semaine se passa sans que Landry pût rencontrer la Fadette,
50 de quoi il était bien étonné et bien soucieux. « Elle va croire encore que je suis ingrat, pensait-il, et pourtant, si je ne la vois point, ce n'est pas faute de l'attendre et de la chercher. Il faut que je lui aie fait de la peine en l'embrassant quasi malgré elle dans la carrière, et pourtant ce n'était pas à mauvaise intention, ni dans l'idée de l'offenser. » Et il songea durant
55 cette semaine plus qu'il n'avait songé dans toute sa vie ; il ne voyait pas clairement dans sa propre cervelle, mais il était pensif et agité, et il était obligé de se forcer pour travailler, car, ni les grands bœufs, ni la charrue reluisante, ni la belle terre rouge, humide de la fine pluie d'automne, ne suffisaient plus à ses contemplations et à ses rêvasseries.

60 Il alla voir son besson le jeudi soir, et il le trouva soucieux comme lui. Sylvinet était un caractère différent du sien, mais pareil quelquefois par le contrecoup. On aurait dit qu'il devinait que quelque chose avait troublé la tranquillité de son frère, et pourtant il était loin de se douter de ce que ce pouvait être. Il lui demanda s'il avait fait la paix avec Madelon, et, pour
65 la première fois, en lui disant que oui, Landry lui fit volontairement un mensonge. Le fait est que Landry n'avait pas dit un mot à Madelon, et qu'il pensait avoir le temps de le lui dire ; rien ne le pressait.

Enfin vint le dimanche, et Landry arriva des premiers à la messe. Il entra avant qu'elle fût sonnée, sachant que la petite Fadette avait coutume d'y
70 venir dans ce moment-là, parce qu'elle faisait toujours de longues prières, dont un chacun se moquait.

George Sand, *La Petite Fadette*, 1849.

8. Voir note 6.
9. **Fadette** : petite fée.
10. **Georgeon** : diable (dans le Berry).
11. **Chevaline** : cheval.

Lecture

Pour bien lire

1 Dans quel état d'esprit Landry se trouve-t-il au début de l'extrait ? Pourquoi ?

2 Pourquoi éprouve-t-il de la honte (l. 24 à 31) ?

3 Quels détails révèlent le trouble du personnage (l. 49 à 67) ?

Pour approfondir

4 **a.** Combien de temps se passe-t-il entre le début et la fin de cet extrait ? Repérez les différentes étapes du récit.
b. Comment les sentiments de Landry évoluent-ils au fil du temps ? Citez le texte pour justifier votre réponse.

5 Montrez l'évolution du jugement porté par Landry sur la petite Fadette.

> *Tâche complexe*

▶ **Coup de pouce**
• Quel champ lexical repérez-vous dans le deuxième paragraphe ? Que suggère-t-il ?
• Pourquoi les laboureurs taquinent-ils Landry ? Comment réagissent-ils lorsque le jeune homme prend la défense de la petite Fadette ?
• Sur quelle idée l'extrait s'achève-t-il ? En quoi cela contraste-t-il avec l'image précédemment donnée de la petite Fadette ?
• Landry et les laboureurs voient-ils la petite Fadette de la même façon ? Relevez des expressions indiquant le jugement qu'ils portent sur l'allure de la jeune fille.

6 Quels sentiments le lecteur éprouve-t-il pour la petite Fadette qui n'apparaît pas ici, mais dont on ne cesse de parler ? Pourquoi ?

La Bergère, ou Jeune Fille à la baguette, Camille Pissarro (1830-1903), huile sur toile, 1881, musée d'Orsay, Paris.

Écriture

« Ils la firent **si** laide, **si** mal élevée, **si** mal attifée dans leurs moqueries, **qu**'il ne savait où se cacher, tant il avait de honte. » (l. 29-30)

Sur le même modèle, complétez les phrases suivantes de façon à exprimer une conséquence.

1. Landry la vit si attristée, si ..., si ..., que ... .
2. Sylvinet trouva son frère si troublé, si ..., si ..., que ... .
3. Les laboureurs le crurent si charmé, si ..., si ..., qu'ils ... .

Vocabulaire

1 **a.** Cherchez les différents sens de l'adjectif *charmeur* (l. 13). Dans quel sens est-il employé dans le texte ?
b. Trouvez un nom et un verbe appartenant à la même famille. Employez chacun d'eux dans deux phrases différentes, de façon à mettre en évidence d'abord le sens fort du terme puis son sens courant.

2 Que signifie l'adjectif *ingrat* (l. 51) ? Donnez un nom de même famille.

Une rencontre et des adieux

Alain-Fournier

(1886-1914)
De son vrai nom Henri-Alban Fournier, il passe sa jeunesse dans le Cher, auprès de ses parents instituteurs, avant de poursuivre ses études à Paris. En 1905, il croise une mystérieuse jeune fille dont il apprend le nom dix jours plus tard : c'est Yvonne de Quiévrecourt, qui lui inspirera le personnage d'Yvonne de Galais. L'auteur du *Grand Meaulnes* meurt en 1914, à seulement 27 ans, dans les premiers mois de la guerre.

Augustin Meaulnes, un adolescent, arrive par hasard, à l'occasion d'une fugue, dans un mystérieux domaine où se déroule une fête étrange et poétique : le jeune châtelain, Frantz de Galais, doit venir avec sa fiancée et veut qu'elle arrive « dans un palais en fête », raison pour laquelle il a invité des enfants. Lors de ces deux jours que Meaulnes vit comme dans un rêve, il croise, lors d'une balade dans le parc, une jeune fille dont la beauté le fascine et qui s'apprête à faire une promenade en bateau. Meaulnes monte sur la même embarcation qu'elle.

On aborda devant un bois de sapins. Sur le débarcadère, les passagers durent attendre un instant, serrés les uns contre les autres, qu'un des bateliers[1] eût ouvert le cadenas de la barrière… Avec quel émoi Meaulnes se rappelait dans la suite cette minute où, sur le bord de l'étang, il avait
5 eu très près du sien le visage désormais perdu de la jeune fille ! Il avait regardé ce profil si pur, de tous ses yeux, jusqu'à ce qu'ils fussent près de s'emplir de larmes. Et il se rappelait avoir vu, comme un secret délicat qu'elle lui eût confié, un peu de poudre restée sur sa joue…

À terre, tout s'arrangea comme dans un rêve. Tandis que les enfants
10 couraient avec des cris de joie, que des groupes se formaient et s'éparpillaient à travers bois, Meaulnes s'avança dans une allée, où, dix pas devant lui, marchait la jeune fille. Il se trouva près d'elle sans avoir eu le temps de réfléchir :

« Vous êtes belle », dit-il simplement.

Mais elle hâta le pas et, sans répondre, prit une allée transversale. D'autres
15 promeneurs couraient, jouaient à travers les avenues, chacun errant à sa guise, conduit seulement par sa libre fantaisie. Le jeune homme se reprocha vivement ce qu'il appelait sa balourdise, sa grossièreté, sa sottise. Il errait au hasard, persuadé qu'il ne reverrait plus cette gracieuse créature, lorsqu'il l'aperçut soudain venant à sa rencontre et forcée de passer près de lui dans
20 l'étroit sentier. Elle écartait de ses deux mains nues les plis de son grand manteau. Elle avait des souliers noirs très découverts. Ses chevilles étaient si fines qu'elles pliaient par instants et qu'on craignait de les voir se briser.

Cette fois, le jeune homme salua, en disant très bas :

« Voulez-vous me pardonner ?

25 – Je vous pardonne, dit-elle gravement. Mais il faut que je rejoigne les enfants, puisqu'ils sont les maîtres aujourd'hui. Adieu. »

Augustin la supplia de rester un instant encore. Il lui parlait avec gaucherie, mais d'un ton si troublé, si plein de désarroi, qu'elle marcha plus lentement et l'écouta.

30 « Je ne sais même pas qui vous êtes », dit-elle enfin.

1. Batelier : personne dont le métier est de conduire un bateau.

284

La Grenouillère,
Pierre Auguste Renoir
(1841-1919), 1869,
National Museum,
Stockholm.

Elle prononçait chaque mot d'un ton uniforme, en appuyant de la même façon sur chacun, mais en disant plus doucement le dernier… Ensuite elle reprenait son visage immobile, sa bouche un peu mordue, et ses yeux bleus regardaient fixement au loin.

35 « Je ne sais pas non plus votre nom », répondit Meaulnes.

Ils suivaient maintenant un chemin découvert, et l'on voyait à quelque distance les invités se presser autour d'une maison isolée dans la pleine campagne.

« Voilà la "maison de Frantz", dit la jeune fille ; il faut que je vous quitte… »

40 Elle hésita, le regarda un instant en souriant et dit :

« Mon nom ?… Je suis Mademoiselle Yvonne de Galais… »

Et elle s'échappa.

La « maison de Frantz » était alors inhabitée. Mais Meaulnes la trouva envahie jusqu'aux greniers par la foule des invités. Il n'eut guère le loisir

45 d'ailleurs d'examiner le lieu où il se trouvait : on déjeuna en hâte d'un repas froid emporté dans les bateaux, ce qui était fort peu de saison, mais les enfants en avaient décidé ainsi, sans doute ; et l'on repartit. Meaulnes s'approcha de Mlle de Galais dès qu'il la vit sortir et, répondant à ce qu'elle avait dit tout à l'heure :

50 « Le nom que je vous donnais était plus beau, dit-il.

– Comment ? Quel était ce nom ? » fit-elle, toujours avec la même gravité.

Mais il eut peur d'avoir dit une sottise et ne répondit rien.

« Mon nom à moi est Augustin Meaulnes, continua-t-il, et je suis étudiant.

– Oh ! vous étudiez ? » dit-elle. Et ils parlèrent un instant encore. Ils

55 parlèrent lentement, avec bonheur – avec amitié. Puis l'attitude de la jeune fille changea. Moins hautaine et moins grave, maintenant, elle parut aussi plus inquiète. On eût dit qu'elle redoutait ce que Meaulnes allait dire et s'en effarouchait à l'avance. Elle était auprès de lui toute frémissante, comme une hirondelle un instant posée à terre et qui déjà tremble du désir de

60 reprendre son vol.

« À quoi bon ? À quoi bon ? » répondait-elle doucement aux projets que faisait Meaulnes.

Mais lorsqu'enfin il osa lui demander la permission de revenir un jour vers ce beau domaine :

65 « Je vous attendrai », répondit-elle simplement.

Ils arrivaient en vue de l'embarcadère. Elle s'arrêta soudain et dit pensivement :

« Nous sommes deux enfants ; nous avons fait une folie. Il ne faut pas que nous montions cette fois dans le même bateau. Adieu, ne me suivez pas. »

70 Meaulnes resta un instant interdit, la regardant partir. Puis il se reprit à marcher. Et alors la jeune fille, dans le lointain, au moment de se perdre à nouveau dans la foule des invités, s'arrêta et, se tournant vers lui, pour la première fois le regarda longuement. Était-ce un dernier signe d'adieu ? Était-ce pour lui défendre de l'accompagner ? Ou peut-être avait-elle quelque

75 chose encore à lui dire ?…

ALAIN-FOURNIER, *Le Grand Meaulnes*, 1913.

Parcours de lecture ★★

1 a. Présentez brièvement les deux personnages principaux. **b.** Relevez quelques expressions évoquant les autres visiteurs. Que remarquez-vous ?

2 a. Lignes 3 à 8 : relevez des expressions montrant que la jeune fille est idéalisée. **b.** À travers les yeux de quel personnage observe-t-on la jeune fille ? Pour répondre, observez les verbes de perception et leur sujet.

3 Lignes 9 à 22 : quels mots et expressions contribuent à créer une atmosphère mystérieuse ? Expliquez.

4 a. Comment Augustin aborde-t-il la conversation ? Comment la jeune fille réagit-elle ? **b.** De quel personnage connaissons-nous les pensées et émotions ? Justifiez votre réponse. Pourquoi est-ce important ? **c.** Qui se pose les questions à la fin de l'extrait ?

5 a. Qu'est-ce qui paraît faire obstacle à l'histoire d'amour entre les deux personnages ? **b.** Celle-ci semble-t-elle impossible ? Répondez précisément en vous appuyant sur le texte.

Écriture

1 « Il n'eut guère le loisir d'ailleurs d'examiner le lieu où il se trouvait. » (l. 44-45)
a. Cherchez le sens de l'expression « avoir le loisir de ».
b. À votre tour, employez-la dans trois phrases de votre choix.

2 « Ses chevilles étaient **si** fines **qu'**elles pliaient par instants et **qu'**on craignait de les voir se briser. » (l. 21-22)
Sur le même modèle, achevez les phrases suivantes :

1. Ses yeux étaient si … que … et que … . **2.** Ses cheveux étaient si … . **3.** Sa peau était si … . **4.** Ses mains étaient si … .

ou Parcours de lecture ★★★

Comment le moment de la rencontre amoureuse est-il rendu extraordinaire ?

Tâche complexe

▶ **Coup de pouce**
• Qu'est-ce qui rend l'atmosphère du lieu si étrange ?
• Que nous apprend la description d'Yvonne de Galais ?
• Montrez qu'on ne connaît que le point de vue d'Augustin Meaulnes. En quoi est-ce important ?
• Quelles sont les réactions successives des personnages ?
• Qu'est-ce qui semble rendre impossible l'amour entre les deux jeunes gens ? Pourquoi cela crée-t-il une tension dramatique ?

Vocabulaire

1 a. Un batelier conduit un bateau. De quoi s'occupent le coutelier, le tonnelier, le chapelier ?
b. Trouvez les verbes appartenant à la même famille que les noms en gras. *Exemple : mettre au même niv**eau** : niv**eler**.*

1. Poser des **carreaux** : … . – **2.** Tailler au **ciseau** : … . – **3.** Couler (comme un **ruisseau**) : … . – **4.** Frapper avec un **marteau** : … . – **5.** Retirer la **peau** : … .

2 a. Qu'est-ce que la *gaucherie* (l. 27) ? Quel est son contraire ? **b.** Donnez les adjectifs de même famille que ces deux noms.

3 *Uniforme* (l. 31) : décomposez cet adjectif pour en trouver le sens.

Incendie nocturne

Charlotte Brontë

(1816-1855)
Fille d'un pasteur anglais cultivé, elle connaît très jeune des drames familiaux : la mort de sa mère suivie de celle de ses deux sœurs aînées. La jeune Charlotte partage avec son frère et ses deux autres sœurs le goût de l'écriture. Les trois jeunes filles publient d'abord collectivement un recueil de poèmes, puis se lancent dans l'écriture de romans. Charlotte Brontë connaît alors le succès avec *Jane Eyre*. Son frère et ses sœurs meurent successivement de maladie. En 1855, mariée depuis un an, c'est au tour de Charlotte de succomber.

Jane, orpheline tout juste sortie de sa pension, est employée comme préceptrice au château de Thornfield Hall où elle se charge de l'éducation de la jeune Adèle, la protégée de Mr Rochester, riche propriétaire de quarante ans. Jane apprend à connaître le maître du domaine, homme solitaire et bourru. Elle entend aussi, la nuit, des cris et des rires étranges en provenance du troisième étage du château.

Un murmure et un gémissement se firent entendre. Des pas se dirigèrent presque aussitôt le long de la galerie, vers l'escalier du troisième étage ; une porte avait été posée depuis peu pour en fermer l'accès ; je l'entendis s'ouvrir, se refermer, et tout retomba dans le silence.

5 Était-ce Grace Poole[1] ? « Est-elle possédée ? » pensai-je. Impossible, à présent, de rester seule plus longtemps ; il me fallait aller trouver Mrs Fairfax[2]. Je mis hâtivement ma robe et mon châle, je tirai le verrou et j'ouvris la porte d'une main tremblante. Juste en face, il y avait une chandelle allumée posée sur la natte[3] de la galerie. J'en fus surprise, mais je fus encore
10 plus abasourdie de constater que l'air était très opaque, comme rempli de fumée ; et tandis que je regardais à droite, à gauche, pour découvrir d'où sortaient les volutes[4] bleues, je sentis une forte odeur de brûlé.

Il y eut un craquement, celui d'une porte entrouverte, la porte de la chambre de Mr Rochester, et c'était de là que s'échappait un nuage de
15 fumée. Je ne songeai plus à Fairfax, ni à Grace Poole, ni au rire ; en un instant je fus dans la chambre. Des langues de feu[5] jaillissaient autour du lit, les rideaux flambaient. Au milieu des flammes et de la fumée, Mr Rochester était étendu immobile, dormant d'un profond sommeil.

« Réveillez-vous ! Réveillez-vous ! » criai-je.

20 Je me mis à le secouer, mais il se contenta de murmurer quelque chose et de se retourner ; la fumée l'avait engourdi. Il n'y avait pas un moment à perdre, les draps eux-mêmes prenaient feu. Je me précipitai sur sa cuvette et sur son pot à eau, l'une par bonheur était grande et l'autre profond, tous les deux étaient pleins d'eau ; je les soulevai, j'inondai le lit et son
25 occupant, courus en hâte dans ma chambre chercher mon pot à eau dont je baptisai à nouveau le lit, et, avec l'aide de Dieu, je réussis à éteindre les flammes qui le dévoraient.

Le sifflement de l'eau sur le feu, le bris d'un pot à eau que j'avais laissé choir après l'avoir vidé, et, plus que tout, le contact de l'eau résultant
30 de la douche que je lui avais libéralement[6] administrée firent revenir Mr Rochester à lui. En dépit de l'obscurité, je me rendis compte qu'il était réveillé en l'entendant fulminer de curieuses imprécations[7] lorsqu'il se vit étendu dans une mare d'eau.

« Y a-t-il une inondation ?

---

1. Servante du manoir.

2. Intendante du manoir.

3. Natte : tissu confectionné à partir de fibres végétales tressées.

4. Volute : forme de spirale.

5. Langues de feu : flammes allongées.

6. Libéralement : abondamment.

7. Imprécation : souhait de malheur, injure.

35 – Non, monsieur, répondis-je, mais il y a eu un incendie ; levez-vous, levez-vous donc ; tout est éteint à présent, je vais aller vous chercher une chandelle.

– Au nom de tous les lutins de la chrétienté, êtes-vous Jane Eyre ? demanda-t-il. Que m'avez-vous donc fait, magicienne, sorcière ? Qui est 40 là dans la chambre avec vous ? Avez-vous comploté de me noyer ? »

Jane explique à Mr Rochester ce qui s'est passé.

« Retournez dans votre chambre à présent ; je m'accommoderai très bien du canapé de la bibliothèque pour y passer le reste de la nuit. Il est près de quatre heures ; dans deux heures les domestiques seront levés.

– Alors, bonne nuit, monsieur », dis-je en me retirant. Il parut surpris, 45 ce qui était contradictoire, puisqu'il venait de me dire de partir.

« Comment ! s'écria-t-il, me quittez-vous déjà, et comme cela ?

– Vous m'avez dit que je pouvais m'en aller, monsieur.

– Mais non sans prendre congé, sans une ou deux paroles de reconnaissance, de cordialité, en un mot, pas de cette manière brève, 50 sèche. Comment, vous m'avez sauvé la vie ! Vous m'avez arraché à une mort effroyable, atroce ! Et vous me quittez comme si nous étions des étrangers. Serrons-nous au moins la main. »

Il me tendit la main ; je lui donnai la mienne, qu'il prit d'abord dans une, puis dans ses deux mains.

55 « Vous m'avez sauvé la vie, et il m'est agréable d'avoir contracté envers vous cette immense dette. Je ne puis rien dire de plus. Il m'aurait été intolérable d'être ainsi l'obligé de toute autre créature pour une telle dette ! Mais avec vous c'est différent ; vos bienfaits ne sont pas un fardeau[8] pour moi, Jane. »

60 Il s'arrêta, me regardant fixement ; des paroles presque visibles tremblaient sur ses lèvres, mais il ne put les articuler.

« Encore une fois, bonne nuit, monsieur. Il n'y a là ni dette, ni bienfait, ni fardeau, ni obligation.

– Je savais, continua-t-il, qu'un jour vous me feriez du bien, d'une façon 65 ou d'une autre ; je l'ai vu dans vos yeux, la première fois que je vous ai aperçue ; leur expression, leur sourire n'avaient pas… (il s'interrompit de nouveau) n'avaient pas (il poursuivit rapidement) pour rien ravi mon cœur jusqu'en ses profondeurs. On parle de sympathies naturelles, de bons génies, il y a un peu de vrai dans la fable la plus fantaisiste. Bonne 70 nuit, mon sauveur bien-aimé ! »

Il y avait dans sa voix une étrange énergie ; une étrange flamme animait son regard.

« Je suis heureuse de m'être trouvée par hasard éveillée, dis-je, me disposant à partir.

75 – Vous voulez donc vous en aller ?

– J'ai froid, monsieur.

___
8. **Fardeau :** chose pénible à supporter.

288

Froissée,
Gabriel von Max
(1840-1915), huile sur
toile, 1870, Oblastni
Galerie, Liberec.

– Froid ? Oui ! Et vous avez les pieds dans une mare d'eau ! Partez, Jane, partez ! »

Je ne pouvais dégager ma main qu'il retenait toujours. J'eus recours à
80 un expédient[9].

« Il me semble avoir entendu remuer Mrs Fairfax, dis-je.

– Alors, quittons-nous. » Il relâcha l'étreinte de ses doigts et je m'éloignai.

Je regagnai mon lit, sans jamais songer à dormir. Je fus ballottée jusqu'à l'aube sur une mer agitée, où des lames de fond redoutables roulaient sous
85 des déferlements de joie. Je croyais parfois apercevoir, au-delà des courants impétueux, un rivage aussi enchanteur que les collines de Beulah[10]. De temps en temps, un frais zéphyr[11] animé par l'espoir emportait triomphalement mon esprit vers le port, mais je ne parvenais pas à l'atteindre, même en imagination ; une brise contraire soufflant de terre
90 me repoussait toujours. Le bon sens saurait résister au délire, le jugement saurait prémunir la passion. Trop fiévreuse pour prendre du repos, je me levai dès l'aurore.

CHARLOTTE BRONTË, *Jane Eyre*, 1847, traduction de Charlotte Maurat, 1964,
Le Livre de poche.

9. Expédient : moyen ingénieux permettant de se sortir d'une situation délicate.

10. Dans la Bible, la Judée ou Jérusalem.

11. Zéphyr : vent d'Ouest, doux et agréable.

Mia Wasikowska
dans *Jane Eyre*,
un film de Cary Joji
Fukunaga, 2011.

Pour bien lire

1 a. À quel moment de la journée la scène se passe-t-elle ? **b.** Pour quelle raison la narratrice est-elle amenée à sortir de sa chambre ?

2 De quel danger la narratrice sauve-t-elle Mr Rochester ? Comment celui-ci réagit-il ? Qu'apprenons-nous sur le caractère du maître des lieux ?

3 Quels éléments servent à créer une atmosphère insolite ?

Pour approfondir

4 Que demande Mr Rochester à la narratrice ? Quels signes montrent que sa demande est contradictoire ?

5 a. Lignes 53 à 80 : comment le trouble de Mr Rochester est-il montré ? **b.** Que comprend le lecteur ? Est-ce clairement exprimé ? Justifiez votre réponse.

6 a. Comparez l'attitude de la narratrice seule et face à Mr Rochester. Ses sentiments paraissent-ils les mêmes ? **b.** Comment peut-on expliquer ce changement d'attitude ? **c.** À quelle personne le récit est-il mené ? Quel est l'intérêt de ce choix ?

7 a. Quelle figure de style permet de mettre en évidence les sentiments de la narratrice dans le dernier paragraphe ? Expliquez. **b.** Contre quoi la narratrice lutte-t-elle ? Justifiez votre réponse.

Vocabulaire

1 a. Qu'est-ce que la *cordialité* (l. 49) ? Trouvez un adjectif et un adverbe de même famille. **b.** Contenant la même racine, trouvez un couple d'antonymes signifiant la bonne entente et la mésentente.

2 a. *Fulmen*, en latin, signifie « la foudre ». Cherchez le sens propre et le sens figuré du verbe *fulminer* (l. 32) et employez-le dans deux phrases qui mettront les différents sens en valeur. **b.** Trouvez des synonymes évoquant cette même idée d'orage.

3 a. Que sont des domestiques ? **b.** Cherchez à quoi correspondent les métiers suivants et précisez lesquels étaient les mieux considérés dans la société : *femme de chambre – majordome – bonne*.

Écriture

1 « **Trop** fiévreuse **pour** prendre du repos, je me levai dès l'aurore. » (l. 91-92)
a. Expliquez le sens de cette phrase.
b. Employez la même structure grammaticale dans trois phrases de votre invention de manière à mettre en évidence le trouble du personnage.

2 En vous inspirant du modèle du dernier paragraphe du texte, choisissez une métaphore et développez-la de manière à mettre en relief un des sentiments suivants : la colère ; la tristesse ; la sérénité.

Joies de la conquête

Henri Beyle, dit Stendhal

(1783-1842)
Orphelin de mère, il a une enfance marquée par la révolte contre son père et une haine de la religion. Il s'engage très jeune dans l'armée de Bonaparte avec laquelle il découvre l'Italie, pays qui le fascine. Ennuyé pas la discipline militaire, il démissionne de l'armée et se consacre à une carrière littéraire et de diplomate. Ses romans les plus célèbres sont *Le Rouge et le Noir* (1830) et *La Chartreuse de Parme* (1839).

Julien Sorel, fils d'un charpentier du Jura, rêve de gloire. Après avoir eu une aventure avec Mme de Rênal, des enfants de laquelle il était le précepteur, il part à Paris pour devenir le secrétaire du marquis de La Mole. Julien est à la fois fasciné et plein de mépris vis-à-vis de ce monde aristocratique qu'il découvre. Lors d'un bal, il scandalise de jeunes aristocrates et s'attire l'admiration de Mathilde, la fille du marquis, qui ne tarde pas à s'éprendre de lui. S'apprêtant à faire un voyage dans le Languedoc pour gérer les affaires du marquis, Julien prend congé de Mathilde.

— Vous recevrez ce soir une lettre de moi, lui dit-elle d'une voix tellement altérée, que le son n'en était pas reconnaissable.

Cette circonstance toucha sur-le-champ Julien.

— Mon père, continua-t-elle, a une juste estime pour les services que vous lui rendez. *Il faut* ne pas partir demain ; trouvez un prétexte. Et elle s'éloigna en courant.

Sa taille était charmante. Il était impossible d'avoir un plus joli pied, elle courait avec une grâce qui ravit Julien ; mais devinerait-on à quoi fut sa seconde pensée après qu'elle eut tout à fait disparu ? Il fut offensé du ton impératif avec lequel elle avait dit ce mot *il faut*. [...]

Une heure après, un laquais remit une lettre à Julien ; c'était tout simplement une déclaration d'amour.

Il n'y a pas trop d'affectation[1] dans le style, se dit Julien, cherchant par ses remarques littéraires à contenir la joie qui contractait ses joues et le forçait à rire malgré lui.

Enfin moi, s'écria-t-il tout à coup, la passion étant trop forte pour être contenue, moi, pauvre paysan, j'ai donc une déclaration d'amour d'une grande dame !

Quant à moi, ce n'est pas mal, ajouta-t-il en comprimant sa joie le plus possible. J'ai su conserver la dignité de mon caractère. Je n'ai point dit que j'aimais. Il se mit à étudier la forme des caractères ; Mlle de La Mole avait une jolie petite écriture anglaise[2]. Il avait besoin d'une occupation physique pour se distraire d'une joie qui allait jusqu'au délire.

« Votre départ m'oblige à parler... Il serait au-dessus de mes forces de ne plus vous voir. »

Une pensée vint frapper Julien comme une découverte, interrompre l'examen qu'il faisait de la lettre de Mathilde, et redoubler sa joie. Je l'emporte sur le marquis de Croisenois, s'écria-t-il, moi, qui ne dis que des choses sérieuses ! Et lui est si joli ! il a des moustaches, un charmant uniforme ; il trouve toujours à dire, juste au moment convenable, un mot spirituel et fin.

Julien eut un instant délicieux ; il errait à l'aventure dans le jardin, fou de bonheur.

1. Affectation : fait d'agir avec exagération, manque de sincérité et de naturel.

2. Écriture anglaise : écriture penchée.

Plus tard, il monta à son bureau et se fit annoncer chez le marquis de La Mole, qui heureusement n'était pas sorti. Il lui prouva facilement, en
35 lui montrant quelques papiers marqués arrivés de Normandie, que le soin des procès normands l'obligeait à différer son départ pour le Languedoc.

– Je suis bien aise que vous ne partiez pas, lui dit le marquis, quand ils eurent fini de parler d'affaires, *j'aime à vous voir*. Julien sortit ; ce mot le gênait.

40 Et moi, je vais séduire sa fille ! rendre impossible peut-être ce mariage avec le marquis de Croisenois, qui fait le charme de son avenir : s'il n'est pas duc, du moins sa fille aura un tabouret[3]. Julien eut l'idée de partir pour le Languedoc malgré la lettre de Mathilde, malgré l'explication donnée au marquis. Cet éclair de vertu disparut bien vite.

45 Que je suis bon, se dit-il ; moi, plébéien[4], avoir pitié d'une famille de ce rang ! [...] Ma foi, pas si bête ; chacun pour soi dans ce désert d'égoïsme qu'on appelle la vie.

Et il se rappela quelques regards remplis de dédain, à lui adressés par Mme de La Mole, et surtout par les *dames* ses amies.

50 Le plaisir de triompher du marquis de Croisenois vint achever la déroute de ce souvenir de vertu.

Que je voudrais qu'il se fâchât ! dit Julien ; avec quelle assurance je lui donnerais maintenant un coup d'épée. Et il faisait le geste du coup de seconde[5]. Avant ceci, j'étais un cuistre[6], abusant bassement d'un peu de
55 courage. Après cette lettre, je suis son égal.

 STENDHAL, *Le Rouge et le Noir*, 1830.

3. Il ne pourra pas lui offrir un trône, mais un simple tabouret sur lequel s'asseoir.

4. Plébéien : qui appartient à la classe populaire.

5. Coup de seconde : terme d'escrime.

6. Cuistre : pédant vaniteux et ridicule (à l'origine, le mot désigne un marmiton, c'est-à-dire un garçon de cuisine).

Lecture

Pour bien lire

1 a. Qu'est-ce qui différencie socialement Mathilde et Julien ? **b.** Lignes 7 à 10 : que ressent Julien pour Mathilde ?

2 a. Quelle circonstance pousse Mathilde à écrire une lettre à Julien ? **b.** Que contient cette lettre ?

3 Lignes 37 à 44. **a.** Pourquoi Julien est-il « gêné » par les propos du marquis de La Mole ? **b.** Renonce-t-il pour autant à sa décision de rester ? Dans quel but ?

4 Lignes 45 à 49 : que Julien reproche-t-il à la « haute société » ?

Pour approfondir

5 a. Dans les passages où Julien s'exprime, observez les types de phrase employés et les verbes de parole : que cela montre-t-il de l'état dans lequel il se trouve ? **b.** Lignes 13 à 23 : Julien se laisse-t-il complètement aller à ses sentiments ? Que comprenons-nous alors de son caractère ?

6 a. De quel autre pronom le *je* est-il régulièrement accompagné ? Que cela montre-t-il du personnage ? **b.** Lignes 45 à 47 : relevez une phrase qui résume et explique cette attitude.

7 Qu'est-ce qui rend Julien « fou de bonheur » (l. 31-32) ? En quoi est-ce surprenant ?

8 Expliquez la dernière phrase.

Gérard Philipe,
dans *Le Rouge et le Noir*,
film de Claude Autant-Lara, 1954.

Vocabulaire

1 **a.** Expliquez le sens de *contenir* (l. 14).
b. Trouvez un synonyme dans la suite du texte.

2 **a.** Quel est le sens de *différer* (l. 36) ? Quel autre sens ce mot peut-il avoir ?
b. Employez-le dans deux phrases qui mettront en évidence chacun de ces deux sens.

3 **a.** Cherchez le sens des verbes *toucher* (l. 3), *ravir* (l. 8), *offenser* (l. 9), *gêner* (l. 39) et employez-les dans des phrases de votre invention.
b. *Joie* (l. 14), *délire* (l. 23), *bonheur* (l. 32), *aise* (l. 37), *plaisir* (l. 50) : classez ces noms en fonction du sentiment qu'ils désignent, du plus faible au plus fort.

Écriture

Mathilde hésite beaucoup avant d'écrire sa lettre à Julien. Imaginez ce qu'elle se dit et les différents états par lesquels elle passe avant de prendre sa décision.

Pour réussir :
– Comme Stendhal, vous veillerez à alterner commentaires du narrateur (3e personne) et passages où Mathilde s'exprime (1re personne).
– Vous utiliserez le vocabulaire des sentiments (question 3 du Vocabulaire).

Oral

À votre avis, Julien est-il amoureux de Mathilde ? Justifiez votre réponse.

L'amour d'un damné

L'histoire se passe au Moyen Âge. Esmeralda est une gitane extraordinairement belle, au point que Frollo, le prêtre de Notre-Dame, est tombé follement amoureux d'elle. Mais outre que son état de prêtre le destine au célibat, Frollo est témoin des amours heureuses entre Esmeralda et Phœbus, capitaine des archers. Fou de jalousie, il espionne les amants durant de longues semaines, jusqu'au jour où il poignarde Phœbus et fait accuser Esmeralda. Celle-ci se retrouve en prison. Le prêtre vient l'y trouver.

Victor Hugo

(1802-1885)
Écrivain marquant de son siècle, engagé dans les grands débats politiques de son temps, il a produit une œuvre abondante et puissante dans des genres variés : poésie, théâtre, roman. On retient notamment deux grandes fresques romanesques : *Les Misérables* et *Notre-Dame de Paris*.

Le prêtre releva son capuchon. Elle regarda. C'était ce visage sinistre qui la poursuivait depuis si longtemps, cette tête de démon qui lui était apparue chez la Falourdel[1] au-dessus de la tête adorée de son Phœbus, cet œil qu'elle avait vu pour la dernière fois briller près d'un poignard. [...]

5 – Hah ! cria-t-elle, les mains sur ses yeux et avec un tremblement convulsif, c'est le prêtre !

Puis elle laissa tomber ses bras découragés, et resta assise, la tête baissée, l'œil fixé à terre, muette, et continuant de trembler.

Le prêtre la regardait de l'œil d'un milan[2] qui a longtemps plané en
10 rond du plus haut du ciel autour d'une pauvre alouette tapie dans les blés, qui a longtemps rétréci en silence les cercles formidables de son vol, et tout à coup s'est abattu sur sa proie comme la flèche de l'éclair, et la tient pantelante[3] dans sa griffe.

Elle se mit à murmurer tout bas :
15 – Achevez ! achevez ! le dernier coup ! – Et elle enfonçait sa tête avec terreur entre ses épaules, comme la brebis qui attend le coup de massue du boucher.

– Je vous fais donc horreur ? dit-il enfin.

Elle ne répondit pas.
20 – Est-ce que je vous fais horreur ? répéta-t-il.

Ses lèvres se contractèrent comme si elle souriait.

– Oui, dit-elle, le bourreau raille le condamné. Voilà des mois qu'il me poursuit, qu'il me menace, qu'il m'épouvante ! Sans lui, mon Dieu, que j'étais heureuse ! C'est lui qui m'a jetée dans cet abîme ! Ô ciel ! c'est lui
25 qui a tué… c'est lui qui l'a tué ! mon Phœbus !

Ici, éclatant en sanglots et levant les yeux sur le prêtre :

– Oh ! misérable ! qui êtes-vous ? que vous ai-je fait ? vous me haïssez donc bien ? Hélas ! qu'avez-vous contre moi ?

– Je t'aime ! cria le prêtre.
30 Ses larmes s'arrêtèrent subitement. Elle le regarda avec un regard d'idiot. Lui était tombé à genoux et la couvait d'un œil de flamme.

– Entends-tu ? je t'aime ! cria-t-il encore.

– Quel amour ! dit la malheureuse en frémissant.

1. Vieille femme chez qui Phœbus a été tué.

2. Milan : oiseau rapace.

3. Pantelant : bouleversé et suffocant.

Il reprit :

35 – L'amour d'un damné.

Tous deux restèrent quelques minutes silencieux, écrasés sous la pesanteur de leurs émotions, lui insensé, elle stupide.

– Écoute, dit enfin le prêtre, et un calme singulier lui était revenu. Tu vas tout savoir. Je vais te dire ce que jusqu'ici j'ai à peine osé me dire à
40 moi-même, lorsque j'interrogeais furtivement ma conscience à ces heures profondes de la nuit où il y a tant de ténèbres qu'il semble que Dieu ne nous voit plus. Écoute. Avant de te rencontrer, jeune fille, j'étais heureux…

– Et moi ! soupira-t-elle faiblement.

– Ne m'interromps pas. – Oui, j'étais heureux, je croyais l'être du moins.
45 J'étais pur, j'avais l'âme pleine d'une clarté limpide. Pas de tête qui s'élevât plus fière et plus radieuse que la mienne. Les prêtres me consultaient sur la chasteté, les docteurs[4] sur la doctrine. Oui, la science était tout pour moi. C'était une sœur, et une sœur me suffisait. […]

Il reprit :

50 – … Un jour, j'étais appuyé à la fenêtre de ma cellule… – Quel livre lisais-je donc ? Oh ! tout cela est un tourbillon dans ma tête. – Je lisais. La fenêtre donnait sur une place. J'entends un bruit de tambour et de musique. Fâché d'être ainsi troublé dans ma rêverie, je regarde dans la place. Ce que je vis, il y en avait d'autres que moi qui le voyaient, et pourtant ce
55 n'était pas un spectacle fait pour des yeux humains. Là, au milieu du pavé, – il était midi, – un grand soleil, – une créature dansait. Une créature si belle que Dieu l'eût préférée à la Vierge[5], et l'eût choisie pour sa mère, et eût voulu naître d'elle si elle eût existé quand il se fit homme ! Ses yeux étaient noirs et splendides, au milieu de sa chevelure noire quelques
60 cheveux que pénétrait le soleil blondissaient comme des fils d'or. Ses pieds disparaissaient dans leur mouvement comme les rayons d'une roue qui tourne rapidement. Autour de sa tête, dans ses nattes noires, il y avait des plaques de métal qui pétillaient au soleil et faisaient à son front une couronne d'étoiles. Sa robe semée de paillettes scintillait bleue et piquée de
65 mille étincelles comme une nuit d'été. Ses bras souples et bruns se nouaient et se dénouaient autour de sa taille comme deux écharpes. La forme de son corps était surprenante de beauté. Oh ! la resplendissante figure qui se détachait comme quelque chose de lumineux dans la lumière même du soleil !… – Hélas ! jeune fille, c'était toi. – Surpris, enivré, charmé, je me
70 laissai aller à te regarder. Je te regardai tant que tout à coup je frissonnai d'épouvante, je sentis que le sort me saisissait.

Le prêtre, oppressé, s'arrêta encore un moment. Puis il continua.

– Déjà à demi fasciné, j'essayai de me cramponner à quelque chose et de me retenir dans ma chute. Je me rappelai les embûches[6] que Satan
75 m'avait déjà tendues. La créature qui était sous mes yeux avait cette beauté surhumaine qui ne peut venir que du ciel ou de l'enfer. Ce n'était pas là une simple fille faite avec un peu de notre terre[7], et pauvrement éclairée à l'intérieur par le vacillant rayon d'une âme de femme. C'était un ange ! mais

4. **Docteur :** théologien, savant spécialiste des textes religieux.

5. Marie, mère de Jésus.

6. **Embûche :** piège.

7. Selon la Bible, Dieu aurait façonné Adam, le premier homme, avec de la terre.

de ténèbres, mais de flamme et non de lumière. Au moment où je pensais
80 cela, je vis près de toi une chèvre, une bête du sabbat[8], qui me regardait
en riant. Le soleil de midi lui faisait des cornes de feu. Alors j'entrevis le
piège du démon, et je ne doutai plus que tu ne vinsses[9] de l'enfer et que
tu n'en vinsses pour ma perdition. Je le crus. […] Alors je ne m'appartins
plus. L'autre bout du fil que le démon m'avait attaché aux ailes, il l'avait
85 noué à ton pied. Je devins vague et errant comme toi. Je t'attendais sous
les porches, je t'épiais au coin des rues, je te guettais du haut de ma tour.
Chaque soir, je rentrais en moi-même plus charmé, plus désespéré, plus
ensorcelé, plus perdu !

J'avais su qui tu étais, égyptienne, bohémienne, gitane, zingara, comment
90 douter de la magie ? Écoute. J'espérai qu'un procès me débarrasserait du
charme. Une sorcière avait enchanté Bruno d'Ast, il la fit brûler et fut guéri.
[…] Je pensais aussi confusément qu'un procès te livrerait à moi, que dans
une prison je te tiendrais, je t'aurais, que là tu ne pourrais m'échapper,
que tu me possédais depuis assez longtemps pour que je te possédasse
95 aussi à mon tour. Quand on fait le mal, il faut faire tout le mal. Démence
de s'arrêter[10] à un milieu dans le monstrueux ! L'extrémité du crime a des
délires de joie. Un prêtre et une sorcière peuvent s'y fondre en délices sur
la botte de paille d'un cachot ! Je te dénonçai donc. […]

Il se tut. La jeune fille ne put trouver qu'une parole :
100 – Ô mon Phœbus !

          Victor Hugo, *Notre-Dame de Paris*, 1831.

8. Sabbat : réunion nocturne de sorciers et de sorcières rendant un culte au diable.

9. Verbe venir, imparfait du subjonctif.

10. Démence de s'arrêter : c'est une folie de s'arrêter.

Parcours de lecture ★★

1 a. Où la scène se passe-t-elle ? b. Qui sont les personnages ? Pourquoi se rencontrent-ils ?

2 a. Comment le prêtre est-il décrit lignes 1 à 4 ? b. Quel aveu Frollo fait-il à Esmeralda ligne 29 ? c. En quoi tout cela peut-il étonner le lecteur ?

3 a. Quel sentiment Esmeralda éprouve-t-elle à la vue du prêtre, lignes 1 à 18 ? Pourquoi ? b. Quelles manifestations physiques amplifient ce sentiment ?

4 À quoi le prêtre est-il comparé lignes 9 à 25 ? Relevez une autre comparaison reprenant la même idée. Quelle image des personnages ces deux comparaisons donnent-elles ?

5 a. Quel est le projet de Frollo dans ce passage ? Comment le justifie-t-il ? Répondez précisément en vous appuyant sur le texte. b. Comment Esmeralda réagit-elle alors ? Que nous apprend cette réaction sur la jeune fille ?

6 En vous appuyant sur l'ensemble de vos réponses, montrez en quoi les deux personnages s'opposent.

ou Parcours de lecture ★★★

1 a. Qui sont Frollo et Esmeralda ?

b. Lignes 1 à 25 : en quoi ces deux personnages s'opposent-ils ?

2 a. Lignes 50 à 70 : quel champ lexical domine dans la description que fait Frollo d'Esmeralda ? Quelle impression cette description produit-elle ? b. Quel champ lexical est développé lignes 73 à 88 ? c. Comment Frollo explique-t-il alors sa fascination ? Par quelle figure de style est-elle mise en évidence ?

3 Quel but Frollo poursuit-il ? Pourquoi ? Qu'en pensez-vous ?

4 Pourquoi Frollo qualifie-t-il l'amour qu'il porte à Esmeralda d'amour « d'un damné » ?

5 a. Lequel de ces personnages se place du côté du bien ? du côté du mal ? Justifiez précisément votre réponse. b. Lequel est faible et lequel est puissant ? c. Quels sentiments provoque en vous la lecture de ce passage ? Expliquez.

Anita Delgado, princesse de Kapurthala,
Anselmo Miguel Nieto (1881-1964), 1905,
collection privée.

Vocabulaire

1 Trouvez, dans le texte, trois synonymes de *gitane*.

2 Rappelez le sens du mot *charmé* (l. 69) puis trouvez-lui un synonyme dans le texte.

3 a. Cherchez le sens du mot *damné* (l. 35) puis employez-le dans une phrase mettant son sens en valeur. **b.** Trouvez des mots de même famille :
　1. Jean Valjean fut ... au bagne pour avoir volé du pain.
　2. Enfer et ... ! Tu m'as donc trahi !

4 a. *Furtivement* (l. 40) : quelle est la classe grammaticale de ce mot ? Cherchez son sens puis employez-le dans une phrase mettant son sens en valeur.
b. Trouvez un adjectif de même famille.

5 *Railler* (l. 22) : quelle est la classe grammaticale de ce mot ? Rappelez son sens puis trouvez un nom et un adjectif de même famille.

6 a. Cherchez les différents sens du mot *docteur* (l. 47) et rappelez son étymologie. **b.** Qu'est-ce qu'une doctrine ?

Écriture

1 « Puis elle laissa tomber ses bras découragés, et resta assise, la tête baissée, l'œil fixé à terre, muette, et continuant de trembler. » (l. 7-8)
a. Quel est l'état d'esprit du personnage décrit ici ?
b. Quelles seraient les manifestations physiques de la colère ? de la joie ? de la honte ?
c. En vous inspirant du modèle ci-dessus, rédigez une phrase qui mettra en évidence l'émotion de votre choix.

2 « Ses bras souples et bruns <u>se nouaient</u> et <u>se dénouaient</u> autour de sa taille <u>comme deux écharpes</u>. » (l. 65-66)
a. À quoi les bras sont-ils comparés ? Quelle est l'impression produite par cette comparaison ? **b.** Sur le même modèle, imaginez une comparaison qui mettra en valeur la brillance puis la dureté d'un regard ; la blondeur, puis la rousseur d'une chevelure. Employez des verbes expressifs.

Oral

1 Préparez à plusieurs la lecture de ce texte (lignes 1 à 35) de manière à mettre en lumière les émotions des personnages. Chaque élève du groupe pourra prendre en charge les paroles d'un personnage ou le récit du narrateur.

2 Apprenez par cœur le passage (entre 5 et 8 lignes) qui vous semble le plus marquant. Récitez-le à vos camarades en mettant le ton, puis justifiez votre sélection.

« Écartez-vous de notre route »

Gabriel García Márquez

(1927-2014)
Écrivain et journaliste colombien, il connaît le succès avec son roman *Cent ans de solitude* (1967). Mondialement reconnu, il obtient le prix Nobel de littérature en 1982.

L'histoire se passe en Colombie, à la fin du XIXᵉ siècle. Florentino Ariza, modeste employé du télégraphe, et Fermina Daza, fille d'un trafiquant de mules devenu riche marchand, tombent éperdument amoureux l'un de l'autre et se jurent de se marier. Mais leur correspondance secrète est découverte et Fermina est renvoyée de son école. Son père, le puissant Lorenzo Daza, tente de la convaincre de renoncer à Florentino, mais Fermina se montre intraitable.

Il tenta de la séduire par toutes sortes de cajoleries, il essaya de lui faire comprendre qu'à son âge l'amour n'est qu'un mirage, il s'efforça de la convaincre avec douceur de lui rendre les lettres et de retourner au collège demander pardon à genoux, et il lui donna sa parole d'honneur
5 qu'il serait le premier à l'aider à être heureuse avec un prétendant plus digne. Mais c'était comme parler à un mort. Vaincu, il finit par perdre les étriers[1] un lundi midi pendant le déjeuner, et tandis qu'il s'étranglait, au bord de l'apoplexie[2], entre jurons et blasphèmes[3], elle appuya sur sa gorge la pointe du couteau à couper la viande, sans faire de tragédie mais
10 d'une main ferme et avec un regard pétrifié dont il n'osa relever le défi. Ce fut alors qu'il prit le risque de parler cinq minutes d'homme à homme avec le funeste aventurier[4] qu'il ne se rappelait pas avoir vu et qui s'était mis en travers de sa vie à un si mauvais moment. Par habitude, avant de sortir, il saisit le revolver qu'il eut soin de cacher sous sa chemise.
15 Florentino Ariza n'était pas encore remis de son émotion que Lorenzo Daza le conduisit par le bras à travers la place de la Cathédrale jusqu'aux arcades du café de la Paroisse, et l'invita à s'asseoir à la terrasse.

[…] Cependant, quand Lorenzo Daza lui désigna une chaise pour qu'il s'assît, il le trouva aussi rude qu'il en avait l'air et ne reprit son souffle que
20 lorsqu'il l'invita à prendre un anis. Florentino Ariza n'en avait jamais bu à huit heures du matin mais il accepta, reconnaissant, car il en avait un besoin urgent.

Lorenzo Daza, en effet, ne mit pas plus de cinq minutes pour en venir là où il voulait, et le fit avec une sincérité désarmante qui finit par troubler
25 Florentino Ariza. À la mort de son épouse, il s'était imposé comme unique dessein[5] de faire de sa fille une grande dame. La route était longue et incertaine pour un trafiquant de mules qui ne savait ni lire ni écrire et dont la réputation de voleur de bestiaux était moins bien prouvée que colportée à discrétion[6] dans toute la province de San Juan de la Ciénaga[7]. Il alluma
30 un cigare de muletier et se plaignit : « Une mauvaise réputation c'est pire qu'une mauvaise santé. » Cependant, dit-il, le véritable secret de sa fortune

1. Perdre les étriers : perdre l'avantage dans une discussion.

2. Apoplexie : attaque cérébrale, coup de sang.

3. Blasphème : parole injurieuse envers ce qui est considéré comme sacré.

4. Aventurier : personne sans scrupules.

5. Dessein : but, projet.

6. À discrétion : autant que l'on veut.

7. Ville de Colombie.

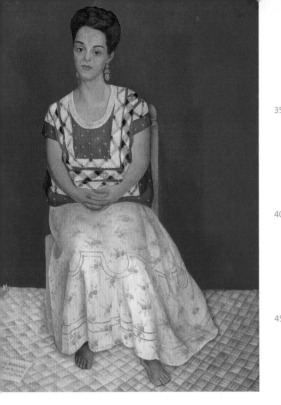

Dame d'Oaxaca,
Diego Rivera
(1886-1957),
huile sur toile, 1949,
collection privée.

était qu'aucune de ses mules ne travaillait autant et aussi bien que lui, même en ces temps difficiles de guerre[8],
35 lorsqu'au matin les villages étaient en cendres et les campagnes dévastées. Bien que sa fille n'eût jamais été au courant de la préméditation de son destin, elle se conduisait comme une complice enthousiaste. Elle était intelligente et méthodique au point d'avoir appris à lire à son père à peine avait-elle su lire elle-même, et
40 à douze ans son sens des réalités lui eût permis de tenir la maison sans l'aide de la tante Escolástica[9]. Il soupira : « C'est une mule en or. » Lorsque sa fille eut terminé l'école primaire, avec dix dans toutes les matières et le tableau d'honneur à la remise des prix, il comprit
45 que San Juan de la Ciénaga était trop étroit pour ses rêves. Alors il liquida[10] terres et bêtes et entreprit le voyage avec une ardeur nouvelle et soixante-dix mille pesos-or jusqu'à cette ville en ruine et aux gloires mitées, où une femme belle et élevée à l'ancienne avait
50 encore la possibilité de renaître grâce à un mariage fortuné. L'irruption de Florentino Ariza était un écueil imprévu dans ce plan obstiné.

« C'est une prière que je suis venu vous adresser », dit Lorenzo Daza. Il trempa la pointe de son cigare dans l'anis, le suça avant de l'allumer et conclut d'une voix affligée :

55 « Écartez-vous de notre route. »

Florentino Ariza l'avait écouté en buvant à petites gorgées l'eau-de-vie d'anis, à ce point absorbé dans les révélations du passé de Fermina Daza qu'il ne se demanda même pas ce qu'il allait dire quand ce serait son tour de parler. Mais le moment venu il se rendit compte que tout ce qu'il dirait
60 compromettrait son avenir.

« Vous lui avez parlé ? dit-il.

– Cela ne vous regarde pas, dit Lorenzo Daza.

– Je vous le demande, dit Florentino Ariza, parce qu'il me semble que c'est à elle de décider.

65 – Pas question, dit Lorenzo Daza. C'est une affaire d'hommes qui doit se régler entre hommes. »

Le ton était devenu menaçant et un client à une table voisine se retourna pour les regarder. Florentino Ariza parla plus bas mais avec dans la voix la résolution la plus impérieuse dont il était capable.

70 « De toute façon, dit-il, je ne peux rien vous répondre avant de savoir ce qu'elle en pense. Ce serait une trahison. »

Alors Lorenzo Daza se renversa en arrière sur sa chaise, les paupières humides et rouges, son œil gauche tourna dans son orbite et resta tordu vers l'extérieur. Lui aussi baissa le ton.

75 « Ne m'obligez pas à tirer sur vous », dit-il.

Florentino Ariza sentit son ventre s'emplir d'une écume glacée. Mais

8. Au moment où se passe l'histoire, la Colombie est déchirée par des guerres civiles.

9. Tante de Fermina qui l'a élevée.

10. **Liquider :** se débarrasser en vendant à bas prix.

sa voix ne trembla pas car il se sentait en même temps illuminé par le Saint-Esprit.

« Tirez, dit-il, la main sur le cœur. Il n'est plus grande gloire que de
80   mourir d'amour. »

Lorenzo Daza dut le regarder en biais, comme le font les perroquets, pour que son œil tordu pût le voir. Il ne prononça pas les trois mots, il les cracha syllabe à syllabe :

« Fils-de-pu-te. »

> **GABRIEL GARCÍA MÁRQUEZ**, *L'Amour aux temps du choléra*, 1985,
> traduit de l'espagnol par Annie Morvan, Éditions Grasset.

Lecture

Pour bien lire

1 a. Que cherche à obtenir Lorenzo Daza de sa fille ? Pourquoi échoue-t-il ? **b.** Relevez une expression montrant son échec.

2 Lorenzo Daza connaît-il Florentino Ariza ? Relevez une expression du texte pour justifier votre réponse.

3 a. Qu'explique Lorenzo Daza à Florentino ? Pourquoi ? **b.** Parvient-il à son but ?

Pour approfondir

4 a. Que savons-nous du caractère et des qualités de Fermina ? Pour répondre, appuyez-vous sur le premier paragraphe ainsi que sur le discours du père. **b.** Quelle expression révèle son importance aux yeux de son père ? Qu'en pensez-vous ?

5 a. Quelle image (physique et morale) de Lorenzo Daza ce passage nous donne-t-il ? Justifiez votre réponse. **b.** Le couple vous paraît-il bien assorti ?

6 a. Florentino vous semble-t-il courageux ou craintif ? ridicule ou émouvant ? Justifiez précisément votre réponse. **b.** Paraît-il un adversaire à la hauteur de Lorenzo Daza ?

7 Quelle suite immédiate imaginez-vous pour cette scène ?

Oral

Si vous deviez transposer cette scène au cinéma, quels choix de mise en scène (jeu des acteurs, costumes, musique, décor, lumières…) feriez-vous ? Pourquoi ?

Écriture

1 « il [...] entreprit le voyage avec une ardeur nouvelle et soixante-dix mille pesos-or. » (l. 46-47)
a. Quels sont les deux GN coordonnés ? **b.** Pourquoi leur association paraît-elle étrange ? **c.** À votre tour, imaginez quelques associations comiques mêlant CC de moyen et de manière :
   1. Il nettoie le sol avec … et … .
   2. Le chirurgien opère avec … et … .
   3. Il mange ses pâtes avec … et … .

2 « Il n'est plus grande gloire que de mourir d'amour. » (l. 79-80) Sur le même modèle, exprimez avec emphase ce que pourrait être : la plus grande preuve d'amour ; le plus grand déshonneur ; le plus grand courage ; la plus grande folie.

3 Relisez la première phrase du texte. En conservant la même structure grammaticale, énumérez les efforts : de l'enfant qui voudrait obtenir une confiserie ; du commerçant qui veut vendre un objet ; de l'amoureux qui voudrait emmener sa bien-aimée au bal.

Vocabulaire

1 a. Cherchez ce qu'est une *mule* (l. 27). **b.** Trouvez dans le texte le nom désignant celui dont le métier est de conduire des mules. **c.** De quoi s'occupent le charretier, le savetier, le bonnetier, le grainetier ?

2 a. Qu'est-ce qu'une *résolution* (l. 69) ? **b.** Complétez les phrases suivantes avec des mots de la même famille : **1.** Fermina appuie … la pointe du couteau contre sa gorge. – **2.** Son père se … alors à parler à Florentino. – **3.** …, le client de la table voisine ne sait s'il doit intervenir ou s'enfuir.

3 « D'une voix affligée » (l. 54). **a.** Définissez l'adjectif. **b.** Trouvez un nom et un verbe de la même famille ; employez chacun d'eux dans une phrase mettant son sens en valeur. **c.** Ne confondez pas *affliger* et *infliger* : expliquez la différence de sens à l'aide d'un exemple. Faites de même avec *affection* / *infection* ; *attention* / *intention* ; *éruption* / *irruption* ; *accident* / *incident* ; *inspirer* / *aspirer*.

Le roman, miroir de l'âme

 ## Le genre romanesque

✳ Contrairement à la nouvelle, qui se définit notamment par sa brièveté, le roman permet le **développement du récit**. L'histoire est alors plus **complexe** et plusieurs intrigues peuvent s'entremêler. Les personnages sont **plus nombreux** et plus **étoffés**, le romancier ayant tout loisir de les doter d'une personnalité riche et fouillée.

✳ Le récit peut être ponctué de **pauses descriptives** qui donnent l'occasion d'explorer la **psychologie** des personnages. Car leur portrait peut aussi bien **refléter leur caractère** que **trahir leurs pensées**. Ainsi, le visage terrifiant de Frollo nous en apprend autant sur son âme que sur l'effroi d'Esmeralda ; l'émoi de Frédéric Moreau se lit dans le **regard magnifié** qu'il porte sur Mme Arnoux.

Portrait d'une jeune fille dans une robe lilas, Arthur Hacker (1858-1909), huile sur toile, 1896, Sotheby's, Londres.

L'intrigue amoureuse

✳ Le roman traitant le **thème de l'amour** repose bien souvent sur **une intrigue née de cette analyse psychologique** des personnages, car les désirs de ceux-ci deviennent **un ressort de l'action**. La **scène de rencontre, lieu commun** du roman, est un **passage-clé** qui fait **basculer** l'action. L'éclat de la beauté d'Esmeralda et l'amour, interdit, qu'il éprouve font ainsi sombrer Frollo dans la noirceur du crime. La quête du *Grand Meaulnes* est motivée par le souvenir d'une rencontre.

✳ La scène de rencontre s'achève généralement par une **séparation**. Les **obstacles** rencontrés par les amants renforcent l'intérêt de l'intrigue en créant une **tension dramatique**. Landry saura-t-il reconnaître qu'il aime la petite Fadette, malgré sa réputation et les moqueries de ses amis ? Les pensées tumultueuses et secrètes de Jane Eyre éclateront-elles au grand jour ? Les **amours contrariées** peuvent constituer le **fil conducteur** du roman, comme dans *L'Amour aux temps du choléra*.

 ## L'exploration de l'âme humaine

✳ Une des manifestations les plus saisissantes de l'amour est celle de la **passion**, c'est-à-dire une **ardeur extrême**, une **victoire du désir sur la raison**. Certains personnages s'efforcent de lutter contre celle-ci, à l'instar de Jane Eyre. D'autres sortent **vaincus** de l'affrontement : le prêtre Frollo, que la passion **enflamme** et **transforme**, laisse libre cours à sa **folie destructrice**, dont il attribue la responsabilité à l'œuvre du démon. L'amour apparaît alors comme une puissance d'ordre **magique, dépassant la volonté** des personnages : Landry a-t-il été ensorcelé ?

✳ Mais tous les personnages ne subissent pas de la même façon les ravages de la passion ; et c'est une **multitude de situations** que nous présentent les romanciers dans leur exploration des sentiments intimes, comme l'illustrent la froide détermination de Fermina Daza ou bien le cynisme de Julien Sorel servant son ambition personnelle. La diversité de ces expériences prend alors une **dimension universelle** et permet au lecteur d'y trouver **le reflet de sa propre existence** et une meilleure **connaissance de l'âme humaine**.

Le portrait et le costume

1 ★ Classez les adjectifs suivants selon qu'ils qualifient un front, un nez, des lèvres ou un menton (il peut y avoir plusieurs possibilités) : *fuyant – émacié – bombé – dégagé – droit – fin – retroussé – proéminent – pincé – charnu – ridé.*

2 ★★ Récrivez le texte en remplaçant chaque mot en gras par son antonyme : *fuyant – fines – rond – blafard – busqué – joufflu.*
Le visage **allongé**, légèrement **émacié**, le menton **avancé**, elle avait des lèvres **charnues** que ne déparait pas un petit nez **retroussé**. Son teint **hâlé** lui donnait un air charmant.

3 ★★★ Expliquez comment est un regard lorsqu'il est : *vif – perçant – vague – morne – soucieux.*
Exemple : *Un regard préoccupé est le regard d'une personne qui semble plongée dans ses pensées.*

4 ★ **a.** Classez les adjectifs suivants selon qu'ils qualifient une silhouette fine ou épaisse : *robuste – svelte – courtaude – vigoureuse – élancée – gracile – chétive – malingre – trapue.*
b. Lesquels ont une connotation négative ?

5 ★ Qu'est-ce que la physionomie ? Classez les adjectifs suivants selon qu'ils qualifient une physionomie gaie et sympathique ou au contraire triste et antipathique : *affable – aimable – avenante – bourrue – engageante – malicieuse – maussade – mélancolique – renfrognée – tourmentée.*

6 ★★★ Trouvez un adjectif pour qualifier chaque nom de la liste A et associez chaque GN à un verbe de la liste B pour former une phrase que vous compléterez.
Liste A : son visage – ses yeux – son nez – sa bouche – sa silhouette – ses mains.
Liste B : encadrer – esquisser – exprimer – fixer – rester – se dresser – se plisser.

7 ★★★ Complétez ce portrait à l'aide des adjectifs suivants : *vif – haut – proportionné – fine – busqué – large – retombant – saillantes – ovale – nerveuse.*
Les cheveux ... sur les épaules, le visage ..., bien ..., le front ... et ..., les pommettes légèrement ..., le nez à peine ..., le regard ..., l'ombre d'un sourire sur les lèvres, tel apparaît Lucien. Le portrait laisse deviner l'élégance de la silhouette ... et ... .

8 ★ Remplacez chaque mot en gras par son synonyme à connotation négative : *blafard – bouffi – efflanqué – malingre – maussade – railleur.*

1. Son teint **pâle**, son corps **délicat** trahissaient une santé fragile.

2. Arthur est un grand jeune homme, **élancé**.

3. Mathilde les observait, l'œil **malicieux**.

4. Je n'aime pas l'expression **fermée** de son regard.

5. As-tu remarqué ce gros homme **joufflu** ?

9 ★★★ **a.** Complétez la légende. **b.** Cherchez une image représentant une femme et faites la légende des vêtements qu'elle porte.

...1...
...2...
...3...
...4...
...5...
...6...
...7...
...8...
...9...

Éducation
aux média

10 ★★★ **a.** Cherchez une illustration pour chacun des noms suivants : *corsage – escarpin – caraco – brassière – fichu – paletot – redingote – jaquette – châle – bonnet – mocassin – mule – sarrau – sabots – bottines – traîne – capeline – corset – haut-de-forme – crinoline.*

b. Classez les noms de vêtements selon qu'au xixe siècle ils étaient plutôt portés par une femme du monde ou une femme du peuple.

Faire un portrait physique

→ Trouver des détails intéressants

1 Pour décrire de façon vivante et transmettre une impression précise du personnage, il faut penser à varier les sens évoqués. Observez bien le tableau ci-contre puis répondez aux questions en employant le vocabulaire le plus précis possible. Aidez-vous d'un dictionnaire.

1. Quelle impression ce portrait produit-il sur vous ? Qu'auriez-vous envie de dire sur cette femme ?
2. Quels détails perceptibles par la vue (lumière et couleur) pouvez-vous repérer ?
3. Même question avec le sens du toucher.
4. Comment imaginez-vous la voix de cette femme ? son parfum ?

Portrait de Mme de Senonnes,
Jean Auguste Dominique Ingres (1780-1867), 1814, musée des Beaux-Arts, Nantes.

2 Une description, pour être intéressante, doit produire une impression, positive ou négative. Il ne faut pas se contenter d'énumérer des attributs physiques et des détails du costume, mais savoir les exploiter.

a. Lisez attentivement les deux extraits suivants qui décrivent le même personnage à des moments différents, puis répondez aux questions pour chacun des extraits.

1. Quelle idée du personnage cette description donne-t-elle au lecteur ?
2. Quelles parties du corps sont décrites ? Quels termes et expressions permettent de les associer à une représentation positive ou négative ?
3. Quelles actions du personnage sont évoquées ? Que nous apprennent-elles sur celui-ci ?

Extrait 1 : Un soir, à l'heure où l'on ne voit plus rien, je fumais, appuyé sur le parapet du quai, lorsqu'une femme, remontant l'escalier qui conduit à la rivière, vint s'asseoir près de moi. Elle avait dans les cheveux un gros bouquet de jasmin, dont les pétales exhalent le soir une odeur enivrante […]. En arrivant auprès de moi, ma baigneuse laissa glisser sur les épaules la mantille qui lui couvrait la tête, et, à l'obscure clarté qui tombe des étoiles, je vis qu'elle était petite, jeune, bien faite, et qu'elle avait de très grands yeux.

PROSPER MÉRIMÉE, *Carmen*, 1845.

Extrait 2 : Cependant la bohémienne continuait à lui parler dans sa langue. Elle s'animait par degrés. Son œil s'injectait de sang et devenait terrible, ses traits se contractaient, elle frappait du pied. Il me sembla qu'elle le pressait vivement de faire quelque chose à quoi il montrait de l'hésitation. Ce que c'était, je croyais ne le comprendre que trop à la voir passer et repasser rapidement sa petite main sous son menton. J'étais tenté de croire qu'il s'agissait d'une gorge à couper, et j'avais quelques soupçons que cette gorge ne fût la mienne.

PROSPER MÉRIMÉE, *Carmen*, 1845.

b. À votre tour, imaginez en quelques lignes la description de ce même personnage de façon à donner une impression de fragilité, de folie, de bonté…

Vers l'écriture

Apprendre à rédiger

3 Il ne faut pas commencer à décrire les personnages sans en avoir une représentation précise dans l'esprit et sans savoir quelle impression on veut créer. Écrivez deux courts portraits. Le premier présentera la grand-mère de la petite Fadette (texte p. 281) comme une sorcière, le second montrera que c'est une grand-mère aimante.

a. Représentez-la dans votre esprit, sans rien noter dans un premier temps. Quelles images vous viennent en tête ?

b. À partir de l'image créée dans votre esprit, dressez une liste de détails précis (allure et actions) qui pourront donner une impression de réalisme. Aidez-vous de la liste suivante que vous pouvez compléter :

– C'est une vieille dame → dos voûté, mains tavelées, cheveux blancs, dents manquantes, rides…

– Elle est pauvre → vêtement usé, rapiécé ; robe de laine, probablement sombre…

– Elle vit dans la forêt → ramasser du bois, cueillir des plantes sauvages, des champignons, vivre à l'écart des villageois…

– Les gestes, actions et paroles qui peuvent montrer son affection ou bien effrayer → faire des gestes tendres, donner des conseils, soigner les malades, menacer les passants, coudre une nouvelle robe, vivre seule loin des autres, négliger sa toilette, parler aux animaux…

→ Renforcer une impression

4 Il faut éviter l'emploi de verbes trop ordinaires (*il y a* ; *se trouver* ; *être* ; *avoir*) et préférer les verbes plus expressifs (d'action ou de mouvement, par exemple).

Exemple : Elle <u>avait</u> les cheveux longs. → Ses cheveux <u>tombaient</u> en cascade jusqu'au milieu du dos.

Modifiez les phrases suivantes de façon à les rendre intéressantes en employant un verbe expressif. Vous pouvez employer un des verbes entre parenthèses. Vous pouvez ajouter des idées pour enrichir les phrases.

1. Elle portait une robe en soie. (*enserrer, envelopper, bruisser, froufrouter*) – **2.** Il y avait des barrettes dans ses cheveux. (*coiffer, retenir, emprisonner*) – **3.** Son pantalon était sale. (*rebuter, sentir, donner l'impression de, rappeler*) – **4.** Son regard était inquiétant. (*troubler, inquiéter, provoquer*)

5 Complétez les phrases suivantes avec une comparaison, de manière à traduire l'impression produite.

Exemple : Elle se dressa, majestueuse ; on eût dit une reine d'Orient régnant sur ses sujets.

1. La jeune fille possédait un regard d'une rare intensité ;

on eût dit … . – **2.** Avec grâce, elle s'élança sur la scène ; on eût dit … . – **3.** Sa pâleur inquiétait ses amis : on eût dit … .

6 « Elle était auprès de lui toute **frémissante**, <u>comme une hirondelle un instant posée à terre et qui déjà tremble du désir de reprendre son vol.</u> » (ALAIN-FOURNIER, *Le Grand Meaulnes*)

a. Quelle est l'impression produite par cette comparaison ?

b. Trouvez à votre tour des comparaisons qui renforceront l'idée exprimée par le mot en gras. Développez la comparaison pour qu'elle ne soit pas trop simple.

1. Elle était toute **craintive**, comme … .

2. Elle paraissait **furieuse**, comme … .

3. Elle semblait très **nonchalante**, comme … .

4. Ses yeux **brillaient** de mille feux, comme … .

7 Renforcez l'impression créée par la description à l'aide du superlatif.

Exemple : C'est une matrone hideuse. → C'est la matrone la plus hideuse qu'on ait jamais connue.

1. C'est un homme sinistre. – **2.** Ils échangent de doux regards. – **3.** Sa peau est veloutée.

→ Montrer le point de vue et les émotions d'un personnage

8 Lisez la description suivante.

Jamais il n'avait vu cette splendeur de sa peau brune, la séduction de sa taille, ni cette finesse des doigts que la lumière traversait. Il considérait son panier à ouvrage avec ébahissement, comme une chose extraordinaire. (FLAUBERT)

a. Que savons-nous de l'allure physique de la femme décrite ? **b.** L'impression produite par cette description est-elle positive ou négative ? Pourquoi ? Repérez tous les éléments permettant de justifier votre réponse. **c.** Quels verbes nous permettent de savoir que ce portrait est mené du point de vue d'un personnage ? **d.** Récrivez ce passage en imaginant que l'observateur trouve la femme laide ou quelconque. Attention, c'est l'avis du personnage qui change et non la femme décrite !

9 Décrivez brièvement la femme du tableau p. 303, en adoptant successivement deux points de vue différents :

a. Imaginez d'abord qu'un admirateur l'observe.

b. Imaginez ensuite qu'elle est décrite par quelqu'un qui la trouve laide.

Raconter une scène de rencontre

Imaginez la scène de rencontre entre la princesse de Clèves et le nouvel arrivant, le duc de Nemours.

• Vous proposerez un portrait du duc de Nemours du point de vue de la princesse et un portrait de la princesse du point de vue de Nemours.

• Vous veillerez à développer les sentiments et réactions des personnages : tombent-ils amoureux ? Cet amour est-il réciproque ? Quels obstacles s'opposent à leur amour ?

• Vous limiterez le cadre temporel de votre récit à la soirée. Vous devez respecter le statut social des personnages : nobles, ils ne peuvent agir grossièrement.

[La princesse de Clèves] passa tout le jour chez elle à se parer, pour se trouver le soir au bal et au festin royal qui se faisaient au Louvre. Lorsqu'elle arriva, l'on admira sa beauté et sa parure ; le bal commença et, comme elle dansait avec M. de Guise, il se fit un assez grand bruit vers la porte de la salle, comme de quelqu'un qui entrait et à qui on faisait place. Mme de Clèves acheva de danser et, pendant qu'elle cherchait des yeux quelqu'un qu'elle avait dessein de prendre[1], le roi lui cria de prendre celui qui arrivait. Elle se tourna et vit…

MME DE LA FAYETTE, *La Princesse de Clèves*, 1678.

1. De choisir comme cavalier.

L'homme représenté sur les photographies évoque pour un ami, des années après les faits, le souvenir d'une femme brièvement mais passionnément aimée. Vous pouvez débuter par la phrase suivante : « Ce fut comme une apparition. »

• Imaginez le cadre : qui sont les personnages ? Que font-ils ? Où sont-ils ? Comment sont-ils amenés à se parler ? À quel moment prennent-ils conscience de leurs sentiments l'un pour l'autre ? Comment ce sentiment se manifeste-t-il ?

• Donnez de l'intensité dramatique au récit en jouant sur une atmosphère de mystère ou de danger. Achevez votre récit sur la séparation des amants et l'idée de leur amour impossible.

Michèle Morgan et Jean Gabin, dans *Le Quai des brumes*, de Marcel Carné, 1938.

Orgueil et préjugés

Coproduction américano-franco-britannique, 127 minutes
- **Titre original :** *Pride & Prejudice*
- **Titre français :** *Orgueil et préjugés*
- **Réalisation :** Joe Wright
- **Scénario :** Deborah Moggach et Emma Thompson, d'après le roman *Orgueil et préjugés*, de Jane Austen
- **Sociétés de production :** Universal Pictures, StudioCanal
- **Date de sortie :** janvier 2006 (France)

Orgueil et préjugés est d'abord un roman de Jane Austen paru en 1813 et qui remporta un vif succès. Ce roman fut souvent adapté au cinéma et l'adaptation réalisée par Joe Wright date de 2005.

A Comprendre le contexte

Famille Bennet

Famille Stanley

1 Que savez-vous de la famille Bennet (composition de la famille, statut social, lieu de vie...) ?

2 Pour quelle raison est-il si important de marier chacune des filles ?

3 **a.** Qui est Mr Collins ? Pour quelle raison Mme Bennet est-elle favorable à son mariage avec Elizabeth ?
b. Quelle vision a-t-on du mariage à cette époque ?

4 **a.** Dans ce film, deux univers, deux familles se côtoient sans pouvoir s'apprécier : lesquels ?
Expliquez ce qui les différencie en complétant ce tableau.

	Famille Bennet	Famille Stanley
Milieu social Lieu de vie Habitation Fréquentations Comportements en société		

b. Cherchez le sens de *préjugé*. Expliquez le choix du titre.

B Les relations entre les personnages

L'intrigue amoureuse

Charles Bingley et Jane

1 Qu'est-ce qui différencie Elizabeth et Jane du reste de leur famille ?

2 Qui Jane aime-t-elle ? Qui s'oppose à leur union ? Pour quelles raisons ?

3 Comment évolue la relation entre Elizabeth et Darcy ? Quel rôle y joue Wickham ?

4 Qui Wickham épouse-t-il ? Est-ce un mariage d'amour ?

Une galerie de portraits

5 Choisissez pour chaque personnage principal les adjectifs qui le qualifient le mieux.

Elizabeth et Jane

a. Jane : discrète, volubile, extravagante, réservée, douce, intransigeante.

b. Elizabeth : passionnée, timide, audacieuse, lucide, déterminée, vive.

c. Darcy : solitaire, intransigeant, passionné, volubile, sombre, orgueilleux.

d. Charles Bingley : bienveillant, influençable, déterminé, joyeux, solitaire.

6 À quels personnages secondaires pourraient correspondre les adjectifs suivants ?
frivole – hautain – ridicule – indulgent – superficielle – intéressé – servile
Lady Catherine de Bourgh – Caroline Bingley – Mr Collins – Mary, Catherine et Lydia Bennet

Lady Catherine de Bourgh   Mr Collins

Mr Bennet et ses filles, Mary, Catherine, Elizabeth et Jane

Un regard ironique sur la société

7 La société anglaise du XIXe siècle est marquée par les hiérarchies sociales. Quelles sont les femmes dont le rang est le plus élevé dans cette société ? Sont-elles dépeintes sous un jour favorable ou défavorable ? Justifiez votre réponse.

8 Comment se comporte la bourgeoisie provinciale vis-à-vis de la haute société ?

9 Quel est, selon vous, le personnage le plus grotesque ? Justifiez votre réponse par des exemples précis.

Un regard sur la passion amoureuse

10 En quoi Darcy et Elizabeth sont-ils différents du reste des personnages ?

11 Qu'éprouvent-ils au départ l'un pour l'autre ? Comment le réalisateur le montre-t-il ?

12 Qu'espère le spectateur ? Pourquoi la fin du film est-elle réjouissante ?

13 Quelles valeurs triomphent à la fin cette histoire ?

C Étude comparative de deux extraits

Déclaration de Mr Collins (45'08 à 47'40)	Déclaration de Mr Darcy (65'40 à 69'34)
1 Que tend Mr Collins à Elizabeth en entrant ? Quel est l'intérêt du gros plan ?	**1** Où se situe la scène ? Décrivez précisément les éléments du décor et comparez avec la scène précédente. Comment qualifieriez-vous la musique ?
2 Comment les personnages sont-ils placés l'un par rapport à l'autre ? Que voit-on au premier plan ? Que cela nous révèle-t-il ?	**2** a. Comment les personnages sont-ils situés l'un par rapport à l'autre ? Quelle évolution constatez-vous au cours de la scène ? b. Faites une remarque à propos du jeu de caméra.
3 a. Quel est le ton adopté par Mr Collins ? b. Relevez les mots de liaison employés dans son discours. Que montre leur emploi ? c. Que remarquez-vous à propos du jeu des regards ?	**3** Quelle est la tonalité des discours ? Quelle évolution constatez-vous ? Comparez avec la scène précédente.
4 a. Comment réagit Elizabeth lorsque Mr Collins s'agenouille ? b. Par quel effet technique le réalisateur accentue-t-il le ridicule de la scène ?	**4** Qu'entend-on au paroxysme de leur dispute ?
5 Sur quel effet sonore se clôt la scène ?	**5** À la fin de la scène, quelle opposition constatez-vous entre les propos tenus et le jeu des regards ?
6 Qu'éprouve le spectateur à l'issue de cette scène ?	**6** Qu'éprouve le spectateur à l'issue de cette scène ?

Des livres

La Mare au diable,
George Sand, Librio, 2003.

Germain, veuf presque trente-naire, accompagne une jeune fille, Marie, jusqu'à la ferme où elle doit travailler comme bergère. Mais, en chemin, tout ne se passe pas comme prévu et les voyageurs s'égarent en forêt…

Papa-Longues-Jambes,
Jean Webster, « Folio Junior »,
Gallimard, 2007.

Judith, orpheline pleine d'esprit, reçoit une bourse pour étudier à l'université. Une seule condition est fixée : qu'elle écrive une lettre mensuelle à son bienfaiteur. Un roman épistolaire plein d'humour qui s'achève sur la résolution d'un mystère : qui est Papa-Longues-Jambes, le bienfaiteur de Judith ?

Le Message, Andrée Chedid,
« Étonnants classiques »,
Flammarion, 2016.

Dans une ville en guerre, une jeune femme se rend à un rendez-vous amoureux. Touchée par une balle, mourante, elle n'a plus qu'une idée en tête : faire savoir à celui qui l'attend qu'elle l'aime.

Des films

Le Quai des brumes,
Marcel Carné, 1938.

Un soldat déserteur arrive au Havre où il espère pouvoir s'embarquer pour le Venezuela. Il fait la connaissance de Nelly, une belle et mystérieuse jeune femme, terrorisée par son tuteur, un homme malhonnête. Le drame n'est pas loin…

Autant en emporte le vent,
Victor Fleming, 1939.

À la veille de la guerre de Sécession, dans le sud des États-Unis, une jeune fille séduisante, au caractère bien trempé, déclare sa flamme à un gentleman. Hélas, ce dernier doit en épouser une autre et un dénommé Rhett Butler, homme cynique et moqueur, a tout entendu…

Quatre mariages et un
enterrement, Mike Newell, 1994.

Week-end après week-end, un groupe d'amis trentenaires et célibataires assiste à des cérémonies de mariage. L'un d'eux, le séduisant Charles, tombe sous le charme de l'Américaine Carrie. Une comédie hilarante devant laquelle on verse parfois quelques larmes.

Étude de la langue

Terre des lettres propose une **progression spiralaire**, qui introduit les notions progressivement, par une **approche inductive**, et les approfondit à chaque étape, avec une grande place accordée à l'**écriture**. Ces étapes d'apprentissage sont ponctuées par des **fiches de révision différenciées** : « Réinvestir ses connaissances », particulièrement adaptées au travail en AP.

Étude de la langue

1 Sujet, verbe, proposition

Observer

Anatole a commis bien des erreurs dans sa vie et il les regrette.

1. Combien y a-t-il de verbes conjugués dans cette phrase ? Repérez-les.
2. Quelles sont les deux parties qui constituent la phrase ? Justifiez votre réponse.
3. Quel est le sujet de chacun des verbes ?

Leçon

1 Une **proposition** est un **ensemble de mots**, organisés autour du verbe, exprimant un fait ou une idée.

2 Une **phrase** contient **autant de propositions qu'il y a de verbes conjugués**. S'il n'y a qu'une seule proposition, la phrase est **simple** ; s'il y en a plusieurs, la phrase est **complexe**.

[*Dans la grange, le chat **se repose**.*] (une seule proposition → phrase simple)

[*Dans la grange, le chat **se repose***] / [*tandis que **dansent** les souris.*]
(deux propositions → phrase complexe)

À noter : Il peut arriver qu'une proposition s'intercale à l'intérieur d'une autre.

Les bûches [*que je **coupe***] *nous **chaufferont** bien cet hiver.*

À noter : On ne répète pas toujours l'auxiliaire des temps composés ni le sujet.

Les artistes ont dansé /, (ont) chanté /, (ont) jonglé /, (ont) virevolté dans les airs.

3 Le sujet du verbe est généralement placé avant celui-ci, mais il peut aussi se trouver inversé.

*Que vois-**tu** ? Dans le ciel chantent **les oiseaux**.*

On trouve le sujet du verbe en se demandant : « qui est-ce qui... ? »

Le cuisinier |lave| *les tomates / puis il les* |découpe| .

Exercices

1 ★ **Oral** a. Repérez, dans chaque phrase, les verbes conjugués et leur sujet. b. Indiquez si la phrase est simple ou complexe. c. Repérez les différentes propositions.

1. Lucien a suivi des études de droit à Paris avant de devenir musicien.
2. Les cris glaçants que nous entendîmes soudain provenaient du corridor.
3. Le père Maurice trouva chez lui une vieille voisine qui était venue causer avec sa femme tout en cherchant de la braise pour allumer son feu. (Sand)
4. Trahi par ses amis, banni par les siens, le héros solitaire dut affronter seul son destin.

2 ★ **Recopiez les phrases suivantes. Encadrez les verbes conjugués et soulignez leur sujet. Placez les différentes propositions entre crochets.**

1. La matinée se passa, Albin ne revint pas à l'atelier. Quand arriva l'heure du repas, Claude pensa qu'il retrouverait Albin au préau. (Hugo)
2. Séduit par la beauté des champs de lavande, ce voyageur décida de poser ses valises en Provence.
3. Déplaire est mon plaisir. J'aime qu'on me haïsse. (Rostand)
4. Promenant son chien le matin, Albert en profite pour acheter son journal.

3 ★★ **Sur le modèle suivant, déplacez la proposition en gras. N'oubliez pas la ponctuation.**

*Exemple : La frêle Cosette s'en va chercher de l'eau **tandis*** que la nuit tombe. → a. Tandis que la nuit tombe, la frêle Cosette s'en va chercher de l'eau. b. La frêle Cosette, tandis que la nuit tombe, s'en va chercher de l'eau.

1. Ce pauvre Éric crie à pleins poumons **tant il a peur**.
2. Le joyeux boulanger pétrit sa pâte en chantant **parce qu'il est de bonne humeur**.
3. Les spectateurs acclament leur champion **afin qu'il ne perde pas courage**.

4 ★★ a. Repérez mentalement les verbes et leur sujet puis recopiez les phrases en rétablissant la ponctuation manquante entre les propositions.

b. Oral Lisez ces phrases à haute voix en respectant bien la ponctuation.

1. Quand son frère est venu l'embêter Guénolé s'est mis en colère.
2. Il a mis du café dans sa tasse il a mis du lait avec la petite cuiller il a tourné.
3. Pourquoi ne viens-tu pas déjeuner le rôti va refroidir.
4. On trouve en Anjou des maisons troglodytiques ce sont des demeures creusées dans la roche.
5. Denise bien qu'elle aime Octave n'ose pas le lui avouer.

5 ★★ Transformez chaque série de phrases simples en une seule phrase complexe. Vous pouvez ajouter des mots de liaison.

1. Eliott a glissé. Il s'est fracturé la clavicule.
2. Le professeur distribue les sujets. Il surveille ses élèves d'un œil vigilant. Il ramasse les contrôles.
3. Solange travaille avec ardeur. Elle cherche constamment à s'améliorer.

6 ★★ Ajoutez une proposition (à l'endroit indiqué par l'astérisque) afin que ces phrases simples deviennent des phrases complexes.

1. Sonia ne pouvait se retenir de rire*.
2. J'avais promis de taire ce secret*.
3. Ce chenapan de Victor a été puni par le professeur*.
4. Ce chenapan de Victor * a été puni par le professeur.

7 ★★★ Remplacez les GN en gras par une proposition de même sens. Pour cela, vous devez ajouter un verbe et son sujet. _Exemple_ : À cause de la pluie, le match est annulé. → Comme il pleut, le match est annulé.

1. **Pendant leur marche sous le soleil**, Simon et Mathéo burent abondamment. (_Pendant que..._)
2. **Avant la destruction de ce site par un séisme**, on pouvait admirer un temple extraordinairement bien conservé. (_Avant que..._)
3. Je désire **ta réussite**. (_que..._)

8 ★★★ Remplacez les propositions en gras par un GN de même sens.

1. **Bien qu'il eût fourni de beaux efforts**, Pascal ne parvint pas à faire rire sa sœur. (_Malgré..._) – 2. **Si nous oublions notre carte de bus**, nous devrons rentrer

à pied. (_En cas de..._) – 3. **Parce qu'elle ne manquait pas de courage**, Juliette a sauvé un promeneur. (_Grâce à..._) – 4. Nous nous réjouissons **que Louis soit en bonne santé**. (_de..._)

9 ★★ Oral Dans les phrases suivantes, repérez les verbes conjugués et indiquez leur sujet.

1. Que regardes-tu ? – 2. L'armée des Carthaginois possédait des éléphants dressés pour la guerre. – 3. Nous voyez-vous à travers la vitre ? – 4. Beaucoup étaient en désaccord, mais peu ont protesté. – 5. Randonner en montagne permet de découvrir de nouveaux paysages.

10 ★★★ Orthographe Recopiez les phrases suivantes en conjuguant le verbe au temps de l'indicatif demandé entre parenthèses et en l'accordant correctement avec son sujet.

1. Julien (_classer – présent_) ses cours puis les (_ranger – présent_) sur ses étagères.
2. Les dieux, au lion, (_donner – passé simple_) du courage ; au paon, ils (_attribuer – passé simple_) de belles plumes.
3. Parmi les poules et les canards (_piailler – imparfait_) un poussin abandonné.
4. Les récits que nous (_faire – futur simple_) les explorateurs de leurs voyages nous (_éblouir – futur simple_).
5. Quelle tapisserie (_choisir – passé composé_)-vous pour votre salon ?
6. Nous vous (_apprécier – présent_). Ne le (_voir – présent_)-vous pas ?
7. Si nous ne (_chasser – présent_) pas ces bêtes féroces de notre campement, ce sont elles qui nous en (_chasser – futur simple_).

11 ★★★ a. Orthographe Conjuguez les verbes entre parenthèses à l'imparfait. Pour réussir, soyez bien attentif aux différentes propositions et cherchez le sujet de chaque verbe.

b. Dictée Préparez ce texte pour la dictée.

> _Les personnages font une promenade en barque._
>
> Cette onde claire si limpide, qu'on ne (_distinguer_) point, qu'on (_deviner_) plutôt, (_mettre_) entre ces étranges végétations et nous quelque chose de troublant comme le doute de la réalité, les (_faire_) mystérieuses comme les paysages des songes. Quelquefois les herbes (_venir_) jusqu'à la surface, pareilles à des cheveux, à peine remuées par le lent passage de la barque. Au milieu d'elles, de minces poissons d'argent (_filer_), (_fuir_), vus une seconde et disparus. D'autres, endormis encore, (_flotter_) suspendus au milieu de ces broussailles d'eau, luisants et fluets, insaisissables.
>
> D'après **Guy de Maupassant**, « Un soir », _La Main gauche_, 1889.

Les temps de l'indicatif

■ **L'indicatif** est le mode du verbe qui permet de situer les événements dans le temps avec précision. Il existe donc **huit temps de l'indicatif** qui se répartissent en **quatre temps simples** et **quatre temps composés**.

■ Aux **temps simples**, le verbe est constitué d'**un seul mot** et porte les marques régulières de personne.

■ Aux **temps composés**, le verbe est formé d'**un auxiliaire** (*être* ou *avoir*) et d'**un participe passé**. C'est l'auxiliaire qui porte les marques de personne.

Rappel : Le participe passé des verbes du 1er groupe s'écrit toujours *é*.

Rappel : Le participe passé employé avec l'auxiliaire *être* s'accorde en genre et en nombre avec le sujet.

Temps simples	Temps composés
présent *je chante* *je viens*	**passé composé** (auxiliaire au présent + participe passé) *j'ai chanté* *je suis venu(e)*
imparfait *je chantais* *il, elle venait*	**plus-que-parfait** (auxiliaire à l'imparfait + participe passé) *j'avais chanté* *il, elle était venu(e)*
passé simple *je chantai* *ils, elles vinrent*	**passé antérieur** (auxiliaire au passé simple + participe passé) *j'eus chanté* *ils, elles furent venu(e)s*
futur simple *je chanterai* *ils, elles viendront*	**futur antérieur** (auxiliaire au futur simple + participe passé) *j'aurai chanté* *ils, elles seront venu(e)s*

■ **Les temps composés expriment une action achevée** au moment où se produit l'action au temps simple correspondant.

Tu <u>pourras</u> sortir lorsque tu <u>auras fait</u> tes devoirs.

1 ★ **Dans les phrases suivantes, relevez les verbes conjugués et précisez leur temps.**

1. Raphaël se levait vers huit heures, nourrissait ses poules, avalait un bol de café fumant puis, satisfait, retournait se coucher. – **2.** Lorsqu'ils eurent atteint les portes de la ville, les cavaliers firent halte. – **3.** N'aurons-nous donc jamais de répit ? – **4.** Avez-vous vu ce point qui brille à cette fenêtre ? demanda Gisèle. – **5.** Porthos, qui avait attendu des heures en vain, se décida enfin à partir.

2 ★★ **Dans les phrases suivantes, relevez les participes passés. Dites s'ils sont employés comme adjectifs ou comme partie d'un verbe conjugué. Si ce sont des adjectifs, précisez le nom qu'ils qualifient. Si ce sont des verbes, relevez l'auxiliaire qui les accompagne.**

1. Habitué aux reproches de sa femme, l'homme ne disait rien. – **2.** Marcus avait déjà longuement patienté et, découragé, s'apprêtait à partir, lorsque la porte s'ouvrit enfin. – **3.** Charlotte a pleuré, crié, supplié : rien n'y a fait. – **4.** Vraiment, cher maître, avez-vous jamais vu un garçon mieux habillé que celui-ci ?

3 ★ Recopiez trois fois la phrase, en mettant le 1er verbe à l'imparfait, puis au passé simple, enfin au futur, et en faisant les modifications nécessaires.

Les chauves-souris sortent lorsque la nuit est tombée.

4 ★★ Recopiez les phrases suivantes en conjuguant le verbe entre parenthèses au temps qui convient. Précisez le temps de chaque verbe.

1. Le voyageur, qui (*marcher*) toute la nuit, était très fatigué. – 2. Lorsque nous reviendrons, nous (*vivre*) une belle aventure. – 3. Dès que Bouvet (*rentrer*), Macquart se précipita chez lui. – 4. Le navire, qui (*remplir*) ses cales à tous les ports d'Asie, rentre chargé de merveilles.

5 ★ Réécriture Transposez le texte au plus-que-parfait.

Don Giorgio nous a menés jusqu'au port et nous avons embarqué sur un de ces paquebots construits pour emmener les crève-la-faim d'un point à un autre du globe, dans de grands soupirs de fioul. Nous avons pris place sur le pont au milieu de nos semblables. Comme tous les autres, nous nous sommes tenus par la main pour ne pas nous perdre dans la foule.

D'après **Laurent Gaudé**, *Le Soleil des Scorta*, 2004, Actes Sud.

6 ★ a. Conjuguez à la 3e personne du singulier, au présent, au passé simple puis au passé composé.

rougir – mettre – prendre – s'endormir – apercevoir

b. Même consigne avec la 1re personne.

finir – peindre – faire – construire – connaître

7 ★★ Orthographe Transposez les phrases au passé composé.

1. Fogg comprit immédiatement le problème. – 2. Nous nous jetâmes contre la porte et l'ouvrîmes à toute volée. – 3. Je saisis la lettre et la mis dans mon sac. – 4. Il voulut s'emparer de la baguette mais celle-ci se brisa dans sa main.

8 ★★ Orthographe Complétez par -i, -is ou -it.

1. Gaspard, surpr..., réag... brutalement.
2. Il lui prom... une terre comme il avait prom... toute chose dans sa vie : sans réfléchir.
3. L'enfant, qui s'était endorm... dans les bras de sa mère, sour... dans son sommeil.
4. Je m'étais inscr... à ce concours sur un coup de tête, et j'étais très étonné d'y être adm... .
5. L'enfant grand... en âge et en sagesse. Sa peau avait brun..., et ses yeux acqu... un regard étrange et pénétrant.

9 ★★ a. Orthographe Mettez aux formes verbales suivantes la terminaison en [é] qui convient. À l'oral, justifiez votre choix.

b. Dictée Préparez ce texte pour la dictée.

Il observ... avec minutie chaque coin de rue. Mais il se rassura rapidement. Il av... fait le bon choix. À cette heure de l'après-midi, le village ét... plong... dans la mort. Les rues ét... désertes, les volets ferm... . Les chiens même s'ét... volatilis... . C'ét... l'heure de la sieste et la terre aur... pu trembl..., personne ne se ser... aventur... dehors. Une légende cour... dans le village qu'à cette heure, un jour, un homme remont... un peu tard des champs av... travers... la place centrale. Le temps qu'il atteigne l'ombre des maisons, le soleil l'av... rendu fou. Comme si les rayons lui av... brûl... le crâne. Tout le monde, à Montepuccio, croy... en cette histoire.

D'après **Laurent Gaudé**, *Le Soleil des Scorta*, 2004, Actes Sud.

10 ★★ Dans le texte suivant, relevez les verbes, indiquez leur infinitif, leur temps et leur personne.

Jacques et Suzanne sont amants. Ensemble, ils assassinent le mari de Suzanne.

Les amants s'étaient concertés à l'avance. Ils évitèrent de se voir ; ils ne se rencontrèrent que devant témoins. Jacques, pendant les huit premiers jours, alla régulièrement à la Morgue chaque matin. Quand il eut retrouvé et reconnu sur une des dalles blanches le cadavre de Michel, il le réclama au nom de la veuve et le fit enterrer. Il avait commis froidement le crime, et il éprouva un frisson d'épouvante en face de sa victime, horriblement défigurée. Dès lors, il eut toujours devant les yeux le visage gonflé et grimaçant du noyé.

D'après **Émile Zola**, *Un mariage d'amour*, 1866.

11 ★★ Complétez par -ais, -ait, -aient ou -é.

1. Nous avons ét... dérangés toutes les cinq minutes. – 2. Mathieu ét... arrivé sûr de lui, mais il avait ensuite ét... intimidé par le luxe des lieux. – 3. Mes amis s'ét... rendu compte que je n'ét... pas bien, et ils avaient ét... très compréhensifs. – 4. La pauvre bête avait certainement ét... heurtée par un chauffard : elle ét... blessée en plusieurs endroits.

12 ★★ Copiez les phrases en mettant aux verbes la terminaison en [é] qui convient.

1. La façon dont Simon et Lucie av... quitt... l'assemblée av... troubl... leurs amis. – 2. Marion s'ét... donn... beaucoup de mal pour arriv... à son but : détermin..., elle av... beaucoup travaill... afin de progress..., sans jamais se décourag... . – 3. Louis av... ét... malin : il s'ét... débrouill... pour arriv... après la fin des travaux. – 4. Le vieil homme, étonn... et intrigu..., observ... le coffret que lui av... apport... les enfants.

Les mots variables

■ **Rappel :** Les mots variables sont ceux dont **l'orthographe varie en fonction de leur emploi.** Ils se répartissent en cinq classes.

1 Le **verbe exprime une action ou un état** du sujet. C'est en général le mot autour duquel s'organise la phrase.

Le verbe se conjugue : il varie en personne, nombre, temps, mode et voix :

*Le jeune homme **avait** une montre. (= action) – La montre **était** remarquable. (= état)*

2 Le **nom permet de nommer** les personnes, les animaux, les choses et les idées. Il est en général précédé d'un déterminant. On distingue le **nom commun**, qui varie en genre et en nombre, et le **nom propre**, qui est invariable et commence par une majuscule :

*un **homme**, des **hommes**, la **Bretagne**, **Paris***

3 L'**adjectif apporte une caractéristique ou une précision à un nom** avec lequel il s'accorde. Il varie en genre et en nombre :

*le **bel** homme, la **belle** femme, les **beaux** enfants*

4 Le **déterminant** introduit un nom avec lequel il forme le **groupe nominal**. Il indique le genre et le nombre de ce nom :

***cette** montre, **une** montre, **sa** montre*

■ Les **articles** signalent seulement le nom comme défini (connu) ou indéfini (inconnu).

– articles indéfinis : *un, une, des ;*

– articles définis : *le, la, les ;*

Remarque : Certains articles définis se contractent avec les prépositions *à* ou *de* : *du (de + le), des (de + les), au (à + le), aux (à + les).*

– articles partitifs : *du, de la, des.*

■ Les **autres déterminants** apportent une information supplémentaire :

– déterminants possessifs : *mon, ma, notre, leur…*

– déterminants démonstratifs : *ce, cet, ces…*

– déterminants numéraux : *deux, trois, cent, mille…*

– les déterminants indéfinis : *aucun, certains, plusieurs, quelques, tous…*

– déterminants interrogatifs ou exclamatifs : *quel(le)(s).*

5 Le **pronom remplace un nom**, un groupe nominal, ou tout groupe qui joue le même rôle (proposition, infinitif…). **Il est généralement placé devant un verbe.** Le pronom varie en genre, nombre et personne, mais aussi selon sa fonction. On distingue :

– les pronoms personnels : *je, tu, il, elle, on, nous, ils, moi, toi, te, eux, se, soi…*

– les pronoms adverbiaux : *en, y ;*

– les pronoms relatifs : *qui, que, quoi, dont, où, lequel, laquelle, auxquels…*

– les pronoms possessifs (*le mien, les nôtres, le leur…*) et démonstratifs (*celui-ci, celles-là, ceux-ci…*) ;

– les pronoms indéfinis : *aucun, certains, les uns, les autres, personne, rien, quelqu'un, nul…*

– les pronoms interrogatifs : *lequel, laquelle, lesquel(le)s.*

1 ★ **Complétez les phrases par un verbe de votre choix que vous conjuguerez à l'imparfait.**

1. De nombreux touristes ... ici. – **2.** Peu de gens ... aussi loin. – **3.** Que ...-vous ? – **4.** Dans les recoins du grenier, ... une famille de jolis mulots. – **5.** Quelles personnes ... ainsi ?

2 ★ **Donnez la nature exacte des déterminants en gras.**

1. Quelques hommes jetaient **des** regards inquiets autour d'eux. – **2. Nulle** âme n'est parue **au** village depuis **des** mois. – **3.** Il demandait **du** pain, il reçut **de la** brioche. – **4. Notre** amie a retrouvé **sa** bague. – **5.** Sur toute **la** surface de **la** Terre, il naît et meurt **trois mille** personnes par heure. (CHATEAUBRIAND) – **6. Ces** murs mêmes, Seigneur, peuvent avoir **des** yeux. (RACINE)

3 ★ Oral **Les mots en gras sont-ils des pronoms ou des déterminants ? Justifiez votre réponse en précisant la nature du mot qui les suit.**

1. Je cherche **la** clé : où **la** caches-tu ? – **2.** Je **leur** donne **leurs** devoirs. – **3.** Il pleut **ce** matin : **ce** n'est pas le meilleur temps pour sortir. – **4.** Je ne **l'**aime pas, **l'**horrible vieille sorcière ! – **5. Les** livres que vous m'avez confiés, je **les** ai rangés. – **6.** Ah ! Mon Dieu, regardez **ce** qu'elle a sur **la** tête ; on dirait **un** échafaudage ! (LA BRUYÈRE)

4 ★★ **Relevez les mots ou groupes que les pronoms en gras reprennent.**

1. On se rappelle toujours les bons moments, tandis que les mauvais, on **les** oublie. – **2.** Puisque tu as vu Louis, **lui** as-tu dit que nous partions à huit heures précises ? – **3.** Ton dessin est magnifique : n'**y** change rien, **il** me plaît beaucoup. – **4.** Cette femme est très célèbre : j'**en** entends souvent parler autour de **moi**. – **5.** Vos ennuis sont terminés, n'**y** pensez plus. – **6.** Ils ont apporté un marteau alors que nous **leur** avions dit que nous n'**en** avions pas besoin.

5 ★★★ **Récrivez les phrases suivantes en remplaçant les groupes soulignés par un pronom.**

1. Nous avons annoncé à Martine que nous ne l'inviterions plus.

2. J'ai passé mon enfance en Bretagne.

3. Je crois volontiers à ce que tu me racontes.

4. Je vous félicite du travail que vous avez accompli.

5. Marguerite a donné à son petit frère toutes ses peluches.

6. J'ai promis à mes parents que je travaillerai davantage.

7. Je range mes vêtements dans l'armoire et tes vêtements dans la commode.

6 ★★ Orthographe **Accordez les adjectifs entre parenthèses.**

1. Pierre et Sarah reviennent toujours (*fatigué*) de leur camp scout. – **2.** La barrière aux gonds et aux serrures (*rouillé*) a été (*huilé*). – **3.** (*Désolé*) de lui avoir fait de la peine, Léon demande pardon à Annie, mais elle reste très (*énervé*) car ce n'était pas la première fois. – **4.** Nathalie, (*ravi*) par le début de l'histoire et (*curieux*) d'en connaître la fin, a passé la journée à lire. – **5.** Ma famille et moi sommes très (*touché*) de toutes les marques d'affection (*reçu*) pendant cette triste période.

7 ★★ **Complétez le texte suivant par des adjectifs qualificatifs. Attention aux accords !**

L'arrivée de d'Artagnan fut ... : son cheval ... attirait la curiosité. C'était un ... ... homme, dont on n'avait pas envie de se moquer : sa ... épée était plutôt ... . Aussi les bourgeois se montrèrent-ils ... .

8 ★★ **Relevez les groupes nominaux dont les noms soulignés sont le noyau.**

C'était un <u>matin</u> d'octobre. Un <u>ciel</u> tourmenté de gros nuages gris limitait l'horizon aux collines prochaines et rendait la campagne mélancolique. Les pruniers étaient nus, les pommiers étaient jaunes, les <u>feuilles</u> de noyer tombaient en une <u>sorte</u> de vol plané, large et lent.

Il pouvait être huit <u>heures</u> du matin. Le soleil rôdait derrière les nues, et de l'angoisse, une <u>angoisse</u> imprécise et vague, pesait sur le village et la campagne.

D'après LOUIS PERGAUD, *La Guerre des boutons*, 1912.

9 ★★ **Classez les mots soulignés : nom / verbe / adjectif / déterminant / pronom.**

Avant <u>sa</u> venue, lorsque le <u>cours</u> était <u>fini</u>, à <u>quatre</u> heures, une <u>longue</u> soirée de <u>solitude</u> commençait pour <u>moi</u>. <u>Mon</u> père <u>transportait</u> le feu <u>du</u> poêle de la classe dans la <u>cheminée</u> de <u>notre</u> salle à manger ; et peu à peu les <u>derniers</u> gamins attardés abandonnaient l'école refroidie, <u>où</u> roulaient des <u>tourbillons</u> de <u>fumée</u>. Il y avait encore <u>quelques</u> jeux, <u>des</u> galopades dans la cour ; puis la nuit venait ; les deux élèves qui avaient <u>balayé</u> la classe cherchaient sous <u>le</u> hangar <u>leurs</u> capuchons et leurs pèlerines, et <u>ils</u> partaient bien vite, <u>leur</u> panier au bras, en laissant le grand portail ouvert…

ALAIN-FOURNIER, *Le Grand Meaulnes*, 1913.

10 ★★★ Écriture **Inventez des phrases en suivant la structure indiquée.**

1. Déterminant + adjectif + nom + verbe d'action + déterminant + nom.

2. Pronom + verbe d'état + déterminant + nom + adjectif.

3. Déterminant + nom + pronom + verbe.

4. Déterminant + adjectif + nom + adjectif + verbe + déterminant + nom.

Pronoms et déterminants

Leçon

■ **Le déterminant, placé devant le nom, en indique le genre et le nombre.**

la région ; une région

■ **Le pronom est un mot qui désigne une personne ou une chose sans la nommer.**
Il se place souvent devant le verbe.

J'y vis depuis ma naissance.

Attention : Il faut veiller à **ne pas confondre déterminant et pronom**.

J'aime la région où il est né. Je l'ai visitée l'été dernier.
la région

1 **Pronoms et déterminants possessifs** indiquent à qui appartient la chose ou l'être dont on parle.

déterminants	pronoms
mon, ton, son, ma, ta, sa, mes, tes, ses, nos, vos, leur(s)	le mien, le tien, les siennes, la nôtre, le vôtre, les leurs

Ce pays est le mien. C'est mon pays natal. C'est leur pays natal. C'est le leur.

Attention : Le déterminant *leur* est variable en nombre. Le pronom personnel *leur* est invariable.

Ils leur ont rendu leurs affaires.

Attention : N'oubliez pas l'accent circonflexe sur les pronoms possessifs *le / la nôtre, le / la vôtre*.

2 **Pronoms et déterminants démonstratifs** renvoient à des choses que l'on désigne précisément.

déterminants	pronoms
ce, cet, cette, ces	celui(-ci), celle(-ci), ceux, ce, ceci, cela, ça

As-tu déjà visité cette région(-là) ? Non, mais ce doit être un bel endroit. Ceux qui vivent là ont bien de la chance.

Attention : Devant un nom masculin commençant par une voyelle, on écrit *cet* au lieu de *ce*.

Admire cet arbre.

Attention : *Ce, ceci, cela* ne remplacent pas des noms précis mais des **idées**, des **phrases entières** : ils n'ont ni genre, ni nombre : *ce qui va arriver ; cela paraît étrange ; écoutez ceci.*

3 **Pronoms et déterminants indéfinis** expriment une quantité nulle ou vague.

déterminants	pronoms
aucun, certain, chaque, tout, quelques, plusieurs, même…	on, personne, aucun, chacun, tous, quelqu'un, plusieurs, certains…

Chaque région a son charme, mais certaines en ont plus que d'autres.

Attention : Le déterminant indéfini *tout* est synonyme de *chaque*, lorsqu'il n'est pas suivi de l'article défini. *Tout élève en retard sera sanctionné* = chaque élève en retard sera sanctionné.

4 **Pronoms et déterminants interrogatifs** traduisent une interrogation.

déterminants	pronoms
quel, quelle, quelles, quels	qui ? que ? quoi ? lequel ? auquel ? duquel ?

Quelle couleur préfères-tu ? Laquelle préfères-tu ? Je me demande laquelle choisir.

Exercices

1 ★ Oral Donnez la nature précise des articles en gras.

1. Le 6 juillet avant de me coucher, j'ai placé sur ma table **du** vin, **du** lait, **de l'**eau, **du** pain et **des** fraises. (Maupassant)
2. La jument s'était arrêtée derrière la lisière **des** sapins. Elle broutait **du** foin sauvage. (Giono)
3. **Des** fenêtres du haut s'échappaient **des** cris de joie et nous vîmes toute une foule **au** balcon **du** troisième.
4. Ils flânaient **le** long **des** boutiques de bric-à-brac. (Flaubert)

2 ★ Recopiez les phrases suivantes. Vous soulignerez en rouge *le, la, les, leur* pronoms personnels, en bleu *le, la, les, leur(s)* déterminants.

1. Les étoiles commencèrent de s'éclairer. Je les apercevais de la lucarne. – **2.** L'obscurité envahissait la plaine et semblait l'engloutir. – **3.** Leur as-tu demandé où sont leurs gravures ? – **4.** Il aperçut la casquette du capitaine et la dissimula sous un manteau. – **5.** Moi, je le savais, que tu n'obtiendrais pas le passage dans la classe supérieure. – **6.** Laissez-leur le temps de terminer leur travail.

3 ★★ **a.** Réécriture Récrivez ces phrases en remplaçant le groupe souligné par le pronom qui convient.
b. Précisez la fonction du pronom employé.

1. Mon récit est ennuyeux ; son récit est amusant. – **2.** J'ai oublié de distribuer les livres aux élèves. – **3.** Nos vélos ont crevé, mais leurs vélos ont résisté. – **4.** Cette comédienne-là a du talent mais cette comédienne-ci n'en a pas. – **5.** As-tu rendu la clé à la voisine ? – **6.** Il se perd dans la ville. – **7.** Je savais bien qu'il ne fallait pas venir. – **8.** Il doute de ma sincérité. – **9.** N'as-tu jamais pensé à t'évader ?

4 ★★ Complétez par *ses* ou *ces* ; *leur* ou *leurs* ; *ceux-ci* ou *ceci*.

1. De ... poings fermés, il frottait ... yeux bouffis de sommeil. – **2.** Vous êtes bien indiscret et ... ne vous regarde pas. – **3.** La plupart des élèves sont à l'heure mais ... sont systématiquement en retard. – **4.** Tous ... gens savaient parfaitement à quel endroit le vieil avare dissimulait ... biens. – **5.** Nos amis ont perdu ... grand-mère ; nous ... avons rendu visite hier. – **6.** Je préfère mes dessins aux ... et je le ... dis.

5 ★★★ Réécriture Remplacez *je* par *ils*. Faites les modifications nécessaires.

1. Je sais que ces pinceaux sont les miens. Je les avais posés auprès de mon chevalet. Je ne veux pas qu'on me les prenne. – **2.** Je refuse qu'on me confie une tâche aussi délicate, même si on m'a promis une belle récompense. – **3.** Je n'expose pas mes tableaux, car on ne me l'a pas demandé. – **4.** Je préfère garder les miens dans mon atelier.

6 ★★ Oral Précisez la nature exacte des mots soulignés.

1. D'ailleurs, les bois de <u>cette</u> contrée sont aussi beaux que <u>ceux</u> de la campagne romaine. (G. de Nerval) – **2.** C'était un garçon plus réservé que <u>ceux</u> que j'avais rencontrés jusqu'alors dans <u>ce</u> collège. – **3.** Je <u>leur</u> conseille de veiller sur <u>leur</u> petit frère. – **4.** <u>Quelques</u> secondes silencieux, il poursuivit sa rêverie. – **5.** <u>Quelqu'un</u> a sonné ce matin à ta porte. – **6.** Tu remettras un prix à <u>chaque</u> participant et chacun sera satisfait. – **7.** <u>Plusieurs</u> élèves ont participé au concours mais <u>aucun</u> n'a été sélectionné. – **8.** <u>Les uns</u> travaillent, <u>les autres</u> se reposent. – **9.** Il aurait pu nous conseiller <u>un autre</u> livre. – **10.** <u>Nulle</u> âme qui vive dans ce village. – **11.** <u>Nul</u> ne fait attention à toi.

7 ★★ Choisissez *tout, tous, toute, toutes* et précisez s'il s'agit d'un déterminant ou d'un pronom indéfini.

1. Entrée interdite à ... personne du service. – **2.** ... les personnes qui ne seront pas satisfaites seront remboursées. – **3.** ... les enfants iront en voyage de classe, mais ... n'iront pas à la montagne. – **4.** Elle pouvait parler de ... et ne s'embarrasser de rien. – **5.** Nous avons ... quelque chose à dire. – **6.** ... sans exception souhaitent travailler comme vendeuses dans ce grand magasin.

8 ★★ Complétez les phrases par un pronom indéfini.

1. ... ne sert de courir, il faut partir à point. – **2.** ... a souvent besoin d'un plus petit que soi. – **3.** Aidez-vous les ... les ... . – **4.** Les touristes viennent nombreux à l'exposition : ... admirent les tableaux, ... préfèrent se promener dans les jardins. – **5.** Ne fais pas aux ... ce que tu ne veux pas qu'... te fasse. – **6.** Mes amis viennent cet été sur la côte. ... prendront le train, ... partiront en voiture. – **7.** Les châteaux sont nombreux en Touraine. Nous en avons visité ... ; ... sont plus majestueux que ..., mais ... ont un charme particulier.

9 ★★★ Donnez la nature exacte des mots en gras.

Je ne sais pas comment je ne **m'**étais jamais aperçu, pensait-il, que **cette** petite Marie est la plus jolie fille **du** pays !… **Quelle** gentille bouche et **quel** mignon petit nez !… Elle n'est pas grande pour **son** âge, mais elle est faite comme une petite caille et légère comme un petit pinson !… Je ne sais pas pourquoi **on** fait tant de cas chez nous d'une grande et grosse femme bien vermeille… **La mienne** était plutôt mince et pâle, et elle me plaisait par-dessus **tout**… **Celle-ci** est toute délicate, mais elle ne s'**en** porte pas plus mal, et elle est jolie à voir comme **un** chevreau blanc !… Et puis, **quel** air doux et honnête ! comme **on** lit son bon cœur dans **ses** yeux, même lorsqu'ils sont fermés pour dormir !

D'après **George Sand**, *La Mare au diable*, 1889.

5 L'accord du verbe avec son sujet : régularités et difficultés

Leçon

1 Les marques régulières de personne

■ Le verbe s'accorde avec son sujet. La plupart du temps, cet accord se traduit par des marques de personne régulières quel que soit le temps du verbe :

Pour la plupart des verbes : **-s, -s, -t, -ons, -ez, -ent**.

je cours, je courais, je courus ; il court, il courait, il courut

■ Pour le présent de l'indicatif des verbes du premier groupe et le présent du subjonctif de tous les verbes : **-e, -es, -e, -ons, -ez, -ent**.

■ Pour le passé simple des verbes du premier groupe et le futur de tous les verbes, au singulier : **-ai, -as, -a**.

2 Difficultés liées à la place du sujet

■ Le sujet peut être **inversé**.

Au-delà de la rivière s'étendaient les vastes prairies des Rohirim .

■ Le sujet est parfois **éloigné du verbe**.

Ces montagnes , aux sommets aigus couverts de glace, constituaient un obstacle.

■ **Un pronom complément peut s'intercaler entre le sujet et le verbe**.

*Elle ne **les** connaît pas.*

3 Le sujet est constitué de plusieurs mots

■ Lorsque le sujet est **un groupe nominal**, le verbe s'accorde avec **le noyau** du groupe.

Les mots de « sabot », de « tête de pioche » circulaient .

■ **Si le noyau de ce groupe nominal est un nom collectif**, l'accord peut se faire au singulier, avec le noyau, ou au pluriel, en fonction du sens.

Une foule de clientes se presse(nt) dans les allées.

■ Lorsque les termes d'une **accumulation** sont repris à la fin par le pronom **tout**, **rien**, **cela** ou **personne**, le verbe est au singulier.

La jeune fille, son allure, son caractère, tout le rebutait.

4 Le sujet est pronom indéfini ou relatif

■ Le verbe est **au singulier** après : *on, chacun* (ou *chaque* + nom), *aucun, plus d'un(e), tout, tout le monde, personne*.

Chacun en voulut sa part.

■ Le verbe est **au pluriel** après : *peu (de), beaucoup (de), la plupart (de), tous*.

Peu savent la vérité.

■ **Dans une proposition subordonnée relative introduite par qui**, le verbe s'accorde avec le sujet *qui* : son genre, son nombre et sa personne sont ceux de son antécédent.

C'est moi qui l'ai fait. (qui = moi)

1 ★ Oral **Dites à quelle personne du singulier ou du pluriel est le sujet des phrases suivantes et accordez comme il convient les verbes entre parenthèses, à l'imparfait de l'indicatif.**

1. Elle et Simon (*être*) fatigués. – **2.** Lui et toi ne (*être*) pas d'accord. – **3.** Marie et nous (*ne pas se parler*). – **4.** Tous (*habiter*) le quartier. – **5.** Chacun (*participer*) aux tâches ménagères. – **6.** Beaucoup (*échouer*). – **7.** Ni Jeanne ni moi n'y (*pouvoir*) rien. – **8.** Vous nous (*dire*) tout. – **9.** On (*commencer*) à l'aube.

2 ★ **Mettez la marque de personne qui convient.**

1. tu oubli... – **2.** ils pari... – **3.** il salu... – **4.** je conclu... – **5.** ils croi... – **6.** j'emploi... – **7.** on cri... – **8.** ils publi... – **9.** on voi... – **10.** je secour... – **11.** je secou...

3 ★ **Conjuguez au présent, à l'imparfait et au passé simple, avec *je, il* et *elles*.**

courir – faire – boire – mettre – conduire – voir

4 ★ **Conjuguez au passé simple et au futur, avec *je* et *il*.**

danser – tracer – jeter – s'ennuyer – plonger – crier

5 ★★ **Choisissez la forme qui convient.**

1. On ne les (*répare / répares / réparent*) pas. – **2.** Ils nous (*appellerons / appelleront / appelerons*) demain. – **3.** Chaque invité (*apporte / apportent*) quelque chose à boire. – **4.** Tout le monde (*aime / aiment*) le chocolat. – **5.** Certains (*l'aime / aiment*) chaud. – **6.** Tous (*s'intéresse / s'intéressent*) aux actualités mais peu (*s'interroge / s'interrogent*) sur la manière dont on nous les (*présente / présentent*). – **7.** Personne ne (*m'aime / aiment*). – **8.** L'amour, la raison, le devoir, tout (*commande / commandent*) d'obéir.

6 ★★ **Accordez le verbe comme il convient.**

1. C'est toi qui commenc... . – **2.** C'est moi qui l'... trouvé. – **3.** Julien se nourrissait des baies sauvages qui poussai... nombreuses en cette saison. – **4.** L'enfant, fasciné, regardait les flocons de neige qui tourbillonnai... lentement. – **5.** Les objets que rejetai... la mer ét... variés et inattendus. – **6.** Ce versant des montagnes, exposé au soleil, présentai... des alpages verdoyants où paissai..., l'été, les troupeaux. – **7.** Les raisons pour lesquelles le Sénat romain engagea la guerre rest... obscures.

7 ★ **Recopiez les phrases en conjuguant les verbes comme il convient, au temps demandé.**

1. Ils nous le (*dire – futur*) à leur retour. – **2.** Les loups que Bastien avait repérés nous (*suivre – imparfait*) toujours. – **3.** Pour se donner du courage, elle se répétait les mots que lui (*dire – imparfait*) sa mère. – **4.** L'enfant

désigna les montagnes qui, très loin sur l'horizon, (*dresser – imparfait*) leur silhouette brumeuse. – **5.** Tous les élèves de 4ᵉB (*participer – futur*) à cette sortie. – **6.** Tout élève bavard (*sortir – futur*) aussitôt. – **7.** Un groupe de résidents (*déblayer – imparfait*) la neige qui (*tomber – plus-que-parfait*) la nuit.

8 ★★ **Même consigne.**

1. Tout (*conspirer – présent*) à me nuire.(RACINE) – **2.** Athos les (*partager – passé simple*) donc en trois groupes, (*prendre – passé simple*) le commandement de l'un, (*donner – passé simple*) le second à Aramis et le troisième à Porthos, puis chaque groupe (*aller – passé simple*) s'embusquer en face d'une sortie. (DUMAS) – **3.** En la voyant si belle et si accablée, beaucoup (*s'émouvoir – plus-que-parfait*) de pitié, et des plus durs. (HUGO) – **4.** Peu de gens (*savoir – présent*) devenir vieux. (LA ROCHEFOUCAULD) – **5.** Denise tomba sur un groupe de vendeurs qui (*ricaner – imparfait*). (ZOLA)

9 ★★★ **Recopiez le texte suivant et conjuguez le verbe comme il convient, au temps demandé.**

Ô nuit désastreuse ! ô nuit effroyable, où (*retentir – passé simple*) tout à coup, comme un éclat de tonnerre, cette étonnante nouvelle : Madame (*se mourir – présent*), Madame (*mourir – passé composé*) ! Qui de nous ne (*se sentir – passé simple*) frappé à ce coup, comme si quelque tragique accident (*désoler – plus-que-parfait*) sa famille ? Au premier bruit d'un mal si étrange, on (*accourir – passé simple*) à Saint-Cloud de toutes parts ; on (*trouver – présent*) tout consterné, excepté le cœur de cette princesse ; partout on (*entendre – présent*) des cris ; partout on (*voir – présent*) la douleur et le désespoir, et l'image de la mort. Le roi, la reine, Monsieur, toute la cour, tout le peuple, tout (*être – présent*) abattu, tout (*être – présent*) désespéré.

D'après **BOSSUET**, *Oraisons funèbres*, 1670.

10 ★★★ Réécriture

a. Recopiez les phrases suivantes en remplaçant *tu* par *elles* et faites toutes les modifications nécessaires.

Je sais que tu es brave, je sais que tu sauras vivre sans moi. Il faut que tu vives, toi.

C. DELBO, *Une scène jouée dans la mémoire*, 2001 (édition posthume).

b. Remplacez *l'enfant* par *je* et transposez du présent aux temps du récit (passé simple et imparfait).

L'enfant entend que c'est la langue de l'ennemi. Il est dans les bras de l'ennemi, il rit avec lui. Une peur terrible le saisit, il pleure, il se met à hurler.

HENRY BAUCHAU, *L'Enfant rieur*, 2011, Actes Sud.

▶ Réviser ★

1 Relevez le sujet des verbes en gras.

1. Alors que **s'amoncelaient** déjà sur la table toutes sortes d'objets, le commissaire **apporta** d'autres sacs et les **vida** lentement. – **2.** La promesse qu'il nous **a faite** de nous apporter dès demain une solution **était** seulement **destinée** à endormir notre méfiance. – **3.** Paul, que **gênait** la lumière, lui **demanda** de fermer les volets. – **4.** Alors **apparurent**, tout en haut de la montagne qu'**éclairait** le soleil couchant, les silhouettes familières.

2 Recopiez le texte suivant, entourez les verbes conjugués, mettez entre crochets les différentes propositions et rétablissez la ponctuation manquante.

Toutes les têtes se levèrent tous les yeux devinrent fixes. Un homme était là-haut un homme était dans la salle de la bibliothèque un homme était dans la fournaise. Cette figure se découpait en noir sur la flamme mais elle avait des cheveux blancs. On reconnut le marquis de Lantenac. Il disparut puis il reparut.

D'après **Victor Hugo**, *Quatre-vingt-treize*, 1874.

3 Mettez la terminaison qui convient.

1. Ariane défi... patiemment le nœud. – **2.** Le champion défi... son adversaire. – **3.** L'homme salu... son voisin. – **4.** Ils déçoi... rarement. – **5.** L'incendie flamboi... dans la nuit. – **6.** Je connai... mes limites mais j'essai... de les dépasser. – **7.** Ils nous le dir... demain. – **8.** On se levai... avant le jour.

4 Dites si les mots en gras sont des déterminants ou des pronoms. Si ce sont des pronoms, précisez quel(s) mot(s) ils reprennent.

1. Je connais bien **le** fils de tes voisins, je **le** rencontre tous les samedis au stade. – **2.** **Les** aimes-tu autant que **les** chocolats ? – **3.** Nous nous rendrons chez **leurs** parents et nous **leur** parlerons de **leur** projet. – **4.** **Ces** problèmes nous inquiètent, nous **y** avons longuement réfléchi avant de faire **une** demande.

▶ Croiser les connaissances ★★

9 Recopiez les phrases, soulignez le sujet des verbes à compléter et écrivez la terminaison.

1. Chaque convive, après le dîner, prenai... place dans le salon où brûlai... de larges bûches. – **2.** Tout le monde

5 Dans le texte suivant, relevez tous les verbes conjugués et indiquez leur temps.

Je me rappelle, en cet instant, le grand écolier paysan, nu-tête, car il avait soigneusement posé sa casquette sur ses autres habits. Il avait repris sa marche à travers la chambre lorsqu'il se mit à déboutonner cette pièce mystérieuse d'un costume qui n'était pas le sien. Dès qu'il l'eut touché, sortant brusquement de sa rêverie, il tourna la tête vers moi et me regarda d'un œil inquiet. « Oh ! dis-moi ce que c'est », fis-je, enhardi, à voix basse.

D'après **Alain-Fournier**, *Le Grand Meaulnes*, 1913.

6 Recopiez le texte suivant en faisant les accords manquants aux adjectifs et aux participes passés employés comme adjectifs.

Ils devenaient inquiet, car ils voyaient à présent que la maison pouvait être caché à peu près n'importe où entre eux et les montagnes. Ils tombaient sur des vallées inattendu, étroite et escarpé. Il y avait de petite crevasses qu'ils pouvaient presque franchir d'un bond, mais qui étaient très profonde et contenaient des cascades. La région qui s'étendait du gué à la montagne était certes beaucoup plus étendu qu'on ne l'aurait cru.

D'après **J.R.R. Tolkien**, *Bilbo le Hobbit*, 1937, traduit de l'anglais par Francis Ledoux, Stock, 1969.

7 Conjuguez les verbes entre parenthèses au plus-que-parfait.

1. Les fortes pluies qui (*tomber*) sur le pays, violentes et répétées, (*dévaster*) les récoltes. – **2.** Le pilote, sur les conseils de la tour de contrôle, (*diriger*) l'appareil vers le nord. – **3.** Je (*remarquer*) bien que vous (*deviner*) quelque chose. – **4.** Au pied de mon lit (*se dresser*) soudain deux étranges silhouettes.

8 Complétez par -é ou -er.

1. Il avait trembl... à l'idée de rest... seul dans un endroit pareil. – **2.** Avez-vous bien tous pens... à complét... votre questionnaire ? – **3.** Tu peux y arriv... sans trich... . – **4.** Ils avaient pass... un long moment à ramass... des mûres, ils en avaient généreusement donn... à tous les voisins. – **5.** Pour m'aid..., aurais-tu hésit... à risqu... ta vie ?

pensai... de même, mais tous, devant la colère que montrai... les chefs, se taisai... . – **3.** On revendai... dans cette boutique les fruits que personne n'avai... achetés au marché. – **4.** Chacun, dans ce véritable pays des Merveilles, s'amusai... à sa façon : certains ne faisai... rien.

10 **Écriture** Développez les actions suivantes en transformant la phrase simple en phrase complexe. Attention à la ponctuation. *Exemple* : *Martine attend à la fenêtre.* → *Martine attend à la fenêtre, soupire, écarte le rideau, soupire encore, se lève, fait les cent pas.*

1. Édouard se faufile dans la pièce. – **2.** Antoinette se leva brusquement. – **3.** Le soldat s'élança hors de la tranchée.

11 Conjuguez les verbes au temps indiqué entre parenthèses.

1. Quand ils (*repérer – passé antérieur*) les lieux, les trois hommes (*élaborer – passé simple*) leur plan. – **2.** Nous (*se tromper – plus-que-parfait*) de chemin. – **3.** Il (*faire – futur antérieur*) certainement demi-tour. – **4.** Je (*décider – passé simple*) alors de passer à l'attaque. – **5.** À présent, je (*comprendre – présent*) ce que tu (*vouloir – passé composé*) dire. – **6.** Nous (*gagner – imparfait*) à chaque fois.

12 **a.** Dans les phrases suivantes, relevez les participes passés et précisez s'ils sont employés comme partie d'un verbe conjugué ou comme adjectif. S'ils sont employés comme adjectif, précisez quel mot ils qualifient. S'ils sont employés comme partie d'un verbe conjugué, relevez l'auxiliaire.

> **Maîtriser l'écrit ★★★**

14 Conjuguez le verbe entre parenthèses au temps qui convient. Précisez le temps employé.

1. Lorsque tout le monde (*terminé*) de manger, le doyen demanda le silence. – **2.** Nous serons peut-être vaincus, mais au moins, nous (*essayer*) de nous défendre. – **3.** Raphaël rapporta à la boutique le parchemin qu'il (*acheter*) la veille. – **4.** Seuls les témoins directs peuvent nous raconter ce qui (*se passer*) hier. – **5.** Harold était très embarrassé d'apprendre que ses propos (*blesser*) Émilie.

15 Recopiez les phrases, soulignez le sujet des verbes à compléter et mettez la terminaison qui convient.

1. Tous, regroupés dans le superbe salon de Mme Dalaury, attendai... avec anxiété la suite des événements. – **2.** Les mets et les bouteilles qu'apporte... chacun s'accumule... sur la table fleurie. – **3.** On racontai... beaucoup de choses sur le comte, mais bien peu, parmi tous les bavards, savai... la vérité. – **4.** Sur la barque échouée s'étai... entass... des grappes entières d'enfants.

16 **a.** Recopiez le texte en mettant aux verbes la terminaison en [é] qui convient.

b. **Dictée** Deux par deux, dictez-vous ces phrases. Attention à l'écriture des verbes.

1. Zoé a beaucoup maigri, elle est très affaiblie. – **2.** Lorsqu'il eut dévoré tout le rôti, le chat, rassasié, alla se coucher sur le linge fraîchement repassé. – **3.** Les marins qui avaient veillé toute la nuit, courbés sur les rames, luttaient toujours contre la tempête. – **4.** Les enfants, peu rassurés, s'étaient instinctivement rapprochés de leur mère. – **5.** Les fillettes ravies tournaient leurs yeux éblouis vers la pièce richement décorée.

13 Donnez la nature des mots en gras.

> **Elle** était assise, au milieu du **banc**, toute seule ; ou du moins il ne distingua **personne**, dans l'**éblouissement** que lui envoyèrent **ses** yeux. En même temps qu'il **passait**, elle leva **la** tête ; il **fléchit** involontairement les épaules ; et, quand il se fut mis plus loin, du même côté, il **la** regarda. Elle avait un **large** chapeau de **paille**, avec des rubans roses **qui** palpitaient **au** vent derrière elle. Ses bandeaux **noirs** descendaient très bas et **semblaient** presser amoureusement l'**ovale** de sa figure.
>
> D'après **Gustave Flaubert**, *L'Éducation sentimentale*, 1869.

b. **Dictée** Préparez ce texte pour la dictée.

> Pour le pilote, cette nuit ét... sans rivage puisqu'elle ne conduis... ni vers un port (ils sembl... tous inaccessibles), ni vers l'aube : l'essence manquer... dans une heure quarante. Puisque l'on ser... oblig..., tôt ou tard, de coul... en aveugle, dans cette épaisseur.
>
> S'il avait pu gagn... le jour…
>
> Fabien pens... à l'aube comme à une plage de sable dor... où l'on se ser... échou... après cette nuit dure. Sous l'avion menac... ser... n... le rivage des plaines. La terre tranquille aur... port... ses fermes endormies et ses troupeaux et ses collines. Toutes les épaves qui roul... dans l'ombre ser... devenues inoffensives. S'il pouv..., comme il nager... vers le jour !
>
> Il pensa qu'il ét... cern... . Tout se résoudr..., bien ou mal, dans cette épaisseur.
>
> D'après **A. de Saint-Exupéry**, *Vol de nuit*, 1930 © Gallimard..

17 **Jeu** Quels sont les différents sens possibles de ces phrases ? Donnez alors la nature des mots.

1. Nous sommes partis sans le conseiller. – **2.** Le petit garde le parcours. / Le petit garde le parcourt. – **3.** La nouvelle élève le lit.

Les mots invariables

Leçon

Rappel : Les mots invariables sont ceux dont l'orthographe ne varie jamais. Ils se répartissent en trois principales classes.

1 **La préposition** permet d'introduire un complément du verbe, de l'adjectif ou du nom. Elle est donc toujours suivie d'un mot ou d'un groupe de mots : *un fils de fermier ; il allait à pied ; grand pour un adolescent.* Les principales prépositions sont : *à, dans, par, pour, en, vers, avec, de, sans, sous.* Il existe aussi des prépositions composées : *à cause de, grâce à, afin de...*

Remarque : On appelle **groupe prépositionnel** tout groupe de mots introduit par une préposition. Un groupe prépositionnel complète toujours un autre mot de la phrase.

2 **L'adverbe** modifie le sens d'un verbe, d'un adjectif, d'un autre adverbe ou d'une phrase. Les adverbes peuvent exprimer :

– la **manière** : ce sont tous les **adverbes** en -ment (*sérieusement, violemment...*) mais aussi *bien, mal, vite...* ;

– le **degré** : *très, peu, assez, trop, plus, moins, aussi, beaucoup...* ;

– le **lieu** (*ici, là-bas, loin...*) ou le **temps** (*hier, toujours, d'abord, puis, enfin...*) ;

– la **négation** (*ne... pas, ne... plus, ne... jamais*) ou l'**affirmation** (*oui, assurément*) ;

– le **doute** ou la **certitude** : *peut-être, sans doute, sûrement, certainement...*

3 **La conjonction** sert à joindre, à relier deux éléments de la phrase :

■ **Les conjonctions de subordination** introduisent une proposition subordonnée. Ce sont : *que, quand, comme, si,* et les locutions en *que : puisque, parce que, lorsque, afin que, si bien que...*

  *Je sortirai [**quand** il ne pleuvra plus]. – Je veux [**que** tu écoutes].*

■ **Les conjonctions de coordination** relient deux mots ou groupes de nature équivalente. Ce sont : *mais, ou, et, donc, or, ni, car.*

  *Il avait l'œil [ouvert] **et** [intelligent]. – [Il se leva] **et** [prit la parole] **mais** [ne dit rien].*

Exercices

1 ★ **Relevez les groupes prépositionnels introduits par les prépositions en gras.**

1. Il sortit ses affaires **de** la valise et les rangea **dans** l'armoire.

2. Prends encore une part **de** gâteau, je l'ai fait **pour** toi.

3. Arthur mange toujours sa salade **sans** vinaigrette mais **avec** un jus **de** citron.

4. Brusquement, **à** un coude du chemin, les feux reparurent près de lui. (ZOLA)

5. Un sot est un imbécile dont on voit l'orgueil **à** travers les trous **de** son intelligence. (HUGO)

2 ★ Oral **Relevez les adverbes et précisez s'ils expriment la manière, le temps ou le degré.**

La traversée s'annonçait fort belle. On détacha vivement les amarres et, aussitôt, un frémissement secoua le corps entier du navire. Les roues tournèrent d'abord quelques secondes, s'arrêtèrent, repartirent doucement, puis elles se mirent tout de suite à battre la mer avec rapidité. Nous filions lentement le long de la jetée couverte de monde.

D'après **GUY DE MAUPASSANT**,
Monsieur Parent et autres histoires courtes, 1886.

3 ★ Orthographe **À partir des adjectifs suivants, formez des adverbes et employez chacun d'eux dans une phrase qui mettra son sens en valeur.**

Rappel : Les adjectifs en *-ent* et *-ant* donnent des adverbes en *-emment* et *-amment*.

adroit – doux – constant – imprudent – ample – certain – innocent

4 ★ **Remplacez les expressions en italique par des adverbes de même sens.**

1. Riquet pénétra *avec courage* dans la maison.
2. L'enfant les regarda *avec effronterie*.
3. Il jeta *avec rage* son livre par terre.
4. Vous devez toujours faire vos devoirs *avec soin*.

5 ★★ **Les mots en gras sont-ils des adverbes ou des prépositions ? S'il s'agit d'une préposition, délimitez le groupe prépositionnel qu'elle introduit.**

1. Il est caché **derrière** la grange. – 2. Je vous en prie, passez **devant**. – 3. Nous en reparlerons **après** les vacances. – 4. C'est tout **près**. – 5. Jeanne s'assit **près de** Louise.

6 ★ Orthographe **Complétez par -é ou -er.**

1. La machine à lav... est en panne et je n'ai personne pour la répar... . – 2. Raphaël a mang... toutes les prunes sans demand... la permission. – 3. Il a regard... tout autour de lui afin de vérifi... qu'il ne rêvait pas. – 4. Épuis... par sa longue journée, il a demand... à all... se couch... .

7 ★★ **Mettez les groupes prépositionnels entre crochets et soulignez les mots qu'ils complètent. Précisez la nature de ce mot. N'oubliez pas les prépositions contractées avec un article.**

1. À ton âge, j'étais surtout désireux de m'instruire. (GIDE)
2. C'était en hiver, un mois de décembre très froid. (HUGO)
3. Tout près du lac filtre une source, entre deux pierres, dans un coin. (GAUTIER)
4. Un port est un séjour charmant pour une âme fatiguée des luttes de la vie. (BAUDELAIRE)
5. Fabrice était un de ces malheureux tourmentés par leur imagination. (STENDHAL)

8 ★★ **En utilisant une préposition, ajoutez un complément aux mots suivants.**

une boîte ... – parler ... – travailler ... – un panier ... – facile ... – une machine ... – partir ... – utile ... – grand ...

9 ★★ Oral **Relevez les conjonctions en précisant si ce sont des conjonctions de coordination ou de subordination.**

1. Lorsque le temps le permet, je sors me promener, mais je rentre à la maison dès que la nuit tombe.
2. Les petites étaient ennuyées de savoir que le loup avait froid et qu'il avait mal à une patte. La plus blonde murmura quelque chose à l'oreille de sa sœur, en clignant de l'œil du côté du loup, pour lui faire entendre qu'elle était de son côté, avec lui. Delphine demeura pensive, car elle ne décidait rien à la légère. (MARCEL AYMÉ, « Le loup », *Les Contes du chat perché*, 1934-1946.)

10 ★★ **Entourez les conjonctions de coordination et mettez entre crochets les mots ou groupes de mots qu'elles coordonnent.**

1. Il affirme qu'il ne possède aucun stylo ni aucun cahier. – 2. Quand on aime son métier, le travail est plus agréable et demande moins d'efforts. – 3. Cet enfant n'est ni beau ni laid. – 4. Astride doit se préparer car elle a rendez-vous chez le médecin. – 5. Armelle et Benjamin m'ont promis qu'ils viendraient mais qu'ils ne resteraient que deux jours.

11 ★ Orthographe **Choisissez la bonne orthographe.**

1. Amélie (*es / est / et*) partie (*a / as / à*) Londres avec son père (*es / est / et*) sa tante. – 2. Il n'(*a / as / à*) jamais voulu me dire (*a / as / à*) qui appartenait cette boucle d'oreille. – 3. Préfères-tu du thé (*ou / où*) du café ? – 4. La maison (*ou / où*) j'ai grandi (*es / est / et*) encore plus belle que (*dans / d'en*) mes souvenirs. – 5. Tu (*a / as / à*) déjà mangé trois bonbons, je t'interdis (*dans / d'en*) reprendre !

12 ★★★ **Reliez les phrases suivantes en utilisant une conjonction de coordination puis une conjonction de subordination. Attention : vous ne devez pas utiliser deux fois la même conjonction !**

1. Les élèves poussent un cri de joie. Le contrôle est reporté. – 2. Nous ne pourrons jamais manger tous ces haricots. Nous allons en faire des conserves. – 3. Il est tard. Marc n'a pas sommeil. – 4. Stéphane voit que nous sommes prêts. Il commence son histoire.

13 ★★★ **Complétez les phrases suivantes selon les indications entre parenthèses.**

1. Il faut ... si tu veux réussir. (*proposition subordonnée conjonctive*) – 2. Loïse était une enfant ... grande pour son âge. (*adverbe*) – 3. Le vase ... ferait très bien dans notre salon. (*groupe prépositionnel*) – 4. Je n'ai ... l'envie ... le temps de faire tous ces travaux. (*conjonctions de coordination*)

14 ★★★ Écriture **Inventez des phrases comportant :**

1. deux propositions coordonnées par *mais* ;
2. une proposition subordonnée introduite par *puisque* ;
3. deux propositions coordonnées par *or*.

15 ★★★ **Indiquez la nature des mots en gras.**

Aujourd'hui, en ce plein août, **parce que** la chaleur **les** accable, ils s'étendent **et** s'endorment paisiblement **au** bord d'un **épais** taillis, **face à** une clairière **où** les chênes, les bouleaux et **les** sapins vivent en bon **voisinage**. Ils l'aiment **cette** clairière **dont** tous les arbres **leur** sont familiers. Il **n'**en est **pas** un sur lequel **ils** n'aient grimpé autrefois. **Peut-être**, dans **leur** léger sommeil, rêvent-ils qu'ils **sont** redevenus enfants et **qu'**ils jouent **à** cache-cache **dans** les plus **hautes** branches.

MARGUERITE AUDOUX, *Douce lumière*, 1937.

Les difficultés du présent de l'indicatif

Rappel : La conjugaison du présent de l'indicatif est :

1er groupe : -er	2e groupe : -ir	3e groupe : -dre	3e groupe : tous les autres verbes + verbes en -indre et -soudre
je danse	je finis	je prends	je cours
tu danses	tu finis	tu prends	tu cours
il, elle danse	il, elle finit	il, elle prend	il, elle court
nous dansons	nous finissons	nous prenons	nous courons
vous dansez	vous finissez	vous prenez	vous courez
ils, elles dansent	ils, elles finissent	ils, elles prennent	ils, elles courent

1 Difficultés liées aux terminaisons

■ Certains verbes comme *vaincre, battre, mettre, vêtir,* etc., n'ont **pas de terminaison à la 3e personne du singulier** : *je vaincs, elle vainc ; je mets, il met.*

■ Les verbes *pouvoir, vouloir* et *valoir* ont des **terminaisons en -x aux 1re et 2e personnes du singulier** : *je veux – tu peux.*

■ Sept verbes en **-ir** se conjuguent **comme les verbes du 1er groupe** : *assaillir, couvrir* (et ses composés), *cueillir, offrir, ouvrir, souffrir, tressaillir* : *je cueille ; tu offres ; il ouvre.*

■ Pour les verbes du 1er groupe, attention à ne pas oublier le *-e* aux trois personnes du singulier :
je crie – tu joues – elle crée mais je finis – tu résous – il remet.

2 Difficultés liées au radical

■ Pour **certains verbes du 1er groupe, le radical se modifie au singulier et à la 3e personne du pluriel.**

– Quelques verbes (*lever, céder...*) prennent un **accent grave** : *je lève, nous levons.*

– Quelques verbes en **-eler** et **-eter** (*appeler, jeter* et leurs composés) **doublent la consonne** :
je jette, nous jetons, ils jettent.

– Les verbes en **-uyer** et **-oyer** ainsi que la plupart des verbes en **-ayer** changent le **y** en **i** :
tu ennuies, nous ennuyons, ils ennuient.

■ Les verbes en **-tir perdent le -t- du radical** aux 1re et 2e personnes du singulier :
sortir → je sors – partir → tu pars.

■ **Les verbes en -indre et -soudre perdent le -d- du radical** au singulier et ont un radical différent au pluriel : *résoudre → je résous, nous résolvons – peindre → elle peint, ils peignent.*

1 ★ **a.** **Oral** Donnez l'infinitif des verbes suivants, précisez la personne et le temps de l'indicatif auxquels ils sont conjugués. Attention à bien donner toutes les possibilités.

b. Conjuguez à la personne du pluriel ou du singulier correspondante.

sert – dites – reçois – vécus – serrai – éteignons – lis – lie – se mirent – éteignions – serre – vit – voit – lut – grandit – servit

2 ★ **Conjuguez au présent de l'indicatif à la 3e personne du singulier et à la 1re du pluriel.**

1. feuilleter un livre – **2.** essayer à nouveau – **3.** partir rapidement – **4.** recevoir un ami – **5.** balayer sa chambre – **6.** copier beaucoup

3 ★ **Recopiez les phrases en conjuguant les verbes entre parenthèses au présent de l'indicatif.**

1. Le temps (*suspendre*) son vol. – **2.** J'(*écrire*) à mon cousin. – **3.** Je (*se tordre*) de rire. – **4.** Vous (*saisir*) cette chance. – **5.** La voiture (*ralentir*) avant le dos-d'âne. – **6.** L'eau (*dissoudre*) le sel. – **7.** Ils (*éteindre*) la lumière. – **8.** Tu t'(*instruire*) sans difficultés. – **9.** Vous (*se plaindre*) sans raison.

4 ★ **Conjuguez les verbes entre parenthèses au présent de l'indicatif.**

Je (*distinguer*) alors, à peu de distance sous les arbres, la silhouette à demi écroulée, et (*s'apercevoir*) avec un dépit qui m'(*ôter*) toute envie de sortir de ma cachette, qu'un filet de fumée (*s'échapper*) des ruines. Pendant que je (*réfléchir*) au moyen de tourner cet obstacle imprévu, j'(*entendre*) soudain derrière moi le hennissement malencontreux de mon cheval se répercuter à travers bois ; et presque aussitôt la silhouette d'un homme, le fusil à la main, (*se détacher*) de la maisonnette.

D'après **Julien Gracq**, *Le Rivage des Syrtes*, 1951, José Corti.

5 ★★ **Récrivez les phrases en transposant les verbes à la personne indiquée entre parenthèses.**

1. Il prend une décision à la hâte. (*1re pers. du sing.*)
2. Je vous préviens à temps. (*1re pers. du plur.*)
3. Nous envoyons régulièrement des lettres. (*3e pers. du sing.*)
4. Nous parions qu'il sera présent malgré le mauvais temps. (*2e pers. du sing.*)
5. Tu résous le problème sans difficultés. (*3e pers. du sing.*)
6. Je crains de ne pouvoir vous répondre. (*1re pers. du plur.*)
7. Elles feignent de ne pas nous entendre. (*3e pers. du sing.*)
8. Je fais peur à mes amis. (*2e pers. du plur.*)
9. J'exige des explications. (*1re pers. du plur.*)

6 ★★ **Complétez par la terminaison qui convient.**

1. Tu envoi... la balle et tu la voi... retomber. – **2.** Il écri... une lettre ; tu cri... très fort. – **3.** Tu appel... ton chien, nous appel... notre chat. – **4.** Nous nag... pendant que vous navig... . – **5.** Ils pren... leurs affaires de piscine si tu pren... les tiennes.

7 ★★ **Conjuguez les verbes entre parenthèses au présent de l'indicatif.**

1. En l'instant où j'(*écrire*), je me (*dire*) que la Seine (*monter*), et que, avant que j'achève cette phrase, l'eau, dans toute l'étendue de Paris, aura peut-être crû d'un demi-pouce. (Romains) – **2.** De blancs flocons de neige (*commencer*) à voltiger et à tourbillonner. Bientôt ils (*devenir*) plus nombreux, plus pressés ; une légère couche de blancheur (*s'étendre*) sur le sol. (Gautier) – **3.** On (*être*) à la queue leu leu, les mains sur les épaules de celui qui (*précéder*), la nuque chauffée par le souffle de celui qui vous (*suivre*). (Richepin) – **4.** Pendant que j'(*écrire*) au coin du feu, dans la maison isolée, la lune (*se lever*), toute rouge. (France) **5.** Du sommet du mont Dol, on (*apercevoir*) la mer et les vastes marais. (Chateaubriand)

8 ★★ **a. Transposez ce texte au présent de l'indicatif.**

b. Réécriture **Le texte ainsi modifié, remplacez *je* par *nous*.**

En ouvrant la porte, j'entendis un certain retentissement que je crus ressembler à des voix, et qui commença d'ébranler ma fermeté romaine[1]. La porte ouverte, je voulus entrer ; mais à peine eus-je fait quelques pas, que je m'arrêtai. En apercevant l'obscurité profonde qui régnait dans ce vaste lieu, je fus saisi d'une terreur qui me fit dresser les cheveux…

[1]. Les Romains étaient connus pour leur « fermeté », c'est-à-dire leur assurance, leur courage.

D'après **Jean-Jacques Rousseau**, *Émile ou De l'éducation*, 1762.

9 ★★ **a. Conjuguez au présent les verbes.**
b. Dictée **Préparez ce texte pour la dictée.**

L'examen écrit ayant lieu demain, mademoiselle Sergent nous (*enjoindre*) de monter dans nos chambres et d'y repasser une dernière fois ce que nous (*savoir*) le moins. Elle (*ajouter*) : « Si vous (*être*) sages, ce soir, vous descendrez avec moi, après dîner, et nous ferons des roses avec madame Cherbay et ses filles. » Toutes mes camarades (*exulter*). Pas moi ! Je ne (*ressentir*) aucune ivresse à l'idée de confectionner des roses en papier dans une cour d'hôtel. Je le (*laisser*) voir probablement, car la Rousse (*reprendre*), tout de suite excitée :
– Je ne (*force*) personne, bien entendu ; si mademoiselle Claudine ne (*croire*) pas devoir se joindre à nous…
– C'est vrai, Mademoiselle, je (*préférer*) rester dans ma chambre, je (*craindre*) vraiment d'être inutile !
– Restez-y, nous nous passerons de vous. Mais je me verrai forcée, dans ce cas, de prendre avec moi la clef de votre chambre ; je (*être*) responsable de vous.

D'après **Colette**, *Claudine à l'école*, 1900.

10 ★★ Écriture **Racontez un souvenir d'enfance qui vous a particulièrement marqué(e). Vous utiliserez le présent de narration. Votre texte devra comporter cinq des verbes suivants conjugués au présent :** *fatiguer – reprendre – sortir – lancer – rudoyer – valoir – atteindre – loger.*

COD, COI, attribut du sujet

Observer

Marie dort. – Marie a invité. – Marie est. – Tu te moques. – Je deviendrai. – Il a éternué. – Te souviens-tu ? – Jean a grandi. – Jean paraissait. – Jean a mis.

1. Lesquelles de ces phrases sont incomplètes ?

2. Corrigez-les en les complétant.

3. Dans quels cas ce que vous avez ajouté désigne-t-il la même chose que le sujet, ou une précision qui concerne le sujet ? Soulignez ces ajouts en rouge. Dans quels cas ce que vous avez ajouté désigne-t-il un objet différent du sujet ? Soulignez ces ajouts en bleu.

Leçon

1 Verbes transitifs, COD et COI

■ **Un verbe transitif est un verbe qui peut avoir un complément d'objet.** On le reconnaît parce qu'on peut ajouter le mot « quelque chose » après le verbe : *aimer quelque chose, prendre quelque chose, penser à quelque chose...* **Le complément d'objet, c'est cette chose.**

> *Luc découvrit au fond du nid un œuf d'or.* On dit « découvrir quelque chose », c'est un verbe transitif. Cette chose, c'est l'œuf d'or : « œuf d'or » est le complément d'objet de *découvrir.*

■ Si le complément d'objet se construit directement après le verbe (*manger quelque chose, vouloir quelque chose*), c'est un **complément d'objet direct** (COD).

■ S'il se construit à l'aide d'une préposition (*penser **à** quelque chose, se souvenir **de** quelque chose*), c'est un **complément d'objet indirect** (COI).

Remarque : Certains verbes se construisent avec un COD et un COI ou deux COI : *donner quelque chose à quelqu'un, obliger quelqu'un à quelque chose ; parler de quelque chose à quelqu'un.*

■ Pour trouver le complément d'objet d'un verbe, on pose la question : sujet + verbe + « (à / de) quoi » ?

Cherchez toujours le sujet du verbe avant ses compléments.

2 Verbes intransitifs et attribut du sujet

■ **Certains verbes n'ont jamais de complément d'objet. Ce sont les verbes intransitifs :** *dormir ~~quelque chose~~, éternuer ~~quelque chose~~, marcher ~~quelque chose~~.*

N.B. Les verbes d'état (*être, paraître, sembler, rester, demeurer, devenir...*) sont tous intransitifs.

Avec certains verbes intransitifs, on peut trouver **un groupe qui dépend du verbe et qui apporte une information sur le sujet : l'attribut du sujet.**

> *Julie est ma sœur.*   *Julie semble malade.*
>   =   =

N.B. Quand l'attribut du sujet est un adjectif ou un GN, il s'accorde avec le sujet. *Ils sont beaux.*

■ **Ne confondez pas COD et attribut du sujet.** Tous deux complètent le verbe et répondent à la question : sujet + verbe + « quoi » ?

Le COD complète un verbe transitif et désigne un objet différent du sujet.

> *Julie aime beaucoup sa sœur.*

L'attribut du sujet complète un verbe intransitif et apporte une information sur le sujet.

> *Julie est sa sœur.*

1 ★ Complétez les phrases suivantes par des attributs du sujet.

1. Je suis ... . – **2.** Il semble ... . – **3.** Il est arrivé ... . – **4.** Reste ... . – **5.** Nous demeurons ... . – **6.** Axel a été élu ... .

2 ★ Classez les verbes suivants en deux colonnes : verbes transitifs et verbes intransitifs. Soulignez les verbes d'état.

sembler – apparaître – prendre – plier – bouillir – être – acheter – lire – finir – rester – demander – soulever – dormir – partir – posséder – paraître

3 a.★ Dans les phrases suivantes, relevez les sujets et les attributs du sujet en les reliant par le signe « égal ». *Marie est fâchée. Marie = fâchée.*

b.★★ Précisez la nature des attributs que vous avez relevés.

1. Mouret était devenu un homme riche. – **2.** L'enfant fut une semaine alité. – **3.** Jeanne resta, malgré la naissance d'autres enfants, inconsolable. – **4.** Ce garçon semble très bien. – **5.** Si j'étais vous, je ferais attention. – **6.** Le problème est que personne n'a compris cela. – **7.** Les spéléologues sont restés trois jours prisonniers de la terre avant d'être secourus. – **8.** J'étais doux ; mon cousin l'était. (Rousseau).

4 ★ Dites si les groupes en gras sont des sujets ou des COD.

1. Dans la cour se dressait **un marronnier centenaire**. – **2.** Les formes que dessinaient **les nuages** amusaient **les enfants**. – **3.** À la nuit tombée, le pêcheur, assis en silence dans sa barque, surveillait **les trafiquants**. – **4.** Les roches noires, que prenaient d'assaut **les meilleurs nageurs**, **nous** fascinaient.

5 ★★ Relevez les compléments d'objet des verbes en gras et précisez si ce sont des COD ou des COI.

1. Loïc **pensait** à la bêtise qu'il avait faite et **redoutait** la réaction de ses parents. – **2.** Frédéric **s'empara** de la clé et la **lança** à son ami. – **3.** Julien lui **promit** qu'il ne la **quitterait** jamais. – **4.** À son fils cadet, le comte ne **laissa** que son chat. – **5.** Fantine **conduisit** Cosette chez les aubergistes et la leur **confia** en pleurant.

6 ★★ Dites si les mots en gras sont des COD ou des attributs du sujet. Justifiez votre réponse.

1. Dominique a invité **une actrice célèbre**. – **2.** Dominique est devenue **une actrice célèbre**. – **3.** Cet élève semble **digne de confiance**. – **4.** Cet élève a **toute ma confiance**. – **5.** L'arbitre félicite **le vainqueur**. – **6.** Carlos Ferrero a été trois fois **vainqueur de la coupe Davis**. – **7.** Hoffmann est considéré comme **un des fondateurs de la littérature fantastique**.

7 a.★★★ Précisez la construction (verbe transitif direct, transitif indirect ou intransitif) des verbes en gras. Relevez ensuite leur complément d'objet ou l'attribut du sujet et précisez sa fonction exacte.
Exemple : aurait rêvé : v. tr. dir., COD : une fortune si haute.

b. ★★ Donnez la fonction des mots soulignés.

Il n'**aurait** jamais **rêvé** une fortune si haute ! Fils d'un huissier de province, Jean Marin, comme tant d'autres, **avait fait** son droit au Quartier latin. Dans les différentes brasseries qu'il avait successivement fréquentées, il **était devenu** l'ami de plusieurs étudiants. Puis il **se fit** avocat et **plaida** des causes qu'il perdit. Or, voilà qu'un matin, il **apprit** dans les feuilles qu'un de ses anciens camarades du quartier avait été élu <u>député</u>. Le député **devint** ministre ; six mois après Jean Marin était nommé <u>conseiller d'État</u>.

D'après **Guy de Maupassant**, « Le protecteur », 1884.

8 ★★ Donnez la fonction des mots ou groupes de mots en gras.

1. À l'est parut **une lueur**. – **2.** Elle parut **bouleversée**. – **3.** Les hommes cultivaient les **champs**, les femmes restaient **à la maison**. – **4.** Il **l'**avait aimée au premier regard, il lui resta **fidèle** toute sa vie. – **5.** Malgré toutes les tentatives de leurs amis, les fiancés demeuraient **fâchés**. – **6.** Ici demeura **Honoré de Balzac**. – **7.** Elle demeurait **rue Gît-le-Cœur**. – **8.** Enfin, Nana parut **sur scène**. – **9.** Elle paraissait toujours aussi **jeune**. – **10.** C'est entre ces murs mêmes qu'a été jugée **Marie-Antoinette**. – **11.** Il a été jugé **très compétent**. – **12.** Ils sont rentrés **à la maison**. – **13.** Ils ont rentré la **voiture** dans le garage. – **14.** Ils sont rentrés **affolés**.

9 a. ★★★ Donnez la fonction des groupes en gras.

b.★★ Réécriture Recopiez les phrases en mettant le sujet des verbes au pluriel et en faisant les modifications nécessaires.

1. L'enfant était rentré **épuisé** mais avait caché **sa fatigue** à ses parents. – **2.** La promesse du diable, quoique séduisante, était **mensongère**, et causa **son malheur**. – **3.** L'ancien forçat, qui avait développé **la ville**, qui **l'**avait enrichie, était devenu **un homme important**. – **4.** Le jeune homme, qui était resté **muet** jusque-là, déclara **qu'il avait la solution**.

10 ★★★ Complétez les phrases par un groupe de la fonction précisée entre parenthèses.

1. Nous demeurons (*attribut du sujet*). – **2.** Ils demeurent (*CC de lieu*). – **3.** Ils ont filé (*CC manière*). – **4.** La vieille dame filait (*COD*). – **5.** Léon n'est pas arrivé (*CC temps*). – **6.** Je n'arrive pas (*COI*). – **7.** Ce livre a paru (*attribut du sujet*) à Marie. – **8.** Ce livre a paru (*CC temps*). – **9.** Nous nous sommes quittés (*CC manière*). – **10.** Nous nous sommes quittés (*attribut du sujet*).

La voix passive

Observer

En pleine nuit, Gaston fut dérangé par son voisin.

1. Relevez le verbe de cette phrase, donnez son infinitif et précisez quel est son sujet.
2. Quel auxiliaire est employé pour la conjugaison de ce verbe ? Pourquoi ?
3. Qui fait l'action de *déranger* ? Quelle la fonction de ce nom ?

Leçon

1 Voix active, voix passive

■ Le verbe est à la **voix active**, si **le sujet fait l'action exprimée par le verbe** :
*Le professeur **interroge** un élève.*

■ Le verbe est à la **voix passive**, si **le sujet subit l'action exprimée par le verbe** :
*Un élève **est interrogé** par le professeur.*

Le **complément d'agent indique qui fait l'action**, il est introduit par *par* ou *de* :
*Un élève est interrogé **par le professeur**. Je suis déçu **de ton comportement**.*

■ **À la voix passive**, le verbe se conjugue toujours avec l'**auxiliaire être** suivi du participe passé du verbe. C'est le temps de l'auxiliaire qui indique alors le temps du verbe.
Elle est peinte (présent) ; *elle a été peinte* (passé composé) ; *elle était peinte* (imparfait) ; *elle avait été peinte* (plus-que-parfait) ; *elle fut peinte* (passé simple) ; *elle eut été peinte* (passé antérieur) ; *elle sera peinte* (futur simple) ; *elle aura été peinte* (futur antérieur).

Attention : Ne confondez pas *je suis dérangé* (présent passif) et *je suis allé* (passé composé actif).

Remarque : Seuls les **verbes transitifs directs** peuvent être conjugués à la voix passive.

2 La transformation passive

■ **Quand on transpose une phrase active à la voix passive :** le sujet devient le complément d'agent, le COD devient le sujet.

*Léonard de Vinci **a réalisé** ce portrait.*
sujet — COD

*Ce portrait **a été réalisé** par Léonard de Vinci.*
sujet — complément d'agent

■ **Quand on transpose une phrase passive à la voix active :** le complément d'agent devient le sujet, le sujet devient le COD.

*Ce portrait **a été réalisé** par Léonard de Vinci.*
sujet — complément d'agent

*Léonard de Vinci **a réalisé** ce portrait.*
sujet — COD

■ **Le complément d'agent n'est pas toujours exprimé :** pour la transformation à la voix active, on peut alors employer comme sujet le pronom indéfini *on* :
Il fut privé de sortie. → ***On** le priva de sortie.*

1 ★ *Elle fut remarquée* : à quelle voix et à quel temps est conjugué le verbe de cette phrase ? Conjuguez-le aux sept autres temps de l'indicatif.

2 ★ Oral Précisez si le verbe des phrases suivantes est à la voix active ou passive et indiquez le temps auquel il est conjugué.

nous sommes assourdis – nous sommes rentrés – il était parvenu – elle était connue – elle était arrivée – j'aurai été entraîné – je serai descendu – j'ai été vu – tu seras instruit – tu seras déçu – elles furent invitées – elles furent reconnues – nous avions été aperçus – vous aurez été reçus

3 ★ Oral Indiquez si les verbes en gras sont des verbes à la voix passive ou des verbes à la voix active conjugués à un temps composé avec l'auxiliaire *être*. Précisez le temps et le mode du verbe.

1. Je **fus attendri** par sa douleur. – **2.** Après que je **fus parti**, ils fermèrent les volets. – **3.** Le piano **était** enfin **accordé**. – **4.** Le maire **était descendu** par le grand escalier. – **5.** Sa sonate **sera appréciée** des critiques. – **6.** Quand il **sera rentré** des îles, il repartira aussitôt pour l'Afrique. – **7.** Elle ne craint pas d'**être renvoyée** du collège. – **8.** Il se vante d'**être resté** seul dans le donjon hanté. – **9.** Ne **soyez** pas **surpris** par son arrivée.

4 ★★ Classez les phrases suivantes selon que le verbe est à la voix active ou passive. Pour les phrases à la voix passive, précisez quel est le complément d'agent.

1. L'enfant fut réveillé par un bruit régulier. – **2.** L'homme fut frappé de l'extrême maigreur de cet enfant. – **3.** Les nuits furent douces ce printemps-là. – **4.** L'orateur est sans cesse interrompu par des salves d'applaudissements. – **5.** Un vent froid est passé par la fenêtre. – **6.** Ne soyez pas en retard par un temps pareil ! – **7.** Ne soyez pas déçu par votre score. – **8.** Quelle n'a pas été notre surprise de vous voir ici ! – **9.** Ce roman n'a pas encore été traduit en français. – **10.** Il avait été grandement étonné de constater un tel échec. – **11.** Le cours aura été ennuyeux du début jusqu'à la fin.

5 ★★ Conjuguez les verbes des phrases suivantes à la voix passive et au temps indiqué.

1. Le pauvre homme (*anéantir – futur simple*) par la douleur.
2. Vous (*ne pas avertir – plus-que-parfait*) à temps ?
3. Elle (*convaincre – passé composé*) par ces nouvelles méthodes.
4. Le candidat (*appeler – passé simple*) en début d'audition.
5. Nous (*rassurer – imparfait*) de vous savoir entre de bonnes mains.

6. Ils (*prendre – passé simple*) sur le fait par les forces de police.
7. Vous (*contraindre – présent*) d'attendre jusqu'à la fin de la représentation.

6 ★★ Imaginez les sujets et les compléments d'agent des phrases suivantes.

1. ... fut étonnée ... .
2. ... serez aussitôt repérés ... .
3. ... auront été trahis ... .
4. Ce jour-là, ... avait été aperçue rue de Nice ... .
5. ... a été créée au siècle dernier ... .

7 ★★★ À l'oral, précisez le verbe, le sujet et le COD de chaque phrase. Ensuite, à l'écrit, transposez ces phrases à la voix passive en respectant le temps du verbe.

1. Des avions survolaient constamment la zone interdite.
2. D'étranges bruits emplirent l'air.
3. Le directeur nous avait appelés.
4. Une immense terreur l'avait saisi à ce moment-là.
5. Quelques villageois rénoveront le vieux moulin.
6. Cette visite vous a surpris.
7. On évita la catastrophe.
8. Cette décision la satisfaisait.

8 ★★★ À l'oral, précisez le verbe, le sujet et le complément d'agent de chaque phrase. Ensuite, à l'écrit, transposez ces phrases à la voix active en respectant le temps du verbe.

1. Un soir après l'école, nous fûmes surpris par un orage.
2. J'aurais été déçu par ce renoncement.
3. L'arbre est déraciné par le vent.
4. Les Carthaginois avaient été réveillés par les cris des Barbares.
5. Le piano sera accordé par notre voisin.
6. Nous aurons été charmés par la qualité du son.
7. Nous sommes attendus pour huit heures.

9 ★★★ **a.** Donnez la fonction des groupes soulignés.
b. Réécriture Récrivez ce texte au présent.
c. Dictée Préparez ce texte pour la dictée.

La vue qu'on avait de ces fenêtres grillées était <u>sublime</u> : un seul petit coin de l'horizon était caché, vers le nord-ouest <u>par le toit en galerie du joli palais du gouverneur</u>, qui n'avait que deux étages ; le rez-de-chaussée était occupé <u>par les bureaux de l'état-major</u> ; et d'abord les yeux de Fabrice furent attirés vers une des fenêtres du second étage, où se trouvait, dans de jolies cages, <u>une grande quantité d'oiseaux de toutes sortes</u>. Fabrice s'amusait à les entendre chanter et à les voir saluer les derniers rayons du crépuscule du soir, <u>tandis que les geôliers s'agitaient autour de lui</u>.

STENDHAL, *La Chartreuse de Parme*, 1839.

Observer

Ma cousine est repartie hier matin. C'est mon oncle qui l'a conduite à la gare. Il est venu la chercher à neuf heures dans une voiture resplendissante qu'il avait empruntée à l'un de ses amis, une voiture astiquée comme un sou neuf.

1. Relevez les verbes de ces phrases et précisez les temps auxquels ils sont conjugués. Expliquez la terminaison des participes passés.

2. Relevez un participe passé qui joue le rôle d'adjectif. Quel nom qualifie-t-il ?

Leçon

1 **Le participe passé** s'emploie pour la conjugaison des temps composés et la formation de la voix passive.

■ **Le participe passé employé avec l'auxiliaire *être*** s'accorde en genre et en nombre avec le sujet.

*Ma cousine est **repartie** hier matin.*

■ **Le participe passé employé avec l'auxiliaire *avoir*** ne s'accorde jamais avec le sujet, mais s'accorde avec le COD si celui-ci est placé devant le verbe.

*Il a trouvé la rue qu'on lui avait **indiquée**.*

2 **Le participe passé** peut avoir une valeur d'adjectif : il s'emploie alors sans auxiliaire et s'accorde comme un adjectif.

*Il est arrivé avec une voiture **astiquée** comme un sou neuf.*

Attention : Le participe passé *fait* suivi d'un infinitif est invariable.

*Ces lettres, je vous les ai **fait** remettre hier.*

Pour les verbes du 1ᵉʳ groupe, il faut veiller à ne pas confondre participe passé et verbe à l'infinitif : *arrivé(e)(s) / arriver*.

Dans une phrase, **le verbe est à l'infinitif** :

– **lorsqu'il suit une préposition** (*à, dans, par, pour, en, vers, avec, de, sans, sous…*) :

*Elle se pencha **pour** contempler la vitrine.*

– **lorsque deux verbes se suivent :**

*Elle **pouvait** contempler la vitrine à son aise.*

Exercices

1 ★ **Indiquez le participe passé (au masculin singulier) des verbes suivants.**

étonner – être – avoir – connaître – acquérir – vaincre – naître – mourir – mettre – grandir – écrire – craindre – résoudre – devoir – offrir

2 ★★ Oral **Justifiez l'accord des participes passés en gras, en énonçant précisément la règle.**

1. Quelle journée j'ai **eue** ! – 2. Elles ont **récupéré** de vieilles robes qu'elles ont **remises** au goût du jour. – 3. Il a **réparé** l'horloge que l'antiquaire lui avait **donnée**. – 4. Les haines qu'a **semées** partout la guerre n'ont pas **germé** chez nous. – 5. Les voisins nous ont **aidés** comme tous les ans, et leurs nièces, **venues** de Paris, ont aussi **donné** un coup de main. – 6. **Émue** par tant de lumière, elle demeura **interdite** devant la vitrine.

3 ★★ **Pour les verbes du 1ᵉʳ groupe, ne confondez pas le participe et le verbe à l'infinitif : complétez les phrases en choisissant la bonne terminaison.**

1. L'autre jour, vous n'avez pas hésit... à fil... en douce et vous nous avez lâchement abandonn... , alors que nous avions réclam... votre aide. – 2. Même quand la lune sera lev... dans le ciel, je laisserai la chandelle allum... . – 3. Je laisserai mes amis m'appel... pour fix... l'heure du rendez-vous. – 4. Soyez rentr... avant la nuit tomb... . – 5. Épuis... par les veilles innombrables, la servante laissa un vase de faïence tomb... sur le parquet et se fit sermonn... par Madame. – 6. Les six mois que lui avait accord... mon père pour élabor... ce travail étaient expir... et elle désirait plus que tout être relev... de ses fonctions. – 7. Vous retrouv... au milieu de cette foule n'a pas été facile.

4 ★★ **Remplacez les groupes soulignés par un pronom personnel. Faites les accords nécessaires.**

1. Elle aura passé <u>ses vacances</u> à travailler. – 2. Elle aura offert <u>à ses amis</u> tout ce qu'elle avait de meilleur. – 3. Il a longtemps savouré <u>sa vengeance</u>. – 4. Le docteur a demandé <u>à sa patiente</u> de tousser. 5. Je n'ai pas remis <u>la lettre</u> à sa place. – 6. Ce sentier a conduit <u>Jeanne et sa sœur</u> jusqu'au sommet. – 7. Le principal a fait chercher <u>la secrétaire</u> dans son bureau. – 8. N'as-tu pas apprécié <u>cette mise en scène</u> ? – 9. Une mission a été confiée <u>aux enfants</u>. – 10. Ayant mis <u>sa cape</u>, elle sortit. – 11. Nous avons mis <u>des étiquettes</u> sur les pots de confiture. – 12. À la frontière, on avait demandé <u>à la migrante</u> <u>ses papiers</u>.

5 ★★ **Recopiez les phrases, accordez les participes passés et faites une croix sous les mots avec lesquels ils s'accordent.**

1. Des clameurs de jubilation furent (*poussé*) par les badauds. (QUENEAU) – 2. L'action, (*commencé*) deux heures plus tôt, eût été (*fini*) à quatre heures. (HUGO) – 3. L'histoire que tu as (*entendu*) n'est pas un conte de mon invention. (DAUDET) – 4. Un instant après, je les ai (*vu*) descendre précipitamment. – 5. Quoique (*dit*) par plaisanterie, ces paroles firent frémir la vieille dame. (BALZAC) 6. Sa chemise, (*blanchi*) et (*repassé*) au logis, avait été (*filé*) par les plus habiles doigts de la Frise. (BALZAC)

6 ★★ **Réunissez ces deux phrases par le pronom relatif *que* et faites les accords nécessaires.**

1. J'ai croisé une comédienne. J'ai connu cette comédienne dans ma jeunesse. – 2. Vous avez trouvé des champignons. Ces champignons ne sont pas comestibles. – 3. Il a vécu soixante ans. Ces soixante ans ont été ponctués de moments douloureux. – 4. Vous avez apporté des réserves. Ces réserves seront utiles. – 5. Charles ne tarda pas à vendre la maison. Son père lui avait légué cette maison.

7 ★★ **Remplacez l'infinitif entre parenthèses par le participe passé. Faites les accords nécessaires.**

1. La nuit était tout à fait (*tomber*) quand ils eurent (*finir*). (STENDHAL) – 2. La profonde chanson des arbres étaient (*chanter*) par les oiseaux (*naître*) d'hier. (HUGO) – 3. (*Accaparer*) par son cours à la faculté de droit, mon père ne s'occupait guère de moi. (GIDE) – 4. J'ai (*vouloir*) revoir cette région que j'ai (*connaître*) autrefois et dont j'ai (*garder*) le meilleur souvenir. (CAMUS) – 5. L'atmosphère ne s'était pas (*éclaircir*) depuis le matin. Çà et là traînaient, (*abandonner*), ces tiges de bourdaine que les tresseurs de panier n'ont pas (*trouver*) assez droites pour les avoir (*couper*). (CHATEAUBRIAND)

8 ★★★ **Recopiez ce texte en passant des lignes, accordez convenablement les participes passés des verbes entre parenthèses, soulignez les mots avec lesquels ils s'accordent et précisez-en la fonction.**

Les mains de la vieille servante

La poussière des granges, la potasse des lessives et le suint des laines les avaient si bien (*encroûter*), (*érailler*), (*durcir*), qu'elles semblaient sales quoiqu'elles fussent (*rincer*) d'eau claire ; et, à force d'avoir (*servir*), elles restaient (*entrouvrir*) comme pour présenter d'elles-mêmes l'humble témoignage de tant de souffrance (*subir*).

D'après **GUSTAVE FLAUBERT**, *Madame Bovary*, 1856.

9 ★★★ Réécriture **Récrivez cette phrase en remplaçant *je* par *elle*.**

Traité partout d'esprit romanesque, honteux du rôle que je jouais, dégoûté de plus en plus des choses et des hommes, je pris le parti de me retirer dans un faubourg pour y vivre totalement ignoré.

FRANÇOIS-RENÉ DE CHATEAUBRIAND, *René*, 1802.

10 ★★★ Réécriture **Récrivez ce texte au passé composé.**

L'effrayant vieillard se dressa à la fenêtre maniant une énorme échelle. Il la saisit par une extrémité, et, avec l'agilité magistrale d'un athlète, il la fit glisser hors de la croisée, sur le rebord de l'appui extérieur jusqu'au fond du ravin. Radoub, en bas, éperdu, tendit les mains, reçut l'échelle, la serra dans ses bras, et cria : « Vive la République ! »

VICTOR HUGO, *Quatre-vingt-treize*, 1874.

11 ★★★ **Conjuguez les verbes aux temps indiqués et faites les accords nécessaires.**

– La rue de la Michodière, monsieur ?

Quand on la lui (*indiquer – passé antérieur*), la première à droite, tous trois (*revenir – passé simple*) sur leurs pas, en tournant autour du magasin. Mais, comme elle (*entrer – imparfait*) dans la rue, Denise (*attirer – passé simple, passif*) par une vitrine, où (*exposer – imparfait, passif*) des confections[1] pour dames.

1. Vêtements qui ne sont pas faits sur mesure, prêt-à-porter.

D'après **ÉMILE ZOLA**, *Au Bonheur des Dames*, 1883.

Réinvestir
ses connaissances AP

▶ Réviser ★

1 Recopiez les phrases suivantes, entourez en rouge les verbes conjugués, en bleu les conjonctions de coordination et en vert les conjonctions de subordination. Mettez les différentes propositions entre crochets.

1. Il conta ses dernières années, et expliqua qu'il était devenu un pharmacien respecté, si bien que tout le monde s'endormit, puisqu'il était heureux. – **2.** Dès qu'il aperçut la voile du navire, Henri agita la cloche, mais aucun son n'en sortit, aussi comprit-il qu'un danger se préparait. – **3.** Il fallait qu'il eût bien soif, car des enfants le virent encore s'arrêter à la fontaine du marché.

2 Choisissez la forme qui convient.

1. Nous les (*appelerons / appellerons*) demain. – **2.** Vous ne (*comprenez / comprennez*) pas. – **3.** Tom (*repeind / repeint*) la palissade. – **4.** Tu (*ressens / ressents*) d'étranges fourmillements. – **5.** Je (*recouds / recous*) ton bouton. – **6.** Œdipe (*résoud / résout*) l'énigme et (*vainc / vainct*) le Sphinx. – **7.** Il (*se tord / se tort*) le cou. – **8.** Elle ne (*craind / craint*) rien. – **9.** Ils ne les (*voies / voient*) pas.

3 Dites si les groupes soulignés sont sujet, COD ou attribut du sujet.

1. Cet enfant semble <u>en bonne forme</u>, il sera vite <u>guéri</u>.
2. Avec les coquillages que lui offrait <u>son ami</u>, elle fabriquait pour les belles dames de l'île <u>toutes sortes de bijoux</u>.
3. Léonor parcourt lentement <u>la lettre</u>, reste un moment <u>pensive</u>, et <u>la</u> jette brusquement dans les flammes.
4. Julie était <u>timide</u>, Marc <u>l'</u>était aussi, et ainsi se passèrent <u>des semaines</u> avant qu'ils n'osent se parler.

4 Dites si les verbes en gras sont à la voix active ou à la voix passive et précisez leur temps.

1. Nous **étions parvenus** au sommet par des voies plus accessibles. – **2.** Nous **avons été trompés** par ses belles paroles. – **3.** Les malfaiteurs **sont retournés** sur les lieux de leur crime. – **4.** Les fromages **sont retournés** tous les mois afin d'obtenir une pâte plus homogène. – **5.** J'**avais été arrêté** et jugé aussitôt. – **6.** Ils ne **sont** pas encore **rentrés** : ils **auront été surpris** par la nuit. – **7.** Lorsque la reine **fut arrivée**, un message **fut envoyé** au duc.

5 Complétez les phrases suivantes par un verbe à la voix passive, au temps précisé entre parenthèses. Attention à l'accord du participe passé.

1. Chaque jour, les lions (*imparfait*) par deux gardes. – **2.** Le prisonnier (*présent*) dans sa cellule. – **3.** Les enfants (*passé composé*) par leurs grands-parents. – **4.** La somme restante (*futur*) entre les gagnants.

6 Transposez les phrases à la voix passive.

1. La rivière a emporté toutes nos affaires. – **2.** Une neige abondante couvre toute la région. – **3.** On a découvert de nouvelles étoiles dans la région d'Orion. – **4.** Les sauveteurs distribuèrent des couvertures aux naufragés. – **5.** Ce professeur connaissait tous les élèves.

7 Recopiez les phrases suivantes. Entourez l'auxiliaire et, s'il y a lieu, soulignez le mot avec lequel il faut accorder le participe passé et faites cet accord.

1. Ils ont hérité... cette maison de leurs parents qui sont retourné... vivre dans le Midi. – **2.** Elles ont retrouvé... ta clé, elles l'ont mis... dans ton manteau puis elles sont reparti... – **3.** Quelle peur nous avons eu... ! – **4.** Les personnes qu'a rencontré... Loïc ont affirmé... connaître Léa. – **5.** Elle nous a parlé... longuement et nous a conseillé... efficacement. – **6.** Les jouets que tu as reçu... à Noël ont été abîmé... par la pluie.

▶ Croiser les connaissances ★★

8 Donnez la nature des mots en gras. Précisez la nature exacte des déterminants et des pronoms.

> C'était **dans** la chambre bleue **que** se tenait le prince, avec un groupe de **pâles** courtisans à **ses** côtés. **D'abord, pendant qu'**il parlait, il y eut **parmi** le groupe un léger **mouvement** en avant dans la direction de l'intrus, **qui** fut un instant presque à **leur** portée, et qui **maintenant**, d'un **pas** délibéré et **majestueux**, se rapprochait de plus en plus **du** prince. **Mais**, par suite d'une **certaine** terreur indéfinissable que l'audace insensée du masque avait inspirée à toute la société, il ne se trouva **personne** pour **lui** mettre **la** main dessus ; **si bien que**, ne trouvant **aucun** obstacle, **il** passa à **deux** pas de la **personne** du prince.
>
> **Edgar Poe**, « Le masque de la mort rouge », 1845, *Nouvelles histoires extraordinaires*, traduit par Charles Baudelaire, 1857.

9 **Donnez la fonction des groupes soulignés.**

1. Il a agi ainsi <u>par amour pour elle</u>. – **2.** <u>Par beau temps</u>, on aperçoit les côtes de l'Angleterre. – **3.** Les enfants ont été aidés <u>par des professionnels</u>. – **4.** Nous passerons <u>par Yvetot</u> afin de saluer notre grand-mère. – **5.** Il a surpris tout le monde <u>par sa rapidité</u>. – **6.** Souviens-toi <u>du vase de Soissons</u> ! – **7.** <u>De sa fenêtre</u>, elle observait les passants. – **8.** Mariette était aimée <u>de tous</u>. – **9.** <u>D'octobre à mai</u>, les montagnes étaient couvertes <u>de neige</u>. – **10.** Hector restait <u>de marbre</u> malgré les provocations.

10 **Recopiez le texte en conjuguant les verbes entre parenthèses au présent.**

Un jour, un des maîtres est venu se plaindre qu'un domestique l'avait insulté. Le proviseur (*appeler*) le pion Souillard, qui lui (*servir*) de secrétaire : « M. Souillard, il y a M. Pichon qui (*se plaindre*) de ce que Jean lui ait parlé insolemment devant les élèves ; – il faut que l'un des deux (*filer*). Je (*tenir*) à Jean ; il (*nettoyer*) bien les lieux. M. Pichon (*être*) un imbécile qui n'(*avoir*) pas de

protections, qui (*acheter*) cent francs de bouquins pour faire son livre d'étymologie et qui (*porter*) des habits qui nous (*déshonorer*). »

D'après **Jules Vallès**, *L'Enfant*, 1881.

11 **Récrivez les phrases suivantes en remplaçant le COD par un pronom. Attention à l'accord du participe passé.**

1. Ils auront rencontré la duchesse pendant leur séjour en Italie. – **2.** Les aubergistes leur ont prêté les vêtements de leur fils. – **3.** As-tu appris tes leçons ? – **4.** Je n'ai pas vu ton frère depuis ce matin. – **5.** C'est son père qui lui avait donné cette bague.

12 **a. Dans les phrases suivantes, relevez le COD. b. Transposez les phrases à la voix passive.**

1. Des amis, inquiets de cette disparition, nous ont prévenus. – **2.** En hiver, on entreposait dans de hautes granges toute la nourriture du village. – **3.** On leur annonça fort brutalement la nouvelle. – **4.** Malgré ses bêtises incessantes, tous l'aimaient. – **5.** On l'assomme, le ligote et le jette au fond d'un trou.

Maîtriser l'écrit ★★★

13 **Conjuguez les verbes au temps demandé.**

1. Tout le monde (*se précipiter – plus-que-parfait*) en même temps vers les sorties, heureusement, personne ne (*blesser – passé simple, voix passive*). – **2.** Il (*comprendre – présent*) bien ce que je (*ressentir – présent*). – **3.** Elle ne (*se plaindre – présent*) jamais. – **4.** Peu d'entre vous (*sélectionner – futur, voix passive*) pour cette finale. – **5.** On vous (*prévenir – plus-que-parfait*). – **6.** Corentin (*repeindre – présent*) des fresques qui (*réaliser – passé composé, voix passive*) à la Renaissance ! – **7.** Chaque participant (*résoudre – présent*) une énigme.

14 **a. Indiquez la voix, le temps et la personne des formes verbales suivantes.**

b. Avec chacune de ces formes, rédigez une phrase en étant attentif aux accords.

est compris – ai compris – rejoignions – aviez été vus – fut surpris – eus admis – sue – sut – serai ému – seront nés – sont pris

15 **a. Recopiez le texte suivant en accordant les participes passés comme il convient.**

b. **Dictée** Préparez ce texte pour la dictée.

Jeanne monta un jour, dans le grenier. Elle demeura saisi… d'étonnement ; c'était un fouillis d'objets de toute nature, les uns brisé…, les

autres sali… seulement, les autres monté… là on ne sait pourquoi, parce qu'ils ne plaisaient plus, parce qu'ils avaient été… remplacé… . Elle apercevait mille bibelots connu… jadis, et disparu… tout à coup, des riens qu'elle avait manié…, ces vieux petits objets insignifiants qui avaient traîné… quinze ans à côté d'elle, qu'elle avait vu… chaque jour sans les remarquer et qui, tout à coup, retrouvé… là, dans ce grenier, à côté d'autres plus anciens dont elle se rappelait parfaitement les places aux premiers temps de son arrivée, prenaient une importance soudaine de témoins oublié…, d'amis retrouvé… .

D'après **Guy de Maupassant**, *Une vie*, 1883.

16 **a. Donnez la fonction des groupes soulignés.**

b. Arrivé à la surface, le narrateur se trouve aux prises avec un monstre marin. Racontez au présent de narration, en huit à douze phrases, en utilisant au moins trois verbes à la voix passive.

Un choc effroyable se produisit, et, <u>sans avoir le temps de me retenir</u>, je fus précipité <u>à la mer</u>. Bien que j'eusse été surpris <u>par cette chute inattendue</u>, je n'en conservai pas moins <u>une impression très nette</u> de mes sensations. Je fus <u>d'abord</u> entraîné <u>à une profondeur de vingt pieds environ</u>. Je suis <u>bon nageur</u>, sans prétendre égaler Byron et Edgar Poe, <u>qui</u> sont <u>des maîtres</u>, et <u>ce plongeon</u> ne me fit point perdre la tête. Deux vigoureux coups de talon <u>me</u> ramenèrent à la surface de la mer.

D'après **Jules Verne**, *Vingt mille lieues sous les mers*, 1870.

La phrase complexe

Leçon

Rappel : Une **proposition** est une partie de la phrase organisée autour d'un **verbe conjugué**. Une **phrase** contient **autant de propositions que de verbes conjugués**. Si la phrase ne contient qu'**une seule proposition**, elle est **simple** ; elle est **complexe** si elle en contient **plusieurs**.

N.B. Les verbes à l'infinitif et les participes (présents et passés) ne peuvent pas être le noyau de la proposition.

■ Il existe différents types de propositions :

– La **proposition indépendante** : aucune proposition ne dépend d'elle et elle ne dépend d'aucune proposition.

> *[Le noctambule* errait *sans but dans la ville endormie] et [il* goûtait *le silence des rues.]*

N.B. Quand la phrase est simple, elle est constituée d'une seule proposition indépendante.

> *[Imperceptiblement, les roues de l'avion* quittèrent *le sol.]*

– Une **proposition subordonnée** débute par un mot subordonnant : conjonction de subordination (*que, parce que, lorsque, alors que, si, afin que, bien que…*) ; pronom relatif (*qui, que, dont, où, lequel…*). Elle dépend d'une autre proposition.

– La **proposition principale** est la proposition qui commande la / les proposition(s) subordonnée(s).

> *[**Pendant que** les musiciens accordent leurs instruments dans la fosse]* (prop. subordonnée),
> *[le public s'installe dans les gradins.]* (prop. principale)

N.B. Il ne peut y avoir de proposition principale sans subordonnée ; il ne peut y avoir de subordonnée sans proposition principale.

■ Dans une phrase complexe, deux propositions de même nature peuvent être <u>uniquement séparées</u> par un signe de ponctuation (virgule, point-virgule, deux points). On dit qu'elles sont **juxtaposées**.

■ Elles peuvent être <u>reliées</u> par une conjonction de coordination (*et, ou…*). On dit qu'elles sont **coordonnées**.

> ***Néron était un empereur*** <u>que son peuple n'appréciait guère</u> et <u>qu'on accusa d'avoir incendié Rome.</u> → Les deux propositions subordonnées sont coordonnées.
>
> *Il chante, / danse, / rit.* → Les trois propositions indépendantes sont juxtaposées.

Exercices

1 ★ **Oral** **a. Après avoir repéré les verbes conjugués, indiquez si chaque phrase est simple ou complexe, puis délimitez les différentes propositions. b. Précisez la nature de chaque proposition : principale, subordonnée, indépendante. c. Pour les subordonnées, relevez le mot subordonnant.**

1. Je pense, donc je suis. (DESCARTES) – **2.** Voulant gagner du temps, Mélissa se mit à courir et trébucha. – **3.** Jeanne et Abel cachent un paquet derrière leur dos afin que leur mère ne découvre pas la surprise qu'ils lui ont préparée. – **4.** Qui vient ici ce soir ? – **5.** Les mots volent, les écrits restent. – **6.** Parce qu'il est un peu orgueilleux, Martin s'imagine toujours qu'il a raison. – **7.** Si vous voulez aller sur la mer, sans aucun risque de chavirer, alors n'achetez pas un bateau : achetez une île ! (PAGNOL)

2 ★★ **Recopiez les phrases suivantes. a. Entourez les verbes conjugués en rouge et les mots subordonnants en vert. b. Soulignez en rouge les propositions principales et en vert les propositions subordonnées.**

1. Bien qu'il pleuve, Gérard poursuit l'arrosage de son jardin où il passe le plus clair de son temps. – **2.** Dès qu'il apprit la funeste nouvelle, le roi se retira dans ses appartements pour pleurer. – **3.** Si tu mens, je crois bien que je le saurai ! – **4.** Le loisir auquel il consacre tout son temps est la peinture sur soie. – **5.** Comme les drakkars des Vikings approchaient de la côte, les villageois, épouvantés, s'enfuirent dans les bois environnants.

3 ★★ **a. Repérez les mots subordonnants et indiquez leur nature (conjonction de subordination ou pronom relatif). b. Délimitez les propositions subordonnées. c.** Oral **Lisez les phrases à haute voix en marquant bien les pauses de façon à distinguer les différentes propositions.**

1. Si tu veux obtenir l'autorisation de te rendre à la fête foraine, je crois que tu ferais mieux de faire tes devoirs. – **2.** Dédale, que Minos, fou de rage, avait enfermé dans le labyrinthe, s'échappa par la voie des airs. – **3.** Quand le facteur sonna à la porte, Monique s'aperçut qu'elle s'était endormie. – **4.** Dès que le soleil se fut levé, les campeurs plièrent les tentes dont ils prenaient toujours le plus grand soin. – **5.** En visite chez ses cousins, il veillait toujours à bien se comporter afin qu'on n'affirmât point qu'il était un garnement.

4 ★★ **Développez les phrases suivantes en ajoutant des propositions** underline{indépendantes} **de façon à mettre en évidence l'enchaînement des actions.**

Exemple : Le chat, apeuré et furieux, gronda, cracha, puis griffa le vétérinaire.

1. Les pompiers déployèrent la grande échelle, ...
2. Barbedrue le pirate attrapa son grand couteau, ...
3. Bertrand perdit l'équilibre sur sa planche à voile, ...

5 ★ **Transformez les propositions indépendantes suivantes en propositions principales en leur ajoutant une proposition** underline{subordonnée}**. Variez les subordonnants utilisés (pronom relatif ou conjonction de subordination).**

1. Je cherchais en vain le sommeil depuis des heures. – **2.** On posa des pièges à loup dans la plaine désolée. – **3.** Elle viendrait bien volontiers à la fête. – **4.** Tous applaudirent Claire. – **5.** Louise offre une sculpture.

6 ★★ **Indiquez la nature des propositions soulignées, puis précisez si elles sont juxtaposées ou coordonnées.**

1. underline{Je suis jeune}, underline{il est vrai}. (Corneille) – **2.** Il aperçut soudain sur la route un koala underline{qui n'aurait pas dû se trouver là} et underline{qui courait donc un grand danger}. – **3.** Je crois underline{que tu te trompes} ou underline{que tu mens}. – **4.** Le jeune collégien se mit à pleurer underline{parce qu'il se sentait soudain loin de chez lui}, underline{parce qu'il ne comprenait pas la langue de ses hôtes}, underline{parce qu'il ne connaissait aucun des mets qu'on lui servait à dîner}. – **5.** underline{Tous les hommes sont mortels} ; underline{or Socrate est un homme} ; underline{donc Socrate est mortel}. – **6.** Lorène ne renoncera pas à courir ce marathon underline{bien qu'elle soit enrhumée}, underline{que la pluie tombe dru} et underline{qu'elle ait oublié son matériel}.

7 ★★ Oral **En vous aidant de la leçon, expliquez pourquoi les phrases suivantes sont incorrectes, puis**

corrigez-les. **Si la phrase est incomplète, imaginez la proposition manquante.**

1. Il est triste car son ami qui est parti. – **2.** Parce que le magasin était fermé. – **3.** Si tu veux venir me voir ne tarde pas à réserver tes billets de train – **4.** Pour qu'il puisse répondre. – **5.** Le roi Renaud revint de guerre très blessé sa mère l'aperçut depuis le créneau du château.

8 ★ **Les deux points permettent d'annoncer une explication. a. Dans les phrases suivantes, incorrectes, rétablissez ce signe de ponctuation manquant. b. Par quel mot pourriez-vous remplacer les deux points ?**

1. Lucien est satisfait son équipe a remporté une victoire. – **2.** Le pompier fronce les sourcils le feu progresse vers les maisons. – **3.** Il ne voulut pas dormir pendant le voyage il était trop mal installé.

9 ★★★ Analyse **Recopiez le texte suivant en sautant des lignes. Encadrez en rouge les verbes conjugués et soulignez leur sujet ; entourez en vert les mots subordonnants. Mettez entre crochets verts les propositions subordonnées ; soulignez en rouge les propositions principales et en bleu les propositions indépendantes.**

Comme il habitait les Batignolles, il prenait chaque matin l'omnibus, pour se rendre à son bureau. Et chaque matin il voyageait jusqu'au centre de Paris, en face d'une jeune fille dont il devint amoureux.

C'était une petite brunette, de ces brunes dont les yeux sont si noirs qu'ils ont l'air de taches, et dont le teint a des reflets d'ivoire. Il la voyait apparaître toujours au coin de la même rue ; et elle se mettait à courir pour rattraper la lourde voiture. Elle sautait sur le marchepied avant que les chevaux fussent tout à fait arrêtés.

D'après **Guy de Maupassant**, « Le père », *Contes du jour et de la nuit*, 1884.

10 ★★ Écriture

Un naufragé, sur une île déserte, aperçoit au loin un navire.

a. En quelques lignes, racontez la situation de manière à mettre en évidence l'accélération de l'action. Avant de commencer, au brouillon, dressez la liste des différentes actions du personnage (exemples : apercevoir un navire ; se redresser brutalement ; hurler de joie ; gesticuler ; etc.).

b. Quelle nature de proposition avez-vous majoritairement employée ?

11 ★★ Écriture **Quel métier aimeriez-vous exercer ? Présentez-le, en quelques lignes, en expliquant votre choix. Vous veillerez à employer des propositions subordonnées variées que vous soulignerez.**

12 Le passé simple et le passé antérieur

Au passé simple, le radical reste le même à toutes les personnes, mais il peut être différent de celui de l'infinitif : *tenir* → *je <u>tins</u>, tu <u>tins</u>, il <u>tint</u>, nous <u>tînmes</u>, vous <u>tîntes</u>, elles <u>tinrent</u>*.

1 Le passé simple

■ Verbes en *-er* (y compris *aller*)

Les verbes en *-er* font un passé simple en **[a]**. Les terminaisons sont : *-ai, -as, -a, -âmes, -âtes, -èrent*.

■ Autres verbes

Les terminaisons sont les mêmes pour tous les verbes : *-s, -s, -t, -^mes, -^tes, -rent*. Ces terminaisons sont précédées d'une voyelle qui varie suivant le verbe.

Passé simple en *-a*	Passé simple en *-i*	Passé simple en *-u*	Passé simple en *-in*
Verbes en *-er*	Verbes en *-ir(e), -uire, -dre, -tre*	Verbes en *-oir* ou *-re*	*Venir, tenir* et leurs composés
Jeter	**Prendre**	**Devoir**	**Prévenir**
je jet**ai**	je pr**is**	je d**us**	je prév**ins**
tu jet**as**	tu pr**is**	tu d**us**	tu prév**ins**
il, elle jet**a**	il, elle pr**it**	il, elle d**ut**	il, elle prév**int**
nous jet**âmes**	nous pr**îmes**	nous d**ûmes**	nous prév**înmes**
vous jet**âtes**	vous pr**îtes**	vous d**ûtes**	vous prév**întes**
ils, elles jet**èrent**	ils, elles pr**irent**	ils, elles d**urent**	ils, elles prév**inrent**

Attention :

1. Font aussi leur passé simple en **[i]** : **faire** (*il fit*), **voir** (*il vit*), **naître** (*il naquit*), **vaincre** (*il vainquit*), **s'asseoir** (*il s'assit*), **acquérir** (*il acquit*), ainsi que les verbes en *-indre* qui font leur passé simple en *-gni-* (*rejoindre* → *il rejoignit*).

2. Font aussi leur passé simple en **[u]** : **être** (*il fut*) et **avoir** (*il eut*), les verbes en *-soudre* (*résoudre* → *il résolut*), **lire** (*il lut*), **vivre** (*il vécut*), **mourir** (*il mourut*), **connaître** (*il connut*), **apparaître** (*il apparut*), **plaire** (*il plut*), **se taire** (*il se tut*).

2 Le passé antérieur

Il se forme à partir de l'**auxiliaire être** ou *avoir* conjugué au passé simple et du **participe passé** du verbe que l'on conjugue : *elle eut mis ; elle fut descendue*.

mettre	descendre
j'eus mis	je fus descendu(e)
tu eus mis	tu fus descendu(e)
il, elle eut mis	il, elle fut descendu(e)
nous eûmes mis	nous fûmes descendu(e)s
vous eûtes mis	vous fûtes descendu(e)s
ils, elles eurent mis	ils, elles furent descendu(e)s

1 ★ Écriture Avec chacun des verbes suivants, faites une phrase au passé simple, à la 3e personne du singulier : *aller – monter – voir – partir.*

2 ★ Oral Les verbes suivants sont-ils au passé simple ou au présent ? Donnez leur infinitif. Il peut y avoir deux réponses.

je fuis – je lis – je fus – je tins – je prie – je joins – je suis – je crois – je souris – je teins – je vaincs – je vêtis – j'exclus – j'appartiens – je crus – je pris – je vins – je sue – je vis

3 ★★ a. Oral Relevez les verbes conjugués au passé simple en précisant s'ils font leur passé simple en [a], en [i], en [u] ou en [in] et donnez leur infinitif. b. Choisissez un verbe dans chaque catégorie que vous conjuguerez à toutes les personnes.

Et, sautant de la voiture, elle courut aux enfants, prit un des deux derniers, celui des Tuvache, et, l'enlevant dans ses bras, elle le baisa passionnément. Puis elle remonta dans sa voiture et partit au grand trot. Mais elle revint la semaine suivante, s'assit elle-même par terre, prit le moutard dans ses bras, le bourra de gâteaux, donna des bonbons à tous les autres ; et joua avec eux comme une gamine.

D'après **GUY DE MAUPASSANT**, « Aux champs », 1882.

4 ★ Conjuguez au passé simple à la 1re personne du singulier et aux 1re et 3e personnes du pluriel.

1. voir – conduire – devoir – dire – écrire
2. faire – ouvrir – joindre – mourir – plaire – pouvoir
3. savoir – sourire – vaincre – valoir – venir

5 ★ Conjuguez au passé simple passif.
vaincre – conduire.

6 ★★ Conjuguez au passé simple les verbes.

On (*faire*) une barrière avec des petits bancs, et on (*mettre*) Christophe en demeure de la franchir. Il (*rassembler*) ses forces, (*se lancer*), et (*s'allonger*) par terre. Autour de lui, c'étaient des éclats de rire. Il (*falloir*) recommencer. Les larmes aux yeux, il (*faire*) un effort désespéré, et, cette fois, (*réussir*) à sauter. Cela ne (*satisfaire*) point ses bourreaux, qui (*décider*) que la barrière n'était pas assez haute ; et ils y (*ajouter*) d'autres constructions, jusqu'à ce qu'elle devînt un casse-cou. Christophe (*essayer*) de se révolter ; il (*déclarer*) qu'il ne sauterait pas. Alors la petite fille l'(*appeler*) lâche et (*dire*) qu'il avait peur. Christophe ne (*pouvoir*) le supporter ; et, certain de tomber, il (*sauter*), et (*tomber*). Ses pieds (*se prendre*) dans l'obstacle : tout (*s'écrouler*) avec lui.

D'après **ROMAIN ROLLAND**, *Jean-Christophe*, 1904.

7 ★★ Complétez les phrases suivantes par deux actions qui succèdent à la première.

1. Dès que l'arbitre siffla, ... – 2. Les voyageurs entrèrent dans l'auberge, ... – 3. Nous atteignîmes enfin le sommet, ... – 4. Lorsqu'ils aperçurent les premières maisons du village, ...

8 ★★ Les verbes soulignés sont-ils au passé simple passif ou au passé antérieur ? Justifiez votre réponse.

1. Ces paroles <u>furent accompagnées</u> du sourire le plus charmant. – 2. À peine <u>fut-il rentré</u> qu'il se précipita vers l'armoire pour en vérifier le contenu. – 3. Mélanie <u>fut choquée</u> de l'insolence de ses camarades. – 4. Quand il se <u>fut assis</u> sur sa chaise dans l'ombre / Et qu'on <u>eut</u> sur son front <u>fermé</u> le souterrain, / L'œil était dans la tombe et regardait Caïn. (HUGO)

9 ★★ Recopiez les phrases suivantes en mettant le verbe entre parenthèses au passé antérieur.

1. Quand ils (*finir*) de laver la pièce, nous remîmes les meubles en place. – 2. C'est là que je m'en allai après que je vous (*quitter*). – 3. Lorsque je (*terminer*) mon travail, je me préparai à sortir. – 4. Dès que son père (*tourner*) le dos, l'enfant se cacha derrière le fauteuil. – 5. Quand le train (*disparaître*), ils quittèrent le quai.

10 ★★ Complétez les phrases suivantes de façon logique avec un verbe au passé simple.

1. Dès qu'il fut prêt, ... – 2. Lorsqu'elle eut résolu l'énigme, ... – 3. Quand il eut atteint ses vingt ans, ... – 4. À peine eut-il fini son repas que ... .

11 ★★ a. Recopiez le texte suivant en mettant les verbes entre parenthèses au temps indiqué.

b. Dictée Préparez ce texte pour la dictée.

J'(*arriver – imparfait*) de Londres à Calais, avec le marquis de…, mon élève. Nous (*loger – passé simple*), si je m'en (*souvenir – présent*) bien, au Lion d'Or, où quelques raisons nous (*obliger – passé simple*) de passer le jour entier et la nuit suivante. En marchant l'après-midi dans les rues, je (*croire – passé simple*) apercevoir ce même jeune homme dont j'(*faire – plus-que-parfait*) la rencontre à Pacy. Il (*être – imparfait*) en fort mauvais équipage, et beaucoup plus pâle que je ne l'(*voir – plus-que-parfait*) la première fois.

ABBÉ PRÉVOST, *Histoire de Manon Lescaut*, 1731.

12 ★★★ Écriture Écrivez un paragraphe de huit à dix phrases dans lequel vous emploierez les verbes suivants au passé simple : *rendre – déplacer – croire – devoir – se résoudre.*

13 Les compléments circonstanciels

Rappel : Certains compléments indiquent les **circonstances dans lesquelles se produisent l'action ou l'état exprimés par le verbe** : ce sont les compléments circonstanciels.

1 **Les compléments circonstanciels (CC) expriment** différentes circonstances :

– le **lieu** : *Geneviève est allée **au cinéma*** ;

– le **temps** : *Il fait beau **ce matin*** ;

– la **manière** : *Irène peint **très bien*** – *Gabriel pleure **comme un bébé*** ;

– le **moyen** : *Robin est venu à Paris **avec sa voiture*** ;

– le **but** : *Nous allons à la campagne **pour nous reposer*** ;

– la **cause** : *Martine ne viendra pas ce soir **parce qu'elle a son cours de salsa*** ;

– la **conséquence** (= le résultat d'une action) : *Marc a mal aux genoux **au point de ne pas pouvoir marcher**.*

Astuce : Pour reconnaître les compléments circonstanciels, il suffit de **répondre aux questions** : *Où… ?* (= lieu), *Quand… ?* (= temps), *Comment… ?* (de quelle façon ?) (= manière), *Avec quoi… ?* (= moyen), *Pourquoi… ?* (cause), *Avec quel résultat… ?* (= conséquence), *Dans quel but… ?* (= but).

2 **La fonction complément circonstanciel** peut être exercée par des **mots ou groupes de mots de différentes natures**. Exemples :

Robin est venu |avec| *sa voiture* |pour| *gagner du temps.*
　　　　　　　groupe prépositionnel (nominal), CC de moyen – groupe prépositionnel (infinitif), CC de but

Ils s'étaient vus la veille*.*
　　　　　　　groupe nominal, CC de temps

Ils partirent en chantant*.*
　　　　　　　gérondif, CC de manière

Ils chantent parce qu'ils sont heureux*.*
　　　　　　　proposition subordonnée conjonctive, CC de cause

Là-bas*, tout n'est qu'ordre et beauté.*
adverbe, CC de lieu

Remarque : En général, le complément circonstanciel peut être **déplacé en tête de phrase**. Il est alors **détaché** par une virgule : *Il fait beau **ce matin**. **Ce matin,** il fait beau.*

Lorsqu'il s'agit d'un **complément circonstanciel de lieu**, le sujet, s'il est un GN, peut être inversé. Dans ce cas, on ne met pas de virgule : ***Devant la porte** se tenait* un homme*.*

1 ★ **Imaginez les réponses à ces questions. Soulignez les compléments circonstanciels que vous avez utilisés et précisez la circonstance qu'ils expriment.**

1. Pourquoi Martine arrive-t-elle toujours en retard ? – **2.** À quel moment préférez-vous aller à la plage ? – **3.** Comment vas-tu réparer ton sac ? – **4.** Avec quoi faut-il creuser le trou ? – **5.** D'où venez-vous à cette heure tardive ?

2 ★ **Oral** **Indiquez la circonstance exprimée par les mots ou groupes soulignés en précisant à quelle question répond chaque complément circonstanciel.**

1. Il se racontaient des histoires drôles pour tromper leur peur. – **2.** Dans les vergers, aux lisières des bois, le merle siffle à plein gosier pour annoncer la venue du printemps. (THEURIET) – **3.** Mélanie marchait en gardant les yeux baissés, de sorte qu'elle ne vit pas le poteau. – **4.** On les faisait travailler comme des forçats. – **5.** Il faut malaxer la pâte avec les mains. – **6.** Comme il faisait beau, nous décidâmes de faire une promenade.

3 ★★ Écriture **Faites des phrases avec les compléments circonstanciels suivants. Précisez la circonstance qu'ils expriment.**

1. dès l'ouverture du musée – **2.** pour arrêter l'appareil – **3.** à cause de sa toux – **4.** de peur – **5.** sans l'outil approprié – **6.** là où il fait toujours beau

4 ★★ **Recopiez les phrases, soulignez en noir les compléments circonstanciels et précisez s'ils expriment la cause, le but ou la conséquence. Indiquez leur nature.**

1. Marc a fait de son mieux pour que les grillades soient réussies.
2. Les 4ᵉ C ont une heure de permanence parce que leur professeur d'anglais est absent.
3. Sous prétexte qu'il est fatigué, Félix ne fait aucun effort.
4. Adèle a réussi son examen de piano grâce à son travail acharné.
5. Adèle a beaucoup travaillé, si bien qu'elle a réussi son examen de piano.

5 ★★ **Remplacez les groupes soulignés par des adverbes de même sens. Quelle est leur fonction ?**

1. Il parla à son camarade avec gentillesse. – **2.** Ce mauvais maître traite ses animaux avec cruauté. – **3.** La pluie tombe en abondance ces jours-ci. – **4.** Kate s'habille toujours avec élégance. – **5.** Troublé, l'enfant répondit avec hâte et de façon confuse. – **6.** La nuit, Pénélope défaisait sa tapisserie sans se lasser.

6 ★★ **Recopiez les phrases, soulignez en noir les compléments circonstanciels et précisez s'ils expriment la manière ou le moyen.**

1. Loïse a réalisé ce travail avec beaucoup de soin. –
2. Il faut éplucher les oignons avec un couteau. –
3. Ils se regardaient comme deux ennemis. – **4.** Rosalie s'est éclipsée à l'insu de tous. – **5.** Catherine a corrigé toutes ses fautes à l'aide d'un dictionnaire.

7 ★★ Écriture **Enrichissez les phrases suivantes à l'aide de compléments circonstanciels dont la nature et la fonction sont indiquées entre parenthèses.**

1. Baptiste s'est construit une cabane (*groupe prépositionnel nominal, CC moyen*).
2. La chouette a hululé toute la nuit (*subordonnée conjonctive, CC conséquence*).
3. (*GN, CC temps*), nous apprenions la naissance de Mathilde.
4. Irène aime voyager (*groupe prépositionnel infinitif, CC but*).
5. Félix recopie (*adverbe, CC manière*) le texte.

8 ★★ **Relevez les compléments circonstanciels, précisez leur nature et la circonstance exprimée.**

1. Nicolas n'a pas pu se baigner à cause de sa toux.
2. Nos grands-parents doivent bientôt arriver.
3. Le blessé a été transporté avec un brancard.
4. Hector marche comme un éclopé.
5. Comme nos parents sont absents, nous pouvons faire la fête.
6. L'enfant regarde sa tartine comme s'il n'avait pas mangé depuis des mois.
7. Je travaille rue du 18-Juin.
8. La pluie s'est mise à tomber comme nous nous apprêtions à sortir.

9 ★★★ **a. Indiquez la nature et la fonction des mots ou groupes soulignés.**

b. Dictée **Préparez ce texte pour la dictée.**

Quand on eut enfin trouvé une belle allée bien droite, et qu'arrivé au bout, Germain chercha à voir où il était, il s'aperçut bien qu'il s'était perdu ; car le père Maurice, en lui expliquant son chemin, lui avait dit qu'à la sortie des bois il aurait à descendre un bout de côte très raide, à traverser une immense prairie et à passer deux fois la rivière à gué. Il lui avait même recommandé d'entrer dans cette rivière avec précaution, parce qu'au commencement de la saison il y avait eu de grandes pluies et que l'eau pouvait être un peu haute. Ne voyant ni descente, ni prairie, ni rivière, mais la lande unie et blanche comme une nappe de neige, Germain s'arrêta, chercha une maison, attendit un passant et ne trouva rien qui pût le renseigner. Alors il revint sur ses pas et rentra dans les bois.

George Sand, *La Mare au diable*, 1848.

10 ★★★ **a. Remplacez les groupes soulignés par des propositions subordonnées de même sens.
b. Indiquez-en la fonction.**

1. Sébastien est devenu cascadeur par goût du risque.
2. À cause de ton manque de rigueur, tu as commis une erreur de calcul.
3. La Révolution française eut lieu sous le règne de Louis XVI.
4. Dès l'arrivée de leur professeur, les élèves se turent.
5. Cyrille entraîne Marie-Amélie en vue d'une victoire aux Jeux olympiques.
6. Pendant la préparation de l'atterrissage, le pilote ne pipa mot en raison de sa très grande concentration.
7. Adèle pleure de fatigue.
8. Devant la caisse du supermarché, Adèle pleure pour des bonbons.

11 ★★ Écriture **Enrichissez ce texte à l'aide de compléments circonstanciels.**

Un homme marchait. Il avait froid. La pluie tombait dru. Il espérait trouver une maison, un refuge, rencontrer quelqu'un. Une femme surgit. Il lui fit un signe, mais elle ne le vit pas. Il appela. Elle s'arrêta, surprise, et l'aperçut. Il sourit, poussa un gémissement et s'effondra.

14

Les temps du passé

M. Madeleine entendit du bruit et vit un groupe à quelque distance. Il y alla. Le père Fauchelevent venait de tomber sous sa charrette. Il avait plu la veille, le sol était détrempé, la charrette s'enfonçait dans la terre et comprimait la poitrine du vieux charretier. Avant cinq minutes il aurait les côtes brisées. (D'après **VICTOR HUGO**, *Les Misérables*, 1862.)

1. Dans l'extrait ci-dessus, relevez tous les verbes conjugués et précisez leur temps.

2. Quels sont les trois verbes qui expriment l'action principale de ce passage ? À quel temps sont-ils ?

3. Par rapport à ces événements principaux, à quel moment se situe l'action relatée au plus-que-parfait ? Quel verbe exprime une action à venir ? À quel temps est-il ?

Leçon

1 Les principaux temps du récit au passé sont le passé simple et l'imparfait.

■ **Le passé simple** est employé pour **les actions de premier plan**. Il présente ces actions comme **achevées et bien délimitées** dans le temps. Il est donc utilisé :

– pour relater toutes **les actions ponctuelles qui font progresser le récit** :

Soudain, la charrette se renversa.

– pour relater **les actions qui s'enchaînent** : *Il entendit du bruit et alla voir.*

■ **L'imparfait** est employé pour **les actions de second plan** et tous **les faits envisagés sans considération de leur début ni de leur fin**. Il est donc utilisé :

– pour les **descriptions** : *Le sol était détrempé.*

– pour relater **les actions en cours de déroulement** : *La charrette s'enfonçait dans la terre.*

– pour exprimer **l'habitude, la répétition** : *M. Madeleine venait toujours au secours des autres.*

2 **Le conditionnel remplace le futur dans un récit au passé.** Il sert à relater une action qui se situe dans le futur par rapport à un moment passé : *Il était évident qu'avant cinq minutes il aurait les côtes brisées.*

3 **Les temps composés** expriment **une action accomplie** au moment de l'action principale. Ainsi, **le plus-que-parfait et le passé antérieur sont employés pour relater des actions antérieures à une action au passé :** *Il <u>avait plu</u> la veille, le sol était détrempé. – Quand M. Madeleine <u>eut vu</u> le vieillard, il se précipita pour lui porter secours.*

Exercices

1 ★ Oral **Conjuguez les verbes entre parenthèses au passé simple ou à l'imparfait.**

Le marquis ouvrit la porte du salon ; une des dames (*se lever*) (la marquise elle-même) (*venir*) à la rencontre d'Emma et la (*faire*) asseoir près d'elle, sur une causeuse[1], où elle (*se mettre*) à lui parler amicalement, comme si elle la (*connaître*) depuis longtemps. C'(*être*) une femme de la quarantaine environ, à belles épaules, à nez busqué[2], à la voix traînante, et portant, ce soir-là, sur ses cheveux châtains, un simple fichu qui (*retomber*) par-derrière, en triangle.

D'après **GUSTAVE FLAUBERT**, *Madame Bovary*, 1856.

1. Canapé où deux personnes s'assoient pour parler.

2. Courbé.

2 ★ Précisez la valeur des imparfaits (action en cours de déroulement, description, habitude ou répétition).

Avec la vivacité et la grâce qui lui étaient naturelles quand elle était loin du regard des hommes, Mme de Rênal sortait par la porte-fenêtre du salon qui donnait sur le jardin, quand elle aperçut près de la porte d'entrée la figure d'un jeune paysan presque encore enfant, extrêmement pâle et qui venait de pleurer. Il était en chemise bien blanche, et avait sous le bras une veste fort propre de ratine[1] violette.

1. Tissu de laine épais.

STENDHAL, *Le Rouge et le Noir*, 1830.

3 ★★ Conjuguez les verbes entre parenthèses au temps composé qui convient.

1. Sitôt que l'on (*refermer*) la porte, ils se regardèrent d'un air complice. – **2.** Comme elle (*voir*) le film la veille, elle préféra ne pas les accompagner. – **3.** À peine les élèves (*s'asseoir*), que le surveillant entra en trombe dans la classe. – **4.** Il m'avait promis qu'il (*partir*) à huit heures. – **5.** Quand le café (*servir – voix passive*), Pauline quitta discrètement le salon. – **6.** Dès que nous (*cesser*) de naviguer, nous rentrions le bateau sous le hangar.

4 ★★ Oral Conjuguez les verbes au temps du passé qui convient. Justifiez votre choix en précisant la valeur des temps que vous avez employés.

1. Quand elle (*reconduire*) le docteur, elle (*revenir*) dans le bureau. – **2.** Claudie nous assura qu'elle (*remettre*) le document à sa place. – **3.** Dès que je (*finir*) de préparer le repas, je (*prendre*) mon manteau et (*sortir*) sans dire un mot. – **4.** Il (*dire*) toujours qu'un jour il (*gagner*) beaucoup d'argent. – **5.** Un jour, elle (*trouver*) dans son tiroir les lettres que sa grand-mère lui (*écrire*) durant son enfance. – **6.** Lorsqu'elle en (*terminer*) la lecture, elle (*serrer*) le cahier contre elle.

5 ★★ Réécriture Récrivez ce texte en mettant *soulève* à l'imparfait. Faites les changements nécessaires.

De temps à autre, je me soulève sur la pointe des pieds et je regarde anxieusement du côté de la ferme de La Belle-Étoile. Dès le début de la classe, je me suis aperçu que Meaulnes n'était pas rentré après la récréation de midi. Son voisin de table a bien dû s'en apercevoir aussi. Il n'a rien dit encore, préoccupé par sa composition. Mais, dès qu'il aura levé la tête, la nouvelle courra par toute la classe, et quelqu'un, comme c'est l'usage, ne manquera pas de crier à haute voix les premiers mots de la phrase :

– Monsieur ! Meaulnes…

Je sais que Meaulnes est parti.

ALAIN-FOURNIER, *Le Grand Meaulnes*, 1913.

6 ★★ Conjuguez dans les phrases suivantes le verbe de la principale au temps indiqué et faites les changements nécessaires.

1. Tu dis (*passé composé*) que tu as acheté une rivière de diamants pour remplacer la mienne ? (MAUPASSANT)
2. Germain réfléchit un instant puis il demanda (*présent*) si le fermier des Ormeaux n'était pas venu à Fourche. (SAND)
3. Je pense (*imparfait*) que vous aurez terminé vos révisions quand je serai de retour.
4. Dès que nous sommes entrés dans le couloir, nous avons entendu (*passé simple*) des chuchotements.

7 ★★ Réécriture Récrivez ce passage en remplaçant *je* par *nous* et le passé composé par le passé simple.

Tout à coup, j'ai senti qu'il était là, et une joie, une joie folle m'a saisi. Je me suis levé lentement, et j'ai marché à droite, à gauche, longtemps pour qu'il ne devinât rien ; puis j'ai ôté mes bottines et mis mes savates avec négligence ; puis j'ai fermé ma persienne de fer, et revenant à pas tranquilles vers la porte, j'ai fermé la porte aussi à double tour.

GUY DE MAUPASSANT, « Le Horla », 1887.

8 ★★★ a. Analyse Notez dans le texte suivant tous les verbes conjugués, leur voix, leur temps et la valeur de ce temps.

b. Dictée Préparez ce texte pour la dictée.

Mme Arnoux fut saisie d'épouvante. Elle se jeta sur les sonnettes en criant :

— « Un médecin ! un médecin ! »

Dix minutes après, arriva un vieux monsieur en cravate blanche et à favoris gris, bien taillés. Il fit beaucoup de questions sur les habitudes, l'âge et le tempérament du jeune malade, puis examina sa gorge, s'appliqua la tête dans son dos et écrivit une ordonnance. L'air tranquille de ce bonhomme était odieux. Elle aurait voulu le battre. Il dit qu'il reviendrait dans la soirée.

Bientôt les horribles quintes recommencèrent. Quelquefois, l'enfant se dressait tout à coup. Puis il retombait la tête en arrière et la bouche grande ouverte. Il se mit à arracher les linges de son cou, comme s'il avait voulu retirer l'obstacle qui l'étouffait.

GUSTAVE FLAUBERT, *L'Éducation sentimentale*, 1869.

9 ★★★ Écriture Vous avez revu un lieu où vous aviez l'habitude de vous promener. Racontez ce que vous avez ressenti et décrivez ce lieu.

– Votre texte sera au passé.

– Vous prendrez soin de varier les différents emplois de l'imparfait.

15 Homophones liés à un pronom

1 Ce, se, ceux

– Devant un nom, *ce* est un **déterminant démonstratif** : on peut le remplacer par *son* :

Je veux <u>ce</u> (son) stylo.

– Devant un verbe, *ce* est un **pronom démonstratif** : on peut le remplacer par *cela* :

<u>Ce</u> (Cela) doit être beau.

– Placé entre le sujet et le verbe, *se* est un **pronom personnel**.

Pour le reconnaître, remplacez-le par le pronom de 2e personne *te* :

Il <u>se</u> promène tous les jours. → Tu <u>te</u> promènes.

– *Ceux* est un **pronom démonstratif** masculin pluriel : on peut le remplacer par *celles* :

Attention : je punis toujours <u>ceux</u> (celles) qui trichent !

2 C'est / s'est

– *C'est* est la **contraction du pronom démonstratif** *cela* et du **verbe** *être*. On peut le remplacer par *cela est* :

Bien écouter, <u>c'est</u> (= cela est) déjà beaucoup.

– *S'est* est la **contraction** du **pronom réfléchi** *se* et du **verbe** *être* employé comme auxiliaire, il est donc toujours accompagné d'un sujet et suivi d'un participe passé.

Pour le reconnaître, transformez la phrase à la 1re personne du singulier :

Il <u>s'est</u> (= Je me suis) perdu dans la forêt.

3 Leur / leurs

– Devant un verbe, *leur* est un **pronom** qui ne varie ni en genre ni en nombre.

– Devant un nom, *leur* est un **déterminant possessif** qui s'accorde en nombre avec le nom qu'il détermine.

Pour reconnaître le pronom *leur*, remplacez-le par *lui* ou *nous* ; pour reconnaître le déterminant possessif *leur*, remplacez-le par *notre* ou *nos* :

<u>Leurs</u> (Nos) amis <u>leur</u> (lui) ont offert des fleurs.

4 Où / ou

Où est un **pronom relatif** ou **interrogatif** qui indique un **lieu** ou un **moment**, tandis que *ou* est une **conjonction de coordination** qui évoque un **choix**. On peut remplacer *ou* par *ou bien* et *où* par *là où* :

Être <u>ou</u> (= ou bien) ne pas être ? C'est la question. – J'irai <u>où</u> (là où) vous irez.

5 N'y / ni

– *N'y* est une **contraction** de l'**adverbe de négation** *ne* et du **pronom adverbial** *y*. Il est placé devant un verbe :

Je <u>n'y</u> vois rien.

– *Ni* est une **conjonction de coordination** qui exprime une **négation** :

Je n'ai <u>ni</u> l'envie, <u>ni</u> la force de continuer.

1 ★ a. Oral Donnez la nature des mots en gras.

b. Dictée Préparez ce texte pour la dictée.

> Le voyage dura deux jours. Je passais **ces** deux jours à la même place. Je ne mangeai rien de toute **la** route. Deux jours sans manger, **c'est** long ! Le diable, c'est qu'autour de moi **on** mangeait beaucoup dans le wagon. J'avais sous **mes** jambes un grand coquin de panier très lourd, d'**où** mon voisin l'infirmier tirait **à** tout moment des charcuteries variées qu'il partageait avec **sa** dame. Le voisinage de **ce** panier me rendit très malheureux, surtout le second jour.
>
> ALPHONSE DAUDET, *Le Petit Chose*, 1892.

2 ★ Complétez par *c'est* ou *s'est*. Justifiez votre choix.

1. Tristan ... fait surprendre en train de frapper un camarade et il a été puni : ... bien fait. – 2. ... grâce à ses économies que Coralie ... acheté son vélo. – 3. On entend un petit déclic : ... encore une souris qui ... prise au piège. – 4. ... en forgeant qu'on devient forgeron. – 5. Il ... produit une chose incroyable hier : Sébastien ... présenté à l'heure à son rendez-vous. – 6. ... l'automne : le merisier ... allumé comme une torche. (PÉROCHON)

3 ★ Complétez par *ce, se* ou *ceux*. Justifiez votre choix.

1. Je sais ... que je vaux, et crois ... qu'on m'en dit. (CORNEILLE)
2. ... qui ... conçoit bien ...'énonce clairement. (BOILEAU)
3. Milot, en traversant les grandes salles sonores et nues, essayait d'imaginer les hommes qui les avaient construites et ... qui les avaient habitées. (VILDRAC)
4. La Cigale, ayant chanté tout l'Été, ... trouva fort dépourvue quand la bise fut venue. (LA FONTAINE)
5. ... qui vivent sont ... qui luttent. (HUGO)
6. Je ne rends pas le mal à ... qui m'en font. (PASCAL)
7. Quand on ... fait entendre, on parle toujours bien. (MOLIÈRE)

4 ★★ Transposez selon le temps indiqué entre parenthèses.

1. Il se passe quelque chose de terrible. (*passé composé*)
2. C'étaient mes frères qui faisaient tout ce bruit. (*présent*)
3. Celui qui mettait toujours le couvert, c'était moi. (*présent*)
4. Bertrand et Amélie se promènent-ils souvent ? (*passé composé*)
5. Dylan se montre tous les jours à la fenêtre de sa chambre. (*passé composé*)
6. Les élèves ne se rangent jamais dans la cour. (*passé composé*)

5 ★★ Mettez au pluriel les mots en italique et faites les changements nécessaires.

1. Une *femme* agite son mouchoir, retient ses larmes. – 2. *L'élève* fait son travail et fixe son attention sur ces consignes ardues. – 3. *Il* ramassa ses vêtements mouillés et courut vers son bateau. – 4. Ses enfants *lui* donnaient bien du souci. – 5. Que ses erreurs *lui* soient pardonnées ! – 6. Le *braconnier* avait posé ses pièges, mais le garde l'a surpris et lui a dressé une contravention.

6 ★ Complétez par *leur* ou *leurs* et donnez la nature du mot souligné.

1. Je ... <u>raconte</u> des histoires qui concernent ... <u>grands-parents</u>. – 2. Ce message, le ... <u>a</u>-t-on fait passer ? – 3. Elles ont perdu ... <u>clés</u>. Si tu les as, <u>rends-les</u>-... – 4. Les mouches les harcelaient de ... <u>piqûres</u>. Le soleil ... <u>brûlait</u> la nuque. (HÉMON) – 5. Après ... <u>avoir</u> dit de rentrer à l'heure, ... <u>mère</u> ... <u>rappela</u> de ne pas oublier ... <u>clé</u>. – 6. Expliquez- ... l'exercice pour qu'ils puissent corriger ... <u>erreurs</u>.

7 ★ Complétez par *où* ou *ou*.

1. À la gare ... tu descendras, tu trouveras mon père ... ma mère qui te conduira au camping ... je t'attendrai. – 2. C'est à vous de choisir mon amour ... ma haine. (CORNEILLE) – 3. Pratiquez vos conseils ... n'en donnez pas. (CORNEILLE) – 4. La liberté commence ... l'ignorance finit. (HUGO) – 5. Mais ... sont les neiges d'antan ? (VILLON) – 6. Que je meure au combat, ... meure de tristesse, je rendrai mon sang pur comme je l'ai reçu. (CORNEILLE)

8 ★★ Complétez par *ni* ou *n'y*.

1. Le feu d'artifice était superbe, hier : je ... ai vu ... Arthur, ... Ursule. ... sont-ils pas allés ? – 2. Le temps passe et nous ... pouvons rien. – 3. Je ne peux lire ... la carte, ... les panneaux : sans mes lunettes je ... vois rien ! – 4. Il ... a point de pires sourds que ceux qui ne veulent pas entendre. (MOLIÈRE) – 5. ... l'or ... la grandeur ne nous rendent heureux. (LA FONTAINE) – 6. Ce doit être beau, on ... comprend rien. (MOLIÈRE)

9 ★★ Recopiez ces phrases en choisissant le bon homophone. Précisez sa nature.

1. (*C'est / S'est*) fini : tout (*c'est / s'est*) tu, tout s'immobilise. (DUHAMEL)
2. (*Ce / Ceux / Ce*) que j'aime par-dessus tout, (*c'est / s'est*) la tarte à la rhubarbe.
3. Martine (*se / ceux / ce*) prépare à ses examens et (*c'est / s'est*) la nuit (*qu'elle / quelle*) travaille le mieux.
4. Voilà justement (*se / ceux / ce*) qui fait que votre fille est muette. (MOLIÈRE)
5. Souvent on entend mal (*se / ce / ceux*) qu'on croit bien entendre. (MOLIÈRE)
6. Je veux savoir de toi, traître, (*se / ceux / ce*) que tu fais, d'(*ou / où*) tu viens avant le jour, (*ou / où*) tu vas. (MOLIÈRE)
7. Et (*c'est / s'est*) une folie à nulle autre seconde / De vouloir (*se / ceux / ce*) mêler de corriger le monde. (MOLIÈRE)

▶ Réviser ★

1 **Transposez les verbes de ces phrases au passé composé, puis récrivez-les à la forme interrogative et négative.**

1. Victor se rappela avoir déjà vu ce visage. – **2.** Tout s'arrangea. – **3.** La cérémonie se termina par un feu d'artifice. – **4.** La colline se couvrit de fleurs sitôt les premiers jours du printemps. – **5.** Nous nous égarâmes faute de boussole. – **6.** Je fus jugé coupable.

2 **Choisissez *s'est* ou *c'est*.**

1. … là, dans cette rue que … déroulé l'incident. – **2.** Ne …-il pas difficilement intégré à la classe ? – **3.** Comment … déroulée cette opération ? – **4.** Comment ? … vous qui avez peint ce chef-d'œuvre ! – **5.** … à la nuit tombée qu'il … attardé sur les quais et … décidé à prendre un train pour Bordeaux. – **6.** … bien la peine de venir au théâtre si … pour en critiquer systématiquement la programmation ! – **7.** Elle … bien rétablie malgré la gravité de sa blessure.

3 Réécriture **Récrivez ce texte en remplaçant *deux petits garçons* par *un petit garçon*.**

> Ce sont probablement deux petits garçons de paysans. On leur a mis leurs plus beaux habits : de petites culottes coupées à mi-jambe qui laissent voir leurs gros bas de laine et leurs galoches, un petit justaucorps de velours bleu, une casquette de même couleur et un nœud de cravate blanc.
>
> ALAIN-FOURNIER, *Le Grand Meaulnes*, 1913.

4 Réécriture **Écrivez les groupes en gras au pluriel et faites les changements nécessaires.**

1. Jules est négligent et **son livre** s'est vite abîmé. – **2. Ce moment** passé auprès de sa mère resta gravé dans sa mémoire. – **3.** Il eut l'occasion de mieux connaître **son voisin** et de découvrir ses étranges manies. – **4. Ce camarade** s'est souvent reposé sur toi et tu l'as toujours aidé. – **5. Sa remarque** nous a surpris mais nous l'avons ignorée. – **6.** Elle trouvait **cette tenue** parfaitement excentrique et me l'avait déconseillée.

5 **Donnez la nature et la fonction des mots ou groupes de mots soulignés.**

1. Je <u>la</u> vis descendre du train <u>sans hâte</u> et l'air si abattu que j'en fus bouleversé. – **2.** Cet homme était respecté <u>pour son grand âge et les services qu'il avait rendus à tous</u>. – **3.** Vous avez agi <u>pour son bien</u> et je vous <u>en</u> remercie. – **4.** Les marchands se rendirent <u>aux halles</u> et lorsqu'ils <u>en</u> revinrent, leurs chariots étaient pleins de victuailles. – **5.** Je compris son inquiétude <u>au tremblement de ses mains</u>. – **6.** Porte ce message <u>au médecin</u> et demande-<u>lui</u> de se hâter. – **7.** N'est-ce pas <u>par erreur</u> que tu as été puni ? – **8.** Elle passa <u>par son bureau</u> avant de se rendre à son domicile et d'y déposer quelques affaires personnelles. – **9.** Nous fûmes accueillis <u>par quelques villageois</u> qui étaient montés jusque-là <u>par curiosité</u>. – **10.** Elle s'attela à cet exercice <u>avec beaucoup de zèle</u> mais elle n'<u>y</u> comprit rien.

6 **Recopiez ce texte en conjuguant les verbes au passé simple.**

1. Une lettre (*envoyer – voix passive*) à ma mère qui (*se contenter*) d'une réponse brève et incisive. – **2.** J'(*obtenir*) un congé pour les fêtes de fin d'année et je m'en (*réjouir*) grandement. – **3.** Je (*recevoir*) cette nouvelle avec circonspection et j'en (*oublier*) presque mon rendez-vous. – **4.** C'est sans doute le coupable, (*penser*)-je, mais je (*se taire*) afin d'éloigner les soupçons. – **5.** On leur (*faire*) porter un repas et ils en (*être*) très satisfaits. – **6.** Nous (*se lancer*) à sa poursuite mais (*ne pas parvenir*) à le rattraper. – **7.** J'(*acquérir*) la certitude que toute cette histoire était un tissu de mensonges mais je (*feindre*) d'y croire.

▶ Croiser les connaissances ★★

7 **Classez les verbes soulignés en deux colonnes : passé simple passif ou passé antérieur.**

1. Lorsque la paix <u>fut revenue</u>, tout Paris fut en liesse. – **2.** L'ensemble des ouvriers <u>fut réuni</u> dans le bureau du contremaître. – **3.** Nous <u>fûmes</u> beaucoup <u>critiqués</u> à la sortie de cet article. – **4.** Quand elle <u>se fut installée</u> au piano, son père l'appela. – **5.** À peine <u>eut-il entrouvert</u> les yeux qu'il sentit une vive douleur du côté du cœur. – **6.** Ses dernières paroles <u>furent suivies</u> d'un tonnerre d'applaudissements et l'orateur <u>fut obligé</u> de lever la main pour y mettre fin. – **7.** Dès que nous nous <u>fûmes assis</u>, nous nous mîmes au travail.

8 **Remplacez le groupe souligné par un pronom. Attention à l'accord des participes passés.**

1. Mes frères ont réparé la voiture avant l'arrivée de notre père. – 2. Ils ont passé beaucoup de temps à chercher l'origine de la panne. – 3. Il a rapidement ôté sa veste avant d'entrer dans le salon et a demandé aux hôtes les raisons de leur présence à une heure si tardive. – 4. N'est-ce pas Charlotte qui lui a révélé la vérité ? – 5. Nous avions confié cette mission aux enfants afin de n'éveiller aucun soupçon. – 6. Tu avais éprouvé un immense chagrin de cette séparation.

9 **Recopiez les phrases suivantes, entourez les verbes conjugués, entourez en vert les conjonctions de subordination, mettez entre crochets verts les propositions subordonnées et les autres propositions entre crochets noirs.**

1. Quand j'ouvris ma barrière pour pénétrer dans la longue allée de pins qui s'en allait vers le logis, j'aperçus une petite lueur à la fenêtre de l'étage. – 2. Dans la chambre qui se trouve là-bas à l'ouest du donjon, personne n'ose s'aventurer. – 3. Comme il ne voulait pas paraître trop inquiet, il se mit à siffler, tout en se demandant s'il n'aurait pas été préférable de faire demi-tour. – 4. Un trottinement alerte lui parvint du couloir, la porte s'ouvrit et sa mère lui demanda, essoufflée, pourquoi il n'avait pas signalé son arrivée. – 5. Le domestique ouvrit la portière et sourit au marquis qui le regarda d'un air méfiant. – 6. Un peu plus loin, j'aperçus une grange dont le toit avait cédé sous le poids de la neige.

10 **Relevez les propositions introduites par _que_ et classez-les dans un tableau selon qu'il s'agit de propositions subordonnées conjonctives ou de subordonnées relatives.**

1. Chacun comprenait avec effroi que la chaleur aiderait l'épidémie à se propager. – 2. Sous une pile de vieux livres qu'il avait entassés, il retrouva la facture que lui avait adressée le tailleur et se rappela alors qu'il devait la régler avant la fin du mois. – 3. Cécile lui a raconté, l'air grave, que toute la nuit elle avait entendu leur mère sangloter. – 4. Imaginez pour un moment que vous êtes assis devant un bon feu et que c'est un vieux conteur que vous écoutez attentivement.

11 **Relevez les propositions subordonnées conjonctives et précisez leur fonction.**

1. Lorsque la nuit fut complète et que toute la maisonnée se fut endormie, il se dit qu'il n'y avait plus aucun danger. – 2. Il interrogerait son apprenti avant que la boutique n'ouvrît ses portes. – 3. Pour que la vieille dame ne se sentît pas trop isolée, nous l'installâmes près de chez nous. – 4. Je montrai deux magnifiques poèmes qu'un savant de mes amis avait traduits pour moi, et que j'admirais tout particulièrement, parce qu'ils étaient empreints de douce mélancolie. – 5. Comme l'enfant restait silencieux, je pris la parole afin qu'il se sentît plus à son aise. – 6. Elle souriait toute seule, tandis qu'elle coupait le pain qui craquait en se brisant sous la lame. (BOSCO)

> **Maîtriser l'écrit ★★★**

12 **a. Conjuguez les verbes entre parenthèses aux temps demandés.**

b. **Dictée** **Préparez ce texte pour la dictée.**

Du jour où elle (_partir – passé simple_), je ne (_être – passé simple_) plus la même ; avec elle, (_s'en aller – plus-que-parfait_) tous les sentiments de confiance, tous les souvenirs qui, dans une certaine mesure, (_faire – plus-que-parfait_) de Lowood une maison pour moi. Quelque chose de sa nature, de son comportement surtout, (_pénétrer et imprégner – plus-que-parfait_) mon esprit. Je la (_voir – passé simple_) monter dans une chaise de poste, peu après la cérémonie du mariage ; je (_suivre – passé simple_) la voiture qui (_gravir – imparfait_) la colline jusqu'au moment où elle (_disparaître – passé antérieur_) derrière sa crête.

D'après **CHARLOTTE BRONTË**, _Jane Eyre_, 1847, traduction de Charlotte Maurat, 1964, Le Livre de poche.

13 **a. Complétez les verbes par le son [é].**

b. **Réécriture** **Récrivez ce texte en commençant par _Nous nous sentons d'humeur..._ et faites les changements nécessaires.**

c. Donnez la nature et la fonction des mots soulignés.

> _Monsieur Rochester s'adresse à Jane, la préceptrice de sa fille._

Je me sens d'humeur sociable et communicative, ce soir, répéta-t-il, et c'est pourquoi nous vous avons fait appel… . Je ne pouv… me content… du feu et du lustre, non plus de Pilot[1]. Quant à vous, j'en suis persuad…, vous pouv… me donn… satisfaction si vous le voul… . Vous m'av… rendu perplexe lorsque je vous ai invit… à venir ici le premier soir. Je vous ai presque oubli… depuis, d'autres pensées vous ont chass… de ma mémoire ; mais ce soir, j'ai résolu d'être en paix, d'éloign… ce qui m'importune, d'évoqu… ce qui m'est agréable. J'aur… plaisir à vous faire sortir de votre réserve, à vous connaître davantage. Parl…-moi donc.

1. Pilot est le chien de Mr Rochester.

D'après **CHARLOTTE BRONTË**, _Jane Eyre_, 1847, traduction de Charlotte Maurat, 1964, Le Livre de poche.

Le subjonctif

■ Le subjonctif est le mode des actions incertaines, seulement envisagées. Il compte deux temps **simples** (le **présent** et l'**imparfait**) et deux temps **composés** (le **passé** et le **plus-que-parfait**).

■ **Conjugaison du présent du subjonctif** (pour la concordance des temps, voir leçon 24)

À l'exception des auxiliaires, les terminaisons sont toujours : **-e, -es, -e, -ions, -iez, -ent.**

	être	avoir	aller	finir	voir
(*Il faut que...*)	je so**is**	j'ai**e**	j'aille	je finisse	je voie
	tu so**is**	tu aies	tu ailles	tu finisses	tu voies
	il, elle soi**t**	il, elle ait	il, elle aille	il, elle finisse	il, elle voie
	nous soyons	nous ay**ons**	nous allions	nous finissions	nous voyions
	vous soy**ez**	vous ay**ez**	vous alliez	vous finissiez	nous voyiez
	ils, elles soient	ils, elles aient	ils, elles aillent	ils, elles finissent	ils, elles voient

courir → *que je coure* ; *conduire* → *que je conduise* ; *s'asseoir* → *que je m'asseye* ;
pouvoir → *que je puisse* ; *savoir* → *que je sache* ; *essuyer* → *que j'essuie* ;
craindre → *que je craigne* ; *vouloir* → *que je veuille*

N.B. Il ne faut pas confondre le présent du subjonctif avec le présent ou l'imparfait de l'indicatif.

■ **Conjugaison du passé du subjonctif**

C'est un temps composé dont l'auxiliaire est conjugué au présent du subjonctif.

venir → *(que) je sois venu(e), tu sois venu(e), etc. / chanter* → *(que) j'aie chanté, tu aies chanté, etc.*

■ **Conjugaison de l'imparfait du subjonctif**

Il se forme sur la base du passé simple avec les terminaisons : **-sse, -sses, -^t, -ssions, -ssiez, -ssent.**

	être	avoir	chanter	finir	venir
(*il fallait que...*)	je fusse	j'eusse	je chantasse	je finisse	je vinsse
	tu fusses	tu eusses	tu chantasses	tu finisses	tu vinsses
	il, elle fût	il, elle eût	il, elle chantât	il, elle finît	il, elle vînt
	nous fussions	nous eussions	nous chantassions	nous finissions	nous vinssions
	vous fussiez	vous eussiez	vous chantassiez	vous finissiez	vous vinssiez
	ils, elles fussent	ils, elles eussent	ils, elles chantassent	ils, elles finissent	ils, elles vinssent

■ **Conjugaison du plus-que-parfait du subjonctif**

C'est un temps composé dont l'auxiliaire est conjugué à l'imparfait du subjonctif.

venir → *(que) je fusse venu(e), etc. / chanter* → *(que) j'eusse chanté, etc.*

■ **L'emploi du subjonctif**

Dans les propositions <u>indépendantes</u> (ou principales), le subjonctif exprime le **souhait** (*Que la paix revienne !*), **l'ordre / la défense** (*Qu'il vienne*), **l'indignation** (*Qu'on m'accuse ! Moi ?*), **la supposition** (*Qu'il se trompe de route et nous sommes perdus...*).

On trouve le subjonctif dans les propositions subordonnées de fonction COD (**après un verbe exprimant le doute, la crainte, le souhait**) ou bien de fonction sujet et après certaines conjonctions de subordination : ***bien que, afin que, quoique, à moins que, avant que, jusqu'à ce que...***

Exercices

1 ★ **Écriture** Complétez les phrases suivantes avec une proposition dont le verbe sera au subjonctif.

1. Il faut que ... .
2. Je souhaite que ... .
3. Je crains que ... .
4. Je me réjouis que ... .
5. Je ne pense pas que ... .
6. Bien que Roger ..., il n'a pas réussi son gâteau.
7. Je rangerai le linge avant que ... .
8. Nous arriverons à l'heure, à moins que ... .
9. Qu'il ... me déplaît.
10. Jusqu'à ce que ..., il n'a pas su faire ses lacets.
11. Quoi que tu ..., je continuerai de lutter pour que ... .

2 ★ Conjuguez les verbes d'abord au présent de l'indicatif puis au présent du subjonctif, aux personnes suivantes uniquement : 1re du singulier ; 2e du singulier ; 2e du pluriel.

crier – peigner – peindre – croire – savoir – venir – s'évanouir

3 ★ Conjuguez les verbes d'abord au passé simple de l'indicatif puis à l'imparfait du subjonctif, aux personnes suivantes uniquement : 1re du singulier ; 3e du singulier ; 3e du pluriel.

aller – naître – se plaindre – faire – dire – vouloir – contenir – rougir

4 ★ À quel temps de quel mode les verbes suivants sont-ils conjugués ? Transposez-les au passé du subjonctif.

1. je suis resté – **2.** tu as offert – **3.** il a grossi – **4.** nous sommes allés – **5.** vous vous êtes tus – **6.** elles ont voulu

5 ★★ À quel temps de quel mode les verbes suivants sont-ils conjugués ? Transposez-les au plus-que-parfait du subjonctif.

1. j'eus appris – **2.** tu fus demeuré – **3.** il eut dévoré – **4.** nous nous fûmes blessés – **5.** vous eûtes ri – **6.** elles furent allées

6 ★★ **Oral** Conjuguez les verbes suivants, à toutes les personnes, au temps demandé du subjonctif.

1. Présent → (il faut que) : appeler – boire – peindre – s'asseoir.
2. Passé → (il faut que) : partir – ranger.
3. Imparfait → (il fallait que) : aller – dire – rougir – connaître.
4. Plus-que-parfait → (il fallait que) : partir – faire.

7 ★★★ Mettez les verbes suivants à la voix passive puis indiquez leur temps.

1. qu'il vende – **2.** que nous mordions – **3.** qu'il aimât – **4.** qu'il ait grondé – **5.** que tu eusses attrapé – **6.** que nous entendions – **7.** que j'eusse vaincu – **8.** que je découvrisse – **9.** qu'ils aient rendu

8 ★★★ Repérez les verbes au subjonctif. Précisez leur temps puis justifiez leur emploi.

1. Que la force soit avec vous !
2. Qu'il pleuve et nous renoncerons à cette sortie.
3. Je ne suis pas content de Marcel. Qu'il passe me voir à la récréation.
4. Que je vienne en classe en pyjama ? Mais vous êtes fou !
5. Lieutenant, que les soldats se mettent en place et se préparent à attaquer.
6. Puisses-tu être heureux.
7. Ainsi soit-il.
8. Qu'ainsi meure toute Romaine qui pleurera un ennemi. (Tite-Live)
9. Que tous ceux qui veulent mourir lèvent le doigt ! (Rostand)

9 ★★★ Récrivez les phrases suivantes de façon à exprimer un ordre à l'aide du subjonctif.

1. Il fait ses devoirs. – **2.** Les matelots sont prêts à jeter l'ancre. – **3.** La veilleuse luit dans la nuit puis s'éteint. – **4.** La rature disparaît et les fautes sont corrigées. – **5.** Il a fini son travail. – **6.** Il va dans les bois et court avec son chien.

10 ★★★ Repérez les verbes au subjonctif et précisez leur temps. Justifiez leur emploi.

1. Oh je voudrais tant que tu te souviennes / Cette chanson était la tienne (Gainsbourg)
2. Il faut que je rejoigne les enfants.
3. Il se sentait heureux, pourvu qu'il eût un livre entre les mains.
4. Il n'aurait pas fallu que je fusse dérangée dans mon travail pour que j'obtinsse des notes convenables. Bien que mes efforts portassent sur les maths, c'est en français que je fis des étincelles. (Meynier)
5. Quoi, tandis que Néron s'abandonne au sommeil, / Faut-il que vous veniez attendre son réveil ? (Racine)

11 ★★ **Réécriture** Récrivez les phrases suivantes en remplaçant le verbe en gras par celui entre parenthèses. Qu'observez-vous ?

Je **remarque** qu'elle n'a pas fini son roman. (s'étonner) – Je **crois** que Manet a peint cette toile. (douter) – Je **pense** que vous savez votre leçon. (ne pas penser) – Je **pense** que vous travaillez. (ne pas penser) – Elle **estime** que ses enfants ont peu de chance. (craindre) – J'**espère** que vous m'aimez. (ne pas espérer) – Je **sais** que Luc et Paul sont mes amis ! (vouloir)

17 La proposition subordonnée conjonctive et ses fonctions

Observer

Lorsqu'il passait près des fenêtres de Marie, Jean ne pouvait s'empêcher de remarquer qu'elle rougissait en le regardant.

1. Recopiez la phrase ci-dessus, entourez en rouge les verbes conjugués, en vert les mots subordonnants, et mettez les différentes propositions entre crochets.

2. Quelle est la nature exacte des mots subordonnants que vous avez entourés ?

3. Cherchez le COD du verbe *remarquer*.

4. Quelle information la première proposition apporte-t-elle ? Déduisez-en sa fonction.

Leçon

1 La proposition subordonnée conjonctive (PSC)

Une proposition introduite par une **conjonction de subordination** (*que, quand, comme, si, pour que, afin que...*) **est une proposition subordonnée conjonctive**.

*Je voudrais **que tu te souviennes**. Nous avons tout fait **pour qu'il se sente bien**.*

2 Fonctions de la proposition subordonnée conjonctive

La **proposition subordonnée conjonctive** complète un verbe.

■ **Une proposition subordonnée conjonctive introduite par *que* est généralement COD ou COI du verbe**, parfois sujet ou attribut du sujet.

Il comprit tout de suite [que la situation était grave].
      prop. principale   PSC / COD du verbe *comprendre*

Attention : Il n'y a pas de préposition devant une conjonctive COI : *Il se souvenait qu'il l'avait laissée sur le canapé* : « qu'il l'avait laissée sur le canapé » est COI du verbe *se souvenir* (se souvenir **de** quelque chose).

■ **Une proposition subordonnée conjonctive introduite par une autre conjonction de subordination** (*parce que, comme, pour que...*) **est toujours complément circonstanciel du verbe**.

J'allais partir [lorsque le téléphone a sonné].
prop. principale   PSC / CC temps du verbe *partir*

Il n'est pas venu, [parce qu'il est malade].
prop. principale   PSC / CC cause du verbe *venir*

3 *Que* conjonction de subordination ou pronom relatif ?

Ne confondez pas *que* conjonction de subordination et *que* pronom relatif.

■ *Que* **pronom relatif** remplace un nom dans la subordonnée : si on le supprime, la subordonnée est incomplète.

J'aime le livre que tu m'as offert. → **Tu m'as offert.*

■ *Que* **conjonction de subordination** ne sert qu'à relier la principale et la subordonnée : la subordonnée est complète même sans ce mot.

Je voudrais que tu m'offres un livre. → *Tu m'offres un livre.*

1 ★ **Enrichissez les phrases suivantes en ajoutant une proposition subordonnée conjonctive. Entourez la conjonction de subordination utilisée.**

1. Nous partirons. – 2. Le vieux prêtre se leva de table. – 3. J'ai parfaitement compris. – 4. Les enfants jouaient.

2 ★ **Pour chacune des propositions subordonnées en gras, indiquez quel mot subordonnant l'introduit, déduisez-en la nature de la proposition subordonnée.**

1. Vous voyez bien **qu'il n'en peut plus**. – 2. **Lorsque l'enfant s'éveilla**, sa mère lui porta un bol de chocolat dans son lit **comme elle le faisait chaque matin**. – 3. Monsieur Robert avait deux fils **qui travaillaient à Dampierre**, et trois filles **dont la dernière allait encore à l'école**. – 4. **Quand elle aperçut l'affreuse créature**, Lise poussa un cri **qu'on entendit jusqu'à Salé**.

3 ★ **Les propositions en gras sont-elles des propositions subordonnées conjonctives ? Justifiez.**

1. **Comme le cours allait commencer**, un murmure se fit dans la salle **sans qu'on comprît pourquoi**. – 2. En revoyant le village **où elle avait grandi**, elle sentit une émotion **qui la submergea**. – 3. Je vais vous dire l'histoire **que j'ai entendue comme on me l'a racontée**. – 4. Je voudrais **que nous commencions sans tarder, afin que tout le monde puisse s'exprimer**.

4 ★★ **Donnez la fonction des propositions subordonnées conjonctives en gras.**

1. **Que les habitants continuent de faire confiance à cet homme** ne manquait pas d'étonner Granville. – 2. **Comme le train ne partait qu'à huit heures**, Fogg proposa **qu'ils prennent un peu de repos dans la salle d'attente**. – 3. Mohamed réussit à quitter les lieux **sans que personne ne s'en aperçût**. – 4. Le plus cher désir du vieil homme était **que ses deux fils se réconcilient**. – 5. **Lorsque le soleil se lève** et **que la brume recouvre les champs**, ce paysage est une merveille.

5 ★★★ **Relevez uniquement les propositions subordonnées conjonctives et précisez leur fonction.**

> Comme le bateau de Trouville ne quittait le port qu'à neuf heures, le docteur songea qu'il lui faudrait embrasser sa mère avant de partir. Il attendit le moment où elle se levait tous les jours, puis il descendit. Son cœur battait si fort en touchant sa porte qu'il s'arrêta pour respirer.
>
> **Guy de Maupassant**, *Pierre et Jean*, 1888.

6 ★★★ **Même consigne avec les phrases suivantes.**

1. Avant que le jeune homme ait rien pu dire, ils sont tous les trois arrivés à la porte d'une grande salle où flambe un beau feu. (Alain-Fournier) – 2. Lorsque j'étais petite fille, ma mère me donna un beau collier que je désirais ardemment ; mais elle me dit : « Chaque fois que tu mettras ce collier, souviens-toi que tu ne sais pas encore le français. » (Mérimée) – 3. Tout ce que je connais est que je dois mourir. (Pascal) – 4. Comme le jeune homme voulait lui faire dire que l'erreur venait de la cliente, il balbutiait, il tordait la barbiche qui allongeait son visage. (Zola)

7 ★★★ **Complétez les phrases suivantes par une proposition subordonnée conjonctive occupant la fonction précisée.**

1. Je déteste (COD). – 2. (*sujet*) risque de poser problème. – 3. Nous entrerons dans la maison (*CC manière*) – 4. Nous entrerons dans la maison (*CC temps*) – 5. Jean et Marie s'organisèrent (*CC but*).

8 ★★★ Analyse **Recopiez le texte suivant en sautant des lignes. Entourez en rouge les verbes conjugués et en vert les mots subordonnants. Mettez entre crochets verts les propositions subordonnées, entre crochets rouges les propositions principales, entre crochets noirs les indépendantes ; précisez la fonction des propositions subordonnées conjonctives.**

> Lorsqu'elle le crut enfin endormi, elle prit un couteau, s'assura qu'il était tranchant, et, sans faire le moindre bruit, elle entra dans le jardin. Le jardin, fermé de murs, touchait à un terrain assez vaste, où l'on mettait les chevaux. Dès que le cheval noir fut à sa portée, elle le saisit fortement par la crinière et lui fendit l'oreille avec son couteau. Le cheval fit un bond terrible et s'enfuit en faisant entendre un cri aigu. Satisfaite alors, Colomba rentrait dans le jardin, lorsque Orso ouvrit sa fenêtre. En même temps elle entendit qu'il armait son fusil.
>
> D'après **Prosper Mérimée**, *Colomba*, 1841.

9 ★★ a. Écriture **Utilisez des propositions subordonnées conjonctives pour exprimer dans la même phrase ce que font deux sujets différents.**

Exemple : *Pendant que les enfants jouaient dehors...*
→ *Pendant que les enfants jouaient dehors, les adultes préparaient le festin.*

1. Alors que les élèves s'installaient à leur place ... .
2. Tandis que Mme Loisel dansait et s'amusait ... .
3. Pendant que Raphaël examinait les objets étalés dans la vitrine ... .

b. Sur le même modèle, rédigez trois phrases de votre invention. Variez les conjonctions employées.

10 ★★★ Écriture *Lorsqu'il fait beau et que la mer est calme, nous passons volontiers la journée en bateau.* **Sur le même modèle, rédigez trois phrases commençant par deux propositions subordonnées conjonctives CC de temps coordonnées.**

18 L'expression du temps

Au moment où Cosette sortit, son seau à la main, si morne et si accablée qu'elle fût, elle ne put s'empêcher de lever les yeux vers les boutiques. Tant qu'elle fut dans la ruelle du Boulanger et dans la rue de l'église, les boutiques illuminées éclairaient le chemin, mais bientôt la dernière lueur de la dernière baraque disparut. La pauvre enfant se trouva dans l'obscurité. Elle s'y enfonça. Seulement, comme une certaine émotion la gagnait, tout en marchant, elle agitait le plus qu'elle pouvait l'anse du seau.

1. Relevez les compléments circonstanciels de temps : quelle est la nature des groupes relevés ? Lequel exprime un moment précis ? lequel une durée ? lequel une action simultanée à une autre action ?

Leçon

■ **Les expressions de temps structurent l'organisation du récit et lui apportent sa cohérence. Elles sont indispensables à la bonne progression du récit.**

Les indices de temps peuvent être :

– **Des GN ou des GN prépositionnels** : *ce jour-là ; dans quelques jours.*

– **Des adverbes** : *aujourd'hui, demain, toujours, dorénavant…*

– **Des propositions subordonnées conjonctives** :

Lorsque la lune brillait, j'en étais averti par ses rayons.

■ Ces indices de temps expriment :

– **Un moment présent** : *à l'heure actuelle, actuellement, en ce moment, de nos jours, maintenant, aujourd'hui, dorénavant.*

– **L'antériorité (le fait qu'une action se déroule avant une autre)** : *autrefois, jadis, avant + nom, après + infinitif, après que + indicatif, quand, lorsque, depuis + GN, depuis que + indicatif, sitôt que, une fois que + indicatif.*

> *Une fois que tu auras fini ce travail, tu pourras sortir.*
>
> *Tu pourras sortir, après avoir fini ce travail.*

– **La postérioté (le fait qu'une action se déroule après une autre)** : *plus tard, avant + infinitif, avant que + subjonctif, jusqu'à + GN, jusqu'à ce que, dans quelques jours, quelques heures…*

> *Avant de sortir, finis ce travail.*

– **La simultanéité** (**le fait que deux actions se déroulent en même temps**) : *en même temps que, alors que, tandis que, tant que, quand, lorsque, comme, pendant que, à mesure que, au moment où + indicatif ; pendant + GN, le gérondif.*

> *Tout en marchant, elle pensait à son avenir.*

– **Une durée** : *pendant + GN, durant + GN, ou un GN sans préposition (toute la nuit, une semaine…).*

– **Une répétition** : *toujours, souvent, parfois, chaque fois que + indicatif.*

Exercices

1 ★ **Reliez les deux propositions en construisant avec l'une d'elles un complément circonstanciel de temps dont vous varierez la nature : GN puis proposition. Variez les conjonctions de subordination.**

Exemple : *Il est rentré, il faisait nuit.* → *Il est rentré alors qu'il faisait nuit. Il est rentré à la nuit tombée.*

1. Mon père part travailler ; le jour se lève.

2. Il est né ; il ne pesait pas plus de deux kilos.

3. L'alerte retentit, les pompiers s'élancent.

4. Nous avons embarqué ; nous avons fait signe à notre cousine restée sur le quai.

5. L'acteur entre sur scène, nous nous taisons.

6. Les résultats sont annoncés, tu nous téléphones.

2 ★★ **Relevez les indications de temps : expriment-elles la durée, la répétition, la simultanéité, un moment précis ?**

1. Chaque fois que Sophie entendait le bruit d'un équipage, elle se précipitait à la fenêtre. À mesure que l'heure avançait, une nervosité grandissante se mêlait à son allégresse. Enfin... Nicolas mit pied à terre. Pendant qu'il traversait la cour, elle vérifia une dernière fois sa coiffure. (Troyat)

2. À sept heures, le matin, puis à midi, puis à six heures, le soir, les ménagères réunissaient leurs mioches pour donner la pâtée, comme des gardeurs d'oies assemblent leurs bêtes. (Maupassant)

3. Le maréchal de Bellefonds est à la Trappe pour la semaine sainte. (Mme de Sévigné)

3 ★★ **Imaginez les indices de temps manquants dans ces phrases en respectant les indications données entre parenthèses.**

1. Je me suis lavé les mains (*avant + infinitif*).

2. (*après + GN*), le docteur accompagna son patient jusqu'à la porte.

3. Ses mains étaient rouges à cause du vent froid qui, (*durant + GN*) avait soufflé sur les voyageurs.

4. Il avait décidé de rester seul (*jusqu'à ce que + proposition*).

5. Il faut appeler les urgences (*avant que + proposition*).

4 ★★ **Exprimez l'antériorité en construisant des propositions subordonnées. Remplacez ensuite ces propositions subordonnées par un groupe avec un participe passé.**

Exemple : Une fois que..., il joue. → Une fois qu'il a appris ses leçons, il joue. Ses leçons apprises, il joue.

1. Dès que ..., nous nous rendîmes dans les loges.

2. Sitôt que ..., nous avons repris la route.

3. À peine ... qu'il entendit un bruit étrange.

4. Une fois que ..., vous achèterez votre billet pour Berlin.

5. Dès lors que ..., vous pourrez rencontrer le roi.

5 ★★★ **a. Relevez les indications de temps et placez-les sur un axe chronologique.**

b. Réécriture **Récrivez les deux premières phrases en commençant par :** *Ce soir, Manon est très bavarde.* **Faites les changements de temps nécessaires.**

Ce soir-là, Manon fut très bavarde. La veille au matin elle était encore à Bangkok et elle devait repartir le lendemain pour New York ! Elle avait découvert, au cours de son dernier voyage, toutes sortes de nouveautés, de mœurs, d'idées, de paysages. Elle en parlait dans le premier désordre d'une mémoire encombrée de souvenirs tumultueux. De temps en temps, elle s'interrompait essoufflée, comme si elle l'eût été de monter et de descendre un escalier. À la fin, nous regardant fixement, elle nous promit de nous emmener avec elle lors de nos prochaines vacances.

6 ★★★ **Lisez les paragraphes qui suivent et remettez-les dans l'ordre en vous aidant des indices de temps.**

1. Or, un soir, je m'aperçus, en tâtant l'épaisseur d'un panneau, qu'il devait y avoir là une cachette. Mon cœur se mit à battre, et je passai la nuit à chercher le secret sans le pouvoir découvrir.

2. Jusqu'à l'âge de trente-deux ans, je vécus tranquille, sans amour. La vie m'apparaissait très simple, très bonne et très facile. Étant riche, je recherchais les meubles anciens et les vieux objets.

3. Vraiment, pendant huit jours, j'adorai ce meuble. J'ouvrai à chaque instant ses portes, ses tiroirs ; je le maniais avec ravissement, goûtant toutes les joies intimes de la possession.

4. J'y parvins le lendemain en enfonçant une lame dans une fente de la boiserie. Une planche glissa et j'aperçus, étalée sur un fond de velours noir, une merveilleuse chevelure de femme !

5. Je rôdais dans Paris par un matin de soleil, l'âme en fête, le pied joyeux, regardant les boutiques avec cet intérêt vague du flâneur. Tout à coup, j'aperçus chez un marchand d'antiquités un meuble italien du XVIIᵉ siècle. Il était fort beau, fort rare. J'achetai ce meuble et je le fis porter chez moi tout de suite. Je le plaçai dans ma chambre.

D'après **Guy de Maupassant**, « La chevelure », 1884.

7 ★★★ **a. Relevez les indices de temps du texte suivant.**

b. **Écriture** **Imaginez la suite du texte en employant les indices de temps suivants :** *maintenant – à peine eut-elle fait cent pas – tout en courant – pendant qu'elle reprenait son souffle – après un dernier effort – tout à coup.*

Cosette traversa ainsi le labyrinthe de rues tortueuses et désertes. Tant qu'elle eut des maisons et même seulement des murs des deux côtés de son chemin, elle alla assez hardiment. De temps en temps, elle voyait le rayonnement d'une chandelle à travers la fente d'un volet, c'était de la lumière et de la vie, il y avait là des gens, cela la rassurait. Cependant, à mesure qu'elle avançait, sa marche se ralentissait comme machinalement. Quand elle eut passé l'angle de la dernière maison, Cosette s'arrêta.

Victor Hugo, _Les Misérables_, 1862.

19 Le conditionnel

1 Conjugaison

■ **Le conditionnel présent**

Les **terminaisons** sont celles de **l'imparfait** et le **radical** est celui du **futur**, c'est-à-dire l'**infinitif** :

je danser-ais, il prendr-ait, nous finir-ions.

Attention : Certains radicaux sont irréguliers : *courir, je courrais – envoyer, j'enverrais – aller, ils iraient – tenir, je tiendrais.*

■ **Le conditionnel passé** se conjugue à l'aide de l'auxiliaire *avoir* ou *être* conjugué au conditionnel présent suivi du participe passé du verbe : *j'aurais voulu, elles seraient parties.*

Conditionnel présent		Conditionnel passé
crier	**boire**	**partir**
je crier**ais**	je boir**ais**	je serais parti(**e**)
tu crier**ais**	tu boir**ais**	tu serais parti(**e**)
il, elle crier**ait**	il boir**ait**	il, elle serait parti(**e**)
nous crier**ions**	nous boir**ions**	nous serions parti(**e**)**s**
vous crier**iez**	vous boir**iez**	vous seriez parti(**e**)**s**
ils, elles crier**aient**	ils, elles boir**aient**	ils, elles seraient parti(**e**)**s**

2 Emplois

■ Le conditionnel exprime une **action non réalisée** mais seulement imaginée :

– une **situation imaginaire, rêvée** : *Nous **irions** vivre sur la Lune.*

– un **souhait** ou un **conseil** : *Nous **aimerions** nous revoir. – Vous **devriez** vous revoir.*

– une **action soumise à condition** : *Si tu voulais, nous **partirions** en voyage.*

■ Ou bien il présente l'action comme **incertaine** ; il sert alors à formuler :

– une **information incertaine** : *Ils **se seraient rencontrés** pendant les vacances.*

– une **demande atténuée** par politesse : *Je **voudrais** que vous sortiez.*

■ Le conditionnel passé est souvent utilisé pour relater un **fait irréel dans le passé**. Il peut alors exprimer le **regret** : *Nous **aurions aimé** nous revoir.*

■ Dans un récit au passé, le conditionnel remplace le **futur** : *Je savais que nous nous **reverrions**. (Je sais que nous nous reverrons.)*

1 ★ **Oral** **Relevez les verbes au conditionnel, donnez l'infinitif, le temps, et précisez leur valeur.**

1. D'après l'enquête, le prisonnier se serait évadé cette nuit.

2. Pourriez-vous me prêter cet ouvrage ?

3. Selon les prévisions météorologiques, l'hiver serait rude.

4. Je voudrais tellement que nous soyons à Noël !

5. Il faudrait essayer de partir à l'heure.

6. J'ai pensé que des fleurs calmeraient sa colère.

7. Si tu avais mené la même enquête à Paris, tu en aurais appris de belles. (Mauriac)

8. Le jeune Marcel disait : « Alors je serais un ermite et je vivrais tout seul dans une grotte. » (Pagnol)

9. Vous devriez lui parler et lui faire entendre raison. (Musset)

2 ★ Conjuguez au conditionnel présent aux 3es personnes du singulier et du pluriel.

prendre – appeler – payer – jeter – savoir – s'en aller – appuyer – suivre – cueillir

3 ★ a. Conjuguez au conditionnel présent les verbes entre parenthèses. b. Conjuguez au conditionnel passé.

1. Tu (*payer*) comptant. – **2.** Nous (*revenir*) le lendemain. – **3.** Je (*vouloir*) un bonbon. – **4.** Il (*crier*) de stupeur. – **5.** Elles (*descendre*) sur-le-champ. – **6.** Vous (*choyer*) vos enfants. – **7.** Ils (*régler*) cette affaire.

4 ★★ a. Conjuguez les verbes entre parenthèses au conditionnel. Quelle est la valeur du conditionnel ?

b. Dictée Préparez ce texte pour la dictée.

> Avoir une maison à soi, tout entière en briques vernies… Les fenêtres (*être*) larges, on (*voir*) des peupliers dans le lointain, et tout auprès (*être*) un canal avec des bords bien sablés où l'on (*se promener*) tous les soirs à cinq heures. Des domestiques (*faire*) leur service sans se presser, ponctuellement, chaque chose à la même heure. Le maître (*inviter*) ses amis ; la nappe, le linge (*être*) d'une blancheur admirable : des verres artistement travaillés, des porcelaines aux doux reflets, des faïences luisantes (*égayer*) la table. Les enfants (*venir*) embrasser les parents au dessert. Comme on (*être*) heureux d'être heureux !
>
> D'après **Hippolyte Taine**, *Carnets de voyage*, 1897.

5 ★★ Transposez les phrases suivantes au conditionnel afin d'atténuer le propos ou d'exprimer le doute.

1. Avez-vous oublié de préparer le rapport que je vous avais demandé ? – **2.** La tempête doit souffler sur les côtes de Bretagne toute la nuit. – **3.** Tu dois rejoindre tes amis avant le début de la cérémonie. – **4.** Vous voulez bien vous passer de moi pour cette fois. – **5.** Le défilé sera annulé à cause des émeutes. – **6.** Je veux vous épouser ce soir même. – **7.** Tu peux faire la vaisselle. – **8.** Un alpiniste s'est égaré lors de son ascension du Mont-Blanc.

6 ★★ Transposez les phrases au conditionnel passé afin d'exprimer le regret.

1. Nous aimerions partir aux sports d'hiver en février. – **2.** Mon frère serait heureux de vivre dans cette région. – **3.** Mon ami rêve de participer à cette course de voile en solitaire. – **4.** Vous trouvez dans le travail un soulagement à vos ennuis. – **5.** On le souhaiterait plus chaleureux et plus expansif.

7 ★★ Réécriture Récrivez l'article de la revue en utilisant le conditionnel de manière à rendre l'information incertaine : quels verbes avez-vous changés ?

> Je viens de lire ceci dans la *Revue du Monde scientifique* : « Une nouvelle assez curieuse nous arrive de Rio de Janeiro. Une folie, une épidémie de folie, comparable aux démences contagieuses qui atteignirent les peuples d'Europe au Moyen Âge, sévit en ce moment dans la province de San-Paulo. Les habitants éperdus quittent leurs maisons, désertent leurs villages, abandonnent leurs cultures, se disant poursuivis, possédés, gouvernés comme un bétail humain par des êtres invisibles bien que tangibles, des sortes de vampires qui se nourrissent de leur vie, pendant leur sommeil, et qui boivent en outre de l'eau et du lait sans paraître toucher à aucun autre aliment. »
>
> **Guy de Maupassant**, « Le Horla », 1887.

8 ★★ Mettez le verbe de la principale à l'imparfait et faites les changements nécessaires dans la subordonnée.

1. Je me demande seulement si nous réussirons à décoder ce message. – **2.** Il sait que dans quelques instants il aura rassuré tout le monde. – **3.** Cela ne veut pas dire que ton père ne reviendra plus jamais. – **4.** Penses-tu que les siècles futurs oublieront une pareille circonstance ? (**Musset**) – **5.** Le bruit court qu'une fois achevée la réfection de la maison de quartier, d'autres travaux seront entrepris selon un plan d'embellissement de la ville.

9 ★★★ Conjuguez le verbe au conditionnel présent ou au futur simple de l'indicatif. Justifiez votre choix.

1. Je suis sûre que nous n'y (*penser*) plus une fois l'hiver terminé. – **2.** Ils répondirent qu'ils n'étaient encore qu'au début de leurs répétitions et qu'on (*voir*) un peu quand ils (*maîtriser*) leur rôle. – **3.** Elle m'assure que dans quelques heures plus personne ne (*étonner – voix passive*) de sa présence dans les tribunes. – **4.** Heurtaux affirmait que prochainement Louis Bonaparte (*être*) consul. (**Flaubert**) – **5.** Je sais trop combien nous (*décevoir – voix passive*), si nous ne parvenons pas à mettre en place ce projet. – **6.** Je savais que vous (*trouver*) en Russie le tableau que vous aviez tant cherché.

10 ★★ Réécriture Récrivez ce passage au présent et à la 3e personne du singulier, en commençant par *Il sait bien qu'*... et en faisant tous les changements nécessaires.

> Je savais bien qu'il viendrait rôder autour de moi, tout près, si près que je pourrais peut-être le toucher, le saisir ? Et alors !… alors, j'aurais la force des désespérés ; j'aurais mes mains, mes genoux, ma poitrine, mon front, mes dents pour l'étrangler, l'écraser, le mordre, le déchirer.
>
> **Guy de Maupassant**, « Le Horla », 1887.

Les homophones verbaux

Observer

*Athos, **blessé**, **avait changé** son épée de main et **continuait** à **protéger** la reine.*

Parmi les formes verbales en gras :

1. Laquelle est à l'infinitif ? Pour quelle raison ?
2. Laquelle est à un temps composé ? Analysez les deux parties qui composent le verbe.
3. Laquelle est employée pour décrire l'état d'Athos ?

Leçon

1 Le verbe se termine par *-er*

Le verbe est à l'infinitif.

Un verbe est à l'infinitif en particulier :

– quand il complète un autre verbe : *Il souhaitait <u>rentrer</u>* ;

– après une préposition (*à, de, pour, sans…*). *Il est parti **sans** <u>se retourner</u>* ;

– quand il est le sujet de la phrase : *<u>Marcher</u> me fera du bien.*

– dans certaines interrogatives : *Que <u>faire</u> ? Où <u>aller</u> ?*

2 Le verbe se termine par *-ai, -ais, -ait, -aient* ou *-ez*

Le verbe est conjugué. Il exprime l'action accomplie ou subie par le sujet.

Aux **temps simples**, le verbe est constitué d'un seul élément. Il porte alors **une marque de personne** (voir leçon 2) qui dépend du sujet : *-s, -t, -ez… Il dormait. Vous le savez.*

Aux **temps composés**, le verbe est constitué d'un **auxiliaire** (*être* ou *avoir*) et d'un **participe passé**. **C'est l'auxiliaire qui porte les marques de personne** : *j'aurais aimé, il fut sorti, ils avaient vieilli.*

3 Le verbe se termine par *-é, -ée, -és* ou *-ées*

C'est un participe passé.

Le participe passé des verbes est utilisé pour la **conjugaison des temps composés** (*ils ont <u>déménagé</u>, j'ai <u>réussi</u>*) et de la voix passive (*il a été <u>arrêté</u> ; je suis <u>troublé</u>*).

Il ne change pas selon les personnes : *j'avais <u>aimé</u>, il avait <u>aimé</u>, ils ont <u>aimé</u>.*

Mais quand il est employé **avec l'auxiliaire *être*, il s'accorde avec le sujet :** *je suis all**ée**, ils sont all**és**.*

Employé **avec l'auxiliaire *avoir***, il s'accorde avec le COD du verbe si celui-ci est placé avant (voir leçon 10).

Le participe passé peut aussi être employé comme un adjectif, pour qualifier un nom : il s'accorde alors avec ce nom comme un adjectif : *une maison abandonnée, des murs peints.*

Astuce : Pour savoir s'il y a une consonne muette à la fin d'un participe passé, mettez-le au féminin : *une chose écrite, une chose promise, une chose finie : j'ai écri**t**, j'ai prom**is**, j'ai fini.*

Exercices

1 ★ **Conjuguez les verbes entre parenthèses au plus-que-parfait.**

1. Ils (*refuser*) de nous écouter.
2. Elle (*se lever*) précipitamment et (*renverser*) sa tasse de café.
3. Tu (*ne pas encore achever*) cette toile.
4. Je (*commencer*) mon travail de bonne heure, et pourtant, le soir venu, je (*ne toujours pas terminer*).
5. Nous (*prévenir – voix passive*) à temps.

2 ★★ Dites si les formes verbales suivantes sont des participes passés ou des verbes conjugués à une forme personnelle. Attention, il y a parfois deux possibilités.

parti – transmit – punis – fournies – eu – connut – étaient – mourus – inscrits – salie

3 ★ a. Conjuguez les verbes entre parenthèses au passé simple. b. Transposez les phrases au passé composé.

1. Je (*vouloir*) me mettre en route avant la nuit.
2. Il (*finir*) par se rendre compte de quelque chose.
3. Il (*comprendre*) la plaisanterie et (*rire*) de bon cœur.
4. Je (*rester*) un moment interdit.
5. Il me (*promettre*) de ne rien dire.

4 ★★ Choisissez entre -é(e)(s) et -er.

1. As-tu accept... de l'aid... ?
2. J'ai raccompagn... ma voisine chez elle et je l'ai aid... à port... ses courses à son étage.
3. Ils ont ét... trop bien domin... par leurs adversaires pour pouvoir renvers... la situation avant la fin du match.
4. March... seule dans les rues, bavard... facilement, tout cela m'a manqu... pendant toutes ces années pass... en Arabie saoudite.

5 ★★★ a. Recopiez le texte suivant en accordant ou non les participes passés en gras. À l'oral, justifiez vos accords.

b. Entourez les verbes à l'infinitif et, à l'oral, justifiez leur emploi.

c. Dictée Préparez ce texte pour la dictée.

Ce soir-là, la mère, qu'on a **vu** cheminant presque au hasard, avait **marché** toute la journée. C'était, du reste, son histoire de tous les jours : aller devant elle sans jamais s'arrêter. Elle mangeait et dormait juste autant qu'il fallait pour ne pas tomber morte.

C'était dans une grange **abandonné** qu'elle avait **passé** la nuit précédente ; elle avait **trouvé** dans un champ désert quatre murs, une porte ouverte, un peu de paille, et elle s'était **couché** sur cette paille et sous ce toit. Elle avait **dormi** quelques heures ; puis s'était **réveillé** au milieu de la nuit, et **remis** en route afin de marcher le plus de chemin possible avant la grande chaleur du jour. Tout en marchant, elle songeait. Elle pensait aux aventures qu'elle avait **traversé**.

D'après **Victor Hugo**, *Quatre-vingt-treize*, 1874.

6 ★★ Recopiez le texte en choisissant, pour chaque proposition, la forme exacte.

Ils (*été / étaient*) (*arrivaient / arrivé / arrivés*) là avant que la nuit fût (*terminait / terminé / terminée*). François avait (*décidé / décidait*) de ne pas (*poussé / pousser / poussait*) plus loin. Car il ne faudrait pas (*compté / compter*) (*trouvé / trouvée / trouver*) de l'eau entre les berges de ciment (*emplit / emplient / emplies*) de cendres. Ils avaient (*creusé / creusés*) un trou dans le gravier, (*bu / but*), (*mangé / manger / mangeaient*) et (*dormi / dormis*). Le soleil (*s'était / c'était*) (*levé / lever*) puis (*couché / coucher*). Ils attendirent, pour (*repartirent / repartir*), le lever de la lune. À mesure qu'ils avançaient, ils (*pénétré / pénétraient*) dans l'odeur de la ville (*incendié / incendiée / incendiait*), plus dense de minute en minute. C'était une odeur (*refroidit / refroidi / refroidie*) de carne (*griller / grillé / grillée*), de suie, de vieux chiffons couvant le feu, de caoutchouc (*brûler / brûlé / brûlée*), de peinture (*flamber / flambé / flambée*).

D'après **René Barjavel**, *Ravage*, 1943, Denoël.

7 ★★★ Recopiez le texte suivant en complétant les formes verbales par -é(e)(s), -er, -ais, -ait ou -aient.

1. Par une matinée pluvieuse, au mois de mars, un jeune homme, soigneusement envelopp... dans son manteau, se ten... sous l'auvent de la boutique qui se trouv... en face de ce vieux logis, et paraiss... l'examin... avec un enthousiasme d'archéologue. (**Balzac**)
2. Rest... dans l'angle, derrière la porte, si bien qu'on l'apercev... à peine, le nouveau ét... un gars de la campagne, d'une quinzaine d'années environ, et plus haut de taille qu'aucun de nous tous. Il av... les cheveux coup... droit sur le front, comme un chantre de village, l'air raisonnable et fort embarrassé. Quoiqu'il ne fût pas large des épaules, son habit-veste de drap vert à boutons noirs dev... le gên... aux entournures et laiss... voir, par la fente des parements, des poignets rouges habitu... à être nus. Ses jambes, en bas bleus, sort... d'un pantalon jaunâtre très tir... par les bretelles. Il ét... chauss... de souliers forts, mal cir..., garnis de clous.

D'après **Gustave Flaubert**, *Madame Bovary*, 1856.

8 ★★ Complétez par -i, -ie, -is ou -it.

1. L'homme remerc... David et lui d... qu'il a compr... . – **2.** Pâl... et amaigr..., l'enfant gémi... faiblement dans son lit. – **3.** Il avait ressent... un choc en voyant son magasin détru... . – **4.** Le pays conqu... avait fin... par se révolter. – **5.** J'ai grand... et acqu... de l'expérience : à présent, je me méfi... de ces charlatans. – **6.** Il m... un manteau qu'il avait pr... au hasard. – **7.** Il me conf... la petite fille qu'il a recueill... . – **8.** Avec sa barbe blanch... et son ventre rebond..., ce père Noël a sédu... tous les enfants.

Réinvestir
ses connaissances AP

▶ Réviser ★

1 a. Conjuguez les verbes entre parenthèses au futur simple de l'indicatif puis au présent du conditionnel. b. Quelle différence de sens remarquez-vous ?

1. Je (*recourir*) à un subterfuge. – 2. Luc (*savoir*) la vérité. – 3. Nous (*se montrer*) malhonnêtes. – 4. Vous (*boire*) du café. – 5. Je vous (*appeler*) demain. – 6. Les gardiens nous (*libérer*) bientôt. – 7. Les apprentis (*coudre*) des pantalons. – 8. Pénélope (*défaire*) son ouvrage.

2 a. Conjuguez les verbes entre parenthèses au futur antérieur de l'indicatif puis au passé du conditionnel. b. Quelle différence de sens remarquez-vous ?

1. Je (*passer*) par la fenêtre. – 2. Tu (*accomplir*) un exploit. – 3. Garance (*naître*) avant l'aube. – 4. Nous (*vendre*) à perte. – 5. Vous (*se battre*) toute la nuit. – 6. Les enfants (*jouer*) dans la cour.

3 En les faisant précéder de *Il faut que*, transposez les verbes suivants :

a. au présent du subjonctif.

je cours – tu fuis – il est – nous nageons – vous broyez – ils savent – je me souviens – il boit – nous appelons – ils croient – je vais – nous nous en allons – il faut – il pleut – je déplais

b. au passé du subjonctif.

j'ai répondu – tu t'es levé – elle est partie – nous avons acquis – vous avez ri – ils ont soutenu – elles sont descendues – je me suis endormi – tu as souri

▶ Croiser les connaissances ★★

6 Choisissez la forme correcte. Justifiez votre réponse par l'analyse verbale.

1. Je (*somnolais / somnolai / somnolé*) lorsqu'on m'appela. – 2. Je ne veux pas que mon enfant me (*voit / voie*) pleurer. – 3. Dis-moi ce que tu (*vois / voies*). – 4. Je (*serais / serai*) fier de toi si on te (*choisissait / choisissais / choisissaient*). – 5. Je (*serais / serai*) présent quand tu reviendras. 6. Bien que nous (*craignions / craignons*) l'orage, nous faisons bonne figure. – 7. Tu (*es / aies*) parti avant que

4 a. Choisissez la bonne terminaison en [é].

b. **Dictée** Préparez ce texte pour la dictée.

> Le désespoir de Mme Aubain fut illimit… . D'abord, elle se révolta contre Dieu, le trouvant injuste de lui avoir pris sa fille – elle qui n'av… jamais f… de mal, et dont la conscience ét… si pure ! Mais non ! elle aur… dû l'emport… dans le Midi. D'autres docteurs l'aur… sauv… ! Elle s'accus…, voul… la rejoindre, cri… en détresse au milieu de ses rêves. Un, surtout, l'obséd… . Son mari, costum… comme un matelot, reven… d'un long voyage, et lui dis… en pleurant qu'il av… reçu l'ordre d'emmen… Virginie. Alors ils se concert… pour découvrir une cachette quelque part. Une fois, elle rentra du jardin, boulevers… .
>
> D'après **Gustave Flaubert**, « Un cœur simple », 1877.

5 a. Relevez les verbes conjugués et indiquez si les phrases suivantes sont simples ou complexes.

b. Entourez les mots subordonnants.

c. Délimitez les différentes propositions. Précisez la nature de chacune d'entre elles.

d. S'il y a lieu, précisez quelles propositions sont coordonnées ou juxtaposées.

1. Marie n'avait point de volonté ; et, quoiqu'elle eût encore grande envie de dormir, elle se disposa à suivre Germain. (SAND) – 2. Grondant et menaçant les passants, le chien libéré de sa chaîne représentait un danger certain dans cette petite ville habituellement tranquille. – 3. Quand il sentit la jeune fille si près de lui, Germain, qui s'était distrait et égayé un instant, recommença à perdre la tête. (SAND) – 4. La vague avance, impressionnante ; elle emporte tout sur son passage.

j'(*ai / aie*) eu le temps de te répondre ! – 8. La conférencière (*conclut / conclue / conclu*) son exposé. – 9. Sonia sera sacrée championne à moins que le jury ne l'(*exclue / exclut / exclu*) de la compétition. – 10. Georges a prétendu que je (*remporterai / remporterais*) la coupe. – 11. Je le vis s'agiter et je me (*fâchais / fâchai / fâché / fâchée*).

7 **Réécriture** a. Récrivez le texte suivant en mettant le premier verbe au présent de l'indicatif.

b. Récrivez le texte au passé composé en remplaçant le premier *je* par *Cécile*.

Je sortis en bafouillant et descendis l'escalier dans une grande confusion de pensées. Je m'assis dans une chaise longue, je fermai les yeux. Je cherchai à me rappeler tous les visages durs, rassurants d'Anne. La découverte de ce visage vulnérable m'émouvait et m'irritait à la fois. Aimait-elle mon père ? Était-il possible qu'elle l'aimât ?

D'après **Françoise Sagan**, *Bonjour tristesse*, 1954, Julliard.

8 **a. Repérez les verbes conjugués. b. Relevez les différentes propositions et précisez leur nature. c. Donnez la fonction des conjonctives.**

1. Alors qu'il vole dans les airs, il aperçoit une très belle jeune femme, accrochée à un rocher par des rivets. (Vernant) – **2.** Alors le comte se souvint avec horreur que ce serviteur, qu'il connaissait depuis toujours, l'avait déjà trahi par le passé. – **3.** Puisque nous savons que nous

> ## ▶ Maîtriser l'écrit ★★★

10 **Conjuguez les verbes entre parenthèses :**

a. à l'imparfait du subjonctif.

1. Je lui souris avant qu'il ne (*partir*). – **2.** Quoique nous (*être*) fâchés, nous les reçûmes courtoisement. – **3.** Il baissa la tête afin que la branche ne l'(*atteindre*) point. – **4.** Qu'Émilie (*réussir*) le concours d'entrée à Saint-Cyr nous ravit. – **5.** Nous roulâmes toute la journée sans qu'un lion ne (*se montrer*). – **6.** Fallait-il que je (*accepter*) mon sort ?

b. au plus-que-parfait du subjonctif.

1. Bien que j'(*décider*) de rester discret, je ne pus me taire. – **2.** Ils furent châtiés quoiqu'ils (*ne pas mal agir*). – **3.** Que les invités (*s'asseoir*) avant la reine fit grand scandale au palais.

11 **a. Analysez les verbes conjugués : infinitif, temps et mode. Quels temps sont employés pour marquer l'antériorité ou la postériorité de l'action ?**

b. Réécriture **Récrivez ce passage en mettant le premier verbe au présent.**

c. Donnez la nature et la fonction des mots ou groupes de mots soulignés.

d. Imaginez, en quelques lignes, une suite à ce passage. Variez les indices de temps.

> Anne ne devait pas arriver avant une semaine. Je profitais de ces derniers jours de vraies vacances. Nous avions loué la villa pour deux mois, mais je savais que dès l'arrivée d'Anne la détente complète ne serait plus possible.
>
> D'après **Françoise Sagan**, *Bonjour tristesse*, 1954, Julliard.

n'arriverons pas à la ferme avant la nuit, montons la tente afin qu'elle nous protège des intempéries. – **4.** Pendant qu'Adrien préparait le dessert, son fils lui demanda comment on fabriquait les meringues.

9 **Donnez la nature et la fonction des mots et groupes de mots soulignés.**

1. Eurydice avait été mordue par un serpent et Orphée, inconsolable, décida de descendre aux Enfers pour la ramener dans le monde des vivants. – **2.** Il ramassa le bâton de houx du fermier, le brisa sur son genou pour lui montrer la force de ses poignets, et en jeta les morceaux au loin avec mépris. (Sand) – **3.** En voilà un idiot. On lui annonce qu'il n'ira plus à l'école et il pleure. (Cocteau) – **4.** Quel magazine feuilletait-elle pendant que son mari écrivait des lettres ? – **5.** Dès que la nuit fut tombée, on alluma des lanternes parce qu'on craignait que les invités ne trébuchassent sur les pierres irrégulières des allées.

12 **a. Le narrateur s'adresse-t-il à une fille ou à un garçon ? Justifiez grammaticalement votre réponse.**

b. Analysez les verbes soulignés : infinitif, voix, temps, mode, personne.

c. Réécriture **Récrivez les quatre premières phrases en mettant le premier verbe au présent du conditionnel et en faisant les changements nécessaires. En quoi cela modifie-t-il le sens des phrases ?**

d. Faites l'analyse des phrases en gras : repérez les propositions, indiquez leur nature. S'il y a lieu, précisez si les propositions sont coordonnées ou juxtaposées. Donnez la fonction des propositions subordonnées conjonctives.

e. Dictée **Préparez ce texte pour la dictée.**

> La veille de la rentrée, tu prépares ton cartable en cachette. **Le lendemain matin, avant que tes petites sœurs ne descendent, tu cours te cacher dans le bosquet.** Plus d'une heure après, tu vois arriver les élèves un par un, ou par petits groupes. **Les petites se tiennent sagement par la main et avancent sans parler.** Tu te reproches de n'être pas passée voir le maître quelques jours plus tôt pour lui demander s'il serait possible que tu prolonges ta scolarité. L'idée t'en est venue, mais tu n'as pas osé aller frapper à sa porte. **Ton cœur bat, le sang frappe à tes tempes et tu souhaites éperdument qu'il vienne te chercher.**
>
> D'après **Charles Juliet**, *Lambeaux*, POL, 1995.

13 **Avant de débuter une activité, un moniteur donne des consignes qu'il explique. Imaginez son discours en quelques lignes. Écrivez des phrases complexes, contenant des subordonnées variées. Soulignez les verbes au subjonctif.**

Vous pouvez commencer par : *Je souhaite que…*

Les expansions du nom

C'est alors que Simon rencontra le garçon.

C'est alors que Simon rencontra le jeune garçon du premier étage, qu'il avait longtemps observé avec curiosité.

1. Comparez ces deux phrases : relevez les éléments que l'on a ajoutés dans la seconde phrase et précisez leur nature. En quoi cela modifie-t-il le sens de cette phrase ?

2. Recopiez les deux phrases en remplaçant le COD du verbe *rencontra* par un pronom : que constatez-vous ?

1 Groupe nominal minimal, groupe nominal enrichi

Rappel : On appelle groupe nominal un **groupe organisé autour d'un nom.**

Pour employer un nom dans une phrase, on a généralement besoin au moins d'un déterminant. Lorsque le nom est **employé seul** ou juste avec un déterminant, on dit que le groupe nominal est **minimal** : *un garçon, ce parapluie.*

Lorsque le nom noyau est **enrichi par des expansions** qui le précisent, on dit que le groupe nominal est **étendu** : *un jeune garçon qui habitait au premier étage ; ce grand parapluie vert.*

Remarque : L'expansion du nom fait partie du GN, elle disparaît donc avec lui lorsqu'on le remplace par un pronom : *Ce vieux monsieur au manteau gris qui semble attendre quelqu'un m'intrigue.* → *Il m'intrigue.*

2 Les différentes expansions

On peut enrichir un nom au moyen d'éléments différents :

– par un **adjectif** qui aura pour fonction épithète du nom : *un superbe pavillon* ;

– par un **groupe prépositionnel** (GP) qui aura pour fonction complément du nom :

une machine à laver ; l'amour de la vie ; une promenade en forêt ;

– par une **proposition subordonnée relative** (PSR) qui aura aussi pour fonction complément du nom (qu'on appelle alors l'antécédent) : *une jeune fille qui venait d'Australie.*

1 ★ **Relevez les groupes nominaux, entourez leur noyau et précisez s'ils sont minimaux ou étendus.**

1. Une volée d'enfants se précipita hors de la classe.

2. Le grand gars interpella le petit garçon pâle qui se tenait devant la porte.

3. L'enfant en larmes pénétra dans la maison où l'attendait sa mère.

4. L'homme prit sa petite main dans sa main solide et chaude.

5. Les paroles cruelles des enfants mirent Simon dans un état de fureur incontrôlable.

2 ★ **Dans le texte suivant, relevez les adjectifs et précisez s'ils sont épithètes ou attributs.**

L'enfant se rappelait en effet que, huit jours auparavant, un pauvre diable qui mendiait sa vie s'était jeté dans l'eau parce qu'il n'avait plus d'argent. Simon était présent lorsqu'on le repêchait ; et le triste bonhomme, qui lui semblait ordinairement lamentable, malpropre et laid, l'avait alors frappé par son air tranquille, avec ses joues pâles, sa longue barbe mouillée et ses yeux ouverts, très calmes. On avait dit alentour : « Il est mort. » Quelqu'un avait ajouté : « Il est bien heureux maintenant. »

D'après **Guy de Maupassant**, « Le papa de Simon », 1879.

3 ★ **Relevez les expansions des noms en gras et précisez leur nature.**

1. Un **garçon** de douze ans, mais qui paraissait en avoir quatorze ou quinze, s'approcha du **groupe** d'enfants. – 2. Avec ses **blouses** bien repassées et ses **jupes** à volants qui bouillonnaient autour de ses jambes, la fillette avait l'air d'une **poupée** de porcelaine. – 3. La **foule** des clientes se pressait autour des **étals** de soieries qui brillaient de **couleurs** chatoyantes. – 4. Ce **garçon** cruel, qui ressentait le besoin de dominer les autres, était aussi fourbe qu'il était brutal.

4 ★★ **Enrichissez les noms en gras par des expansions en respectant la nature demandée.**

1. Ses (*adj. qual.*) **yeux** (*adj. qual.*) fixaient l'horizon. – 2. C'est alors que se produisirent les **événements** (*adj. qual.*) (*PSR*). – 3. L'**homme** (*PSR*) était occupé à repeindre les (*adj. qual.*) **volets** (*GP*). – 4. Il portait un (*adj. qual.*) **manteau** (*GP*) et un **chapeau** (*PSR*). – 5. Dans la **rue** (*adj. qual.*), on apercevait des **drapeaux** (*adj. qual.*), des **fleurs** (*GP*) et des **affiches** (*PSR*).

5 ★★★ **Relevez les groupes prépositionnels et précisez leur fonction : complément du nom, complément d'objet indirect ou complément circonstanciel.**

1. J'ai loué à Nice une villa avec vue sur la mer. – 2. Il songe à partir pour un pays du Nord. – 3. Les écologistes se sont alliés aux élus pour développer leur combat pour l'environnement. – 4. De nombreux sportifs ont participé à des campagnes publicitaires pour de grandes marques. – 5. Il a décroché à Bombay un emploi de pianiste. – 6. Je cherche un appartement à louer dans la banlieue de Londres.

6 ★★ **Remplacez les adjectifs par des propositions subordonnées relatives. Attention, vous ne devez pas utiliser le verbe *être*.** *Exemple* : une forteresse imprenable → une forteresse que l'on ne peut pas prendre.

une histoire émouvante – un plat immangeable – un soldat inconnu – un magazine hebdomadaire – une demeure inaccessible – l'amour maternel – un ami fiable – des événements incroyables

7 ★★ **Allégez les phrases suivantes en remplaçant les expansions en gras par des adjectifs de même sens. Attention aux accords.**

1. Depuis quelques années, on assiste à une augmentation de la population **qui vit à la campagne**. – 2. Les zones qui **se situent en ville** connaissent d'importants problèmes de circulation. – 3. Elle n'aurait manqué pour rien au monde son émission **diffusée chaque jour**. – 4. Les lapins sont des animaux **qui vivent le jour**. – 5. Union soviétique et États-Unis ont rivalisé pour la conquête **de l'espace**. – 6. Nous avons suivi un sentier **qui parcourt la forêt**.

8 ★★★ **Enrichissez les GN suivants avec les adjectifs entre parenthèses : attention à la place des différentes expansions.** *Exemple* : un joueur d'échecs (*russe, célèbre*) → un célèbre joueur d'échecs russe.

1. une ville de province (*petite, paisible*) – 2. un manteau en cuir (*long, noir*) – 3. un camarade de classe (*nouveau, sympathique*) – 4. des bateaux de pêche (*misérables*) – 5. le donjon du château (*menaçant*) – 6. des oiseaux de mer (*grands, blancs*)

9 ★★ **Écriture** **Recopiez le texte suivant en enrichissant le nom en gras d'expansions variées, de manière à créer une atmosphère sauvage et inquiétante. Vous utiliserez au moins deux propositions subordonnées relatives et deux groupes prépositionnels.**

C'était une **nuit**. La **mer** fouettait les **falaises**. Des **nuages** passaient dans le **ciel**. Des **oiseaux** tournoyaient dans les **bourrasques**. Un **chemin** escaladait péniblement la colline jusqu'au **village**.

10 ★★★ **Relevez les expansions des noms en gras, et précisez leur nature et leur fonction.**

> Le charme, le délice de ce pays fait de collines et de **vallées** si étroites que quelques-unes sont des ravins, c'est les bois, les **bois** profonds et envahisseurs, qui moutonnent et ondulent jusque là-bas, aussi loin qu'on peut voir… Des **prés** verts les trouent par places, de petites **cultures** aussi, pas grand-chose, les **bois** superbes dévorant tout. De sorte que cette belle **contrée** est affreusement pauvre, avec ses quelques **fermes** disséminées, peu nombreuses, juste ce qu'il faut de **toits** rouges pour faire valoir le **vert** velouté des bois.
>
> **COLETTE**, *Claudine à l'école*, 1900.

11 ★★★ **Donnez la nature et la fonction des expressions en gras.**

> Une couche **épaisse** de terre **grasse** s'était attachée aux semelles **de nos bottes**, et par sa pesanteur ralentissait tellement **nos pas**, que nous n'arrivâmes au lieu de notre destination qu'**une heure après le coucher du soleil**.
> Nous étions **harassés** ; aussi, **notre hôte**, voyant les efforts **que nous faisions pour comprimer nos bâillements et tenir les yeux ouverts**, aussitôt que nous eûmes soupé, nous fit conduire chacun **dans notre chambre**.
> La mienne était **vaste** ; je sentis, en y entrant, comme un frisson **de fièvre**, car il me sembla que j'entrais dans un monde **nouveau**.
>
> **THÉOPHILE GAUTIER**, « La cafetière », 1831.

La proposition subordonnée relative

Leçon

■ Une **proposition subordonnée relative** est une proposition subordonnée débutant par un **pronom relatif**.

– La proposition subordonnée relative a toujours pour fonction : complément du nom.

– Ce pronom relatif **remplace**, <u>dans la proposition relative</u>, un nom (ou un pronom) qui le précède : l'antécédent.

> Le *thé* que *je préfère* est celui de Ceylan. (*Thé* est l'antécédent du pronom relatif *que*.)

Il peut arriver que le pronom relatif soit éloigné de son antécédent.

> Je <u>les</u> ai vus **qui** partaient en courant.

■ Le choix du pronom relatif dépend de sa fonction dans la proposition relative.

– *qui* (sans préposition) est <u>sujet</u> du verbe de la relative.

> J'admire le tigre [**qui** s'étire]. → *qui* : sujet de *s'étirer*.

Ne pas confondre *qui* et *à qui*.

> Je parle à Ninon [**à qui** je fais confiance]. → *à qui* : COI de *faire*.

– *que* est généralement <u>COD</u> du verbe de la relative, parfois <u>attribut du sujet</u>.

> La saison [**que** je préfère] est l'hiver. → *que* : COD de *préférer*.

> Je suis toujours l'homme [**que** j'étais]. → *que* : attribut du sujet.

– *dont* est <u>complément du nom</u> ou <u>COI</u> d'un verbe se construisant avec la préposition *de*.

> C'est le livre [**dont** je t'ai parlé]. → *dont* : COI du verbe *parler*. (On parle **du livre**.)

> Marie surveille un enfant [**dont** les parents sont au cinéma]. → *dont* : complément du nom *parents* (les parents *d'un enfant*).

– *où* est complément circonstanciel de lieu ou de temps.

> La ville [**où** je vis] est très animée. → *où* : CC lieu de *vivre*.

■ Les **formes composées** prennent le genre et le nombre de l'antécédent (*lequel / laquelle / lesquels / lesquelles*). Elles peuvent se contracter avec une préposition.

– Avec la préposition *de* → *duquel / de laquelle / desquels / desquelles*.

– Avec la préposition *à* : *auquel / à laquelle / auxquels / auxquelles*.

> <u>L'arbre</u> à côté **duquel** je suis garé s'est déraciné cette nuit.

> Les <u>amis</u> avec **lesquels** je voyage parlent plusieurs langues.

Exercices

❶ ★ **Dans les phrases suivantes, relevez les propositions subordonnées relatives. Entourez le pronom relatif et indiquez, entre parenthèses, l'antécédent.**

1. Je cherchais la carte avec laquelle je pourrais trouver mon chemin. – 2. Le roi Mithridate, qui redoutait d'être assassiné, avait habitué son corps aux poisons. – 3. On offrit à Axel un jouet dont il ne voulait pas et qui tomba immédiatement en panne. – 4. Ce regret, que je porte en moi depuis des années, ne me quittera jamais. – 5. Sur les plages où se déroulèrent de sanglants combats, on se baigne désormais comme avant. – 6. Émile confia un jeu d'échecs aux enfants puis il les observa qui rivalisaient d'intelligence.

❷ ★ **Complétez les phrases suivantes avec une proposition subordonnée relative débutant par le pronom relatif proposé.**

1. C'est l'homme qui ... . – **2.** C'est l'homme que ... . – **3.** Nous aperçûmes une maison dont ... . – **4.** Alors entra à grand fracas un cheval sur lequel ... . – **5.** Ce sont des amis pour lesquels ... . – **6.** J'avais reçu une lettre à laquelle ... . – **7.** Le pays où ... est réputé pour sa gastronomie. – **11.** Mes amis, sans lesquels ... , me sont précieux.

3 ★★ **Pourquoi les phrases suivantes sont-elles incorrectes ? Complétez-les ou modifiez-les de façon à les rendre correctes.**

1. Un enfant qui vivait seul dans une cabane. – **2.** Cette histoire est surnaturelle car des animaux qui parlent. – **3.** Le car que je prends le matin. – **4.** Luc aime le football, Paul qui préfère le rugby. – **5.** La lumière qui m'éblouissait, la route que je ne voyais plus. – **6.** C'est la ferme dans laquelle elle y habite. – **7.** C'est un gâteau où on y trouve du beurre dedans.

4 ★★★ **Complétez les phrases suivantes avec le pronom relatif qui convient. Précisez sa fonction à l'intérieur de la proposition.**

1. Elisa a acheté un bahut au-dessus ... elle entrepose des bocaux. – **2.** C'est le garçon ... j'ai parlé. – **3.** La bergère croisa sur le chemin le vagabond ... était venu mendier à la ferme et ... on avait chassé sans ménagement. – **4.** Elle se décida pour des chaussures ... elle n'avait d'abord pas prêté attention, mais ... le cuir si souple la ravit finalement. – **5.** Les chambres dans ... mes proches ont dormi sont très confortables.

5 ★★ **Ces phrases manquent de clarté. Changez l'ordre des mots pour les améliorer, en rapprochant la subordonnée relative de son antécédent.**

1. J'ai offert un livre à ma mère qui date du XIXᵉ siècle. – **2.** Philippe et Marc vont dans le potager avec leurs cousines où poussent de belles tomates. – **3.** Jeanne a offert une lampe à sa tante dont elle n'a pas besoin.

6 ★★★ **Supprimez les répétitions en transformant la deuxième phrase en subordonnée relative. Pour cela, remplacez les groupes soulignés par le pronom relatif qui convient (éventuellement précédé d'une préposition).**

1. Le preux chevalier découvrit un château. **Dans** le château, on lui offrit l'hospitalité. – **2.** La mer a des reflets d'argent. On voit danser la mer le long des golfes clairs. – **3.** Je me rends chez Céline. J'emprunte souvent des livres à Céline. – **4.** Claudine interroge son grand-père sur la guerre. Elle a déjà lu de nombreux livres **au sujet de** la guerre. – **5.** Agathe a offert un nouveau sac à sa sœur. La matière de ce sac imite le cuir. – **6.** Renée admirait les travaux d'aiguille de sa sœur ; elle-même n'avait guère de talent **pour** les travaux d'aiguille.

7 ★★★ **Relevez les propositions subordonnées débutant par que et précisez si ce sont des propositions relatives ou non. Pour cela, vérifiez que que**

est un pronom relatif : a-t-il un antécédent ? a-t-il une fonction dans la subordonnée ?

1. Je crois qu'on a toujours tort de s'obstiner. – **2.** Des visiteurs se plaignent que le billet d'entrée, qu'ils ont payé fort cher, ne leur permette pas une visite complète du bâtiment. – **3.** Le guide explique aux visiteurs qu'un incendie a endommagé le château d'Angers mais que les précieuses tapisseries, que viennent admirer des touristes du monde entier, n'ont pas été atteintes par les flammes.

8 ★★ **a.** Oral **Expliquez la différence de sens entre les phrases de chaque groupe à l'aide de vos connaissances grammaticales. b. À votre tour, imaginez quelques phrases sur le même modèle.**

1. Oscar écrit une lettre à la jeune fille qui l'aime. / Oscar écrit une lettre à la jeune fille qu'il aime.
2. Le chasseur a croisé un boa qu'il a avalé. / Le chasseur a croisé un boa qui l'a avalé.

9 ★★★ Orthographe **Après avoir repéré l'antécédent du pronom relatif qui, accordez correctement les verbes entre parenthèses au temps demandé.**

1. Caroline et Bruno qui (souhaiter – présent) découvrir l'espace montent dans un bolide. – **2.** Je joue au ping-pong avec les enfants du médecin qui me (soigner – présent). – **3.** Je joue au ping-pong avec les enfants du médecin qui (venir – passé composé) passer l'après-midi au centre aéré. – **4.** Qui était celui d'entre vous qui (chanter – imparfait) le mieux ? – **5.** C'est moi qui (vaincre – futur simple). – **6.** Il a reçu une boîte de chocolats qui (contenir – présent) des pralinés variés. – **7.** Il a reçu une boîte de caramels qui (coller – présent) aux dents.

10 ★★ **a. Relevez toutes les propositions relatives contenues dans ce texte. Entourez le pronom relatif et soulignez l'antécédent puis donnez la fonction du pronom relatif.**

b. Oral **Analysez le temps et le mode des verbes conjugués et indiquez leur sujet.**

c. Dictée **Préparez ce texte pour la dictée.**

À quatre heures, c'était le réveil. Une toilette rapide, avec l'eau qu'on allait chercher dans la cour à cinquante mètres de là et où un puits alimentait toutes les familles du coron[1] et on descendait avec deux lampes à carbure[2]. Pendant ce temps, ma maman allumait le poêle rond qui portait des encoches où nous fourrions nos pieds gelés quand elle nous appelait vers dix heures pour que nous montions prendre notre café. C'était long depuis le réveil d'attendre ainsi ce breuvage chaud qui nous semblait délicieux.

1. Quartier de maisons construites pour les mineurs de fond, dans le nord de la France. 2. Lampe utilisée par les mineurs.

D'après **SERGE GRAFTEAUX**, *Mémé Santerre. Une vie…*, Éditions du jour, 1975.

23 L'adjectif : fonctions et degrés

Leçon

Rappel : L'adjectif **accompagne le nom (ou le pronom) pour exprimer une qualité** de l'être ou de l'objet désigné par ce nom.

Il **s'accorde en genre et en nombre** avec le nom auquel il se rapporte.

Grâce à certains adverbes, les **qualités exprimées par les adjectifs peuvent être nuancées** à des degrés plus ou moins forts d'intensité et de comparaison.

1 Les fonctions de l'adjectif

■ **Épithète :** l'adjectif est placé à côté du nom auquel il se rapporte et fait partie du groupe nominal :
*Un **jeune** homme attendait.*

■ **Attribut :** l'adjectif est relié au nom par l'intermédiaire d'un verbe d'état : *Il semblait **intrépide**.*

■ **Apposition :** l'adjectif est détaché du nom auquel il se rapporte, en général par des virgules :
***Curieux**, il observait une fenêtre.*

Remarque : Contrairement à l'épithète ou l'attribut, l'apposition est déplaçable :
*Il observait, **curieux**, une fenêtre. Il observait une fenêtre, **curieux**.*

2 Les degrés de l'adjectif

■ **Les degrés d'intensité**

– degré d'intensité faible : *Une jeune fille apparut, **à peine** visible.*

– degré d'intensité moyenne : *Elle avait l'air **plutôt** embarrassée.*

– degré d'intensité forte : *Elle paraissait **très** timide.*

■ **Les degrés de comparaison**

– comparatif d'infériorité : *Elle était **moins** timide **qu'**embarrassée.*

– comparatif d'égalité : *Le jeune homme se montra **aussi** embarrassé **qu'**elle.*

– comparatif de supériorité : *Pardaillan fut **plus** hardi **que** Loïse.*

Remarques :

1. Certains adjectifs expriment par eux-mêmes une comparaison :

– *meilleur* (= comparatif de supériorité de *bon*) ;

– *pire* (= comparatif d'infériorité de *mauvais*) ;

– *moindre* (= comparatif d'infériorité de *petit*).

2. Le complément du comparatif n'est pas toujours exprimé :
*À présent, elle avait **moins** peur.*

■ **Le superlatif**

– Superlatif d'infériorité : *Loïse était **la moins** hardie.*

– Superlatif de supériorité : *Pardaillan était **le plus** intrépide.*

Remarque : Le superlatif peut être suivi d'un complément introduit pas la préposition *de* :
*Loïse était **la plus** belle <u>de toutes les femmes</u>.*

1 ★ Oral **Relevez les adjectifs et précisez le nom qu'ils qualifient.**

1. Je la revois avec ses petites lunettes à verres fumés, avec, sous le nœud de dentelle noire, le bandeau lisse de ses cheveux blancs. (LOTI) – 2. Le plus souvent, je partais pour le collège à jeun, l'estomac et la tête vides. (MICHELET) – 3. Il a fait les murs épais, les plafonds bas, les fenêtres étroites pour que les chambres fussent tièdes en hiver et fraîches en été. (TINAYRE) – 4. Les grappes accrochées aux ceps sont d'une belle couleur foncée. (FROMENTIN) – 5. Les coteaux ont dépouillé la rousse fourrure de l'automne et les dernières feuilles rouges, fanées, détachées depuis longtemps de la branche nue, courent sur le chemin. (GAUTIER)

2 ★ **Donnez la fonction des adjectifs en italique en précisant à quel nom ils se rapportent.**

1. Cette route *étroite* et *sinueuse* est très *pittoresque*. – 2. *Enlacés*, ils marchaient lentement parmi les fleurs *ouvertes*. (ZÉVACO) – 3. La *grande* rue *droite* qui traverse le village était *déserte*. (FROMENTIN) – 4. Comme ils paraissent *lointains*, les jours *heureux* d'autrefois ! – 5. Le mois d'août, *pluvieux* et *froid*, nous parut *interminable*. – 6. Je ne puis vous dire à quel point ce spectacle de l'immensité devenait *extraordinaire*. (FROMENTIN)

3 ★ **Quel est le degré des adjectifs en italique ?**

1. L'air se faisait plus *vif*, les alentours plus *âpres*. (LOTI) – 2. C'est le *meilleur* homme qui soit. – 3. Pardaillan habitait depuis près de trois années une assez *belle* chambre située tout en haut d'une auberge. – 4. Adieu, trop *malheureux* et trop *parfait* amant. (CORNEILLE) – 5. La passion fait souvent un fou du plus *habile* homme, et rend souvent les plus sots *habiles*. (LA ROCHEFOUCAULD) – 6. C'était une bête vigoureuse, et qu'il avait sentie, à son coup de poignet, aussi *pesante* qu'un bloc de pierre. (GENEVOIX) – 7. Cette idée pourrait effrayer des gens moins *décidés* que moi.

4 ★★ **À quels noms se rapportent les adjectifs (ou participes passés employés comme adjectifs) en gras ? Donnez leur fonction et précisez s'il y a lieu leur degré.**

Dans les pays du centre et du nord de la France, dès les **premiers** jours de septembre, une **petite** brise un peu trop **fraîche** va soudain cueillir au passage une **jolie** feuille d'un jaune **éclatant** qui tourne et glisse et virevolte, aussi **gracieuse** qu'un oiseau… Elle précède de bien peu la démission de la forêt, qui devient rousse, puis **maigre** et **noire**, car toutes ses feuilles se sont envolées à la suite des hirondelles, quand l'automne a sonné dans sa trompette d'or.

MARCEL PAGNOL, *Le Château de ma mère*, 1957, Éditions de Fallois.

5 ★ Orthographe **Recopiez ces phrases en accordant les adjectifs entre parenthèses.**

1. (*Lassé*) de ne rien faire, elle se leva. – 2. Sur ce rosier, les roses sont (*géant*) et (*minuscule*) les épines. – 3. Le blessé n'est pas en danger : les brûlures semblent (*superficiel*). – 4. Tout le monde avait quitté la table, sauf elle qui ouvre des amandes (*frais*), (*indifférent*), (*étranger*) à cette agitation. (MAURIAC) – 5. Les deux amoureux marchaient (*enlacé*), le long des sentiers (*retiré*). – 6. J'aime à me perdre en (*plein*) bois et à déboucher tout à coup sur la plaine (*désert*) et (*mystérieux*). Tout au loin, au-delà des blés, j'aperçois des forêts (*vaporeux*) et je me figure des pays (*inconnu*) auxquels je donne des noms. J'invente de (*périlleux*) aventures dont je suis le héros. (THEURIET)

6 ★★★ Analyse **Relevez les adjectifs ou groupes adjectivaux, donnez leur fonction et précisez s'il y a lieu leur degré.**

1. Tous se regardaient, heureux d'être ensemble. – 2. Dès que le petit était libre, il descendait jardiner avec sa mère et sa tante. Tous trois plantaient des jeunes arbres, semaient des graines, taillaient des branches. (MAUPASSANT) – 3. Ma mère s'occupa de fort bonne heure de me développer. (SAND) – 4. Surpris, émerveillé, enchanté, il vit les poules, la vache, le vieux cheval borgne et le cochon. (FRANCE) – 5. Un petit agneau à tête noire, très familier, ne manquait jamais de s'approcher pour attraper quelques bouchées de mon pain. (GUILLAUMIN)

7 ★★ a. **Accordez les adjectifs entre parenthèses.**

b. Dictée **Préparez ce texte pour la dictée.**

À mesure qu'elle chantait, l'ombre descendait des (*grand*) arbres, et le clair de lune naissant tombait sur elle (*seul*), (*isolé*) de notre cercle attentif. – Elle se tut, et personne n'osa rompre le silence. La pelouse était couverte de (*faible*) vapeurs (*condensé*), qui déroulaient leurs (*blanc*) flocons sur les pointes des herbes. Nous pensions être en paradis. – Je me levai enfin, courant au parterre du château, où se trouvaient des lauriers (*planté*) dans de (*grand*) vases de faïence peints en camaïeu. Je rapportai deux branches, qui furent tressées en couronne et nouées d'un ruban. Je posai sur la tête d'Adrienne cet ornement, dont les feuilles (*lustré*) éclataient sur ses cheveux (*blond*) aux rayons (*pâle*) de la lune.

D'après GÉRARD DE NERVAL, *Les Filles du feu*, 1856.

8 ★★★ Écriture a. **Choisissez un lieu que vous connaissez bien et décrivez-le en quelques phrases. b. Décrivez-le ensuite vu par un lilliputien puis par un géant. Vous prendrez soin de varier le degré des adjectifs employés.**

24

La concordance des temps

■ Lorsqu'un verbe se trouve dans une <u>proposition subordonnée</u>, son temps **dépend** du temps du verbe de la principale. C'est ce qu'on appelle la **concordance des temps**.

Pour choisir le temps à employer, il faut se demander si le fait exprimé par le verbe de la subordonnée est simultané (il se déroule **en même temps**), antérieur (**avant**) ou postérieur (**après**) à celui de la principale (voir leçon 18).

■ **Concordance des temps dans le récit au passé** (le verbe de la principale est au passé)

– Si les faits sont simultanés, le verbe de la subordonnée se met à l'imparfait ou au passé simple.

Je pense qu'il sait lire. → *Je <u>pensais</u> qu'il **savait** lire.*

– Si le fait exprimé dans la subordonnée est antérieur, on choisit le plus-que-parfait ou le passé antérieur.

Il avoue qu'il a menti. → *Il <u>avoua</u> qu'il **avait menti**.*

*Quand il **eut dîné**, il <u>débarrassa</u> la table.*

– Si le fait exprimé dans la subordonnée est postérieur, on choisit le conditionnel présent ou passé.

Il promet qu'il sera revenu pour Noël. → *Il <u>promit</u> qu'il **serait revenu** pour Noël.*

■ **Concordance des temps : le cas du subjonctif**

L'imparfait et le plus-que-parfait du subjonctif, peu employés de nos jours, se trouvent surtout dans les œuvres littéraires et sont souvent remplacés par le présent et le passé du subjonctif.

Proposition principale	Proposition subordonnée au subjonctif	
	Fait simultané ou postérieur	**Fait antérieur**
Présent ou futur de l'indicatif / impératif	Subjonctif présent *Il faut qu'il **parte** avant la nuit.*	Subjonctif passé *Il faut qu'il **soit parti** avant la nuit.*
À tous les temps du passé de l'indicatif	Subjonctif imparfait *Il fallait qu'il **partît** avant la nuit.*	Subjonctif plus-que-parfait *Il fallait qu'il **fût parti** avant la nuit.*

1 ★ a. **Pour chaque phrase, tracez un axe chronologique. Placez-y les verbes en écrivant en rouge le verbe de la principale et en bleu celui de la subordonnée. b. Indiquez si le fait exprimé par le verbe de la subordonnée est antérieur, postérieur ou simultané à celui de la principale.**

PASSÉ   PRÉSENT   FUTUR

1. Albert affirme qu'il a gagné son pari. – **2.** Roger a prétendu qu'il s'était conduit comme un héros pendant la guerre. – **3.** J'espère que mes amis viendront nombreux. – **4.** Quand tu auras compris les règles de politesse, alors nous pourrons discuter. – **5.** Je pense que cet athlète a donné le meilleur de lui-même dans la course. – **6.** Autrefois, Marthe avait promis à Pierre qu'elle l'épouserait. – **7.** Fanny savait qu'elle partirait étudier dans une grande ville lorsqu'elle aurait obtenu son baccalauréat.

2 ★ **Récrivez les phrases suivantes en mettant le verbe souligné au temps indiqué entre parenthèses. Vous veillerez à la concordance des temps.**

1. Madeleine <u>se fâcha</u> parce que Philippe avait abîmé sa plante préférée. (*présent*)

2. Dès qu'il eut mis le nez dehors, il <u>découvrit</u> la neige. (*futur simple*)

3. L'acteur, qui avait joué sans talent, <u>fut hué</u> par le public. (*présent*)

4. Le connaisseur <u>retrouva</u> les coins à champignons qu'il avait repérés l'année passée. (*présent*)

5. Il se <u>plaignit</u> qu'on ne l'aimait pas et qu'on se moquerait de lui sitôt qu'il serait parti. (*présent*)

3 ★ **Même exercice.**

1. Cyrano n'<u>ose</u> pas déclarer à Roxane qu'il l'aime. (*imparfait*) – **2.** Grégoire <u>boude</u> quand on le gronde. (*passé composé*) – **3.** Je <u>sais</u> que tu répondras vite à la lettre que je t'ai envoyée. (*imparfait*) – **4.** Il <u>pense</u> que les secours se mettront vite en route, lorsque la tempête se sera calmée, mais il se trompe. (*imparfait*) – **5.** L'employé de l'aéroport m'<u>aide</u> à retrouver la valise qui s'est égarée en route. (*passé simple*) – **6.** Lorsque Michel voit son nom sur la liste, il <u>fond</u> en larmes. (*passé simple*)

4 ★★ Réécriture **Récrivez ce texte au présent. Vous veillerez à la concordance des temps.**

Il alla lui-même demander la main de Mathilde et elle lui fut accordée, sans manières, par sa future belle-mère, une grande femme maigre qui lui confia sans feindre qu'elle était heureuse de ce mariage, et qu'elle s'était permis, souvent, de l'espérer. Elle ajouta qu'elle connaissait assez les vertus de sa fille pour savoir qu'elle ferait une parfaite épouse. Henri répondit poliment qu'en effet il en était certain. [...] Il sourit encore avant de s'en aller, saluant les deux femmes avec cette raideur qu'il avait héritée de son père.

ALICE FERNEY, *L'Élégance des veuves*, Actes Sud, 1995.

5 ★★★ Réécriture **Récrivez le texte suivant en utilisant les temps du récit au passé.**

Autour du pont, l'agitation est à son comble. Anya se dresse sur la pointe des pieds pour tenter d'apercevoir le jeune homme au chandail bleu. Soudain, elle le voit, il est là, un peu plus loin. Elle voudrait l'appeler, mais son cri se perdrait dans le tohu-bohu de cette foule.

D'après ANDRÉE CHEDID, *Le Message*, Flammarion, 2007.

6 ★★ **Transposez au style indirect les paroles rapportées au style direct.**

1. Simon affirme : « J'ai bien compris qu'il faut que je sois sage. » (*Simon affirme que...*) – **2.** Simon affirmait : « J'ai bien compris qu'il faut que je sois sage. » – **3.** Gisèle déclara : « Je partagerai avec mes amis les confiseries qu'ils m'ont offertes. » – **4.** Jean demanda à sa sœur : « As-tu pris ta décision ? Viendras-tu me voir lorsque je me serai installé en Nouvelle-Calédonie ? »

7 ★★ **Dans les phrases suivantes, repérez les verbes au subjonctif et justifiez le choix du temps.**

1. Bien qu'il se soit perdu plusieurs fois dans les ruelles de cette ville, il continue de s'y promener. – **2.** Alors j'entrevis le piège du démon, et je ne doutai plus que tu ne vinsses de l'enfer. (HUGO) – **3.** Je suis bien aise que vous ne partiez pas, lui dit le marquis. (STENDHAL) – **4.** Mais il faut que je rejoigne les enfants, puisqu'ils sont les maîtres aujourd'hui. (ALAIN-FOURNIER) – **5.** Sur le débarcadère, les passagers durent attendre un instant, serrés les uns contre les autres, qu'un des bateliers eût ouvert le cadenas de la barrière... (ALAIN-FOURNIER) – **6.** J'étais tenté de croire qu'il s'agissait d'une gorge à couper, et j'avais quelques soupçons que cette gorge ne fût la mienne. (MÉRIMÉE)

8 ★★★ **Complétez les phrases suivantes en conjuguant le verbe entre parenthèses au temps du subjonctif exigé par la concordance des temps.**

1. Avant le retour de mes parents, il faudra que je (*ranger*) ma chambre ! Sinon, je serai puni !
2. Bien qu'il (*déguster*) déjà des huîtres, il n'en reconnaissait pas le goût.
3. Tu nous diras ce qu'il faut que nous (*faire*) pour te rendre service.
4. Ils avaient le droit de tout faire, pourvu qu'ils (*faire*) leur travail.
5. Il faut que je (*voir*) cette exposition.
6. Bien qu'il en (*avoir*) très peur, Guénolé osa s'approcher du molosse.
7. Il se peut que Louise et Bertrand (*aller*) à New York.
8. On proposa une chaise à une vieille dame afin qu'elle (*se reposer*).

9 ★★★ **a.** Oral **Relevez les verbes et précisez leur temps et leur mode.**

b. Réécriture **Transposez le texte au présent.**

c. Réécriture **Récrivez le texte original en remplaçant la 1re personne du singulier par une 1re personne du pluriel.**

d. Dictée **Préparez ce texte pour la dictée.**

Son état m'effrayait. Je parlai à la supérieure. Je voulais qu'on la mît à l'infirmerie, qu'on la dispensât des offices[1] et des autres exercices pénibles de la maison, qu'on appelât un médecin ; mais on me répondit toujours que ce n'était rien, que ces défaillances se passeraient toutes seules ; et la chère sœur Ursule ne demandait pas mieux que de satisfaire à ses devoirs et à suivre la vie commune. Un jour, après les matines[2], auxquelles elle avait assisté, elle ne parut point. Je pensai qu'elle était bien mal ; l'office du matin fini, je volai chez elle, je la trouvai couchée sur son lit tout habillée.

1. Moments de prières. 2. Premier office de la journée, tôt le matin.

DENIS DIDEROT, *La Religieuse*, 1780.

10 ★★ Écriture **Vous rencontrez un personnage célèbre qui vous raconte son passé, ses projets et ses souhaits. En quelques lignes, évoquez les propos de ce personnage en soignant bien la concordance des temps.**

Vous commencerez par : *J'eus un jour une conversation passionnante avec...*

L'analyse grammaticale

Leçon

L'analyse grammaticale consiste à identifier **la nature et la fonction** des différents mots ou groupes de mots qui constituent la phrase.

1 **Pour identifier la nature d'un mot, demandez-vous :**

– Si ce mot est variable ou invariable.

– Quelle est sa place dans la phrase : précède-t-il un nom, un verbe ?

– Si on peut le remplacer et si oui par quoi ?

2 **Pour identifier la nature d'un groupe de mots**

■ Certains mots forment des groupes à l'intérieur de la phrase et sont liés les uns aux autres.
La nature de ces groupes se définit en fonction de leur noyau :

– Groupe dont le noyau est un nom : **groupe nominal** :

Une lourde **charrette** *à cheval* s'est abattue sur lui.

– Groupe dont le noyau est un adjectif : **groupe adjectival** : *Cette charrette est **lourde** à soulever.*

– Groupe dont le noyau est un verbe conjugué : **proposition** :

Il est tombé sous une charrette *dont le cheval **s'était abattu**.*

– Groupe dont le noyau est un verbe à l'infinitif : **groupe à l'infinitif** :

Soulever *cette charrette* nécessite une force impressionnante.

■ Tout groupe introduit par une préposition s'appelle groupe prépositionnel.

3 **Il existe deux sortes de fonctions, celles qui s'exercent par rapport au verbe et celles qui s'exercent par rapport au nom.**

Pour repérer les fonctions autour du verbe :

– Il faut repérer les verbes conjugués et leur sujet puis s'interroger sur leur construction (verbe transitif, verbe attributif, à la voix passive ou active).

– Il faut repérer les compléments d'objet, les attributs du sujet ou les compléments d'agent.

– Il faut ensuite repérer les compléments circonstanciels en se demandant quelle information ils apportent.

Pour repérer les fonctions autour du nom :

– Il faut repérer tous les mots qui, à l'intérieur du groupe nominal, viennent compléter le nom noyau.

une **lourde** charrette : adjectif qui a pour fonction épithète ; *la charrette **à cheval*** : nom qui a pour fonction complément du nom.

Remarque : Il existe une fonction qui ne s'exerce ni sur le nom ni sur le verbe : c'est le complément de l'adjectif : *Il est lourd **à porter**.*

Exercices

1 ★ Dans chacune des phrases, relevez les GN ou GN prépositionnels et faites une croix sous le nom noyau. Précisez leur fonction par rapport au verbe.

1. Le soir, après un repas copieux, il s'installe près de l'âtre dans un fauteuil de cuir. – **2.** Devant l'école se trouve un parc à jeux où s'amusent de jeunes enfants. – **3.** Vous trouverez, dans mon bureau, sur mon fauteuil, le paquet que je destine à votre sœur. – **4.** À la terrasse des cafés bavardaient des groupes de touristes en tenues estivales. – **5.** On devinait à son air piteux sa culpabilité.

2 ★ **Oral** Relevez les groupes dont les mots en gras sont les noyaux et précisez si ce sont des GN, des groupes adjectivaux, des groupes à l'infinitif ou des propositions.

1. **Prête** à entrer, je distingue de grands **éclats** de rire. – 2. Des **bouffées** de vent chaud passaient, **pleines** de senteurs amollissantes. (FLAUBERT) – 3. Il fallut **se contenter** de ce minuscule appartement, alors que nous **avions vécu** toute notre enfance dans la ferme paternelle. – 4. **Le résultat** de toutes ces hésitations fut que je me **décidai** au dernier moment. – 5. Nous attendions dans le vestibule, **ravis** de partir enfin en vacances.

3 ★★ **Oral** Relevez les groupes introduits par une préposition, dites quel mot ils complètent, puis précisez leur fonction. N'oubliez pas que les articles définis contractés cachent une préposition.

1. Henri était le plus hardi de tous. – 2. Un léger vent d'ouest rafraîchit l'atmosphère. – 3. Je suis contente du résultat. – 4. Ce grand vieillard allègre au visage empourpré ressemblait à un personnage de conte. – 5. Je doute du bon fonctionnement de cet appareil. – 6. Il est parti sans payer avant de se frayer un chemin dans la foule des clients.

4 ★★ Précisez la nature exacte des mots en gras, puis donnez la fonction de chacun d'eux.

1. J'ai égaré mon livre. Peux-tu me prêter **le tien** ? – 2. Tu **leur** avais bien dit que leur imprudence **leur** apporterait des ennuis. – 3. Reprenons notre manuscrit et laissons-**leur le leur**. – 4. **Tout** avait changé dans son apparence et je ne me méfiais pas **de lui**. – 5. **Lequel** préfères-tu ? – 6. J'accorderai une récompense à **celui qui** répondra le premier. – 7. Donnons **tout** à **ceux qui** n'ont **rien**.

5 ★★ Complétez les phrases suivantes par un adverbe dont la fonction est spécifiée entre parenthèses.

1. Vous avez donné (*CC temps*) un témoignage qui a (*CC de manière*) marqué votre auditoire. – 2. (*CC temps*) nous écrivions à la plume mais (*CC temps*) nous préférons le clavier de nos ordinateurs. – 3. Lorsque le lièvre est passé (*CC lieu*), nous avons (*CC temps*) tiré, mais sans succès. – 4. Il est (*CC manière*) amoureux d'elle (*CC temps*).

6 ★★ Relevez les adjectifs employés dans ces phrases et précisez leur fonction.

1. Un soleil brumeux, mais mordant, pesait sur les crânes et l'air du centre-ville devenait proprement irrespirable. – 2. Je restai muette d'admiration en entendant s'élever cette voix, solennelle et grave. – 3. Tout enjoué qu'il paraissait, je pouvais lire sur son front anxieux les traces de ce souvenir douloureux. – 4. Ambitieux et sûr de lui, il disait sortir victorieux de toutes les situations. – 5. Elle avançait dans l'allée, altière et indifférente au monde qui l'entourait.

7 ★★★ **Réécriture** Relevez les adjectifs qui qualifient Oliver, puis récrivez ce texte en remplaçant *Oliver* par *Oliver et son compagnon* et faites les changements nécessaires.

> À toute allure, Oliver traversa les champs, et suivit les petits sentiers qui les coupaient parfois ; tantôt presque caché par les grands blés poussant de part et d'autre, tantôt débouchant à découvert dans un champ où les faucheurs le regardaient intrigués ; et pas une fois il ne s'arrêta, jusqu'au moment où il arriva, tout échauffé, et couvert de poussière, sur la place du marché de la bourgade.
>
> D'après **CHARLES DICKENS**, *Oliver Twist*, 1838, traduction de Michel Laporte, Le Livre de poche, 2005.

8 ★★ Donnez la nature et la fonction des groupes en gras.

1. La soirée était **une de ces soirées magnifiques et calmes** dont les secrètes harmonies répandent, au mois de juin, **tant de douceur** dans les couchers de soleil.
2. Ces divers travaux durèrent **une huitaine de jours**.
3. Dans la famille, La Grande était respectée et crainte, non pour sa vieillesse, mais **pour sa fortune**. (ZOLA)
4. **Pour obtenir un pareil résultat**, je vous conseille **de vous entraîner chaque jour** et d'être à l'écoute **de votre professeur**.
5. Une surprise avait été arrangée **par les ordonnateurs de la fête**. (NERVAL)
6. Le hussard descendit **par le grand escalier avant de rejoindre la cour** où piaffaient **les chevaux**.
7. Il vécut **en sauvage** avec ses chiens **tout en méprisant les rares voisins** qui lui rendaient encore visite.

9 ★★★ Recopiez les phrases suivantes, entourez les verbes conjugués, soulignez en rouge leur sujet, mettez entre crochets les propositions, soulignez en bleu les compléments d'objet et en vert les compléments circonstanciels.

1. Cette étroite bande d'herbe très grasse était coupée par quelques flaques d'eau noire que nous traversâmes pour atteindre le pont.
2. Nous embarquâmes pour l'Angleterre par un petit jour sinistre, sous une brume épaisse et durant de longues heures, nous entendîmes les assauts des vagues sur la coque du bateau.
3. Tout en discutant avec lui, elle choisit avec soin une belle nappe damassée et l'étendit sur la table afin de dissimuler la tache incrustée dans le bois.
4. De la soupière s'exhalait une délicieuse odeur de soupe ; alors nous leur proposâmes de passer à table avant que le potage ne refroidisse.

▶ Réviser ★

1 a. Relevez les groupes nominaux dont les noms en gras sont les noyaux. b. Classez leurs expansions selon leur nature : adjectif, groupe prépositionnel ou proposition subordonnée relative.

> Ce soir-là, M. Utterson regagna sa **maison** de célibataire l'**humeur** sombre, et se mit à table sans appétit. Il avait l'habitude, le dimanche après dîner, de s'installer au **coin** du feu avec, à ses côtés, un aride[1] **volume** de théologie[2] qu'il lisait jusqu'à ce que minuit sonne au **clocher** de l'**église** voisine.
>
> **1.** Difficile. **2.** Étude de la religion.
>
> **R.L. STEVENSON**, *L'Étrange cas du docteur Jekyll et de Mr Hyde*, trad. J.-P. Naugrette, Le Livre de poche, 1988.

2 Complétez les phrases par des propositions subordonnées relatives.

1. L'autre jour, nous avons visité le musée dont ... .
2. Ursule fut accueillie par l'homme chauve que ... .
3. La vache est un animal qui ... .
4. Élodie est une femme à laquelle ... .
5. Pour le projet sur lequel ..., j'ai besoin de beaucoup de papier.
6. Il y a des causes pour lesquelles ... .

3 Précisez le degré des adjectifs en gras.

1. Pierre est moins **fort** que Sonia en maths, mais il est **meilleur** en français. – **2.** Madame Robert s'était toujours montrée très **bonne** pour Marcelin. – **3.** Lorsqu'il sortit de l'eau, Albert était à peine **reconnaissable**. – **4.** Karim est le plus **proche** de mes amis. – **5.** J'ai demandé à Lucie d'être plus **responsable**. – **6.** Il s'est montré assez **compréhensif** lorsque je lui ai fait part de mon problème.

4 Relevez les adjectifs et classez-les selon qu'ils sont épithètes ou attributs du sujet en précisant le mot qu'ils qualifient.

1. Son habit avait beau être vieux et sale, il n'en demeurait pas moins d'une incroyable élégance.
2. Quand elle eut passé l'angle de la dernière maison, Cosette s'arrêta. Aller au-delà de la dernière boutique, cela avait été difficile ; aller plus loin que la dernière maison, cela devenait impossible. (HUGO)
3. Le teint de ce petit paysan était si blanc, ses yeux si doux, que l'esprit un peu romanesque de Mme de Rênal eut d'abord l'idée que ce pouvait être une jeune fille déguisée. (STENDHAL)

5 Relevez les propositions subordonnées relatives et donnez la fonction des pronoms relatifs.

1. Un opéra est une pièce de théâtre dont toutes les paroles sont chantées.
2. Il osa un jeu de mots qui ne plut pas à tout le monde.
3. Le livre que vous souhaitez emprunter n'est plus disponible.
4. La ville d'où je viens est très polluée.
5. Martin avait une très bonne amie pour laquelle il aurait fait n'importe quoi.
6. Il y a des coutumes auxquelles je suis très attachée.
7. Il est triste de quitter le bureau dans lequel on a toujours travaillé.

6 Récrivez les phrases suivantes en conjuguant le verbe en gras au temps indiqué et en faisant les modifications nécessaires.

1. Mathilde **protesta** que c'était toujours à elle de mettre le couvert. (*présent*)
2. Hector **demande** à sa mère s'il pourra aller jouer dehors. (*passé simple*)
3. Émerveillée, Clara **s'exclame** qu'elle n'a jamais vu un aussi beau sapin de Noël. (*passé simple*)
4. Dès qu'ils furent installés, le professeur **annonça** à ses élèves qu'ils auraient un contrôle. (*futur*)
5. Un soir, ma mère m'**annonça** que dorénavant ce serait moi qui ferais les commissions. (WRIGHT) (*présent*)

7 a. Indiquez la nature et la fonction des mots ou groupes en gras.

b. **Dictée** Préparez ce texte pour la dictée.

> **Son père**, un maçon, s'était tué **en tombant d'un échafaudage**. Puis sa mère mourut, ses sœurs se dispersèrent, un fermier **la** recueillit, et l'employa toute petite à garder **les vaches** dans la campagne. Elle grelottait sous des haillons, à propos de rien était battue, et finalement fut chassée **pour un vol, qu'elle n'avait pas commis**. Elle entra dans une autre ferme, y devint **fille de basse-cour**, et, comme elle plaisait aux patrons, ses camarades la jalousaient. **Un soir du mois d'août** (elle avait alors dix-huit ans), ils l'entraînèrent à l'assemblée de Colleville. Tout de suite, elle fut étourdie **par les lumières dans les arbres**. Elle se tenait à l'écart **modestement**, quand un jeune homme vint l'inviter à la danse.
>
> D'après **GUSTAVE FLAUBERT**, « Un cœur simple », 1877.

Croiser les connaissances ★★

8 Orthographe **Accordez les adjectifs et les participes entre parenthèses.**

1. (*Guidé*) par le sentiment du devoir, les personnes (*vertueux*) font tout ce qu'elles peuvent pour être (*utile*) aux autres, quand bien même leurs bonnes actions ne devraient être (*connu*) de personne. – **2.** Mesdames Deboves et Marty furent particulièrement (*heureux*) de leurs achats, (*fier*) d'avoir fait d'aussi (*important*) économies. – **3.** Elle contemplait tous les cadeaux qu'on lui avait (*offert*), (*ravi*) de sa fête d'anniversaire. – **4.** (*Insupportable*) pour tout le monde, les enfants (*désobéissant*) finissent très souvent (*puni*) par leurs parents. – **5.** (*Mécontent*) de soi et de ses amis, Valentine passa tristement l'après-midi (*seul*) dans son jardin.

9 **Remplacez les expressions en italique par des adjectifs de même sens.**

1. la vie *de l'homme* – **2.** des plantes *qui vivent dans l'eau* – **3.** un animal *qui vit dans la mer* – **4.** des journaux *qui paraissent tous les mois* – **5.** un oiseau *qui ne vole que la nuit* – **6.** des objets *en métal*

10 Orthographe **Mettez la terminaison en -é qui convient.**

Une fois je reven… de très loin et rentr… chez moi vers trois heures du matin ; la nuit ét… noire et nous étions en hiver ; on ne voy… rien dans le quartier de la ville où je me trouv…, rien que des réverbères ; les habitants dorm… probablement, toutes les rues ét… éclair… comme pour une procession, et toutes ét… aussi vides qu'une église ; cet état de choses finit par m'agac… . Je commenç… d'écout…, prêtant l'oreille au moindre bruit, et j'en arriv… à désir… la présence d'un policeman.

D'après **R.L. Stevenson**, *L'Étrange Cas du docteur Jekyll et de Mr Hyde*, trad. J.-P. Naugrette, Le Livre de poche, 1988.

11 **Conjuguez les verbes entre parenthèses au temps qui convient.**

Lorsque M. Hiram B. Otis acheta Canterville Chase, tout le monde lui (*dire*) qu'il (*commettre*) une folie car il ne (*faire*) aucun doute que les lieux (*hanter – voix passive*). En vérité, lord Canterville lui-même (*juger*) de son devoir de mentionner le fait à M. Otis quand ils en (*venir*) à discuter des conditions de vente.

– Nous avons préféré ne pas y habiter nous-mêmes, (*dire*) lord Canterville, depuis que ma grand-tante (*prendre – voix passive*) d'une peur panique dont elle ne (*se remettre*) jamais vraiment en voyant apparaître sur ses épaules deux mains de squelette pendant qu'elle (*s'habiller*) pour dîner et il (*être*) de mon devoir de vous dire, M. Otis, que le fantôme (*voir – voix passive*) par plusieurs membres vivants de ma famille.

D'après **Oscar Wilde**, « Le Fantôme de Canterville », 1887, traduit de l'anglais par Henri Robillot, Gallimard, « Folio plus, classiques », 2004.

Maîtriser l'écrit ★★★

12 **Enrichissez les phrases selon les indications entre parenthèses en précisant à chaque fois la fonction du mot ou du groupe que vous avez ajouté.**

1. Le professeur (*groupe prépositionnel*) nous a donné un devoir (*adjectif – intensité forte*) à faire (*groupe prépositionnel*).
2. (*adverbe*) nous partirons (*groupe prépositionnel*) (*groupe prépositionnel*).
3. Le saladier (*proposition subordonnée relative*) est rangé (*groupe prépositionnel*).
4. Ils arrivèrent (*groupe nominal*) (*groupe prépositionnel*).
5. Aristide et Gustave sont des (*adjectif*) amis (*proposition subordonnée relative*).

13 Réécriture **Récrivez ce texte en remplaçant *Il y a* par *Il y avait*.**

Il y a quelque chose qui cloche dans son aspect, quelque chose de désagréable, voire d'odieux.

Je n'ai jamais rencontré personne d'aussi antipathique, sans pour autant être en mesure de dire pourquoi. Il doit être atteint d'une quelconque difformité : il en donne assurément l'impression, sans que je puisse dire à quel endroit elle se situe. Il a une allure qui sort de l'ordinaire, et cependant il m'est impossible de citer quoi que ce soit d'insolite.

R.L. Stevenson, *L'Étrange cas du docteur Jekyll et de Mr Hyde*, trad. J.-P. Naugrette, Le Livre de poche, 1988.

14 Écriture **Employez avec un nom chacun des adjectifs suivants :**

a. dans une phrase où il sera épithète ;

b. dans une phrase où il sera attribut.

curieux – joli – stupéfait – étrange – rouge – fidèle – grand

15 Écriture **Employez le mot *femme* dans cinq phrases différentes où il sera :**

1. attribut du sujet – **2.** COD – **3.** COI – **4.** sujet inversé **5.** complément circonstanciel.

26   Les paroles rapportées

L'Ingénu lui répondit qu'il n'avait besoin du consentement de personne, qu'il lui paraissait extrêmement ridicule d'aller demander à d'autres ce qu'on devait faire. « Je ne consulte personne, dit-il, quand j'ai envie de déjeuner, ou de chasser, ou de dormir. » (D'après **Voltaire**, *L'Ingénu*, 1767)

1. De qui rapporte-t-on ici les paroles ?

2. Dans quelle phrase ces paroles sont-elles citées exactement ? À quoi le voyez-vous ?

3. De quelle autre manière les paroles sont-elles rapportées ? Quelles transformations observez-vous alors ?

Leçon

1 Le discours direct

Au discours direct, on cite exactement les paroles d'un personnage, telles qu'elles ont été prononcées. On fait donc un **dialogue**, dont il faut respecter la ponctuation.

■ Pour indiquer qui parle, on emploie un verbe de parole, placé avant le discours rapporté et suivi de **deux points** :

> *L'Ingénu dit* : « *J'épouserai mademoiselle de Saint-Yves.* »

ou placé en **incise** à l'intérieur des paroles rapportées ou à la fin :

> « *J'épouserai mademoiselle de Saint-Yves,* **dit L'Ingénu**, *et pas plus tard que demain.* »

> « *J'épouserai mademoiselle de Saint-Yves* », **dit L'Ingénu**.

■ On ouvre les guillemets au début du dialogue et on les ferme à la fin.

■ Entre les deux, on va à la ligne et on met un tiret à chaque changement d'interlocuteur.

Hormis s'il s'agit d'une simple proposition incise, on doit retourner à la ligne à chaque phrase de récit qui interrompt le dialogue.

2 Le discours indirect

Au discours indirect, les paroles sont rapportées par le narrateur dans une **proposition subordonnée, à l'intérieur du récit. Les temps verbaux et les pronoms employés** sont donc modifiés pour devenir **ceux du récit**.

> *Il me déclara : « Je t'**ai apporté** une surprise. »* → *Il me déclara qu'il m'**avait apporté** une surprise.*

Temps du discours direct	Temps du discours indirect dans un récit au passé
présent ou imparfait « *Je pars.* »	imparfait *Il m'a dit qu'il partait.*
futur « *Je viendrai.* »	conditionnel *Il a promis qu'il viendrait.*
passé composé ou plus-que-parfait « *Il a été malade.* »	plus-que-parfait *Il expliqua qu'il avait été malade.*

Attention ! Certains indices de temps ne s'emploient pas dans un récit :

demain → *le lendemain ; hier* → *la veille ; dans trois mois* → *trois mois plus tard ; il y a trois jours* → *trois jours auparavant...*

1 ★ **a. Dans le texte ci-dessous, relevez toutes les paroles rapportées et dites si elles le sont au discours direct ou au discours indirect. Justifiez vos réponses.**

b. Relevez une proposition incise.

« Eh ! mon Dieu, disait mademoiselle de Saint-Yves, comment se peut-il que les Hurons ne soient pas catholiques ? Est-ce que les révérends pères jésuites ne les ont pas tous convertis ? » L'Ingénu l'assura que dans son pays on ne convertissait personne ; que jamais un vrai Huron n'avait changé d'opinion, et que même il n'y avait point dans sa langue de terme qui signifiât *inconstance*. Ces derniers mots plurent extrêmement à mademoiselle de Saint-Yves. Tous les convives criaient : « Nous le baptiserons ! » L'Ingénu répondit qu'en Angleterre on laissait vivre les gens à leur fantaisie. Il témoigna que la proposition ne lui plaisait point du tout ; enfin il dit qu'il repartait le lendemain.

D'après **VOLTAIRE**, *L'Ingénu*, 1767.

2 ★★ **Recopiez le texte ci-dessous en rétablissant la mise en page et la ponctuation du dialogue.**

Il pénétra chez un autre marchand à l'entrée de la rue de la Paix. Dès qu'il eut aperçu le bijou, l'orfèvre s'écria : Ah ! parbleu ; je le connais bien, ce collier ; il vient de chez moi. M. Lantin, fort troublé, demanda : Combien vaut-il ? Monsieur, je l'ai vendu vingt-cinq mille. Je suis prêt à le reprendre pour dix-huit mille, quand vous m'aurez indiqué, pour obéir aux prescriptions légales, comment vous en êtes détenteur. Cette fois, M. Lantin s'assit perclus d'étonnement. Il reprit : Mais…, mais, examinez-le bien attentivement, Monsieur, j'avais cru jusqu'ici qu'il était en… en faux.

D'après **GUY DE MAUPASSANT**, « Les bijoux », 1883.

3 ★★ **Recopiez deux fois chacune des phrases en modifiant à chaque fois la place du verbe introducteur du dialogue. Attention à la ponctuation.**

Exemple : L'Ingénu dit : « Je pars, et sur-le-champ. » → « Je pars, dit l'Ingénu, et sur-le-champ. » → « Je pars, et sur-le-champ », dit l'Ingénu.

1. Lucie renchérit : « Il a raison, tu devrais l'écouter. » – **2.** Jean demanda : « Pourquoi accepter, puisque cela t'ennuie ? » – **3.** Le roi ordonna : « Prenez ce pli et apportez-le le plus vite possible. » – **4.** Elle dit : « Il a un charme certain. »

4 ★★ **Recopiez les phrases suivantes en mettant le verbe introducteur du discours indirect au passé simple et en appliquant la concordance des temps. Analysez les formes verbales obtenues.**

1. Marie avoue qu'elle l'adore. – **2.** Je lui réponds alors que je ne sais pas s'il viendra. – **3.** Il nous informe qu'ils nous ont attendus une heure puis sont repartis. – **4.** Il prétend que la jeune fille lui a dérobé cette photo dans l'hôtel où ils étaient descendus l'été passé. – **5.** Je lui promets que lorsque tout ceci sera terminé, je l'emmènerai loin d'ici. – **6.** Elle se plaint qu'elle est seule toute la journée.

5 ★★ **Transposez au discours indirect.**

1. Pierre annonça : « Je me suis marié hier. » – **2.** « Taisez-vous », ordonna-t-il. – **3.** Il promit : « Je serai de retour avant demain. » – **4.** Paul affirma : « Ils sont arrivés la semaine dernière et ils ne repartiront pas avant le mois prochain. » – **5.** Louise expliqua : « Quand nous avons rencontré Auguste, il travaillait encore à la statue qu'il avait commencée en août. » – **6.** Il proteste : « Je n'ai rien fait, ce n'est pas moi. »

6 ★★★ **Même consigne.**

1. Il nous déclara : « Il n'y a plus de place aujourd'hui mais revenez demain. » – **2.** Je leur dis en riant : « Je n'irai pas cette année car nous y sommes allés l'année dernière. » – **3.** Marie me promet : « Je te le rendrai dès que tu me le demanderas. » – **4.** Il se plaignait : « Il aura plu pendant toutes les vacances ! » – **5.** Il raconte : « Nous avons croisé des hommes qui se sont enfuis dès qu'ils nous ont aperçus. »

7 ★★ **Recopiez le texte de l'exercice 1 en mettant au discours direct les passages qui sont au discours indirect. Adoptez la mise en page et la ponctuation du dialogue et variez la place des verbes de parole.**

8 ★★★ **Transposez le texte suivant au discours direct, sous forme de dialogue. Attention à la ponctuation.**

Le roi se rend au chevet de Madame, sa sœur, qui est mourante.

Cependant le roi était auprès de Madame. Elle lui dit qu'il perdait la plus véritable servante qu'il aurait jamais ; il lui dit qu'elle n'était pas en si grand péril, mais qu'il était étonné de sa fermeté, et qu'il la trouvait grande. Elle lui répliqua qu'il savait bien qu'elle n'avait jamais craint la mort, mais qu'elle avait craint de perdre ses bonnes grâces…

MME DE LA FAYETTE, *Histoire de Madame Henriette d'Angleterre*, 1720.

9 ★★★ **Écriture** À l'imitation du texte de l'exercice 1, écrivez un petit texte dans lequel des parents essaient de convaincre leur enfant de revêtir des habits de cérémonie, tandis que l'enfant s'en défend. Vous emploierez tour à tour discours direct et discours indirect.

27 La subordonnée interrogative indirecte

Observer

« *Quand reviendrez-vous ?* » *Jean me demanda quand je reviendrais.*

1. Laquelle de ces deux phrases est au discours indirect ? Justifiez vos réponses.
2. Laquelle n'est pas une phrase interrogative ? Pourquoi ?
3. Expliquez le changement de temps et de pronom dans les paroles rapportées.

Leçon

1 Construire une interrogation indirecte

On parle d'interrogation indirecte lorsque l'on rapporte une question au discours indirect. L'interrogation indirecte subit les mêmes modifications de temps et de personne que les autres paroles rapportées au discours direct (voir leçon 26).

Elle prend la forme d'une **phrase déclarative** :

– le point d'interrogation disparaît ;

– il n'y a pas d'inversion sujet / verbe.

La question est intégrée dans une **proposition subordonnée interrogative indirecte**.

– Dans le cas d'une question à laquelle on peut répondre par *oui* ou par *non*, cette subordonnée commence par *si*.

Est-ce que tu es d'accord ? (Oui. / Non.) → *Je te demande si tu es d'accord.*

– Dans les autres cas, elle commence par **un autre mot interrogatif (adverbe, pronom ou adjectif)** : *quel, lequel, où, comment, qui,* etc.

Attention :

Au discours indirect, *qu'est-ce que / que* devient *ce que*, *qu'est-ce qui* devient *ce qui*.

Qu'est-ce que tu fais ? → *Je me demande ce que tu fais.*

Devant *il*, *si* devient *s'. Je me demande s'il viendra.*

2 La proposition subordonnée interrogative indirecte

Une proposition subordonnée interrogative indirecte est une **proposition subordonnée qui commence par un mot interrogatif (adverbe, pronom, adjectif).**

Je me demande [comment ils rentreront].

Sa fonction est toujours COD d'un verbe comme *demander, savoir, comprendre...*

Exercices

1 ★ **Dans le texte ci-dessous, relevez toutes les paroles rapportées au discours indirect : lesquelles sont des interrogations indirectes ?**

[L'Ingénu] présenta de son eau des Barbades à mademoiselle de Kerkabon et à monsieur son frère ; il en but avec eux. Ils lui offrirent leurs services, en lui demandant qui il était et où il allait. Le jeune homme leur répondit qu'il n'en savait rien, qu'il était curieux, qu'il avait voulu voir comment les côtes de France étaient faites, qu'il était venu, et allait s'en retourner. Monsieur le prieur, jugeant à son accent qu'il n'était pas Anglais, prit la liberté de lui demander de quel pays il était. « Je suis Huron », lui répondit le jeune homme.

D'après **Voltaire**, *L'Ingénu*, 1767.

2 ★★ **Transposez au discours indirect. Mettez entre crochets la proposition subordonnée interrogative indirecte obtenue. Vous commencerez toutes vos phrases par :** *Elle demande à Luc...*

1. Combien d'argent te reste-t-il ? – **2.** Que cherchez-vous ? – **3.** Où allez-vous ? – **4.** Laquelle préfères-tu ? – **5.** Qui a fait cela ? – **6.** Est-ce que tu aimes ma nouvelle robe ? – **7.** Pourquoi Marie est-elle fâchée ? – **8.** Avez-vous vu Angélique ? – **9.** Quelle couleur as-tu choisie ? – **10.** Que faire ?

3 ★ **Complétez par** *qu'est-ce que* **ou** *ce que.*

1. ... vous pensez de ça ? – **2.** Je me demande ... il s'est passé. – **3.** Je ne sais pas ... c'est. – **4.** Quand vous aurez terminé, ... vous ferez ? – **5.** Finalement, ... vous avez décidé ? – **6.** Nous ne savons pas ... il leur est arrivé.

4 ★★ **Transposez au discours indirect. Attention à l'emploi des pronoms et à la concordance des temps.**

1. Le père Marville se demandait : « Où sont-ils passés ? » – **2.** « Dans laquelle s'est-elle cachée ? » se demandait le sergent en considérant les caisses alignées contre le mur. – **3.** Elle leur demanda d'une voix timide : « Puis-je vous accompagner ? » – **4.** Les policiers me demandèrent : « Quand reviendrez-vous ? » – **5.** Il voulait savoir : « Qu'est-ce qui t'ennuie autant dans ce projet ? » – **6.** Sa mère demanda : « Que se passe-t-il ? »

5 ★★★ **Même consigne.**

1. Les policiers lui demandèrent : « Qu'avez-vous fait hier ? Où étiez-vous à vingt heures ? » – **2.** Julie demanda à Pierre : « Seras-tu libre demain matin ? » – **3.** Le directeur voulait savoir : « Pourquoi avez-vous été absent la semaine dernière ? » – **4.** Je me demandais : « Pourquoi ne répond-il pas ? A-t-il bien reçu ma lettre ? » – **5.** Jean se demandait : « Est-ce que M. Dumont acceptera de m'accorder un congé pour la semaine prochaine ? »

6 ★★★ **Transformez les propositions subordonnées interrogatives en interrogations directes.** *Exemple :* *Il demanda si j'étais satisfait.* → *« Êtes-vous satisfait ? »*

1. Je ne sais pas s'il viendra. – **2.** Le professeur lui a demandé pourquoi il n'avait pas fait ses exercices. – **3.** Nous ignorons s'il est encore possible d'annuler le départ. – **4.** Je ne sais pas où il habite. – **5.** Je sais ce qui lui ferait plaisir. – **6.** Je ne comprends pas ce que tu veux. – **7.** Il se demandait à quoi elle pouvait bien penser en le regardant ainsi.

7 a.★★ **Relevez les subordonnées introduites par** *qui* **et dites s'il s'agit de relatives ou d'interrogatives. Justifiez votre réponse.**

1. Je voudrais bien savoir qui a fait cela. – **2.** Toi aussi, tu rencontreras un jour quelqu'un qui t'aimera. – **3.** Nous avons rencontré dans la forêt une femme étrange qui jure te connaître. – **4.** Il se demandait qui était cette femme. – **5.** J'ignore qui serait capable de soulever un tel poids. –

6. Javert connaissait un seul homme qui serait capable de soulever un tel poids.

b. Même travail avec les subordonnées introduites par *où.*

1. Je me demande où j'ai mis les clés. – **2.** Je cherche le sac où j'ai rangé les clés. – **3.** C'était l'époque où nous avions vingt ans. – **4.** Je ne comprends pas où tu veux en venir. – **5.** Sais-tu où elle est ? – **6.** Connais-tu la ville où il est né ?

8 ★★★ **Transposez le dialogue ci-dessous au discours indirect, dans un récit au passé. Vous commencerez ainsi :** *Octave se demandait ce qu'il devait faire, quelle résolution il devait prendre et...*

> OCTAVE. – Que dois-je faire ? Quelle résolution prendre ? À quel remède recourir ?
> SCAPIN. – Qu'est-ce, Seigneur Octave, qu'avez-vous ? Qu'y a-t-il ? Quel désordre est-ce là ? Je vous vois tout troublé.
> OCTAVE. – N'as-tu rien appris de ce qui me regarde ?
> SCAPIN. – Non.
> OCTAVE. – Mon père arrive avec le seigneur Géronte, et ils me veulent marier.
> SCAPIN. – Hé bien, qu'y a-t-il là de si funeste ?
>
> **MOLIÈRE**, *Les Fourberies de Scapin*, 1671.

9 ★★ Analyse **Recopiez le texte et faites-en l'analyse logique.**

> Le soir, Marie est venue me chercher et m'a demandé si je voulais me marier avec elle. J'ai dit que cela m'était égal et que nous pourrions le faire si elle le voulait. Elle a voulu savoir alors si je l'aimais. J'ai répondu comme je l'avais déjà fait une fois, que cela ne signifiait rien mais que sans doute je ne l'aimais pas.
>
> **ALBERT CAMUS**, *L'Étranger*, © Éditions Gallimard, 1942.

10 a.★★ **Indiquez le temps et le mode des verbes en gras et expliquez-en l'emploi.**

b. ★★★ Dictée **Préparez ce texte pour la dictée.**

> « Mon cher hôte, me dit M. de Peyrehorade, le souper **tirant** à sa fin, il faut que vous **appreniez** à connaître notre Roussillon, et que vous lui **rendiez** justice. Vous ne vous **doutez** pas de tout ce que nous allons vous montrer. Je vous **mènerai** partout et ne vous **ferai** pas grâce d'une brique. » Un accès de toux l'**obligea** de s'arrêter. J'en **profitai** pour lui dire que je **serais** désolé de le déranger dans une circonstance aussi intéressante pour sa famille. S'il **voulait** bien me donner ses excellents conseils sur les excursions que j'**aurais** à faire, je pourrais, sans qu'il **prît** la peine de m'accompagner... « Ah ! vous **voulez** parler du mariage de ce garçon-là, s'**écria**-t-il en m'interrompant.
>
> D'après **PROSPER MÉRIMÉE**, *La Vénus d'Ille*, 1837.

28 Cause et conséquence

Leçon

■ **Les notions de cause et de conséquence** sont liées : **l'une n'existe pas sans l'autre**. L'origine d'un événement en est la **cause** ; le **résultat** en est la **conséquence**. Chronologiquement, la cause se situe **avant** la conséquence. Par la grammaire, on peut mettre l'accent, dans la phrase, sur l'un ou l'autre de ces rapports logiques.

■ **Les compléments circonstanciels de cause peuvent être :**

– un **groupe prépositionnel** introduit par *à cause de, par, en raison de*, etc. ;

> Il hurle **de** _douleur_. Il a échoué **à cause de** _toi_.

– un **gérondif** (= *en* + participe présent) ;

> **En** _travaillant_, il a progressé.

– une **proposition subordonnée** conjonctive introduite par *parce que, puisque, sous prétexte que, comme*, etc.

> **Étant donné que** _tu as bien travaillé_, tu seras récompensé.

Attention : Ne pas confondre *parce que*, qui est une conjonction de subordination, et *car*, qui est une conjonction de coordination.

■ **Les compléments circonstanciels de conséquence peuvent être :**

– un **groupe prépositionnel** introduit par *à, pour, au point de, trop… pour* ;

> La cantatrice chanta mieux que jamais **pour** _la plus grande joie du public_.

> Il a travaillé **jusqu'à** _ressentir de la fatigue_.

– une **proposition subordonnée conjonctive** introduite par *de sorte que, au point que, si bien que*, etc.

> Il s'est montré imprudent **si bien qu'**_il s'est blessé_.

Un adverbe d'intensité (*si, trop, assez, tant*, etc.) dans la principale peut annoncer la subordonnée CC de conséquence.

> Édouard a ⎡tant⎤ hurlé **qu'**_il s'est cassé la voix_.

■ Il existe **d'autres moyens que les CC pour exprimer la cause ou la conséquence :**

– la **coordination** ou la **juxtaposition** de propositions indépendantes :

> Il grelotte, car il a froid. Il grelotte : il a froid. (→ cause)

> Il a froid, donc il grelotte. Il a froid, il grelotte. (→ conséquence)

– l'**apposition** peut aussi exprimer la cause.

> _Mauvais joueur_, il se met en colère.

Exercices

❶ ★ Dans les phrases suivantes, relevez les compléments circonstanciels de cause. Précisez leur nature.

1. Le naufragé est mort de faim sur son île déserte. – 2. Sous prétexte que c'était son tour de jouer, Ernest arracha violemment la raquette des mains de son frère. – 3. En partant tôt, Agathe a pu arriver à la gare à l'heure pour prendre son train. – 4. Je me suis tordu la cheville sur les pavés glissants à cause de mes talons trop hauts. – 5. Il ne parlait pas, non qu'il en fût incapable mais parce qu'il était têtu. – 6. Le chien obéit à son maître par habitude, grâce à un dressage efficace. – 7. Jean Valjean fut condamné au bagne pour avoir volé du pain. – 8. À force de dire des sottises, il passe pour un homme insensé. – 9. Puisque vous savez déjà tout, je ne dirai plus rien !

2 ★ Complétez les phrases suivantes avec un complément circonstanciel de cause. Variez-en les natures.

1. Il se boucha les oreilles. – **2.** Maxime saisit un grand couteau. – **3.** Le client gesticulait, mécontent. – **4.** Il hurle. – **5.** Gabriel se fit gronder. – **6.** Alors Élisabeth se retourna. – **7.** Adrien tremble devant le cavalier sans tête.

3 ★★ Repérez les CC de cause, indiquez leur nature, puis transformez-les en subordonnées conjonctives de même fonction. Variez les conjonctions employées.

1. Gaël rougit de colère.
2. En raison de la pluie, le match est annulé.
3. En tombant, Élise s'est écorché le genou.
4. Faute de travail, Robin a échoué à ses examens.
5. Sous prétexte de timidité, Lilian ne se donnait pas la peine de remercier.
6. À se coucher trop tard, Baptiste peine à se lever le matin.
7. Il se repose non par paresse mais par nécessité de santé.

4 ★ Dans les phrases suivantes, relevez les CC de conséquence. Précisez leur nature.

1. Dans son enthousiasme, Aurélie parle à perdre haleine. – **2.** Héloïse est trop fatiguée pour avoir la force de protester. – **3.** Les paysans avaient fait des réserves de nourriture de sorte que l'arrivée d'un hiver long et rigoureux ne les mit pas en péril. – **4.** Mathis fut déçu par son résultat au point de pleurer. – **5.** À cause du verglas, la route est si glissante que les accidents sont nombreux. – **6.** Il avait acheté tant d'œufs qu'il passa la semaine à manger des omelettes.

5 ★ Complétez les phrases suivantes avec un complément circonstanciel de conséquence. Variez les natures. Vous pouvez ajouter un adverbe d'intensité.

1. Il fait chaud sur la terrasse. – **2.** Alix n'a pu rencontrer son avocat. – **3.** Perché sur le toit du poulailler, le coq chante à l'aube. – **4.** La fièvre faisait délirer Cyprien. – **5.** Contrairement à ses espérances, le général essuya une terrible défaite. – **6.** À cause de la sécheresse, le niveau des nappes phréatiques était au plus bas.

6 ★★ Repérez les CC de conséquence, indiquez leur nature, puis transformez-les en subordonnées conjonctives de même fonction. Variez les conjonctions employées.

1. Antoine parle trop bas pour être compris.
2. Je l'aime à mourir.
3. J'aime les oiseaux au point de tendre un perchoir à leurs petites pattes.
4. Ce cheval a été battu à mort.
5. Le professeur Tournesol est sourd jusqu'à tout comprendre de travers.
6. Les congés ont été annulés au désespoir des élèves.

7 ★★★ Ne confondez pas le but (= l'objectif à atteindre), la cause (= l'origine d'un événement) et la conséquence (= le résultat d'une cause). Indiquez si les groupes soulignés sont CC de but, de cause ou de conséquence.

1. Nestor se jette à l'eau <u>pour sauver un homme à la mer</u>. – **2.** Il fut applaudi <u>pour son discours</u>. – **3.** Il fit un discours hilarant <u>pour le plus grand plaisir du public</u>. – **4.** Il fit un discours percutant <u>pour convaincre son auditoire</u>. – **5.** L'orateur était trop chahuté <u>pour qu'on pût l'entendre</u>. – **6.** Le mousquetaire combattait <u>pour servir son roi</u>. – **7.** Elle reçut une récompense <u>pour son engagement humanitaire</u>.

8 ★★★ Transformez les deux propositions indépendantes en une principale et sa subordonnée. Conservez le même rapport logique (cause ou conséquence) que vous préciserez.

1. Marie mourut sur-le-champ, car elle avait reçu une balle en plein cœur. – **2.** La balle atteignit Marie en plein cœur, alors elle mourut aussitôt. – **3.** Il dut remplacer une roue ; de fait, elle était crevée. – **4.** Lisa a réparé le four ; en effet, il ne fonctionnait plus ; il chauffe donc très bien désormais.

9 ★★★ Réécriture Pour chaque phrase : a. Dites si la juxtaposition des propositions indépendantes permet d'exprimer un rapport de cause ou de conséquence. b. Coordonnez les deux propositions de manière à conserver le même rapport logique. c. Transformez les deux indépendantes coordonnées ainsi obtenues en une principale et sa subordonnée, en conservant toujours le même rapport logique.

1. Ryan ronchonne : son ami Erwan est encore en retard. – **2.** Tu as triché, tu seras puni. – **3.** L'orateur a fort bien parlé ; la foule est conquise. – **4.** Taisez-vous, ce n'est pas le moment de parler.

10 ★★★ Donnez la nature et la fonction des groupes soulignés.

> Les paquets de vêtements lui cassaient les bras, <u>au point que, pendant les six premières semaines, elle criait la nuit en se retournant, courbaturée, les épaules meurtries</u>. Mais elle souffrit plus encore de ses souliers que le manque d'argent l'empêchait de remplacer par des bottines légères. Maintenant, telle était sa vie ; et elle agonisait <u>de fatigue</u>, <u>mal nourrie</u>, <u>mal traitée</u>, sous la continuelle menace d'un renvoi brutal.
>
> D'après ÉMILE ZOLA, *Au Bonheur des Dames*, 1883.

11 ★★★ Écriture Rédigez en quelques lignes, en variant les tournures grammaticales : a. le discours d'un savant qui annonce les conséquences d'une catastrophe écologique ; b. le discours d'un savant qui explique les causes de cette même catastrophe.

Les liens logiques

Observer

*Là, je songeais sans cesse à mon évasion **mais** je ne trouvai aucun moyen ; **car** je n'avais pas une seule personne à qui le communiquer, pour qu'elle s'embarquât avec moi. **De sorte que** pendant deux ans, **quoique** je me berçasse souvent de ce rêve, je n'entrevis néanmoins jamais la moindre chance de le réaliser. (D'après **D. Defoe**, Robinson Crusoé, 1719, traduit par Pétrus Borel, 1836).*

1. Donnez la nature des mots en gras. Quel est leur rôle ?
2. Parmi ces mots, lesquels expriment une opposition ? Lequel introduit une explication ? Lequel une conséquence ?

Leçon

■ Les **mots de liaison logique** permettent d'**exprimer le lien logique qui existe entre deux idées** : cause, conséquence, addition, opposition, hypothèse, alternative. Ils sont essentiels à la bonne progression des idées.

■ Les mots de liaison peuvent être des **conjonctions de coordination** (*mais, ou, et, donc…*), **des conjonctions de subordination** (*comme, si, puisque, si bien que…*), **des adverbes** (*alors, cependant…*) ou des **locutions adverbiales** (*par conséquent, en effet…*).

Idée exprimée	Mot de liaison	Exemple
Cause, explication	Conjonction de coordination : *car.* Conjonction de subordination : *puisque, parce que, comme, étant donné que, sous prétexte que…* Adverbe : *en effet, ainsi.*	*Robinson souffre **parce qu'**il est seul.*
Conséquence, conclusion	Conjonction de coordination : *donc, et.* Conjonction de subordination : *si bien que, de sorte que, si / tant… que, au point que…* Adverbe : *aussi, alors, c'est pourquoi, par conséquent, en somme…*	$A = 4$ et $B = 5$ ***donc*** $A + B = 9.$
Addition	Conjonction de coordination : *et, or.* Adverbe : *d'abord, ensuite, aussi, premièrement, deuxièmement, d'ailleurs, de plus, en outre, d'une part… d'autre part, non seulement… mais encore.*	***Premièrement*** tu as désobéi, ***deuxièmement*** tu te montres insolent.
Opposition	Conjonction de coordination : *mais, or, et.* Conjonction de subordination : *bien que, quoique, alors que…* Adverbe : *cependant, néanmoins, toutefois, pourtant…*	*La situation paraît mal engagée, **toutefois** nous essaierons.*
Hypothèse	Conjonction de subordination : *si, pourvu que, à condition que…* Adverbe : *sinon.*	***Si** tu veux, tu peux.*
Alternative	Conjonction de coordination : *ou… ou… ; soit… soit…*	***Soit** tu participes, **soit** tu pars.*

Remarques :

– *Car, en effet, ainsi* introduisent moins la cause proprement dite qu'une simple explication, la justification d'une affirmation. *Jules doit être parti parce qu'il avait un rendez-vous.* Mais : *Jules doit être parti car / en effet je ne le vois pas.*

– *Donc* est surtout utilisé pour tirer les conclusions d'un raisonnement.

*Je pense **donc** je suis.* (Descartes)

1 ★ **Dans les phrases, relevez les mots de liaison logique, donnez leur nature et le lien logique exprimé.**

1. Il n'y a ni lune ni soleil au pays d'où j'arrive ; ce n'est que de l'espace et de l'ombre ; et pourtant me voici, car l'amour est plus fort que la mort, et il finira par la vaincre. (GAUTIER)
2. Tous les hommes sont mortels ; or Socrate est un homme ; donc Socrate est mortel.

2 ★ **Donnez le lien logique exprimé par *et* dans ces phrases.**

1. Je te gronde et cela te fait rire ! – **2.** Un orage a éclaté et nous avons dû faire demi-tour. – **3.** C'est idiot et c'est dangereux. – **4.** Nous sommes mariés depuis vingt ans et nous sommes des étrangers l'un pour l'autre. – **5.** Rends-moi heureux et je serai de nouveau vertueux. (SHELLEY)

3 ★★ **Complétez le texte avec les mots de liaison suivants : *d'abord – afin que – donc – enfin – ensuite – mais – parce que* (deux fois) – *par conséquent*.**

Le lieu où je m'étais d'abord établi ne me paraissait pas propre à y fixer ma demeure, ... c'était un terrain bas, marécageux et trop près de la mer, ... malsain ; ... surtout ... il n'y avait point d'eau douce assez proche. Je me mis ... en quête d'un endroit plus sain et plus convenable. J'avais à considérer plusieurs choses : ... la salubrité et l'eau fraîche, desquelles j'ai déjà parlé ; ... un abri contre l'ardeur du soleil, et le plus de sûreté possible contre les ennemis, hommes ou bêtes ; ... la vue de la mer, ..., s'il plaisait à Dieu que quelque vaisseau passât devant la côte, je ne perdisse pas cette chance de salut.

D'après **D. DEFOE**, *Robinson Crusoé*, 1719, traduit par Pétrus Borel, 1836.

4 ★★★ **Complétez le texte avec les mots de liaison suivants : *car – en second lieu – or – par conséquent – premièrement*.**

Pour être très sage, et ... très heureux, il n'y a qu'à être sans passions ; et rien n'est plus aisé, comme on sait. ... je n'aimerai jamais de femme ; ..., en voyant une beauté parfaite, je me dirai à moi-même : Ces joues-là se rideront un jour ; ces beaux yeux seront bordés de rouge ; cette gorge ronde deviendra plate et pendante ; cette belle tête deviendra chauve. ... je n'ai qu'à la voir à présent des mêmes yeux dont je la verrai alors, et assurément cette tête ne fera pas tourner la mienne. ... je serai toujours sobre.

D'après **VOLTAIRE**, *Memnon ou la Sagesse humaine*, 1748.

5 ★★ **Remettez les phrases de ce paragraphe dans l'ordre, en vous aidant des mots de liaison.**

1. Alors lui apparut la folle présomption de son entreprise. Perdant courage, il fut sur le point de rebrousser chemin.
2. Pourtant il avançait, tout en se demandant pourquoi diable il faisait l'idiot sur cette lave solidifiée, crevant de peur.
3. Mais, sachant que de rentrer bredouille était aussi futile que de ne pas rentrer du tout, et passionné aussi par le spectacle qu'il avait devant lui, il poussa de l'avant.
4. Tremblant de froid sous la bise glaciale, mon père se brûlait quasiment les pieds sur les rochers trop chauds.

D'après **ROY LEWIS**, *Pourquoi j'ai mangé mon père*, 1960, trad. Vercors et Barisse, Actes Sud, 2012.

6 ★★ **Complétez les phrases suivantes par un mot de liaison logique qui convient.**

1. ... tu as compris, aide ton voisin. – **2.** Elle doit être triste ... elle n'a adressé la parole à personne de toute la journée. – **3.** Mathilde n'avait plus rien à faire dans cette ville, ... décida-t-elle de partir. – **4.** J'ai dû faire honneur au repas ... je n'avais aucun appétit. – **5.** Luc était fou de colère ... il cacha son émotion. – **6.** Ce qui est bon marché est rare ; ... ce qui est rare est cher ; ... ce qui est bon marché est cher.

7 ★★ **Quel est le lien logique sous-entendu dans ces phrases ?**

1. Il ne peut pas y avoir de relation entre toi et moi : nous sommes des ennemis. (SHELLEY) – **2.** Julien lisait. Rien n'était plus antipathique au vieux Sorel ; cette manie de lecture lui était odieuse, il ne savait pas lire lui-même. (STENDHAL) – **3.** Dieu est l'auteur de la pièce ; Satan est le directeur du théâtre. (HUGO) – **4.** Quittez les bois, vous ferez bien : Vos pareils y sont misérables. [...] Suivez-moi : vous aurez un bien meilleur destin. (LA FONTAINE) – **5.** Il ouvre un large bec, laisse tomber sa proie. (LA FONTAINE)

8 Écriture **a.**★★ **Dans le texte suivant, relevez les mots de liaison et dites leur rôle : quel est le ton du texte ?**

b.★★★ **Sur le même modèle, rédigez un petit paragraphe pour expliquer pourquoi vous n'avez pas fait une chose que vous auriez dû faire.**

Bien entendu, j'aurais dû lui donner sa raclée sur-le-champ. Seulement, d'abord, j'étais très essoufflé. De plus, c'est bien vrai que j'avais faim. Et puis c'était elle qui tenait le gourdin. Aussi décidai-je de remettre les tendresses à plus tard.

D'après **ROY LEWIS**, *Pourquoi j'ai mangé mon père*, 1960, trad. Vercors et Barisse, Actes Sud, 2012.

Tout, *même*, demi et *nu*

30

1 *Tout*

■ *Tout* ou *tous* ?

La plupart du temps *tous* se prononce [touS]. Donc si l'on entend [tou], il faut écrire t.o.u.t.

Exception : Devant *les* ou un autre déterminant pluriel, *tous* s'écrit t.o.u.s. : *tous les jours, tous nos amis...* Mais : *tout le monde, tout le temps...*

Attention : Ne confondez pas le déterminant composé *tous les* avec *tout* ou *toute* employé seul, qui signifie « chaque » :

> *Tout élève surpris à tricher sera exclu de l'examen.*

■ Écrire l'adverbe *tout* devant un adjectif

– **Devant un adjectif** masculin ou un adjectif féminin **commençant par une voyelle ou un *h* muet**, *tout* reste invariable. Il signifie « très », « complètement » : *Ils sont* **tout** *petits. Elle était* **tout** *étonnée.*

– **Devant un adjectif féminin commençant par une consonne ou un *h* aspiré**, pour des raisons de prononciation, il faut faire l'accord :

> *Elle est* **toute** *honteuse /* **toute** *perdue.*

Attention : Ne confondez pas *Les fillettes sont tout émues.* (= les fillettes sont très émues) avec *Les fillettes sont toutes émues.* (= toutes les fillettes sont émues).

2 *Même*

■ *Même* est variable quand il est :

– **déterminant indéfini** (*un même, la même, les mêmes...* + nom) : *Ce sont* **les mêmes** hommes *que nous avons vus hier.* – **Une même** somme *sera remise à chaque participant.*

– **pronom indéfini** (*le même, la même, les mêmes* employés seuls) :

> *Ces fleurs sont magnifiques, Sidonie a planté* **les mêmes** *dans son jardin.*

– **adjectif** (après un nom, ou un pronom auquel il est relié par un trait d'union) :

> *ces hommes mêmes, eux-mêmes, vous-mêmes.*

■ Quand il signifie « également, aussi » ou « exactement, précisément », *même* est un **adverbe**. Il est donc invariable : *Nicolas a tout mangé, même* (= également) *la part de Clara. Nous nous sommes rencontrés ici même* (= exactement).

3 *Demi et nu*

– **Devant un nom**, les **adjectifs** *demi* et *nu* sont joints à ce nom par un trait d'union et restent invariables : *une demi-heure, des nu-pieds.*

– **Après un nom**, les **adjectifs** *nu* et *demi* **s'accordent** normalement avec ce nom : *une heure et demie, pieds nus.*

Attention ! L'expression *et demi* équivaut à « et un(e) demi(e) » : *demi* ne prend donc jamais de -*s* : *trois heures et demie.*

Remarque : Dans la **locution adverbiale** *à demi*, *demi* est invariable :

> *Nous étions à demi morts de peur.*

Exercices

1 ★ [Oral] **Donnez le sens de *tout* dans les phrases.**

1. Elles étaient toutes rouges d'avoir couru. – **2.** Tout le monde aime le silence. – **3.** Nos parents furent tout surpris de voir la maison rangée. – **4.** Observez toute personne portant un chapeau. – **5.** Demandez votre chemin à toutes les personnes que vous croiserez. – **6.** Tu as mis de la confiture partout et mes photos sont toutes abîmées. – **7.** Ma jupe est tout abîmée par la pluie. – **8.** Les élèves sont tous soulagés que le contrôle soit reporté. – **9.** Les élèves sont tout soulagés que le contrôle soit reporté.

2 ★★ **Complétez par *tout*, *tous*, *toute* ou *toutes*.**

1. À Noël, les enfants ... heureux, regardent ... les jouets de ... les vitrines.
2. Hier, ... nos amis sont venus à la fête.
3. ... le monde est reparti très heureux.
4. À ce mot, ... s'inclinèrent. (FLAUBERT)
5. ... ce que tu dis la laisse indifférente.
6. Ton bracelet est joli mais ... ceux d'Adèle sont plus beaux.
7. Pour lui faire plaisir, nous avons invité ... les amies de Grand-mère.
8. ... cela est très bien dit, mais je ne suis pas du ... convaincue.
9. Les fruits sont à ..., et la terre n'est à personne. (ROUSSEAU)
10. La cliente fut ... étonnée et ... surprise de recevoir un cadeau.

3 ★ [Oral] **Indiquez la nature de *même*.**

1. Cet homme est la bonté même.
2. C'est du pareil au même.
3. Même l'homme robuste faiblit. (GIDE)
4. Je te dis toujours la même chose parce que c'est toujours la même chose. (MOLIÈRE)
5. La nature humaine est toujours la même. (GAUTIER)
6. Tu devrais parler plus clairement pour que je sois à même de comprendre.
7. Elle avait aimé Dieu avec passion ; elle le craignait de même. (STENDHAL)
8. Comme tu es changé... On ne peut même pas dire que tu aies changé : tu n'es plus le même, plus du tout, en rien. (MARTIN DU GARD)

4 ★★ **Complétez par *même* ou *mêmes*. Justifiez votre choix en précisant la nature de *même*.**

1. Tes feutres sont très bien, je voudrais les ... .
2. Ce sont les paroles ... du professeur.
3. Un lecteur passionné doit relire chaque année les ... livres. (MAUROIS)
4. Vous devez déposer vous-... votre demande de subventions.
5. En ... temps que mes petites jambes, mon esprit s'était éveillé. (LOTI)
6. Sur les ... traits, c'était la ... expression. (FRANCE)
7. Les chiens tournent sur eux-... comme des fous. (DAUDET)

5 ★★★ **Recopiez les phrases en accordant s'il y a lieu les mots entre parenthèses.**

1. (Tout) les candidats ont fait les (même) fautes aux (même) endroits.
2. Ils étaient (tout) fiers de nous annoncer qu'ils avaient eux-(même) préparé le repas.
3. Nous avons (tout) vendu, (même) les articles non soldés.
4. Nous sommes (tout) les deux voisins du ciel, Madame, / Puisque vous êtes belle, et puisque je suis vieux. (HUGO)
5. (Tout) les changements, (même) les plus souhaités, ont leur mélancolie. (FRANCE)
6. Il y avait de grands espaces pleins de bruyères (tout) en fleurs. (FLAUBERT) (*deux réponses possibles*)

6 ★★ **Complétez par *demi* en faisant l'accord s'il y a lieu. Attention aux traits d'union !**

1. Sa tête était à ... cachée par un étonnant chapeau.
2. Nous levâmes le camp et cheminâmes pendant une heure et ... . (CHATEAUBRIAND)
3. Nous nous tînmes dans l'obscurité, derrière la porte à ... ouverte et nous nous ennuyâmes pendant une bonne ... heure. (COLETTE)
4. Ceux qui font les révolutions à ... ne font que creuser leurs tombeaux. (SAINT-JUST)
5. Je n'aime ni les ... vengeances, ni les ... fripons. (VOLTAIRE)
6. C'est n'aimer qu'à ... qu'aimer avec réserve. (CORNEILLE)

7 ★★ **Complétez par *nu* en faisant l'accord s'il y a lieu. Attention aux traits d'union !**

1. Ils se mirent tous deux ... jusqu'à la ceinture. (FRANCE)
2. Il était ... tête et ... jambes, les pieds chaussés de petites sandales. (VOLTAIRE)
3. *Vêtir ceux qui sont ...* est une pièce de Luigi Pirandello.
4. C'est un colosse qui a étranglé un loup de ses mains ... .
5. J'arrive, et je vous trouve en veste, comme un page, / Dehors, bras ..., ... tête. (HUGO)

8 ★★★ **Recopiez les phrases en accordant s'il y a lieu les mots entre parenthèses.**

1. (Tout) les jours, de quatre heures et (demi) à six heures et (demi) il jouait de la cornemuse.
2. Nous avons (tout) vu ce film, (même) les enfants.
3. Il faisait tellement chaud, qu'ils marchaient à (demi) (nu).
4. Je vous promets de vous dire la vérité (tout) (nu).
5. Je retrouve (tout), l'expression de son regard rencontrant le mien, le son de sa voix, (même) les détails de sa chère toilette. (LOTI)
6. Roland préférait toujours garder les pieds (nu), (même) les hivers les plus froids.
7. Ces livres ont fini par m'ennuyer : ce sont (tout) les (même).

31 Analyse logique

Leçon

Faire l'analyse logique d'une phrase, c'est repérer son organisation en propositions et donner la nature précise de chacune de ces propositions ainsi que la fonction de toutes les subordonnées.

Pour réussir, on respectera les étapes suivantes :

1 On cherche les **verbes conjugués** et leur sujet (une phrase contient autant de propositions qu'il y a de verbes conjugués).

2 On repère les mots **subordonnants** (conjonctions de subordination, pronoms relatifs ou mots interrogatifs) qui marquent le début d'une proposition subordonnée.

3 On sépare et identifie les propositions (**subordonnées, principales, indépendantes**).

On précise **la nature et la fonction des subordonnées** :

– la fonction d'une proposition subordonnée relative est toujours complément de l'antécédent ;

– la fonction d'une proposition subordonnée interrogative indirecte est toujours COD ;

– la fonction d'une proposition subordonnée conjonctive peut être : complément d'objet, sujet, attribut du sujet, complément circonstanciel…

Exercices

1 ★ **Oral** **a. Dans les phrases, repérez les verbes conjugués et leur sujet. b. Précisez combien de propositions comporte chaque phrase et si la phrase est simple ou complexe. c. Relevez chaque proposition.**

1. Le renard humait le sol à la recherche du lapin qui se dissimulait dans un terrier. – 2. Pendant que les marins manœuvraient et que les soutiers alimentaient les chaudières en charbon, les passagers se promenaient sur le pont, admirant l'océan. – 3. Stupéfait, Charles se demanda comment il avait pu oublier ses affaires. – 4. Le potier, penché sur son tour, fabrique de belles pièces qu'il vendra sur le marché. – 5. La neige tombe à gros flocons, du brouillard monte des plaines humides, le silence se fait dans les campagnes : l'hiver est arrivé. – 6. Que tu ne répondes pas à mon salut me fâche fort ! – 7. Quand reverrai-je la maison de mes aïeux où j'ai passé de si bons moments, profitant de son charme paisible ?

2 ★ **Dans les phrases suivantes, relevez les différentes propositions et précisez s'il s'agit, à chaque fois, d'une proposition indépendante, principale ou subordonnée.**

1. Si le pont s'effondre, la route sera coupée. – 2. Jupiter lance des éclairs, jette la foudre, fait pleuvoir sur les champs. – 3. Mon frère me jalousait parce que j'étais sportive ; je l'aimais tout en regrettant sa jalousie. – 4. De moi, je ne parlerai pas : je parlerai plutôt de tous mes associés qui sont pleins de mérite mais qu'on oublie trop souvent. – 5. Les lionceaux folâtraient, dormaient, se battaient parfois. Pendant ce temps, dans les herbes hautes qui la dissimulaient, la lionne traquait des gazelles pour nourrir ses petits. – 6. Qui es-tu ? – 7. Dis-moi où tu vas. – 8. Lorsque la lueur de leur lampe vacillait, les mineurs savaient qu'il fallait trouver de l'air pur pour pouvoir respirer.

3 ★ **Recopiez les phrases suivantes en sautant des lignes. a. Encadrez les verbes conjugués en rouge et séparez les différentes propositions. Indiquez si les phrases sont simples ou complexes. b. Précisez la nature de chaque proposition.**

La France a perdu une bataille ! Mais la France n'a pas perdu la guerre ! Des gouvernants de rencontre ont pu capituler, cédant à la panique, oubliant l'honneur, livrant le pays à la servitude. Cependant, rien n'est perdu ! Rien n'est perdu, parce que cette guerre est une guerre mondiale.

GÉNÉRAL DE GAULLE, août 1940.

4 ★★ **a. Dites si les propositions subordonnées soulignées sont des relatives ou des conjonctives. b. Donnez leur fonction.**

1. Gilbert pensa qu'il ferait un bon curry avec le poulet qu'il venait d'acheter. – 2. Je veux qu'il vienne et qu'il m'explique les décisions qu'il a prises. – 3. Le mur s'est fissuré ; la cause en est que le sol a tremblé. – 4. Il a mangé tant de cassoulet qu'il n'a plus faim pour le dessert. – 5. Le regret qu'il éprouva sur l'instant lui gâcha sa soirée. – 6. Que vous veniez danser me ravit !

5 ★★★ a. Dites si les propositions subordonnées soulignées sont des relatives ou des interrogatives indirectes. b. Donnez leur fonction.

1. J'ignore qui il a invité ce soir. – 2. C'est la question qui est sur toutes les lèvres. – 3. Il revit le petit pont de son enfance qui ne tenait plus guère et qui menaçait de rompre. Il se demanda alors qui était chargé de son entretien. – 4. Je ne sais où je vais, mais j'espère que le hasard conduira mes pas dans les montagnes où j'ai contemplé tant de paysages somptueux. – 5. Sans trop savoir pourquoi, il se lança dans le commerce maritime à l'époque où le transport aéronautique commençait de se développer.

6 ★★ Relevez les propositions subordonnées, entourez le mot subordonnant ; précisez si les subordonnées sont des relatives, des conjonctives ou des interrogatives indirectes.

1. Le malfaiteur, dont le visage ne m'était pas inconnu, me lança un regard noir qui me fit frémir de peur. – 2. Je ne savais pas pourquoi la police voulait me rencontrer. – 3. Quand la brume se leva enfin, les randonneurs s'aperçurent qu'ils s'étaient éloignés de leur route et qu'ils étaient perdus dans la lande déserte. – 4. La petite église devant laquelle il passait chaque jour s'écroula lorsqu'on creusa un garage souterrain. – 5. Quoique les confitures fussent rangées dans le haut du placard, le petit gourmand les trouva et les engloutit. – 6. Il voulut savoir où la frégate avait coulé. – 7. Corentin surveille sa cousine afin qu'elle ne se blesse pas pendant que les adultes bricolent dans la maison. – 8. La route que j'emprunte quotidiennement pour me rendre au collège longe le bord de mer.

7 ★★ Même exercice.

1. Un homme apparut alors dans l'ouverture, disant par sa seule présence que le déjeuner était prêt. (MAUPASSANT) – 2. J'écrivais la nuit, dans la cabane de tôle ondulée que je partageais avec trois camarades. (GARY) – 3. Crochu est ivre mort, impossible à traîner ; Braz interpelle les deux autres et leur demande s'ils ne connaissent pas un logement où l'on puisse coucher le saoulard. (GIDE) – 4. Ce pont, dont il était question, était un pont suspendu, jeté sur un rapide, à un mille de l'endroit où le convoi s'était arrêté. (VERNE) – 5. Je lui offris tout, pourvu qu'elle voulût m'aimer encore ! (MÉRIMÉE) – 6. Elle ne voulait pas qu'on pût dire que je lui avais fait peur. (MÉRIMÉE). – 7. Voyons, faut-il que je sorte pour que tu finisses de trembler ? (SAND) 8. Monsieur le Président, pouvons-nous savoir quelle somme a été prise à la victime et dans quelle proportion le partage s'est fait ensuite entre les accusés ? (GIDE)

8 ★★ Indiquez la nature exacte des propositions et précisez, s'il y a lieu, lesquelles sont juxtaposées ou coordonnées.

1. L'archéologue était stupéfait : il venait de découvrir une tombe étrusque en parfait état. – 2. Le maire annonça que des travaux d'aménagement auraient lieu, que la circulation des voitures serait moins aisée, mais que le résultat en vaudrait la peine. – 3. Avancez, présentez-vous distinctement et commencez aussitôt votre exposé. – 4. Olaf passa l'aspirateur, il nettoya les vitres avec un chiffon doux, il cira enfin le parquet qu'il venait de poncer. – 5. Parce qu'il avait créé un monstre et qu'il en avait peur, le savant fou s'enfuit.

9 ★★★ Indiquez la nature et la fonction des propositions subordonnées soulignées.

1. Il voulut prendre l'air parce qu'il étouffait dans cette salle surchauffée. – 2. J'espère que vous avez une bonne raison d'être en retard… – 3. Vivien vivait dans une petite ville dont on vantait le calme. – 4. Le facteur demanda qui avait volé le courrier. – 5. Valentine dormait trop profondément pour que le réveil la tirât du sommeil. – 6. Inès juge qu'un bon livre est inestimable. – 7. Lorsque Blaise vivait en Asie, il tenait un journal de bord dans lequel il notait ses découvertes afin que ses amis, à son retour, puissent lire le récit de son expérience. – 8. Puisque ton plat est immangeable, je me demande si tu as bien suivi la recette que le cuisinier t'avait remise. – 9. Elsa a fait beaucoup de mal à sa cousine et le plus terrible est qu'elle l'ait fait volontairement.

10 ★★ a. Relevez tous les verbes ; trouvez leur sujet ; analysez ceux qui sont soulignés (infinitif, voix, mode, temps, personne).

b. Faites l'analyse logique des phrases.

c. **Dictée** Préparez ce texte pour la dictée.

> Nous sommes à Paris depuis un mois, et nous avons toujours été dans un mouvement continuel. Il faut bien des affaires avant qu'on soit logé, qu'on ait trouvé les gens à qui on est adressé, et qu'on se soit pourvu des choses nécessaires, qui manquent toutes à la fois.
>
> Paris est aussi grand qu'Ispahan[1] : les maisons y sont si hautes, qu'on jugerait qu'elles ne sont habitées que par des astrologues. Tu juges bien qu'une ville bâtie en l'air, qui a six ou sept maisons les unes sur les autres, est extrêmement peuplée ; et que, quand tout le monde est descendu dans la rue, il s'y fait un bel embarras.
>
> 1. Ville de Perse (actuellement : l'Iran).
>
> MONTESQUIEU, *Lettres persanes*, 1721.

Réviser ★

1 Recopiez le texte en ponctuant le dialogue.

Vers une heure et quart tout était prêt. Alors la femme du pilote téléphonait. Cette nuit, comme les autres, elle s'informa : Fabien a-t-il atterri ? Le secrétaire qui l'écoutait se troubla un peu : Qui parle ? Simone Fabien. Ah ! une minute… Le secrétaire, n'osant rien dire, passa l'écouteur au chef de bureau. Qui est là ? Simone Fabien. Que désirez-vous, Madame ? Mon mari a-t-il atterri ? Il y eut un silence qui dut paraître inexplicable, puis on répondit simplement : Non. Il a du retard ? Oui… Il y eut un nouveau silence. Elle se heurtait maintenant à un mur.

D'après **Antoine de Saint-Exupéry**, *Vol de nuit*, © Gallimard, 1930.

2 Repérez les paroles rapportées au style indirect puis transposez-les au style direct.

1. Quand je me suis réveillé, Marie était partie. Elle m'avait expliqué qu'elle devait aller chez sa tante. (Camus) – 2. Le jardinier m'indiqua qu'il était temps de tailler les rosiers et qu'il s'en chargerait dès le lendemain. – 3. Rose prétendit qu'elle avait oublié de venir la veille.

3 Repérez les paroles rapportées au style direct puis transposez-les au style indirect.

1. « C'est moi, pensait Meaulnes, qui devrais, ce soir, dans une salle basse comme celle-ci, une belle salle que je connais bien, présider le repas de mes noces. » (Alain-Fournier) – 2. Ses parents demandèrent à Antoine : « Pourquoi ne nous as-tu pas téléphoné avant-hier ? » – 3. Il m'expliqua : « Il y a deux semaines, un garnement m'a insulté une première fois et, malgré mes menaces, il recommence sans arrêt. Que faut-il que je fasse ? »

4 a. Complétez les phrases suivantes avec un CC de cause débutant par : *comme – sous prétexte que – grâce à – par*. Vous ne devez pas employer deux fois le même mot.

1. Il a blessé sa sœur … . – 2. Il a refusé de serrer la main du maire … . – 3. L'alpiniste est parvenu au sommet … . – 4. Il n'a même pas répondu à son invitation … .

b. Même exercice avec des CC de circonstance débutant par : *jusqu'à – si bien que – au point de – tellement… que – trop… pour*.

1. Il a crié fort … . – 2. Il a menti … . – 3. Le chat s'est senti menacé … . – 4. La cantatrice a chanté … . – 5. Cette série plaît aux enfants … .

5 Relevez, en les classant, les CC de cause et de conséquence et précisez leur nature.

1. Pourtant, quelque chose clochait puisque des crises furieuses me jetaient sur le sol, violette et convulsée. (Beauvoir) – 2. Sa surprise fut extrême : la clarté était telle qu'elle l'éblouissait. (Saint-Exupéry) – 3. Sa demi-sœur Anne lui paraissait trop jeune alors pour qu'il pût lui accorder quelque attention. (Mauriac)

6 Orthographiez correctement les mots entre parenthèses. Pensez aux traits d'union, si nécessaire.

1. Trois semaines plus tard, vers onze heures et (demi), Gervaise et Coupeau mangeaient ensemble une prune. – 2. Un chaud contentement lui venait, grâce à cette (demi) bouteille de pouilly. (Mauriac) – 3. Le camp Charvein, où les « punis » travaillaient (nu) dans des conditions inhumaines, fut supprimé. (Londres) – 4. Parfois passe une charrette et les mules d'elles (même) prennent la droite. – 5. Les femmes (nu) tête, la gorge (demi) voilée sous un fichu, riaient franchement.

Croiser les connaissances ★★

7 Complétez les phrases avec les mots de liaison suivants que vous n'emploierez qu'une seule fois : *par conséquent – au contraire – ou bien – mais aussi – car – et – non seulement*.

1. Les uns périssaient dévorés par des chiens ; d'autres mouraient sur des croix, … ils étaient enduits de matières inflammables, … , quand le jour cessait de luire, on les brûlait en place de flambeaux. (D'après Tacite) – 2. Les arbres n'apportaient aucune fraîcheur. La petite feuille dure des chênes réfléchissait … la chaleur et la lumière. (D'après Giono) – 3. … tu as triché, … tu as menti ; … tu seras sévèrement châtié. – 4. Je crus mourir de honte. Il va sans dire que j'avais alors beaucoup d'illusions, … si on pouvait mourir de honte, il y a longtemps que l'humanité ne serait plus là. (D'après Gary)

8 a. Donnez la nature des propositions subordonnées soulignées. b. Indiquez la fonction des subordonnées. c. Lorsque la subordonnée est relative, indiquez l'antécédent et donnez la fonction du pronom relatif.

1. Après des nouvelles presque désespérées du roi, le bruit de sa convalescence **commençait** à se répandre dans le camp, et comme il avait grande hâte d'arriver en personne au siège, on disait qu'aussitôt qu'il pourrait remonter à cheval, il **se remettrait** en route. (DUMAS)

2. Le duc de Guise **reconduisit** sa belle-sœur en son hôtel qui était situé rue du Chaume et passa dans son appartement pour s'armer d'un de ces poignards courts et aigus qu'on appelait une foi de gentilhomme. (D'après DUMAS)

3. La malchance **voulut** que nous **croisions** le chef de la division du pilotage. Avant que j'**eusse** le temps de faire un geste, ma mère l'**avait** déjà **rejoint**. (D'après GARY)

9 Analysez le temps et le mode des verbes en gras dans les phrases de l'exercice 8.

10 a. Dans les phrases suivantes, analysez les verbes conjugués : infinitif, voix, temps, mode, personne. b. Donnez la nature et la fonction des mots ou groupes de mots soulignés.

1. La dernière vision que nous ayons d'elle la montre à la fenêtre, regardant les enfants s'éloigner dans le ciel jusqu'à ce qu'ils ne soient pas plus grands que les étoiles. (BARRIE) – **2.** On m'a dit que le directeur d'une des prisons a été assassiné par ses pensionnaires. (NÉMIROVSKY) – **3.** Dans cette besace, Persée déposera la tête de Méduse pour que ses yeux soient cachés, comme des paupières qui se refermeront sur les yeux mortifères[1] de la Gorgone. (VERNANT)
1. Qui causent la mort.

11 Choisissez la bonne solution parmi celles proposées. Justifiez grammaticalement votre réponse.

1. Pardon, monsieur… Je suis (*sur / sûre*) que mon chauffeur (*c'est / s'est / sait*) trompé. J'ai (*eu / eut*) beau l'avertir… Cette route (*finit / finie / fini*) en sentier et ne va que vers la mer, n'est-ce pas ? (COLETTE).

2. Je me (*dirigeai / dirigée / dirigeais*) vers la porte ; je compris qu'elle était (*fermait / fermée / fermé*). Je n'avais jamais (*étais / été*) enfermée de ma vie. (D'après SAGAN)

3. Des ondes de panique (*portées / portée / portait / portaient*) les gens dans les deux sens : vers la mer, pour secourir (*ce / ceux*) qui pouvaient être (*secourut / secourus / secouru*) ; loin de la mer, pour (*se / ce / ceux*) mettre à l'abri au cas (*ou / où*) ça recommencerait. (D'après CARRÈRE)

4. Anne répétait souvent, avec les (*même / mêmes*) intonations que sa mère : « Je lui aurais (*tout / tous*) pardonné, parce que enfin (*c'est / s'est / ses*) une malade ; mais vous (*pouvaient / pouvez*) inventer toutes les excuses, je trouve (*sa / ça*) (*ignoble / ignobles*). » (D'après MAURIAC)

> **Maîtriser l'écrit ★★★**

12 a. Faites l'analyse logique de la phrase en gras (méthode leçon 31).

b. Analysez les verbes en italique (infinitif, temps et mode, personne) et justifiez leur emploi.

c. Justifiez l'orthographe des mots soulignés.

d. Dictée Préparez ce texte pour la dictée.

Au pied du village, l'omnibus *attendait*. La tante Rose y était déjà installée avec les enfants, au milieu d'une foule de paysans endimanchés. C'était une longue voiture verte, et de son toit pendaient de courts rideaux de toile, ornés d'une frange de ficelle. Nous *fîmes* nos adieux à Lili sous les yeux des voyageurs. « Il faut bien comprendre, *dit* mon père, que dans la vie, il n'y a pas que des amusements. Moi aussi, je *voudrais* bien rester ici, et vivre dans la colline ! Même tout seul, comme un ermite ! » **Je sentis que je rougissais, mais mon inquiétude ne dura qu'une seconde : il** ne pouvait pas avoir lu ma lettre, puisque je l'*avais retrouvée* à sa place. Et d'autre part, s'il l'avait *lue*, on en *aurait* grandement *parlé* dès mon retour ! D'ailleurs, il continua, tout naturellement : « Allons, ne pleurnichez pas devant tout le monde, et *serrez-vous* la main, comme deux chasseurs que vous êtes ! »

D'après **MARCEL PAGNOL**, *Le Château de ma mère*, 1957, Éditions de Fallois.

13 Transposez au style indirect les paroles rapportées au style direct dans le texte de l'exercice 12. Vous pouvez ajouter des verbes introducteurs de parole ou les modifier.

14 Imaginez une suite immédiate au dialogue de l'exercice 1 : présentez les réactions des différents personnages à l'annonce de la disparition du pilote. Variez la façon dont vous rapportez les paroles. Employez des phrases complexes mettant en lumière les pensées des personnages. Employez, à bon escient, les liens logiques.

Règles d'orthographe d'usage

1 Écrire certains sons

Règle 1 Il ne faut **jamais** mettre d'accent sur un *e* lorsqu'il se trouve **devant une consonne doublée et devant les consonnes -s et -r suivies d'une autre consonne**.

Attention : Le *-x* est l'équivalent de deux consonnes mais *-ch* ne compte pas pour deux consonnes.

Efficace, espérer, maisonnette, exemple, une écharpe.

Règle 2 **L'accent circonflexe** marque la disparition d'une lettre qui était présente dans le passé, souvent un *s*, qui se retrouve dans des mots de la même famille.

La fête, festif.

Règle 3 **Le tréma** sur *e, i, u* indique qu'il faut prononcer séparément la **voyelle qui précède**.

Maïs, aiguë, Noël.

Règle 4 Devant *-a, -o, -u,* on met une **cédille** sous le *c-* pour faire le son [s].

Il lança, façon, elles aperçurent.

Attention : Le *c-* ne prend jamais de cédille devant *-i, -e* et *-y.*

Règle 5 **Entre deux voyelles**, le *-s-* se prononce comme le z. Pour faire le son [s], on écrit *-ss-.*

Poison, poisson.

Exceptions : *contresens, préséance, parasol, resaler, resurgir, soubresaut, susurrer, vraisemblable…*

Règle 6 Pour faire les sons [ja], [jo], [ju], on met un *-e* derrière le *g-* : g-e-.

Nageoire, rougeâtre.

Règle 7 **Le son [g]** (*g* dur) s'écrit **avec un *-u-*** devant devant *-e, -i* et *-y.*

Baguette, un figuier.

Il s'écrit **sans *-u-*** devant les consonnes et les voyelles *-a, -o, -u.*

Grumeleux, regarder.

Exceptions : Les **verbes** en *-guer* conservent le *-u-* du radical dans toute leur conjugaison.

Voguer → il vogua.

Attention : Les **noms** et les **adjectifs** formés sur des verbes en *-guer* perdent le *-u-.*

Conjuguer → la conjugaison.

Règle 8 Devant *-m, -b, -p,* on met un *m-* au lieu d'un *n-.*

Imprimer, ombre, emmener.

Exceptions : *bonbon, bonbonnière, bonbonne, embonpoint, néanmoins.*

Règle 9 **Le son [y]** s'écrit *-ill-* ou *-y-* :

– **si la voyelle qui précède est prononcée normalement**, il faut écrire *-ill-.*

De la paille (le a se prononce [a]) ;

– **si la voyelle qui précède est modifiée** comme si elle était suivie d'un *-i,* il faut écrire *-y-.*

La paye (le a se prononce [è] comme quand on a ai).

Règle 10 **Le son [euil]** s'écrit e-u-i-l.

Écureuil.

Mais, derrière un *c-* ou un *g-,* il s'écrit *-u-e-i-l.*

Écueil, accueillir.

2 Les doublements de consonne au début des mots

Règle 11   Les mots commençant par *ac-* et *oc-* prennent **deux** *c* : *acc-, occ-*.

> *Accorder, occupation.*

Exceptions : *acacia, académie, acajou, acariâtre, acompte, acolyte, acoustique, acrobate ; ocre, oculaire,* et les mots de la même famille.

Règle 12   Les mots commençant par *af-, ef-, of-* prennent **deux** *f* : *aff-, eff-, off-*.

> *Affaire, offre, efficace.*

Exceptions : *afin, africain, Afrique.*

Règle 13   **Les verbes** commençant par *an-, ap-* et la plupart des verbes commençant par *ar-* **doublent la consonne** : *ann-, app-, arr-*.

> *Annoter, apprivoiser, arranger.*

Exceptions : *anoblir, anéantir, analyser, animer, ânonner, apaiser, apercevoir, apeurer, apitoyer, aplanir, aplatir, apostropher,* et leurs dérivés.

Règle 14   Les mots commençant par *at-* prennent *deux t* : *att-*.

> *Attitude, atténuer, attache.*

Exceptions : *atelier, athée, atome, atour, atout, âtre, atrocité, atrophier,* et leurs dérivés.

Règle 15   Les mots commençant par *com-, con-* **doublent la consonne** lorsqu'elle est suivie d'une voyelle : *conn-, comm-*.

> *Connexion, commerce.*

Exceptions : *comète, comédie, comestible, comité, cône,* et leurs dérivés.

Règle 16   **Les mots composés** avec **les préfixes** *il-, im-, in-, ir-* **doublent la consonne** lorsque le **radical** commence par *-l, -m, -n, -r*.

> *Illégal (**l**égal), immeuble (**m**euble), irresponsable (**r**esponsable).*

3 La finale des mots

Règle 17   **Les noms en [sion]** sont toujours féminins.

– **Les noms en [assion], [ission] et [ussion]** s'écrivent avec un *-t* : *-t-i-o-n*.

> *Formation, émotion.*

Exceptions : *compassion, fission, mission, omission, passion, percussion, scission, répercussion.*

– **Les noms en [ession]** s'écrivent avec deux *s* : *-e-s-s-*.

> *Progression, obsession.*

Règle 18   **Les noms féminins** en [é] prennent un *-e* : *-é-e*.

> *La chaussée, une flambée.*

Exceptions : *une acné, une clé, une psyché* et les noms se terminant par *-té* ou *-tié* (*fraternité, amitié*), sauf *butée, dictée, jetée, montée, pâtée, portée* et les noms indiquant une contenance (*pelletée, assiettée…*).

Règle 19   **Les noms féminins en [è]** s'écrivent a-i-e. → *La raie, une taie.*

Exceptions : *la paix, la forêt.*

Règle 20   **Les noms féminins en [i], [u], [ou], [eu] et [oi]** prennent un *-e* : *-i-e, -u-e, -o-u-e, -e-u-e, -o-i-e*.

> *La sympathie – une bévue – la moue – la joie – la banlieue.*

Exceptions : *la brebis, la souris, la perdrix, la fourmi ; la nuit, la bru, la glu, la tribu, la vertu ; la toux ; la croix, la foi, la fois, la loi, la noix, la paroi, la poix, la voix.*

Règle 21   **Les noms féminins issus d'un nom masculin en** *-ien* doublent le *-n-* : *-i-e-n-n-e*.

> *Magicien, magicienne.*

Règle 22 Les noms masculins en **[ar]** prennent un **-d** : -a-r-d. → *Un renard, le hasard.*
Exceptions : *le bazar, le cauchemar, le départ, un écart, le hangar, le phare.*

Règle 23 Les noms en **[eur]** s'écrivent **sans** -e même s'ils sont féminins : -e-u-r.
Une odeur, la rigueur.

Exceptions : *le beurre, la demeure, une heure, un heurt (heurter), un leurre.*

Règle 24 Les noms en **[èl]** s'écrivent -e-l-l-e au féminin et -e-l au masculin.
Une ribambelle, un appel.

Exceptions : *une aile, la clientèle, la grêle, un modèle, une parallèle, un polichinelle, un rebelle, une stèle, un vermicelle.*

Règle 25 Les noms en **[oir]** prennent un **-e** au féminin mais pas au masculin.
Une victoire – un peignoir.

Exceptions : *un accessoire, un auditoire, le conservatoire, le déboire, un grimoire, l'ivoire, un laboratoire, un observatoire, un pourboire, un promontoire, le réfectoire, le répertoire, un réquisitoire, un square, le territoire.*
Attention : **Les verbes en [oir]** ne prennent pas de **-e.** → *Devoir, recevoir.*
Exceptions : *boire, croire.*

Règle 26 Les noms en **[ay], [èy], [euy], [ouy]** s'écrivent -i-l-l-e au féminin et -i-l au masculin.
La volaille, un éventail, la corbeille, un orteil, une feuille, un seuil, une grenouille, du fenouil.
Exceptions : *chèvrefeuille, millefeuille, portefeuille et réveille-matin* sont masculins.
Attention : Ne confondez pas les **noms masculins en -ail, -eil, -euil,** et les **verbes en -ailler, -eiller, -euiller,** qui ont des finales en -l-l-e.
Le travail ≠ Je travaille. – Le réveil ≠ Je me réveille.

Règle 27 Les **adjectifs qualificatifs** en **[il]** prennent un **-e** même au masculin : -i-l-e.
Un objet utile.
Exceptions : *civil, puéril, subtil, vil, viril, volatil, tranquille.*

Règle 28 Les noms en **[ul]** et **[ur]** prennent un **-e** même s'ils sont masculins : -u-l-e, -u-r-e.
Le mercure – la nature.
Exceptions : *un calcul, un consul, le recul, la bulle, le tulle, le cumul ; l'azur, un fémur, le futur, le mur.*

Règle 29 Les **mots** en **[ens]** s'écrivent avec un **-c-** pour faire le son **[s]** : -e-n-c-e, -a-n-c-e.
Clairvoyance, absence.

Exceptions : *l'anse, la danse, une ganse, la panse, une transe ; la défense, dense, la dépense, la dispense, immense, intense, une offense, une récompense,* et les mots de la même famille.

Règle 30 Les mots en **-entiel** et **-antiel** s'écrivent le plus souvent avec un *t* pour faire le son **[s]**.
Essentiel, substantiel.
Exceptions : *révérenciel, circonstanciel.*

Règle 31 Les noms en **[zon]** s'écrivent -s-o-n. → *La saison.*
Exceptions : *le gazon, l'horizon.*

Règle 32 Les noms en **[emen]** qui proviennent d'un verbe s'écrivent -e-m-e-n-t.
Camper → *le campement ; juger* → *le jugement.*

Règle 33 Les verbes en **[oné]** doublent le **-n** : -o-n-n-e-r. → *Pardonner, détonner.*
Exceptions : *détoner (exploser avec bruit), s'époumoner.*

Règle 34 L'adverbe ***toujours*** ainsi que les noms *velours, concours, parcours, recours, secours* prennent toujours un **-s.** Ils sont donc invariables.

La versification

On appelle **versification** l'ensemble des règles qui régissent l'écriture du poème.

1 Le vers et la strophe

■ Le **vers** se définit comme une **suite de mots écrits sur une même ligne**, commençant en général par une **majuscule** et se caractérisant par un **certain rythme**.

■ Les vers portent des noms différents selon le nombre de syllabes prononcées. Les vers les plus courants sont les vers pairs : **alexandrin** (12 syllabes) ; **décasyllabe** (10 syllabes) ; **octosyllabe** (8 syllabes).

■ La **strophe** est un **ensemble de vers regroupés** selon une disposition ordonnée des rimes. Une strophe de 2 vers est un **distique**, 3 vers, un **tercet**, 4 vers, un **quatrain**, 5 vers, un **quintil**, 6 vers, un **sizain**…

■ Pour compter les syllabes, il y a quelques règles à connaître :

• Le *e* final d'un mot (ou *e* muet) :

– **se prononce** s'il est suivi d'une consonne ou d'un *h* aspiré ;

– **ne se prononce pas** s'il est suivi d'une voyelle ou d'un *h* muet ou s'il se trouve à la fin du vers.

*Ma blessure trop vive aussitôt a saigné / Ce n'est plus une ardeur dans mes vein**es** cachée :*

C'est Vénus tout entièr(e) à sa proi(e) attachée. (RACINE)

• Lorsque deux voyelles (autres que le *e* muet) se suivent, elles peuvent se lire en deux syllabes, on parle alors de **diérèse** :

*Et puisque vous voyez mon âme toute ent**iè**re* (une seule syllabe)

*Seigneur, ne perdez ni menace ni pri-**é**re* (CORNEILLE) (deux syllabes = diérèse)

2 Le rythme

■ À l'intérieur du vers, des pauses sont imposées par la syntaxe ou la ponctuation. Pour les vers de plus de huit syllabes, on marque une pause principale : la **césure**.

Nous aurons des lits // pleins d'odeurs légères –   *Adieu, / chers compagnons, // adieu, / mes chers amis*
    5   5   2   4   2   4
(BAUDELAIRE)   (RONSARD)

■ Lorsqu'une phrase, une proposition ou un groupe de mots **commence dans un vers et continue dans le suivant**, on parle d'**enjambement**. L'enjambement crée un effet d'allongement du vers, lui donne de l'élan ; le mot ou groupe rejeté au vers suivant est mis en valeur.

Souvenir, souvenir, que me veux-tu ? L'automne / Faisait voler la grive à travers l'air atone. (VERLAINE)

3 Les effets sonores

■ La rime

– Les rimes se distinguent en fonction de leur richesse : rime **pauvre** (un seul son en commun), rime **suffisante** (deux sons en commun), rime **riche** (trois sons ou plus en commun).

– En fonction de sa disposition dans le poème, on dit que la rime est **plate** ou **suivie** (AABB), **croisée** (ABAB) ou **embrassée** (ABBA).

■ Assonances et allitérations

À l'intérieur d'un vers, les répétitions des sons peuvent créer des effets d'insistance, ou évoquer le sujet traité (on parle alors d'**harmonie imitative**).

– La répétition d'une même consonne est une **allitération**.

Le geai gélatineux geignait dans le jasmin (OBALDIA) : allitération en [j]

– La répétition d'une même voyelle est une **assonance**.

Il pleure sans raison / Dans ce cœur qui s'écœure (VERLAINE) : assonance en [œ].

Les figures de style

Les figures de style sont des **procédés d'écriture qui visent à produire un effet, qui permettent d'enrichir** une idée en la rendant plus poétique ou plus expressive.

1 Figures de ressemblance

■ **Métaphore et comparaison : rapprochement de deux éléments entre lesquels est décelée une ressemblance.** À la différence de la comparaison, la métaphore gomme la marque de comparaison (verbe, adverbe ou locution).

> *Grands bois, vous m'effrayez* **comme** *des cathédrales.* (BAUDELAIRE) = comparaison ; *Pâle dans son lit vert où* **la lumière pleut.** (RIMBAUD) = métaphore.

Remarque : Lorsqu'une comparaison ou une métaphore se poursuit sur plusieurs mots ou plusieurs phrases, on parle de **métaphore filée**.

■ **Personnification :** métaphore qui consiste à **attribuer des caractéristiques humaines** à un animal, un élément de la nature, un objet. *Les arbres sur ma route fuyaient.* (NERVAL)

■ **Métonymie : remplacement d'un terme par un autre** qui lui est logiquement associé. Cela consiste, par exemple, à désigner : **le contenu pour le contenant :** *boire un verre ;* **la partie pour le tout :** *J'aperçois les voiles à l'horizon ;* **la matière pour l'objet :** *Fer, jadis tant à craindre...* (CORNEILLE).

2 Figures d'insistance ou d'exagération

■ **Accumulation** ou **énumération : suite de mots** ou groupes de même nature ou de même fonction **coordonnés ou juxtaposés**. *Les enfants étaient stupéfaits par cette chose* **extraordinaire, impossible, monstrueuse...** (MAUPASSANT)

■ **Gradation : énumération ordonnée** de manière à ce que chaque terme soit plus fort ou moins fort que le précédent. *Va, cours, vole et nous venge.* (CORNEILLE)

■ **Hyperbole : expression exagérée** d'une idée ou d'un sentiment. *La maison, maintenant, n'était plus qu'un bûcher horrible et magnifique, un bûcher monstrueux, éclairant toute la terre.* (MAUPASSANT)

■ **Anaphore : répétition** d'un mot ou d'une expression en début de phrase, de vers, de strophe ou de groupe de mots. *Mon bras qu'avec respect toute l'Espagne admire, / Mon bras qui tant de fois a sauvé cet empire...* (CORNEILLE)

3 Figures d'atténuation

■ **Euphémisme :** formulation visant à **atténuer l'expression d'une vérité** brutale ou blessante.

> *Elle a vécu, Myrto, la jeune Tarentine* (CHÉNIER) pour *elle est morte.*

■ La **litote** consiste à en **dire moins pour en suggérer davantage**. Il s'agit, en général, au lieu d'affirmer, de nier le contraire. *Va, je ne te hais point* (CORNEILLE) pour : *Je t'aime.*

4 Figures d'opposition

■ **Antithèse :** rapprochement dans une phrase ou un paragraphe de **deux mots ou expressions** qui ont des **sens opposés**. *Ton bras est invaincu mais non pas* **invincible.** (CORNEILLE)

■ **Oxymore** ou **alliance de mots : forme d'antithèse** qui consiste à unir, dans un même groupe, des mots dont le sens est contradictoire. *Cette* **obscure clarté** *qui tombe des étoiles...* (CORNEILLE)

Les propositions subordonnées

INTRODUITE PAR	NATURE	FONCTION
Un pronom relatif (qui, que, quoi, dont, où, lequel, laquelle, lesquel(le)s)	Proposition subordonnée **RELATIVE** → *Les élèves **qui travaillent régulièrement** ont plus de chance de réussir.*	Complément de l'antécédent, c'est-à-dire du nom qui est placé juste avant (ou du pronom).
• **La conjonction de subordination** que	Proposition subordonnée **CONJONCTIVE** → *Je pense **que nous devrions partir**.*	Le plus souvent : COD d'un verbe, mais aussi, parfois, sujet ou attribut du sujet, apposition ou complément de l'adjectif.
• **Une autre conjonction de subordination** (quand, comme, si, lorsque, puisque, afin que, bien que, parce que, pour que…)	→ ***Lorsque nous arrivâmes**, il était trop tard.*	Toujours complément circonstanciel d'un verbe.
Un mot interrogatif : • un pronom (qui, que, quoi, lequel, ce qui, ce que…) • un adjectif (quel…) • un adverbe (où, quand, comment, pourquoi, combien…)	Proposition subordonnée **INTERROGATIVE INDIRECTE** → *Je lui ai demandé **quand il comptait revenir**.*	COD d'un verbe tel que *demander, savoir, ignorer.*
X (Le verbe est à l'infinitif mais a son sujet propre.)	Proposition subordonnée **INFINITIVE** → *J'écoute **chanter les oiseaux**.*	COD d'un verbe tel que *regarder, voir, entendre, écouter…*
X (Le verbe est au participe présent ou passé mais a son sujet propre.)	Proposition subordonnée **PARTICIPIALE** → ***Le temps se couvrant**, nous décidâmes de rentrer.* → ***Le chat parti**, les souris dansent.*	Toujours complément circonstanciel d'un verbe.

Les natures

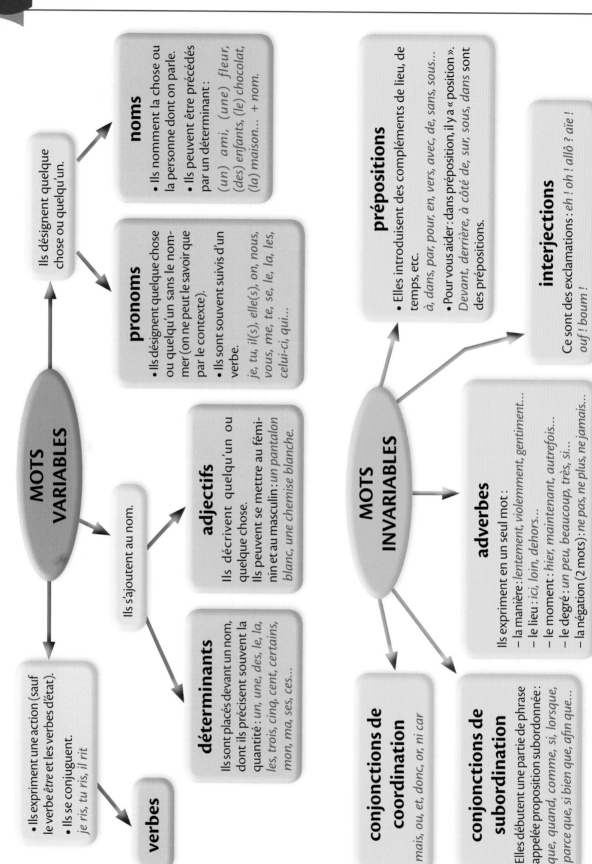

MOTS VARIABLES

Ils désignent quelque chose ou quelqu'un.

noms
- Ils nomment la chose ou la personne dont on parle.
- Ils peuvent être précédés par un déterminant :
(un) ami, (une) fleur, (des) enfants, (le) chocolat, (la) maison… + nom.

pronoms
- Ils désignent quelque chose ou quelqu'un sans le nommer (on ne peut le savoir que par le contexte).
- Ils sont souvent suivis d'un verbe.
je, tu, il(s), elle(s), on, nous, vous, me, te, se, le, la, les, celui-ci, qui…

Ils s'ajoutent au nom.

adjectifs
Ils décrivent quelqu'un ou quelque chose.
Ils peuvent se mettre au féminin et au masculin : *un pantalon blanc, une chemise blanche.*

déterminants
Ils sont placés devant un nom, dont ils précisent souvent la quantité : *un, une, des, le, la, les, trois, cinq, cent, certains, mon, ma, ses, ces…*

- Ils expriment une action (sauf le verbe *être* et les verbes d'état).
- Ils se conjuguent.
je ris, tu ris, il rit

verbes

MOTS INVARIABLES

prépositions
- Elles introduisent des compléments de lieu, de temps, etc.
à, dans, par, pour, en, vers, avec, de, sans, sous…
- Pour vous aider : dans préposition, il y a « position ».
Devant, derrière, à côté de, sur, sous, dans sont des prépositions.

interjections
Ce sont des exclamations : *eh ! oh ! allô ? aïe ! ouf ! boum !*

adverbes
Ils expriment en un seul mot :
– la manière : *lentement, violemment, gentiment…*
– le lieu : *ici, loin, dehors…*
– le moment : *hier, maintenant, autrefois…*
– le degré : *un peu, beaucoup, très, si…*
– la négation (2 mots) : *ne pas, ne plus, ne jamais…*

conjonctions de coordination
mais, ou, et, donc, or, ni car

conjonctions de subordination
Elles débutent une partie de phrase appelée proposition subordonnée : *que, quand, comme, si, lorsque, parce que, si bien que, afin que…*

Les fonctions dans la phrase

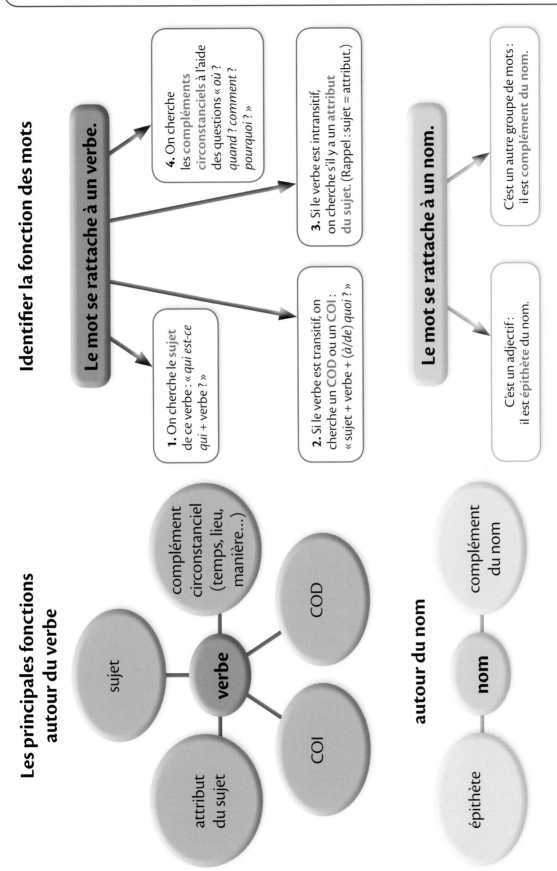

Identifier la fonction des mots

Le mot se rattache à un verbe.

1. On cherche le sujet de ce verbe : « *qui est-ce qui* + verbe ? »

2. Si le verbe est transitif, on cherche un **COD** ou un **COI** : « sujet + verbe + *(à/de) quoi ?* »

3. Si le verbe est intransitif, on cherche s'il y a un attribut du sujet. (Rappel : sujet = attribut.)

4. On cherche les compléments circonstanciels à l'aide des questions « *où ? quand ? comment ? pourquoi ?* »

Le mot se rattache à un nom.

C'est un autre groupe de mots : il est complément du nom.

C'est un adjectif : il est épithète du nom.

Attention à ne pas confondre nature et fonction.

Les principales fonctions autour du verbe

- sujet
- complément circonstanciel (temps, lieu, manière…)
- **verbe**
- COD
- COI
- attribut du sujet

autour du nom

- complément du nom
- **nom**
- épithète

Les principaux préfixes

Préfixe	Sens	Exemples
a, an	négation, privation	*anormal*
ad, a, ac, af, al, ap	rapprochement, direction, but à atteindre	*admettre, accueillir, amener*
ab, abs	éloignement	*abdiquer, absent*
anté, anti	avant	*antérieur, anticiper, antique*
anti	contre, opposé	*antivol*
auto	soi-même	*autocollant, autodidacte*
bi, bis	deux	*bicyclette, bimensuel, bipède*
circon, circum	autour	*circuit, circonférence*
co, com, con, col	ensemble	*confrère, coopération, collatéral*
contre	opposition, proximité, substitution	*contre-poison, contrefaire*
dé(s), dis	séparation, cessation, différence	*défaire, disjoindre, disparaître*
di(s)	deux fois	*distique, diptyque*
dys	mal	*dysfonctionnement, dyslexie*
en, em, en, in, im, il, ir	dans, à l'intérieur, mise en état	*endimancher, emporter, importer, irruption*
entre, inter	réciproque, entre, à demi	*entraide, interligne, entrouvrir*
é, ef	enlèvement	*écrémer, effeuiller*
ex	en dehors, ancien	*extérieur, exporter, ex-président*
extra	intensif, en dehors	*extra-plat, extraordinaire*
hémi	à demi	*hémisphère*
hétéro	différent	*hétérogène*
homo	semblable	*homogène, homonyme*
hyper	idée d'intensité, caractère excessif	*hypertension, hyperactivité*
hypo	insuffisance	*hypotension, hypoglycémie*
in, im, il, ir	négatif	*inégal, illégal, irréparable*
mal, mau, mé(s)	négatif, mauvais, inexact	*malaise, malgré, maudire, mésestimer*
méta	au-delà	*métamorphose*
mini	petit	*minijupe, minimum*
mono	qui comporte un élément	*monocle, monologue, monoparental*
néo	nouveau, récent	*néonatal, néologisme*
non	négation	*non-lieu*
outre	au-delà	*outremer, outrepasser*
paléo	ancien, archaïque	*paléolithique, paléontologue*
par, per	achèvement, au milieu de	*parachever, perfection, parsemer*
para	protection, voisin de	*parachute, parapharmacie, paraphrase*
péri	autour de	*périmètre, périphrase*
poly	nombreux	*polyvalent*
post	après	*postérieur, postopératoire*
pré	avant, devant	*préparation, prémolaire*
pro, pour	en avant, avant, achèvement, en faveur de	*prolonger, poursuivre, pourtour, pourboire*
r(e), ré	répétition, renouvellement, achèvement	*repartir, retour, réagir, repu*
rétro	en arrière	*rétroviseur*
semi	à demi	*semi-voyelle*
sou(s), sub	au-dessous	*souligner, subalterne, suggérer*
super, sur	intensif, au-dessus de	*superficie, surcharge, surdoué*
sus	plus haut	*suspendre, susmentionné*
syn, sy, syl, sym	réunion (dans l'espace ou dans le temps)	*syndicat, synonyme, syntaxe*
télé	à distance	*téléphone, télésiège*
trans, tra, tré, très	au-delà, à travers, changement	*traduire, transpercer, trépasser*
uni	qui comporte un seul élément	*uniforme*
vi(ce)	à la place de	*vicomte, vice-président*

Les principaux suffixes

Suffixe	Sens	Exemples
Suffixes servant à former des noms		
ade, age, aison, ation/ition, ance/ence, is, ment, ure	action ou résultat de l'action	*baignade, voyage, liaison, rotation, alliance, gâchis, rangement, blessure*
ade, ain(e), (r)aie	collectif	*colonnade, quatrain, cerisaie*
aire, ateur, er, eron, eur, ien, ier	qui fait l'action, métier	*bibliothécaire, médiateur, acteur, boucher, bûcheron, fermière, magicien*
ais, ois, ain, ien	nationalité, origine	*Japonais, Champenois, Romain, Indien*
(nom +) ard	qui se rapporte à	*brassard, canard*
er, ier	végétaux	*pommier, oranger*
eur, oir, (t)ier	instrument, machine, objet fonctionnel	*classeur, rasoir, nageoire, dentier*
erie, oir	état, lieu de fabrication, d'exercice, de vente	*drôlerie, épicerie, comptoir, parloir*
ée	contenu, mesure	*bouchée, assiettée, matinée*
ie, esse, eur, ise, té	qualité	*perfidie, hardiesse, douceur, franchise, loyauté*
isme	opinion, attitude, doctrine, profession	*paternalisme, socialisme, journalisme*
eau/elle, et, iche, ille, in, on/eron/e, ton/illon, ot	diminutif	*lionceau, ruelle, fourchette, barbiche, faucille, chaton, aileron, portillon, tambourin, Pierrot*
aille, ard, asse, âtre	péjoratif, collectivité	*marmaille, chauffard, paillasse, marâtre*
Suffixes servant à former des adjectifs		
able, ible, uble	possibilité, qualité	*agréable, buvable, lisible, soluble*
ain, (i)aire, (i)al, (i)/(u)el ,é, (i)er, eur, ide, ique	origine, qui est propre/relatif à, similitude	*légendaire, convivial, providentiel, droitier, splendide, chimique, enfantin*
é, (i)/(u)eux, u	possession, abondance, qualité	*ailé, pierreux, bossu, feuillu*
if, ile	aptitude, qualité active	*expressif, inventif, fragile, habile*
issime	superlatif	*célébrissime, richissime*
et/elet, ichon/ichonne, ot	diminutif	*propret, rondelet, maigrichon, pâlot*
ard, aud, âtre	péjoratif, proche de	*criard, vantard, lourdaud, douceâtre*
Suffixes servant à former des verbes		
fier, ir	rendre, devenir, faire	*blanchir, grossir, vérifier, clarifier*
iser	agir en, rendre semblable, causer	*tyranniser, cristalliser, scandaliser*
oyer	action	*guerroyer, rudoyer, tutoyer*
ailler, eler, eter, iller, icher, onner, oter, otter	diminutif, péjoratif	*discutailler, craqueler, voleter, fendiller, pleurnicher, grisonner, picoter, frisotter*
asser	péjoratif	*bavasser, rêvasser, traînasser*

Tableaux de conjugaison

Être

INDICATIF		CONDITIONNEL	
Présent	**Passé composé**	**Présent**	**Passé**
je suis	j'ai été	je serais	j'aurais été
tu es	tu as été	tu serais	tu aurais été
il, elle est	il, elle a été	il, elle serait	il, elle aurait été
nous sommes	nous avons été	nous serions	nous aurions été
vous êtes	vous avez été	vous seriez	vous auriez été
ils, elles sont	ils, elles ont été	ils, elles seraient	ils, elles auraient été
Imparfait	**Plus-que-parfait**	SUBJONCTIF	
		Présent	**Passé**
j'étais	j'avais été	que je sois	que j'aie été
tu étais	tu avais été	que tu sois	que tu aies été
il, elle était	il, elle avait été	qu'il, elle soit	qu'il, elle ait été
nous étions	nous avions été	que nous soyons	que nous ayons été
vous étiez	vous aviez été	que vous soyez	que vous ayez été
ils, elles étaient	ils, elles avaient été	qu'ils, elles soient	qu'ils, elles aient été
Passé simple	**Passé antérieur**	IMPÉRATIF	
		Présent	**Passé**
je fus	j'eus été	sois	aie été
tu fus	tu eus été	soyons	ayons été
il, elle fut	il, elle eut été	soyez	ayez été
nous fûmes	nous eûmes été		
vous fûtes	vous eûtes été		
ils, elles furent	ils, elles eurent été		
Futur simple	**Futur antérieur**	INFINITIF	
		Présent	**Passé**
je serai	j'aurai été	être	avoir été
tu seras	tu auras été	PARTICIPE	
il, elle sera	il, elle aura été	**Présent**	**Passé**
nous serons	nous aurons été	étant	été
vous serez	vous aurez été		ayant été
ils, elles seront	ils, elles auront été		

Avoir

INDICATIF		CONDITIONNEL	
Présent	**Passé composé**	**Présent**	**Passé**
j'ai	j'ai eu	j'aurais	j'aurais eu
tu as	tu as eu	tu aurais	tu aurais eu
il, elle a	il, elle a eu	il, elle aurait	il, elle aurait eu
nous avons	nous avons eu	nous aurions	nous aurions eu
vous avez	vous avez eu	vous auriez	vous auriez eu
ils, elles ont	ils, elles ont eu	ils, elles auraient	ils, elles auraient eu
Imparfait	**Plus-que-parfait**	SUBJONCTIF	
		Présent	**Passé**
j'avais	j'avais eu	que j'aie	que j'aie eu
tu avais	tu avais eu	que tu aies	que tu aies eu
il, elle avait	il, elle avait eu	qu'il, elle ait	qu'il, elle ait eu
nous avions	nous avions eu	que nous ayons	que nous ayons eu
vous aviez	vous aviez eu	que vous ayez	que vous ayez eu
ils, elles avaient	ils, elles avaient eu	qu'ils, elles aient	qu'ils, elles aient eu
Passé simple	**Passé antérieur**	IMPÉRATIF	
		Présent	**Passé**
j'eus	j'eus eu	aie	aie eu
tu eus	tu eus eu	ayons	ayons eu
il, elle eut	il, elle eut eu	ayez	ayez eu
nous eûmes	nous eûmes eu		
vous eûtes	vous eûtes eu		
ils, elles eurent	ils, elles eurent eu		
Futur simple	**Futur antérieur**	INFINITIF	
		Présent	**Passé**
j'aurai	j'aurai eu	avoir	avoir eu
tu auras	tu auras eu	PARTICIPE	
il, elle aura	il, elle aura eu	**Présent**	**Passé**
nous aurons	nous aurons eu	ayant	eu
vous aurez	vous aurez eu		ayant eu
ils, elles auront	ils, elles auront eu		

Danser (1er groupe)

INDICATIF		CONDITIONNEL	
Présent	**Passé composé**	**Présent**	**Passé**
je danse	j'ai dansé	je danserais	j'aurais dansé
tu danses	tu as dansé	tu danserais	tu aurais dansé
il, elle danse	il, elle a dansé	il, elle danserait	il, elle aurait dansé
nous dansons	nous avons dansé	nous danserions	nous aurions dansé
vous dansez	vous avez dansé	vous danseriez	vous auriez dansé
ils, elles dansent	ils, elles ont dansé	ils, elles danseraient	ils, elles auraient dansé
Imparfait	**Plus-que-parfait**	SUBJONCTIF	
je dansais	j'avais dansé	**Présent**	**Passé**
tu dansais	tu avais dansé	que je danse	que j'aie dansé
il, elle dansait	il, elle avait dansé	que tu danses	que tu aies dansé
nous dansions	nous avions dansé	qu'il, elle danse	qu'il, elle ait dansé
vous dansiez	vous aviez dansé	que nous dansions	que nous ayons dansé
ils, elles dansaient	ils, elles avaient dansé	que vous dansiez	que vous ayez dansé
		qu'ils, elles dansent	qu'ils, elles aient dansé
Passé simple	**Passé antérieur**	IMPÉRATIF	
je dansai	j'eus dansé	**Présent**	**Passé**
tu dansas	tu eus dansé	danse	aie dansé
il, elle dansa	il, elle eut dansé	dansons	ayons dansé
nous dansâmes	nous eûmes dansé	dansez	ayez dansé
vous dansâtes	vous eûtes dansé		
ils, elles dansèrent	ils, elles eurent dansé		
Futur simple	**Futur antérieur**	INFINITIF	
je danserai	j'aurai dansé	**Présent**	**Passé**
tu danseras	tu auras dansé	danser	avoir dansé
il, elle dansera	il, elle aura dansé	PARTICIPE	
nous danserons	nous aurons dansé	**Présent**	**Passé**
vous danserez	vous aurez dansé	dansant	dansé
ils, elles danseront	ils, elles auront dansé		ayant dansé

Finir (2e groupe)

INDICATIF		CONDITIONNEL	
Présent	**Passé composé**	**Présent**	**Passé**
je finis	j'ai fini	je finirais	j'aurais fini
tu finis	tu as fini	tu finirais	tu aurais fini
il, elle finit	il, elle a fini	il, elle finirait	il, elle aurait fini
nous finissons	nous avons fini	nous finirions	nous aurions fini
vous finissez	vous avez fini	vous finiriez	vous auriez fini
ils, elles finissent	ils, elles ont fini	ils, elles finiraient	ils, elles auraient fini
Imparfait	**Plus-que-parfait**	SUBJONCTIF	
je finissais	j'avais fini	**Présent**	**Passé**
tu finissais	tu avais fini	que je finisse	que j'aie fini
il, elle finissait	il, elle avait fini	que tu finisses	que tu aies fini
nous finissions	nous avions fini	qu'il, elle finisse	qu'il, elle ait fini
vous finissiez	vous aviez fini	que nous finissions	que nous ayons fini
ils, elles finissaient	ils, elles avaient fini	que vous finissiez	que vous ayez fini
		qu'ils, elles finissent	qu'ils, elles aient fini
Passé simple	**Passé antérieur**	IMPÉRATIF	
je finis	j'eus fini	**Présent**	**Passé**
tu finis	tu eus fini	finis	aie fini
il, elle finit	il, elle eut fini	finissons	ayons fini
nous finîmes	nous eûmes fini	finissez	ayez fini
vous finîtes	vous eûtes fini		
ils, elles finirent	ils, elles eurent fini		
Futur simple	**Futur antérieur**	INFINITIF	
je finirai	j'aurai fini	**Présent**	**Passé**
tu finiras	tu auras fini	finir	avoir fini
il, elle finira	il, elle aura fini	PARTICIPE	
nous finirons	nous aurons fini	**Présent**	**Passé**
vous finirez	vous aurez fini	finissant	fini
ils, elles finiront	ils, elles auront fini		ayant fini

Tableaux de conjugaison

Faire (3ᵉ groupe)

INDICATIF		CONDITIONNEL	
Présent	**Passé composé**	**Présent**	**Passé**
je fais	j'ai fait	je ferais	j'aurais fait
tu fais	tu as fait	tu ferais	tu aurais fait
il, elle fait	il, elle a fait	il, elle ferait	il, elle aurait fait
nous faisons	nous avons fait	nous ferions	nous aurions fait
vous faites	vous avez fait	vous feriez	vous auriez fait
ils, elles font	ils, elles ont fait	ils, elles feraient	ils, elles auraient fait
Imparfait	**Plus-que-parfait**	SUBJONCTIF	
je faisais	j'avais fait	**Présent**	**Passé**
tu faisais	tu avais fait	que je fasse	que j'aie fait
il, elle faisait	il, elle avait fait	que tu fasses	que tu aies fait
nous faisions	nous avions fait	qu'il, elle fasse	qu'il, elle ait fait
vous faisiez	vous aviez fait	que nous fassions	que nous ayons fait
ils, elles faisaient	ils, elles avaient fait	que vous fassiez	que vous ayez fait
		qu'ils, elles fassent	qu'ils, elles aient fait
Passé simple	**Passé antérieur**	IMPÉRATIF	
je fis	j'eus fait	**Présent**	**Passé**
tu fis	tu eus fait	fais	aie fait
il, elle fit	il, elle eut fait	faisons	ayons fait
nous fîmes	nous eûmes fait	faites	ayez fait
vous fîtes	vous eûtes fait		
ils, elles firent	ils, elles eurent fait		
Futur simple	**Futur antérieur**	INFINITIF	
je ferai	j'aurai fait	**Présent**	**Passé**
tu feras	tu auras fait	faire	avoir fait
il, elle fera	il, elle aura fait	PARTICIPE	
nous ferons	nous aurons fait	**Présent**	**Passé**
vous ferez	vous aurez fait	faisant	fait
ils, elles feront	ils, elles auront fait		ayant fait

Voir (3ᵉ groupe)

INDICATIF		CONDITIONNEL	
Présent	**Passé composé**	**Présent**	**Passé**
je vois	j'ai vu	je verrais	j'aurais vu
tu vois	tu as vu	tu verrais	tu aurais vu
il, elle voit	il, elle a vu	il, elle verrait	il, elle aurait vu
nous voyons	nous avons vu	nous verrions	nous aurions vu
vous voyez	vous avez vu	vous verriez	vous auriez vu
ils, elles voient	ils, elles ont vu	ils, elles verraient	ils, elles auraient vu
Imparfait	**Plus-que-parfait**	SUBJONCTIF	
je voyais	j'avais vu	**Présent**	**Passé**
tu voyais	tu avais vu	que je voie	que j'aie vu
il, elle voyait	il, elle avait vu	que tu voies	que tu aies vu
nous voyions	nous avions vu	qu'il, elle voie	qu'il, elle ait vu
vous voyiez	vous aviez vu	que nous voyions	que nous ayons vu
ils, elles voyaient	ils, elles avaient vu	que vous voyiez	que vous ayez vu
		qu'ils, elles voient	qu'ils, elles aient vu
Passé simple	**Passé antérieur**	IMPÉRATIF	
je vis	j'eus vu	**Présent**	**Passé**
tu vis	tu eus vu	vois	aie vu
il, elle vit	il, elle eut vu	voyons	ayons vu
nous vîmes	nous eûmes vu	voyez	ayez vu
vous vîtes	vous eûtes vu		
ils, elles virent	ils, elles eurent vu		
Futur simple	**Futur antérieur**	INFINITIF	
je verrai	j'aurai vu	**Présent**	**Passé**
tu verras	tu auras vu	voir	avoir vu
il, elle verra	il, elle aura vu	PARTICIPE	
nous verrons	nous aurons vu	**Présent**	**Passé**
vous verrez	vous aurez vu	voyant	vu
ils, elles verront	ils, elles auront vu		ayant vu